Андрей Волос

Возвращение в Панджруд

роман

ОГИ

Москва

2014

УДК 821.161.1-3
ББК 84(2Рос=Рус)6-44
В69

Издание второе, исправленное

Художественное оформление и макет Андрея Бондаренко

В69
Волос А. Г.
Возвращение в Панджруд: Роман / Андрей Волос. — М.: ОГИ, 2014. — 640 с.

ISBN 978-5-94282-689-5

Длинна дорога от Бухары до Панджруда, особенно если идти по ней предстоит слепому старику. Счастье, что его ведет мальчик-поводырь — где найти лучшего провожатого? Шаг за шагом преодолевают они назначенный им путь, и шаг за шагом становится ясно, что не мальчик зряч, а старик: и не поводырь ведет слепого, предостерегая от неожиданностей и опасностей пути, а слепой — поводыря, мало-помалу раскрывая перед ним тайны жизни.

Главный герой романа — великий таджикско-персидский поэт Абу Абдаллах Джафар ибн Мухаммад Рудаки (858–941). Андрею Волосу удалось создать выпуклый, яркий образ, наделенный неповторимыми чертами живого человека, ясно различимый во тьме разделяющих нас веков.

В 2013 году роман вошел в короткий список премии "Большая книга", был удостоен Бунинской премии, премий "Русский Букер" и "Студенческий Букер".

УДК 821.161.1-3
ББК 84(2Рос=Рус)6-44

ISBN 978-5-94282-689-5

ОГЛАВЛЕНИЕ

Оглавление

Оглавление

Оглавление

Эпилог

Прошлое когда-то было будущим,
И будущее когда-то станет прошлым.

Абу Абдаллах Джафар Рудаки

ПРОЛОГ

Орлица медленно плыла в сине-серебряном воздухе, и его раковины и сгустки, оставлявшие ощущение легких толчков и поглаживаний, ласково теребили мягкое оперение брюха и поджатых лап. Твердые же, будто кованые перья крыльев и хвоста резали ветер, как резали бы стальные ножи, безжалостно разваливая его тугую плоть на две равные части, — и поток лишь жалобно посвистывал, сворачиваясь прозрачными лепестками возле жестких концов пружинисто подрагивавших перьев.

Несколько часов назад она удачно поохотилась. Желтые суслики бессмысленно-радостно посвистывали возле своих нор и, кажется, умирали от ужаса еще за мгновение до того, как орлица с размаху вонзала в их жирную плоть когти и наотмашь била клювом. Головы она тоже расклевывала — там ждал круглый орех сладкого мозга.

Самой ей некого было бояться в зыблемом до самого горизонта стеклистом просторе, накрывшем неровную землю лазурным колпаком. Она подремывала, вольно бросив над прозрачной бездной широкие крылья и лениво отмечая неохватные течения теплого воздуха — одни относили ее к востоку, к предгорьям, другие (когда она уже оказывалась над темной прохладой ущелья и была вынуждена несколькими сильными махами поднять себя на десяток локтей выше) медленно влекли к западу, к бурому краю неровной степи.

Шеравкан проследил взглядом плавное парение птицы, казавшейся отсюда, с дороги, темным штрихом, и почему-то почувствовал тоску. Он не умел разбираться в своих чувствах, но если бы попытался понять, почему так сжалось сердце и почему такими острыми показались в эту секунду одиночество и оторванность, то, возможно, нашел бы причину именно в мимолетном взгляде, брошенном в серо-синее небо — жаркое, пустое, украшенное только резкой черточкой парящей орлицы.

Да, орлица! Она была так свободна! — и в сравнении с ней так несвободен был он. Она могла лететь куда хотела. Она сама управляла своей жизнью. Каждый взмах ее крыльев был сделан по ее собственной воле, — и потому она вольна была парить, куда влекло ее хоть бы и мимолетное желание, каприз, минутная прихоть: на юг, на север!.. на запад, на восток!..

Стоило лишь оглянуться, чтобы за переливчатым маревом, заставлявшим камни дрожать и колебаться, увидеть низкое облако, плоской лепешкой висящее над краем бугристой равнины. Закатное солнце красило его розовым, а ветер тщетно силился стронуть и потащить, как играючи таскал другие облака. Не тут-то было: неподвижное, буро-серое, оно вечно стояло на одном и том же месте.

Бухара, благородная Бухара! — это она оставалась за спиной! это была ее пыль, ее дым, ее запах! — это она клубилась и темнела, это ее нечистое сладкое дыхание поднималось к небесам!.. Ее сады волновались под ветром, ее ручьи гремели мутной водой!..

Отсюда уже нельзя было разглядеть ни слепых стен низких глинобитных строений, ни узких, извилистых и грязных улиц, ни снующих по ним озабоченных прохожих с вечным выражением подозрительности на хмурых физиономиях. Теперь совсем другая Бухара — выпуклая, ясная, горделивая — оставалась за спиной. Словно по волшебству поднявшись из того, что еще недавно казалось простой глиной, она открыла небу все свои купола, фасады высоких зданий, минареты, мечети, глыбу Арка*, окруженную дворцами, зубчатую стену вокруг, расплавленное золото блистающего озера и зеленое кружево окрестных садов и рощ.

Будь его воля, Шеравкан сорвался бы, пустился бегом — и совсем скоро, задыхающийся, но счастливый, влетел бы в городские ворота... а там рукой подать до дома! Уж от ворот-то он добрался бы, даже если б и сам вдруг мгновенно ослеп, — зачем глаза, если все переулки там знакомы до каждого поворота,

---

* Арк Бухары представлял собой комплекс зданий (крепость, мечеть, дворец эмира, административное здание и хозяйственные постройки), окруженный пятнадцатиметровой стеной с одними воротами (*здесь и далее примечания автора*).

до каждой щербины в глиняной стене, до каждой тутовой ветви, торчащей из-за дувала?

Но никак, никак нельзя было повернуть назад: дорога домой, в Бухару лежала через этот чертов Панджруд, куда он должен был проводить слепца, — и никак иначе.

Слепец держался за конец поясного платка, то и дело спотыкался и дергал. В эти моменты отчетливо слышное его дыхание прерывалось, — а вдобавок он еще иногда всхлипывал, набирая полную грудь воздуха.

Не взлететь, не вернуться! — потому что обречен шаг за шагом пройти все сорок фарсахов*: тупо идти по неровной каменистой дороге, не пытаясь повернуть назад и не сворачивая.

Да хоть бы идти по-человечески! — а если плестись такой походкой, такой семенящей, похожей на черепашью, — нет, на тараканью, одновременно суетливую и все-таки очень медленную в сравнении с обычным человеческим шагом, — то и подумать страшно, сколько времени уйдет на эти несчастные сорок фарсахов!..

— Шагайте, уважаемый, — досадливо сказал он, оборачиваясь.

* Фарсах — около 7 км.

Глава первая

ШЕРАВКАН

Его томило сожаление, что он не смог на прощание увидеть Сабзину. Накануне, ближе к вечеру, в урочное время стоял у изгороди, чувствуя холодок в груди, жадно высматривая, когда же мелькнет между яблоневых стволов красное платье. Но красное платье так и не показалось. Зато примчался ее шестилетний братишка и, едва переводя дух и таращя глаза от преданности, протараторил, что, оказывается, мать увела ее по каким-то делам к тетке.

Вот тебе раз!

Раньше-то они по целым дням не расставались — играли, лазали по деревьям, бегали на выгоне с другими детьми. А года два назад им запретили бывать вместе, и теперь приходилось видеться украдкой. Благо дома рядом: по разные стороны одного забора. И, между прочим, если бы родители Сабзины и Шеравкана не состояли в родстве, этот забор был бы высоченной глиняной стеной, а вовсе не редким плетнем из кривых жердей.

Нарвав охапку луковых стрелок, фиолетовых листьев базилика, курчавых перьев кинзы и петрушки, Сабзина, оглянувшись, подбегала и протягивала руку сквозь прутья. Шеравкан брал ее в свою, и несколько мгновений они стояли и молча смотрели друг на друга. Сабзина пахла пряными ароматами трав, глаза смеялись и сияли, а тонкая ладонь дрожала: ведь она боялась, что отец ненароком выйдет на крыльцо, приметит ее рядом с Шеравканом — и в наказание отдаст замуж за другого.

Дядя Фарух так и пригрозил однажды — смотрите у меня, мол!..

Но если бы у Шеравкана были крылья, его бы это не напугало. Что ему? Он бы просто выхватил любимую из-за плетня — и унес. Как птица Симург, как могучий джинн!

Но крыльев нет, и как ослушаться? Сговор уже сделали. На туй* мулла приходил. Теперь, отец сказал, положено год выждать. А уж тогда он всерьез потолкует с дядей Фарухом о свадьбе.

Вот так. Год терпеть... да пока еще столкуются!.. да приготовят все нужное!..

Эх, может быть, нужно было встать раньше и на всякий случай подождать ее у ограды? А вдруг она догадалась, что он уходит в дальние края... или дядя Фарух обмолвился — так и так, мол, твой-то суженый с утра в дорогу собирается... и Сабзина тайком выбежала бы проститься?

Но куда уж раньше?

* Туй — ритуальный праздник.

Он долго не мог уснуть накануне, все ворочался, кутаясь в тонкое одеяльце, представлял, как придется ему идти невесть куда с этим слепцом... сорок фарсахов, отец сказал... кто считал-то их, фарсахи эти... а Сабзина протянет подрагивающую тонкую ладонь... обовьет шею... потянется к губам...

И вдруг кто-то стал теребить за плечо.

— Шеравкан! Эй, Шеравкан! — говорила мама. — Просыпайся!

Звезды бледнели на темно-сером небе. Он поднял голову и заскулил, ничего еще не понимая.

— Вставай, вставай, поесть не успеешь, — ворчливо повторила она, взъерошив сухой ладонью жесткие волосы. И вдруг обняла, стала гладить плечи, приникла: — Горе мое, куда он тебя тащит! Сыночек, да увижу ли я тебя! Ведь какая дорога! Сколько злых людей кругом!

— Ой, ну пусти, — пробормотал Шеравкан хриплым со сна голосом и сел на подстилке.

— Что ты причитаешь? — прикрикнул отец. — Замолчи! Слава богу, молодой эмир Нух переловил всех разбойников! Да и туркменов отогнал подальше. А ты не стой столбом, а иди полей мне. Да быстрей, идти пора!

Шеравкан взял глиняную чашку, окунул в чан.

Он был бос, и брызги ледяной воды казались обжигающе горячими.

— Что ерзаешь? — буркнул отец, снова подставляя ладони. — Лей как следует!

Из дома тянуло запахом молока. Мать суетилась возле танура — озаренный зев печи в рассветной мгле казался пастью огнедышащего дэва.

Отец утер лицо платком, посмотрел на него и спросил вдруг и ласково, и хмуро:

— Не боишься?

— Нет, — сказал Шеравкан, помотав головой.

А слезы вдруг сами собой брызнули из глаз, и чтобы скрыть их, ему пришлось торопливо плеснуть себе в лицо остатками воды.

* * *

Небо светлело, и уже с разных концов города летели вперебив друг другу протяжные вопли муэдзинов.

Возле мечети, как всегда перед утренним намазом, сойдясь несколькими небольшими группами, толклись мужчины. Шеравкан удивлялся — ну, допустим, сегодня они с отцом маленько припозднились... но все равно — как рано ни заявись, первым не окажешься. Обязательно уже кто-нибудь стоит у входа, чешет языком с соседом. В начале лета он специально прибегал утром один, никого не дожидаясь, чтобы оказаться раньше всех, и что толку? — как ни спеши, а придешь вторым, потому что Ахмед-жестянщик уже непременно подпирает стену своей сутулой спиной. Ночует здесь, что ли?

Сейчас Ахмед-жестянщик помогал Исхаку-молчуну вытащить носилки из дверей подсобки. Исхак-молчун не только исполнял в квартале* дворницкие

---

* Структура мусульманского средневекового города напоминала соты и складывалась из отдельных кварталов, представлявших собой довольно замкнутые административно-социальные единицы. Население квартала было более или менее однородно по профессиональной принадлежности (напр., Квартал медников, Квартал "глиноедов", то есть

нужды, но и служил при мечети — грел воду для омовений, привозил дрова, вытрясал коврики, чистил и заправлял маслом лампы для вечерних служб.

Носилки за что-то зацепились и не шли.

— Да погоди! — волновался Ахмед-жестянщик. — Да не так же!

В конце концов совместными усилиями выволокли.

— Постой, — сказал Исхак-молчун, скребя ногтями в клокастой бороде. — А сапоги-то брать?

— Какие сапоги? — удивился Ахмед. — Зачем сапоги? Третью неделю сушь стоит.

— Как скажете, — вздохнул Исхак, прикрывая двери. — Только чтоб потом разговору не было. А то вон, когда старого Фарида носили, всю плешь мне проели. Почему сапоги не дал?.. Не дал! А почему сами не взяли? Я что, своими руками вас обувать должен? Как дети малые, честное слово. Нужны, так берите... если грязно на кладбище... я ж не виноват, что дождь. А не нужны, так какой разговор? А то сначала одно, потом другое... вечно сами напутают, а потом попреков не оберешься.

строителей). Несмотря на разницу социального положения и возможное различие занятий, жители квартала были традиционно тесно связаны между собой и принимали участие во всех событиях, случавшихся в жизни их соседей, — свадьбах, похоронах и проч. Силу традиции показывает, например, то, что жители квартала Обмывальщиков, среди которых были как собственно обмывальщики покойников, вынужденно жившие изолированно в силу суеверного отвращения, испытываемого к ним другими жителями города, так и горожане иных профессий, тоже проводили совместные праздники и трапезы. Вход в жилой квартал закрывался воротами, на внешние улицы смотрели глухие стены. В каждом квартале была как минимум одна мечеть, представлявшая собой, кроме храма, центр культурной и общественной жизни.

— Да не ворчи ты! — прикрикнул Ахмед-жестянщик. — Причем тут Фарид? Фарид в январе умер. Есть же разница!

— Я и говорю: грязь была непролазная. Я ничего... только чтобы разговоров не было. А то сын-то его сапог не взял, а потом на меня накинулся. А я и говорю: так, мол, и так...

— Господи, ты можешь замолчать? Вот уж послал нам бог работничка!

— Молчать, молчать, — недовольно забухтел Исхак, почесывая корявыми пальцами седые лохмы под грязной чалмой. — Я и так лишнего слова никогда не молвлю. Потому что скажешь правду, так тебя самого же за эту правду палкой по башке. А если, к примеру, попробуешь кому...

Но тут Ахмед-жестянщик зажмурился и стал трясти головой, как перед припадком, Исхак-молчун осекся, скорбно посмотрел на него и пожал плечами, а несколько мужчин подхватили носилки, чтобы прислонить к стене.

— Здравствуйте, — сказал отец, останавливаясь. — Что случилось?

— У Камола Самаркандца невестка умерла, — сказал Ахмед, виновато разводя руками. — С вечера легла, говорит — знобит. Молока ей дали горячего. Камол хотел с утра за лекарем послать... а она под утро возьми — и вон чего.

Опустив голову, отец несколько мгновений стоял неподвижно.

— Царство ей небесное, — сказал он, огладив бороду. — Аминь.

Со стороны канала Джуйбар показался человек. Чапан* был накинут на голову**. Мужчины как по команде повернулись и проводили его взглядом. Не открывая лица, человек торопливо прошагал к дверям пристройки и захлопнул за собой скрипучую дверь.

— Дело молодое, — неопределенно сказал Ахмед. — Жизнь есть жизнь. Что делать!.. Все мы гости в этом мире.

— Вот именно, вот именно, — кивнул отец и снова огладил бороду. — Как вы верно сказали, дорогой Ахмед! Бедный Камол! Что за беда пришла к нему в дом! Ай-ай-ай! А это часом не чума ли?

— Нет, нет, что вы! Ничего похожего. Лекарь сказал, что просто у нее желчь ушла в ноги, а кровь ударила в голову. Наверное, говорит, слишком много на солнце была. Честно сказать, Камол ей и впрямь покою не давал. У него же зеленные огороды... да вы знаете — за каналом Самчан. Дневала там и ночевала. Никуда не денешься: прополка, — Ахмед вздохнул. — Аллах сам знает, как распорядиться нашими жизнями... Шеравкан тоже пойдет?

Вопрос означал, что Ахмед-жестянщик причисляет Шеравкана к взрослым мужчинам, поскольку все

---

* Чапан — верхняя одежда. Либо легкая, летняя, из простеганной хлопчатобумажной ткани, либо теплая, на вате. В русском языке "чапан" обычно переводят словом "халат", однако чапан, в отличие от халата, скроен так, что держит форму — полы его сходятся сами собой. Чапан перехватывают на поясе поясным платком, кушаком.

** Судя по всему, в пристройке располагалось помещение для омовений. Полное омовение, обязательное после супружеской близости, совершается, как правило, дома. Если по каким-либо причинам это оказалось невозможным, мусульманин, накинув на голову халат, поскольку он не должен никому показываться, пока не очистится от скверны, приходит в общественное помещение.

взрослые мужчины квартала должны были, по обычаю, проводить покойную на кладбище. Шеравкан невольно приосанился.

— Нет, Шеравкан не сможет, — ответил отец извиняющимся голосом. — И я не смогу. К сожалению, после намаза мы должны идти по делу. Нас ждет господин Гурган.

— О-о-о! — протянул Ахмед.

Он жевал губу, и было похоже, что сейчас разведет руками, оглянется на присутствующих, часть из которых внимательно прислушивалась к разговору, и воскликнет что-нибудь вроде: "Какое дело может быть важнее, чем проводить в последний путь невестку соседа?!" Но вместо этого Ахмед-жестянщик вдруг расплылся в умильной улыбке и сказал, прижимая ладони к груди:

— Дорогой Бадриддин, конечно! Все мы знаем, что только неотложные дела могут помешать вам присоединиться! Если сам господин Гурган... что вы! Не волнуйтесь, мы достойно проводим покойную.

Тут он и в самом деле развел руками и оглянулся. Исхак-молчун тоже конфузливо хмыкнул, сдвинул чалму на лоб и почесал затылок.

* * *

Сейчас-то уж все более или менее успокоилось, но Шеравкан помнил, что было в Бухаре в конце зимы — месяц или полтора назад. Проклятые карматы[*] за-

*   Карматы или батиниты — приверженцы шиитской секты исмаилитов, наиболее радикальной среди иных толков ислама. В карматстве сли-

мышляли против эмира и веры, заговор раскрылся, главарей схватили, но много еще злоумышленников пряталось среди простого народа. По городу рыскали вооруженные люди, норовя их, окаянных, поскорее перебить. Как-то раз днем отца не оказалось дома — да и откуда ему взяться, он в ту пору днем и ночью пропадал на службе. Стали стучать. Шеравкан подумал, что вернулся отец, поднял щеколду — и во двор ворвались два злых пьяных человека на серых туркменских лошадях. Правда, Шеравкан только сначала испугался, а потом вовсе не испугался и хотел сам разговаривать с ними, чтобы разъяснить, что зря они машут саблями, потому что это дом стражника Бадриддина, его отца, который не кармат никакой, а, напротив, состоит при дворце, и чтобы они убирались подобру-поздорову.

Но один из них наставил острие пики ему в грудь и, щерясь, крикнул:

— Ты кармат, парень? Батинит?

Тут, слава богу, мама, выбежала из дома. Подняла такой плач и такой крик, и так размахивала тряпкой перед лошадиными мордами, и так толкала Шеравкана к дверям, что не осталось ну просто никакой возможности продолжить. А всадники, несмотря на хмель и

лись как чисто религиозные особенности, так и склонность к некоторым социальным идеалам — всеобщему равенству и восстановлению общинной собственности на землю. Кроме того, в X веке карматское движение определенно связывалось с интересами магрибской династии Фатимидов (909–1171), претендовавшей на власть в Халифате и противостоявшей правящей династии Аббасидов. Карматы возглавляли целый ряд антифеодальных восстаний. В государстве Саманидов идеологическим противовесом карматам являлись представители традиционного — суннитского — духовенства и тюркская гвардия.

злобу уяснив, что здесь карматством и не пахнет, в конце концов хмуро выпятили фыркавших коней за ворота и двинулись куда-то дальше. В соседнем квартале где-то возле большой мечети разорили два дома, зарубили несколько человек... но тех ли молодчиков это было рук дело, или, может, совсем других, Шеравкан не знал, как не знал и того, кто подвернулся им под горячую руку.

Теперь они с отцом шли переулками к центру города, и Шеравкана так и подмывало спросить, кого же именно придется ему вести сорок фарсахов до кишлака Панджруд?* Но мужчины не задают лишних вопросов, это только дети недостойно лотошат и ноют, чтобы узнать что-нибудь поскорее. А мужчины сурово молчат — и в конце концов им говорят все, что нужно.

Вчера отец вернулся из казарм немного под хмельком... позвал к себе, долго втолковывал, в каком деле Шеравкану будет поручено участвовать. "Ты понял меня? — и повторял, поднимая толстый палец: — Сам господин Гурган, да пошлет ему господь тысячу лет благополучия!.." Целый час рассуждал. Мол, смотри, Шеравкан, не упусти возможность. Мы маленькие люди, а жизнь маленького человека устроена просто: показал себя с самого начала — и дело пошло. Большая, мол, река начинается с одной капли. В следующий раз господину Гургану скажут: есть один такой славный парень по имени Шеравкан, — а он и спросит: какой

---

* К сожалению, в русском алфавите нет буквы, означающей на письме звук слитного звонкого произнесения "дж", каковое имеет место в слове "Панджруд".

еще такой Шеравкан-Меравкан? — Как же какой, господин Гурган! Извольте вспомнить: это же тот, который слепца препровождал в Панджруд. Тут Гурган воскликнет: — "Ах! Конечно! Как я забыл! Отличный парень этот Шеравкан, как раз такие нам нужны! Сколько ему? Семнадцати нет? Ну ничего. Записать его в третью сотню и дать самую хорошую лошадь".

Отец твердил это на разные лады. А разве Шеравкан сам не понимает? Он понимает: конечно, важное дело... еще бы не важное!.. Кому сказать — не поверит: пацану только-только шестнадцать исполнилось, а он уже на казенной службе. И получает за нее как все — полновесными дирхемами* исмаили́. О таком и мечтать боязно!..

Но к утру хмель улетучился, отец был хмур, ничего не говорил, да и сам, должно быть, ничего больше не знал.

Квартальные ворота открылись.

Они прошли длинной узкой улочкой между глухих глинобитных стен.

Слева лежал квартал красильщиков. Их покровитель Шейх Рангрези некогда с молитвой окунул три мотка пряжи в чистую воду, и они окрасились в три разных цвета.

Справа простирался квартал святого Джанди. Этот не позволял ездить мимо себя: как ни спешишь, а все же коли верхом, так давай спешивайся, чтобы мино-

---

* Дирхем — монета, как правило серебряная. Дирхемы были распространены долгое время на огромной территории Средней Азии и арабского мира, меняя от места к месту свой вид и содержание. Дирхем "исмаили" получил название по имени правителя, начавшего его чеканку, — Исмаила Самани.

вать могилу, будь любезен, — а иначе святой сбросит на землю своей таинственной силой.

Улица разложилась на две, и они свернули направо в сторону квартала Шакшак. Мазар* тутошнего святого располагался у большого обложенного камнем пруда — хауза. Сюда стекались маявшиеся головной болью. Каждый страждущий должен был принести блюдо с вареной бараньей головой и веник. Веником он подметал сторожку, воздвигнутую над самой могилой, баранью голову съедали местные водоносы. На мазаре стоял длинный шест с хвостом яка. Поговаривали, что хвост наделен магической силой: если череда пациентов редеет, алчные водоносы трясут его, чтобы оживить в округе головную боль.

Торговые улицы в этот ранний час были сравнительно малолюдны. Торговцы раскладывали товар, мальчишки поливали и яростно мели ободранными вениками утоптанную глину перед открывшимися лавками. Впрочем, уже слышались какие-то покрики, и чем ближе к Регистану, тем оживленней становилась жизнь в торговых рядах. Груды женских туфель, вороха и кучи москательных товаров, за ними корзины, корзинки, корзиночки, коробочки, пакетики и склянки благовоний — и все это рядами! рядами! Персидская бирюза, бадахшанские лалы, золотые подвески для тюрчанок — все россыпью и кучками (и тоже ряд за рядом, в каждом из которых орут и волнуются продавцы), следом засахаренные фисташки, сушеные фрукты и халва, пряности и приправы, еще дальше

---

* Мазар — могила святого или просто обиталище местного доброго духа.

кольчуги и наконечники для стрел и копий, в трех шагах от них три десятка лавчонок, торгующих жареным горохом и сушеными дынями, потом амбары чужеземных тканей (а рядом свои — синяя занданачи и роскошная ярко-зеленая иезди), и снова съестные лавки, над которыми сизый дым вперемешку со сладостной вонью плова и кебабов.

Регистан уже шумел в полную силу. Возле большого хауза теснились разноцветные палатки, убираемые на ночь, а к утру столь же быстро возвигаемые владельцами. На площади, за века избитой бесчисленными копытами до глубоких ямин и покрытой вековечным же слоем конского и ослиного навоза, шумело, орало, вопило, гоготало и ржало торжище. Ловко уворачиваясь и крича, разносчики воды и сластей рассекали толпу во всех направлениях. Толпы пеших и отряды конных толклись в беспорядке, что настает лишь в тот непреложный момент битвы, когда один полководец должен познать сладость победы, а другой — горечь поражения. Каждый здесь являлся если не продавцом, то покупателем: дров, овощей, риса, ячменя, сухих снопов джугары, мяса, хлопкового семени, кунжутного масла, верблюжьего корма, фруктов, хлеба, кур, свечей (а также всего остального, здесь не упомянутого, но столь же необходимого для жизни большого города), — и неописуемый гвалт, поднимавшийся к ярко-синим небесам и золотому солнцу тысячеславной Бухары, являлся тому неопровержимым доказательством.

Ближе к воротам Арка, хмуро смотревшего с высоты своего холма, насыпанного некогда чародеем Афрасиабом, теснились здания казенных приказов и канцелярий. Их было десять, и неровный уступчатый полукруг строений ограждал и образовывал небольшую площадь перед воротами, возле которых прохаживались несколько стражников. Слева от ворот, вплотную к стене Арка, стояли покосившиеся столбы — виселицы. Шеравкан слышал, что вчера казнили пятерых воров, но тел уже не было. Зато чуть поодаль торчали чьи-то головы на палках, и еще десятка полтора лежали на низком помосте — должно быть, разбойных туркмен... а то и разысканных где-то окаянных карматов.

— Жди здесь, — сказал отец.

И неторопливо пошел к стражникам.

Сидя на корточках и чертя пыль подвернувшимся прутиком, Шеравкан поглядывал в сторону ворот. Стражники отцу оказались знакомые, и теперь они шумно и весело говорили, причем один, усатый коротышка, то и дело покатывался со смеху и хлопал себя по коленкам.

Между тем на другой стороне базарной площади показались несколько верховых. Два охранника помахивали плетками (впрочем, толпа и сама расступалась перед оскаленными мордами боевых коней), за ними какой-то вельможа на черном хатлонском жеребце, а следом еще два мордоворота, у одного в руке копье с белым бунчуком.

Расшитый золотом чапан вельможи посверкивал на солнце.

Заметив их, отец поспешил навстречу.

— А, Бадриддин, ты здесь, — придерживая коня, протянул человек в расшитом чапане.

— Конечно, ваша милость! С самого утра, как велели.

— Ну хорошо, — сказал господин, отчего-то морщась. — Давай, подходи к зиндану*.

Он махнул камчой, конь вскинул голову и переступил. Кавалькада повернула налево и ленивой рысью двинулась к тюрьме.

— Давай, давай, — торопил отец Шеравкана, спеша за верховыми. — Пошевеливайся!

Придержав коня у ворот, вельможа нетерпеливо оглянулся.

— Доброта эмира не знает границ, — недовольно сказал он, после чего спросил, показав камчой на Шеравкана. — Этот, что ли?

Шеравкан испуганно поклонился.

— Как вы и сказали, ваша милость, — заторопился отец. — Отведет за милую душу, не извольте беспокоиться.

— Как зовут?

— Шеравкан! — звонко сказал Шеравкан.

— Ишь ты! — господин Гурган ощерил крепкие белые зубы. — Ладно, что там? — мгновенно раздражась, крикнул он. — Что копаетесь?

Между тем тюремные воротца, на живую нитку связанные из жердей и косо висящие на кожаных петлях, отворились. Придерживая саблю, толстый человек в нечистом чапане подбежал к приехавшим.

— Господин Гурган! — воскликнул он неожиданно тонким голосом. — Я ваш слуга! Как вы себя чувствуете? Молюсь о вашем здравии, господин Гурган!

---

* Зиндан — помещение, в котором содержатся заключенные. Как правило, представляет собой глубокую яму с узким отверстием-входом.

Он мелко кланялся, прикладывая руки к груди. Сабля болталась.

— Хорошо, хорошо, Салих... верю, верю. Рифмоплет жив у тебя?

— Жив, — сказал начальник тюрьмы, преданно прижимая руки. — Что ему сделается.

— А хоть бы и сдох, — Гурган нетерпеливо махнул плеткой, предупреждая попытку рассказа насчет того, как хорошо живется заключенным. — Давай его сюда. Постой, возьми там... одежду ему привезли. Доброта эмира не знает границ.

Мелко кивая и бормоча, начальник тюрьмы Салих попятился и, придерживая саблю, скрылся за воротами.

Гурган снова раздраженно взмахнул камчой.

— И ты смотри, парень! Этот человек не должен побираться на дорогах. Ты понял? Эмир не оказал ему такой милости. Эмир оставил ему жизнь, но не оказал милости собирать милостыню. Хватит и того, что в тюрьме его кормил народ Бухары!

Зло посмотрел и вдруг холодно засмеялся.

— Я понял, — торопливо ответил Шеравкан, кивая. — Я прослежу. Как же, господин. Обязательно.

Минут через пять два стражника, предваряемые начальником Салихом, крепко взяв под руки, вывели из ворот долговязого человека в колодках. Он деревянно переставлял ноги и стонал. Шеравкан невольно вытянул шею, всматриваясь, и вздрогнул — человек был явно зряч. Он то жмурился, то, наоборот, широко раскрывал глаза, надеясь, видимо, тем самым умерить боль, которую при каждом шаге причиняли ему колодки; так или иначе, глаза его были совершенно живыми.

— Вот придурок ты, Салих! — сказал вельможа. — Кого ты привел?!

Начальник тюрьмы схватился было за голову и, судя по всему, хотел броситься обратно, чтобы собственноручно исправить допущенную ошибку.

— Хотя нет, погоди-ка, — морщась, сказал господин Гурган. Привстав на стременах, он хрипло выкрикнул: — Эмир рассмотрел твое дело! Признал виновным! Ты караешься смертью!

Человек то ли не услышал его, то ли не понял — все так же озирался и мотал головой.

Начальник тюрьмы подбежал и кратко скомандовал.

Стражники снова схватили человека под руки. Подведя к городской стене, потащили наверх. Это было непросто — глиняные ступени давным-давно оплыли и выкрошились.

— Да снимите с него колодки, ослы! — не выдержал Гурган.

Остановившись, один из охранников связал заключенному руки какой-то тряпкой; второй осторожно, чтобы не потерять равновесия, присел; когда распрямился, колодки свалились.

Скоро они оказались на самом верху, под такими же, как ступени, оплывшими зубцами, — на длинной узкой террасе, откуда в пору былых войн и осад эмирские лучники пускали стрелы в осаждающего неприятеля.

Базар по-прежнему шумел; когда человек полетел вниз, шум колыхнулся, как будто какое-то огромное существо ахнуло от неожиданности.

Ударившись об откос, человек тяжело шмякнулся на землю, вскочил было, тут же снова упал и, сонно поворочавшись, затих.

33

— Вода, вода! — уже летело над толпой. — Вот кому свежая вода!.. Финики, финики!..

— Аллаху виднее, кого чем наказывать, — меланхолично произнес Гурган.

Стражники гуськом осторожно спустились со стены. Один подошел к лежащему и попинал его мыском мягкого сапога. Тот не шевельнулся. Стражник махнул рукой и что-то крикнул. Второй недовольно отмахнулся. Первый пожал плечами и тоже побрел к воротам тюрьмы.

— Вы будете шевелиться? — крикнул Гурган. — Мурад, дорогой, угости-ка их плетью. Долго мне ждать?

Один из мордоворотов тронул коня и порысил к воротам — тоже довольно неспешно.

— Даже крестьянские волы бодрее этих скотов, — буркнул Гурган. — Чтоб вас всех!

Взгляд его снова упал на Шеравкана.

— Так что вот так, — протянул он. — Да-да, пешочком. Подойди-ка.

Шеравкан сделал два шага и остановился, когда пыльный сапог вельможи и тусклое серебро стремени коснулось его одежды. Он задрал голову, преданно глядя в лицо господина Гургана.

— Ты, я вижу, парень хороший, — сказал Гурган.

Разжал пальцы. Тускло блеснув, что-то упало возле передних копыт его лошади.

Шеравкан наклонился и погрузил пальцы в теплую пыль.

— Господин Гурган, — растерянно сказал он, протягивая дирхем. — Вы уронили.

ЯМА

Того, кто почему-то проникся к нему сочувствием, звали Касымом. Оторвал полу от своей рубахи, сделал ему повязку на глаза. Величал шейхом, часто начинал фразу словами "при вашей-то учености, господин". По рукам Джафар понял, что он, скорее всего, человек высокий и худой: длинные кисти, длинные же тонкие пальцы. Касым брал его ладони в свои, держал, гладил, бормоча бессмысленные и жалкие слова утешений. В полубреду начинало казаться, что это добрые руки старой няньки Махбубы. "Ну не плачь, Джафарчик, хватит, миленький мой, перестань, все прошло, ничего не болит". Вот сейчас она вытрет его слезы, нежно взъерошит волосы, даст кусок лепешки с медом, легким шлепком проводит за порог; и он выбежит к солнечному сиянию, к радостным переливам света на свежей листве; а сейчас просто крепко зажмурился, чтобы разглядеть красные яблоки, плавающие под веками.

Ближе к вечеру стражники спускали в яму бадью с водой. В образовавшейся свалке Касым ухитрялся и сам испить, и беспомощному соседу принести в шапке несколько глотков. Так же и с кормежкой: вываливали в яму корзину подаяния, собранного у базарных доброхотов* — объедки, огрызки, непродажное гнилье, — и в новой потасовке долговязый урывал-таки кусок-другой своему шейху. И по нужде водил его в дальний угол ямы, откуда с утра до ночи слышалось жирное гудение зеленых мух.

Часто Касым, волнуясь и шепелявя, принимался толковать о своих собственных несчастьях. Он избил сборщика податей, когда тот вознамерился забрать люльку, предварительно вывалив из нее дитя, — ничего более подходящего для уплаты положенного налога мытарь в кибитке не нашел. Через день приехали конные, схватили Касыма, но не казнили сразу, а привезли сюда и бросили в эту зловонную яму к другим ее несчастным обитателям; и теперь он надеялся, что эмир, да ниспошлет ему Господь триста лет благоденствия, разберет дело и оправдает.

Впрочем, каждый тут ждал, что эмир доищется в его деле правды и поступит по справедливости. Один получил в наследство крепкий дом на хорошем участке. Дом приглянулся высокому чиновнику. Чиновник захотел его приобрести. Владелец не продал. Тогда его обвинили в том, что он беззаконно покушался на дочь этого чиновника. Нашлись свидетели, своими глазами

---

* Практика кормления заключенных за счет подаяния доброхотов существовала на протяжении многих веков. Не исключено, что где-нибудь ее можно встретить и в наши дни.

видевшие то, чего не было, и готовые поклясться в своей честности хоть на Коране, хоть на самой Каабе. Пятый год несчастный домовладелец томился в аду. Другой был военным пенсионером — ежегодно получал небольшое казенное содержание — и явился в столицу, когда не дождался очередной выплаты. С солдатской прямотой шумнул в учреждении, добиваясь положенного, и по приказу раздраженного мустауфи — начальника финансового управления — был брошен в яму, благо что от канцелярии до зиндана рукой подать. Третий... да что там: все истории походили друг на друга, а необъяснимая уверенность в грядущем торжестве справедливости и вовсе у всех была одинаковой: она-то и помогала дожидаться светлого дня, не сойдя с ума, не разбив голову о плотную глиняную стену ямы.

Время текло медленно... вязкое время. Прожил день — думал, второго не переживет. Ничего, прожил и второй... третий... десятый. Дни не отличались друг от друга, только в четверг, в день самого богатого базара, им вываливали не одну, а две корзины объедков.

Прошел месяц, и он еще твердо надеялся на близкий конец.

Но стукнула вдруг роковая минута: хрипло бранясь, стражник требовал чего-то, и Касым вскинулся с теми самыми звуками, с какими всегда вскидываются всполошенные; на мгновение замер, невнятно запричитал, сказав дрожащим голосом:

— Это меня! Прощайте, шейх! Дай вам бог!

Схватил напоследок ладони Джафара, приложился губами, разжал пальцы — и все, и пропал, и руки Джафара снова остались в пустоте.

Послышался шум краткой суматохи, который легко было разгадать: Касыма вытаскивали наверх. Загалдели, кратко брякнули чем-то (должно быть, надели колодки) — и все стихло.

Оставшиеся в яме, болезненно взбудораженные случившимся, выли и стонали. Кто-то расслышал брань одного из тюремщиков, и по всему выходило, что Касыма решили отпустить домой. Но минут через десять выяснилось другое: его кинули со стены.

Джафар прижал осиротевшие ладони к щекам — и неожиданно для самого себя тоже тихо завыл.

Несколько мгновений назад нельзя было и представить, что мрак его беспросветного несчастья можно еще хоть чем-нибудь всколыхнуть; но вот забрали и убили Касыма — и в прежней черной боли появилась еще одна боль, во тьме — еще одна чернота, отчетливая, как саднящее зияние на месте зуба.

Он бессмысленно завыл, схватившись за голову и раскачиваясь, — будто раньше не понимал, что в какую бы пучину несчастья ни был погружен человек, все равно проклятая судьба всякую минуту готова предъявить ему новый счет и новую беду.

Через недолгое время снова хрипло крикнули с края ямы — настойчиво требовали слепого: вы слышите там?! слепого, слепого сюда!.. а то опять не того, будь оно все неладно!.. вечно все наврут, разорви тебя пополам!..

— Слепой! Где слепой?

Наклонив голову и прислушиваясь, помедлил откликнуться. Может быть, он не один слепой. Может быть, здесь есть еще слепые?

— А хромой не нужен? — вой и гомон взбудораженных обитателей ямы перекрыл плаксивый голос. Джафар различал кое-кого; это был болтливый дервиш, страдавший за отрицаемое им воровство. — Или безрукий? Меня возьми — я безголовый! Что за несправедливость? Одних берешь, других оставляешь!

— Вот я сейчас возьму, — пригрозил стражник. — Со стены давно не летал? Полетаешь еще. Слепой-то где?

Кто-то молча толкнул — тебя!

Он встал. Качнуло — едва удержался на ногах.

— Держись, ну!

Кто-то еще — или тот же? — помог взяться за петлю скользкого ремня.

— На-ка вот, держи... сейчас вытянут.

— Давненько эмир не посылал нам угощений со своего стола! — вопил дервиш. — Эй, братан! Увидишь эмира, передай: старый Исламшо соскучился по его яствам!

Должно быть, солдат изловчился кольнуть острием пики — дервиш взвизгнул и отскочил подальше.

— Давай, — предложил стражник со смешком. — Скребись!

Это было точное слово: схватившись за петлю, Джафар нащупал неровную глиняную стену ямы, заскребся — и тогда уже кто-то схватил его подмышки и бросил на край.

Больно ткнувшись щекой и подглазьем в сухую глину, он инстинктивно сделал несколько движений, чтобы отползти дальше. Потом сел, тяжело переводя дыхание.

— Раздевайся.

— Что?

— Снимай с себя все.

Что-то мягко упало рядом. Пощупал — тряпье.

— Одежду тебе послали, — недовольно сказал стражник.

— Кто послал?

— Кто, кто. Шевелись, сказал.

Голова кружилась.

Покорно стащил с себя чапан, швырнул в сторону. Нашарил в кипе новый... вот он... что еще?.. это рубаха... а это?.. штаны... платок... вот и сапоги. От новой одежды пахло свежестью, от сапог — новой кожей; только сейчас почуял: должно быть, обоняние, убитое вонью зиндана, возвращалось к нему.

— Все, что ли? — недовольно спросил стражник. — Это в яму кинь... А, черт! — Раздраженно шаркнул сапогом, сваливая вниз тряпье. — Ладно, иди... да не туда!

Джафар послушно побрел, вытянув перед собой руки и спотыкаясь. Сопровождающий направлял его движение, тыча чем-то твердым в бока, — должно быть, ножнами. Дорога была неровной. Солнце уже осветило площадь — щека чувствовала едва уловимое тепло.

Они шли, шли... кажется, вышли из ворот... куда теперь?

— Стой, — сказал наконец стражник. — Вот он. Принимай.

— Здравствуйте, уважаемый, — услышал Джафар мужской голос.

Джафар молча остановился.

Слышен гул базара. Справа, казалось, есть еще люди... пахнет конским потом... точно: в нескольких шагах фыркнула и переступила лошадь.

Стоявший перед ним откашлялся.

— Уважаемый, слышите? Вот этот мальчик будет вашим провожатым. Он отведет вас в Панджруд... вы слышите меня?

— Здрасти, — еще один голос.

Мальчик? Какой мальчик? Разве здесь место мальчикам?

— В Панджруд? — пробормотал Джафар, не понимая смысла.

— Так приказано, — пояснил тот. — Вот с ним пойдете, с сыном моим. И вы не должны просить милостыню. Эмир не оказал вам такой милости. Слышите?

Ноги ослабли. Джафар неловко сел на землю и опустил голову. Жар прихлынул к глазам, и он с трудом подавил рыдание.

Снова фыркнула лошадь. Звякнула пряжка. Морщась, повернул голову на звук.

Там кто-то сказал негромко:

— Вот каков он теперь, полюбуйтесь.

"Вот каков он теперь" — это о нем?

И голос, голос... Гурган?!

Лошади шатнулись, шагнули... неспешно застучали копыта.

Уезжают!

Кинуться!.. запрыгнуть в седло за его спиной!.. вгрызться в горло!

Тьма, тьма вокруг!

Тьма!..

Он неслышно застонал.

— Вы поняли меня?

— Что?

Низкий гул стоял над Бухарой. Гул жизни. Шум существования. Оказывается, его не будут казнить. Почему?

Трепетала в груди готовая порваться струна.

— Уважаемый! Я вам в третий раз говорю: вы должны идти в Панджруд. Вас поведет вот этот мальчик. И вы не должны просить милостыню. Поняли?

— Просить милостыню? — От мгновенного возмущения рука потянулась, чтобы сорвать наконец с глаз проклятую повязку. И замерла. — Да на кой черт мне просить милостыню?!

Ответа не последовало — должно быть, собеседник просто недоуменно пожал плечами.

— Как тебя зовут? — властно спросил Джафар.

— Бадриддин, — ответил человек.

— Что ты несешь, Бадриддин? Какой Панджруд? Мне не надо в Панджруд. Мне домой надо, а не в Панджруд. Послушай-ка, Бадриддин, дорогой. Найди где-нибудь лошадь. Или повозку. Отвезешь меня к мечети Кох... я там живу. Знаешь мечеть Кох?

— Я знаю мечеть Кох, уважаемый. Но...

— Я тебе хорошо заплачу... Нет, подожди! лучше сам беги туда... найдешь дом Джафара, тебе всякий покажет. Спросишь Муслима... скажешь — мол, так и так... хозяин нашелся. Пусть гонит сюда. Ты понял? Давай, иди. Я тебя не обижу.

Справа, оттуда, где переминались лошади, послышалось что-то вроде смешка.

— Видите ли, уважаемый, — со вздохом сказал Бадриддин. — У вас нет дома в квартале Кох. Ваш дом... э-э-э... тот дом, что был вашим... он теперь принадлежит другому человеку. Понимаете?

— Как это? — тупо переспросил Джафар.

— И слуг ваших тоже нет. Эмир распорядился отдать вас под надзор родственников. Как неимущего. Если бы у вас был кто-нибудь в Бухаре... но у вас никого нет в Бухаре, уважаемый. Вы должны идти на родину, в Панджруд.

— Неимущего? — непонимающе повторил он.

Бадриддин замолчал.

Джафар хотел произнести имя — и не смог: голос отказал.

Справа снова что-то брякнуло... шумнуло... негромко стучали копыта, удаляясь.

— Гурган? — сипло выговорил он в конце концов.

— Вставайте, уважаемый, — вздохнул Бадриддин. — Вставайте.

ПАЛКА

С лепой сидел на камне, повернув лицо к солнцу.

Лицо его было узким, и засаленная повязка только подчеркивала это. Щеки впалые, худые и темные. Борода серебрится на солнце. Нос тонкий, а ноздри то и дело раздуваются. Войлочный кулях на башке. Такой грязный кулях, что противно смотреть. Где он взял такой кулях? Шеравкан сразу приметил — вся одежда новая, а кулях — будто с другого нищего снял. Губа закушена. Вечно он грызет губу.

В общем, неприятное лицо. Несчастное какое-то... злое, обиженное. И всегда голова немного запрокинута — то ли ворон считать собрался, то ли из-под повязки своей на дорогу хочет посмотреть... чем ему смотреть на эту дорогу?

Шеравкан отвел взгляд и спросил:

— Ну что, отдохнули?

Тот, помедлив, встал.

Он был высок ростом, но сутулился, как будто старась быть меньше. Неуверенно протянул руку.

Морщась, Шеравкан помог ему нащупать конец своего поясного платка. Потом вытер ладонь о штаны — рука слепца была влажной, в испарине.

* * *

Широкая конная тропа сбегала в пологий сай, показывалась на противоположном склоне и снова терялась в темных зарослях. Вдали в курчавой зелени пестрели глиняные кубики большого кишлака. В разбредшихся по увалам садах еще кое-где доцветали яблоневые и вишневые деревья, и порывы теплого ветра приносили то запах скошенной травы и дыма, то сложный аромат цветов и зелени.

Правой рукой слепец цепко держался за пояс поводыря. И все равно шагал неловко, неуверенно. То и дело задирал голову, как будто пытаясь взглянуть-таки из-под повязки, и лицо у него было напряженное и сердитое. И дергал, когда оступался.

Это раздражало Шеравкана.

Ему казалось, что они идут слишком медленно.

На его взгляд, слепцу следовало встряхнуться и шагать тверже. Ведут тебя, так давай, шевелись. А он все ощупкой норовит. Ногу ставит боязливо — будто край обрыва нашаривает. И голову задирает. Что толку? Разве еще не понял, что к чему? Задирай, не задирай, ни черта не увидишь... лучше б ногами двигал. Уж если пошли, так надо идти. А иначе как?

Отец говорил, что им неспешной дороги дня на четыре. Пять — от силы. Но отец имел в виду, что если на лошади. Он ведь так и сказал — *отвезешь* его. А вовсе не *отведешь*.

Вообще, непонятно, почему им не дали лошадей. Нет, ну правда, дали бы пару. Хоть плохоньких. Шеравкан на первой, вторая в поводу. Сидел бы сейчас, развалясь в седле, похлопывал камчой по голенищу. А как в кишлак въезжать — так приосанился бы, нахмурил брови, повод взял покруче да покрепче. Копыта между глухими дувалами — цок-цок, цок-цок! Ему наплевать, конечно, а ведь наверняка смотрит какая-нибудь украдкой — ишь, какой ладный наездник! "Эй, красавица! Где дорога на Пенджикент?" Любая смутится — голос у Шеравкана густой, басовитый. Дядя Фарух смеется: ой, говорит, из-за занавески услышишь — испугаешься! Это он шутит так. Испугаться, может, и не испугаешься, а вот что парню всего шестнадцать, точно никогда не подумаешь.

Да, на коне — дело другое!

А так плестись — что ж?

Сорок фарсахов, сказал отец. Так и сказал — мол, кто их мерил-то, фарсахи эти. Чуть больше, чуть меньше... фарсахов сорок, короче говоря. Вот и считай. Лучший скороход за час проходит один фарсах. И то ему сорок часов бежать — конечно, если найти такого, чтоб не ел, не спал, а только дорогу пятками обмолачивал. А так-то, по-черепашьи, сколько им тащиться? Если б этот хоть шагал по-человечески... так нет. Семенит...

— Не дергайте так, уважаемый, — хмуро сказал Шеравкан. — Давайте постоим, что ли. Не дай бог, заденет.

Два желтых вола нехотя влекли визжащую арбу. Давно нагоняют. Волы — они и есть волы. Ленивая сволочь. Тоже не шевелятся, хоть и зрячие. Вон слюни какой вожжой распустили. Спят на ходу. А хозяину, видать, все равно — быстро, медленно. А что? Навалил коряг, да и сиди себе, подремывай. Волы сами довезут.

— День добрый, — сказал седок.

— Добрый, — кивнул Шеравкан и зачем-то спросил: — На продажу дровишки-то?

— Да какой там, — отмахнулся тот. — Ну, дай вам бог.

Было похоже, что необходимость пошевелить языком вынудила погонщика взбодриться. Он бодро хлестнул равнодушную животину измочаленным прутом и загорланил что было мочи:

— Принеси мне глины, ла-а-а-а-асточка!..

Снова замахнулся:

— Ну, чтоб вас разорвало!

И продолжил:

— Подари тростинку, го-о-о-орлица!..

В эту секунду Шеравкан случайно взглянул на слепца — и впервые увидел его улыбающимся. Песня его тронула, что ли? Песня известная, грустная, у него самого, бывало, комок к горлу подкатывал, когда отец напевал негромко: "Я себе хоромы выстрою, заживем с тобой, любимая!"

Улыбка слабая, тусклая — вроде и не улыбка даже. Может, просто показалось. То же самое лицо — худое, недоброе. Нет, все-таки чему-то улыбался.

— Пойдемте, уважаемый, — сказал Шеравкан, с тоской оглядываясь туда, где еще виднелся город. — Пойдемте.

Но слепец отстранил его.

— Парень! Погоди!

Возница оглянулся. Слепец не мог этого видеть, однако махнул рукой так, будто был уверен, что тот заметит его жест.

Волы встали.

— Чего вам, уважаемый? — спросил погонщик.

— Ты, я слышу, песни поешь, — с хмурой усмешкой сказал слепец.

— А что не петь? — удивился тот.

— Пой на здоровье... хорошая песня, душевная. А скажи, не пожертвуешь ли страннику какую-нибудь палку?

— Палку-то?

Аробщик сдвинул на лоб свой плоский, как блин, кулях и с сомнением почесал затылок.

Шеравкан ждал, что он сейчас скажет что-нибудь насчет того, что палка на дороге не валяется. Палка денег стоит. Так оно и есть, конечно. Бухара степью окружена, дерево в цене. Но все-таки за один фельс — самую мелкую медную монету — целую охапку дают. Небольшую, правда. Казан воды вскипятить — и то не хватит.

— Ну что ж, — протянул погонщик.

Он обошел свой воз, приглядываясь. Подергал одну хворостину, потом другую; чертыхнулся. В конце концов вытащил какую-то. Вынул из-за пояса тешу, посрубал сучки.

— Вот вам, уважаемый. Пользуйтесь.

Слепец взял, ощупал; оперся, потыкал; погладил, поднес к носу свежий сруб, удовлетворенно кивнул:

— Подходящая. Спасибо тебе.

— Да не за что, — отмахнулся тот, карабкаясь на воз. — По вашему положению без палки никуда. Здоровья вам.

И замахал над головой хворостиной, заорал на всю округу:

— Ну, разумники!

* * *

Прошли не больше ста саженей.

— Да не дергайте же так! — раздраженно крикнул Шеравкан, оборачиваясь. — Сколько можно?!

Вместо ответа слепец, злобно оскалившись, изо всех сил рванул его за поясной платок, отчего Шеравкан едва не упал, а сам отступил на шаг, занося свою новую палку.

Шеравкан отскочил в сторону. Посох с треском ударился о камень.

— Сволочь! — рычал слепой, тыча им перед собой, как румийским мечом. — Мерзавец! Иди сюда, я разобью тебе башку! Пошел вон! Брось меня здесь, шакалий сын! Слышать тебя не могу! Лучше сдохнуть, чем это терпеть!

Он задохнулся и смолк.

Ветер шуршал травой.

— Что с вами? — хмуро спросил Шеравкан. — Вы с ума сошли?

Слепой не ответил. Тяжело дыша, оперся о посох. Склонил голову, ссутулился, обмяк.

Шеравкан не знал, могут ли незрячие плакать. Да и под повязкой слез все равно не увидишь.

— Ну ладно, — хмуро, но все же примирительно сказал Шеравкан, делая шаг к нему. — Простите меня, уважаемый. Просто вы...

— Уважаемый! — передразнил слепец, поднимая голову. — Многоуважаемый! Почитаемый! Высокочтимый!.. Болван! Джафаром меня зови. Понял?

— Понял, — кивнул Шеравкан, решив не обращать внимания на грубость. — Хорошо, уваж... гм!.. Джафар. Пойдемте?

Слепец упрямо отвернулся, перехватив посох и оперевшись на него обеими руками.

Потом спросил:

— Мы сколько прошли?

— Сколько прошли!.. Мало прошли. Четверти фарсаха не будет, вот сколько прошли.

Тот тяжело вздохнул и перехватил посох удобнее.

ДЖАФАР

Дорога.

Сколько дорог было в жизни?

От самой первой остались в памяти какие-то обрывки. Зима, снег... постоялый двор на краю большого кишлака... ощущение чего-то огромного... холодок открывавшегося мира. Лоскутки, из которых уже ничего не сшить. Сорок с лишним лет назад — когда дед Хаким отпустил его, мальчишку, в Самарканд. Шестнадцать было, что ли? Ну да, примерно как этому хмурому джигиту. Все так в жизни. Пойдешь на несколько дней или месяцев, оглянешься — сорока лет как не бывало. *В первый* раз он ехал — дед дал коня. *В последний* — идет пешком. Точнее, ковыляет. И деда давно нет. Зато сам он как дед...

Должно быть, дед его любил. Никогда впрямую не говорил об этом. Он вообще был жестким человеком. И не очень разговорчивым. Позже Джафар понял, что ему, возможно, приходилось быть таким. Разве сможешь поддержать устройство мира, если ты мягок? Колонны строят из дерева и камня, а не из ваты.

Вот и дед старался быть камнем, железом! — и когда супил брови, трепетало все живое вокруг.

Но уже старел, должно быть, — мягчел, смирялся, подчас поражая близких неожиданной податливостью.

Подзывал, сажал на колени. Горделиво рассказывал, как командовал когда-то конницей Абу Мансура.

Джафар никак не мог взять в толк, чем дед гордится. Князь Абу Мансур был давно и прочно всеми на свете забыт. Ладно, можно не говорить про конницу, но армия в целом у него все равно оказалась никудышная. А иначе почему его победил собственный брат — Абу Исхак? Войска разбил, самого Абу Мансура пленил и зарезал. Деда, правда, помиловал, позволил встать под свои знамена простым конником. Чем тут гордиться? Служил одному, теперь служишь другому... чем они отличаются друг от друга?

— А потом эмир Исмаил Самани разметал недолгое величие Абу Исхака! — говорил старый Хаким, качая седой головой, и в голосе его снова звучали гордость и изумление тем, с какими людьми пришлось ему коротать век. — Великий эмир Самани забрал себе главную драгоценность мира — Бухару! Да пошлет ему Аллах тысячу лет благоденствия!..

Надо полагать, дед был готов и Исмаилу служить так же, как служил другим, но неотложные дела потребовали его присутствия в Панджруде: тамошняя голота заволновалась. Он взял короткий отпуск и направил стопы в родовое гнездо, чтобы за неделю-другую навести порядок и вернуться. Однако пока порол сволоту (лишь с зачинщиками обошелся круче — одного повесил, другого же приказал, не умерщвляя, порубить на ломти, отчего бунтарь в скором времени отдал богу душу), пока по-отечески вразумлял подданных, восстанавливал закон и внушал благоразумие, пока налаживал заново привычный порядок оброка, пока разбирался с женами... короче говоря, сам не заметил, как приселся.

К тому времени, слава Аллаху, и дети подросли — нашлось кому вместо него ехать махать мечом в расчете на будущую милость очередного эмира.

Среди окрестных князей-дихканов дед был, пожалуй, самым бедным. Бывало, расхаживал в грязном и рваном чапане — но все же перехваченном не веревкой, а золотым поясом, знаком дихканского достоинства. На поясе висели два тяжелых кинжала, следом шагал телохранитель Усман, при необходимости исполнявший и должность палача.

Почти четверть подвластного Хакиму Панджруда занимал его собственный замок: разросшийся, расползшийся многочисленными пристройками дом — не дом, а улей, в самой сердцевине которого коротала дни опоясанная золотым поясом матка.

Личные покои составляли несколько спален, одна из которых примыкала к небольшой мечети, укромная каморка казны, где хранилось самое ценное имущество, и комната приемов — здесь Хаким вершил суд и расправу над чадами, домочадцами, многочисленными рабами и крестьянами, отличавшимися от рабов только тем, что они были вынуждены сами заботиться о своем пропитании.

Вторым кругом шли горенки жен и наложниц. Часть из них выходила на галерею, а все вместе (с пекарней, кладовой, конюшнями и колодцем) представляло собой самодостаточную вселенную, к которой снаружи лепились убогие жилища простолюдинов.

Детей у Хакима было много. Старшие сыновья давно выпорхнули из отцова гнезда, пополнив собой служилое сословие. Младшие были сверстниками Джафара — Ислам, Ильхан, Фархад, Бузург, Шамсуддин, самый маленький — Шейзар.

Не мальчишки — львята! Один только Джафар — правда, не сын, а внук Хакима, сын сына его Мухаммеда, мальчик от пугливой раштской* девчушки, — квашня квашней.

Что с ним делать? Был бы и в самом деле тестом, так хоть лепешку испечь, а так куда? Но какой-никакой, а все же внук, со двора не сметешь. В мать, должно быть, — огорчался дед Хаким. Слишком мягкая была, слишком слабая. Такие не живут долго, вот и она не вынесла тяготы первых родов... да что говорить!

А ведь отец его сильным воином был.

— Твой отец погиб в той битве, когда великий эмир Самани разбил Амра Саффарида!

Так старик говорил.

Джафар слушал его рассказы, и картины прошлого, грозно вздымаясь из небытия, плыли перед глазами, сменяя друг друга, подобно пышным весенним облакам, скользящим по яркому небу. Тяжелые, грубые, как будто высеченные из камня: при одном лишь

---

* Рашт – современный Каратегин на юге Таджикистана.

взгляде на них сердце начинало трепетать и биться чаще. Все в них внушало страх, все грозно подрагивало от избытка мощи, все было больше и значительней настоящего. Огромные кони мотали тяжелыми вороными гривами, косили горящими глазами, удары копыт крошили камни и высекали искры, золотая упряжь слепила взор. Кольчуги сияли, островерхие шлемы лучились гранями, неподъемные мечи, в мощных десницах богатырей казавшиеся тростинками, сверкали ярче солнца.

И как знойное марево, струясь над песком и камнями, заставляет дрожать и крениться дальние скалы, так и струение смерти, трепеща и волнуясь, оживляло суровые лица бесстрашных бойцов: казалось, витязи снисходительно улыбаются мальчику, зачарованно глядящему на них из смутной дали неизвестного будущего.

* * *

Жили-были два брата — старший Якуб и младший Амр.

Якуб ибн Лейс Саффарид, вечно пребывавший в состоянии злобной остервенелости, прославился тем, как ответил послу халифа на предложение мира и дружбы. Якуб приказал принести деревянное блюдо, положить на него зелень, рыбу, пяток луковиц, затем распорядился ввести посла, усадил его и сказал, трясясь от ненависти:

— Передай своему хозяину, что я сын медника! В детстве моей пищей были ячменный хлеб, рыба и

зелень! Власть, войска, оружие и сокровища я не от
отца унаследовал, не от халифа получил в подарок! —
сам добыл своей удалью и львиным мужеством! Передай, что не успокоюсь, пока не возьму в руки его
голову, — а иначе, клянусь Аллахом, пропади все пропадом, снова буду жрать ячменный хлеб, рыбу и траву!

Брат его Амр, наследовав умершему коликами
Якубу, отказался от идеи воевать Багдад, получил от
халифа ярлык на Хорасан, избрал столицей Нишапур
и стал мирно править своими землями (пределы которых столь расширились благодаря осатанелости
Якуба). Народ его любил: он был человеком нрав-
ственным, разумным, бдительным, правил умело; хле-
босольство Амра было таково, что кухню возили за
ним на четырехстах верблюдах.

Государство Амра благоденствовало, армия креп-
чала. У халифа возникли сомнения: не предпримет
ли в один прекрасный день столь миролюбивый ныне
Амр то, к чему так рвался покойный брат его Якуб?

Кого-то нужно было использовать в качестве про-
тивовеса, а поспорить с Амром о правах на владение
Хорасаном мог только Исмаил Самани, владетель Бухары.

К Исмаилу зачастили посланники. Одни сооб-
щали мнения повелителя правоверных устно, другие
привозили пространные письма.

— Восстань на Амра, сына Лейса! — писал халиф. — Двинь войска, отними царство! Ты имеешь
больше прав на эмирство в Хорасане: эти владения
принадлежали твоим предкам. Следовательно, во-первых, за тобою — право. Во-вторых — твои похвальные

качества. В-третьих — мои молитвы! Верю, что Всевышний окажет тебе поддержку. Не смотри, что у тебя немного войска, а прислушайся к тому, что говорит Господь: "Сколько раз небольшие ополчения побеждали многочисленные армии!" Бог с терпеливым!

И в конце концов Исмаил решился.

Он перешел Амударью с двумя тысячами всадников. Каждый второй из них владел щитом, каждый двадцатый — кольчугой. На пятьдесят человек приходилась одна пика, и наличествовал некий оборванец, который из-за отсутствия вьючного животного был вынужден привязать доспехи к седельным ремням собственной лошади.

Когда Амру ибн Лейсу сообщили об этом войске, он рассмеялся и сказал:

— Клянусь Аллахом, я им покажу звезды при свете дня!

Что касается своего собственного войска, то Амр держался строгого обычая. Было у него два барабана — "мубарак" и "маймун". Как наступал конец года, Амр приказывал бить в оба, чтобы все воинство узнало — наступил день награждения. Казначей высыпал перед собой груду дирхемов, начальник войска читал реестр. Первым выкликалось его имя — Амра, сына Лейса. Амр, сын Лейса, выступал вперед. Начальник войска строго оглядывал его одеяние, коня и оружие, проверял принадлежности, хвалил и одобрял. После чего отвешивал положенные триста дирхемов, высыпал в кису. Амр совал жалованье за голенище и говорил: "Хвала Аллаху, всевышний господь отличил меня послушанием повелителю правоверных!" Затем он восходил на положенное ему место, садился и смотрел, как начальник войска таким же порядком осведомляется о каждом. Лошади были в панцирях, оружие и снаряжение — в полной готовности.

Но воистину судьба — ненадежная крепость.

Когда армии сошлись, почему-то случилось так, что Амр был разбит: после первой же сшибки, потеряв всего десяток человек, все семьдесят тысяч его невредимых всадников обратили холеных коней в паническое бегство.

Начавшись после утреннего намаза, дело кончилось уже ко времени дневного, а промедливший Амр ибн Лейс оказался в плену.

Горестно помолившись, знатный пленник заметил одного из бывших своих обозников, неприкаянно бродившего по лагерю победителей. Подозвал:

— Побудь со мною, я остался совершенно один. Да приготовь что-нибудь поесть: как ни печалься, а пока жив, все равно не обойтись без пищи.

Обознику стало жалко поверженного владыку. Он раздобыл кусок мяса, попросил взаймы у чужих солдат железный котелок, собрал сухого навозу, положил друг возле друга пару булыжников, развел огонь, поставил мясо на огонь и отлучился поклянчить соли.

В это время к очагу подбежал невесть откуда взявшийся пес: сунул морду в котелок, схватил было кость, обжегся и отдернул морду; стоявшая вертикально дужка котелка упала ему на шею, пес с визгом кинулся прочь, унося с собой раскаленную кастрюлю.

Увидев это, Амр ибн Лейс обернулся к вражескому войску и сказал, смеясь:

— Воистину, судьба переменчива: утром мою кухню везли четыреста верблюдов, а вечером унесла одна собака!

Между тем Исмаил, собрав вельмож и войсковых начальников, сказал:

— Эту победу мне даровал всемогущий бог, я никому не обязан этой милостью, кроме Господа, да будет возвеличено его имя.

Помолчал, переводя тяжелый взгляд с одного лица на другое и как будто ожидая возражений. Не дождавшись, продолжил:

— Этот Амр, сын Лейса, — человек большого великодушия и щедрости. Он владел оружием и большим войском, рассуждением, правильностью и неусыпностью в делах, он был хлебосолен и справедлив. Мое желание таково: постараюсь, чтобы он не претерпел никакого бедствия, провел остаток своей жизни в благополучии.

Когда слова Исмаила дошли до ушей Амра ибн Лейса, он, великодушный, но пораженный великодушием победителя, решил не сдаваться в этой битве великодуший.

Несколько дней он сидел на тюке с сеном, перебирая четки; борода его в эти дни сильно поседела, голос сел. Придя к итогу своих размышлений, Амр попросил аудиенции.

Сославшись на нездоровье, осторожный Исмаил вместо того прислал к нему доверенное лицо.

— Ну хорошо, — разочарованно сказал Амр. — Тогда передай Исмаилу вот что. — Он прикрыл глаза веками, подбирая слова. — Скажи так: меня разбил не ты, но твои благочестие и праведность. Бог, преславный и всемогущий, отнял у меня государство и вручил тебе. Я согласен с волей Аллаха. И ничего не желаю тебе, кроме добра. Ты достиг желаемого: твоя держава пополнилась. Будто переспелый плод, Хорасан сам упал тебе в руки. Вместе со своей столицей — золотым Нишапуром. У тебя стало много забот. Тебе понадобятся деньги. А у меня остались от брата большие сокровища. Я дарю их тебе! Вот список.

Распустил завязки рубахи и достал свернутый в трубку лист пергамента.

Исмаил долго перечитывал: то, хмыкнув, задумчиво сворачивал, то снова принимался изучать.

— Хитрюга этот Амр, — в конце концов сказал он, в сердцах хлопнув по коленке трубкой пергамента. — Хитрец! Догадливый хочет выскользнуть из рук недогадливых. Но он меня не перехитрит.

— Что вы имеете в виду? — спросил визирь.

— И Якуб говорил, и Амр повторяет: наш отец был медником. Хороши медники! Что-то не видывал я прежде, чтобы медники владели такими сокровищами. Если ты сын медника, откуда богатства? — силой отнимали. Все, до чего дотягивались руки, они обращали в свои динары и дирхемы. Подумать только! Жалкое имущество чужеземцев и путешественников, пожитки убогих и сирот... даже носки, связанные на продажу несчастными старухами! Ведь так?

Визирь пожал плечами и кивнул, соглашаясь:

— Скорее всего.

— Завтра ему держать ответ перед Господом, а сегодня он ловчит, норовя переложить свои грехи на мою шею. Его спросят на Страшном суде — и он с чистым сердцем ответит: "Все, что было у нас, препоручили мы Исмаилу, у него и требуйте!"

Он был в таком гневе, что визирь невольно зажмурился.

— Спасибо! Я не так силен, чтобы ответствовать перед гневом Аллаха. Верни ему, — сказал Исмаил, отшвыривая пергамент. — Я разочарован.

* * *

Да, в этой странной, не успевшей толком начаться битве (произошедшей как будто специально, чтобы показать, как легко птица удачи перелетает из одних рук в другие), насчитали всего десятка два убитых. Одним из них оказался отец Джафара. На всем скаку и совершенно неожиданно Мухаммед ибн Хаким встретился с тяжелой кипарисовой стрелой, искавшей жертву в полупрозрачном знойном воздухе. Она угодила в узкую щель между воротником кольчуги и подбородником шлема, пробила горло и мгновенно перенесла несчастного с дымящегося поля брани — обычно покрытого тучами бурой пыли, оглашенного лязгом, ревом, ржанием взбешенных коней и надсадными стонами умиравших — прямо в тихие райские кущи, где у нежной прохлады хрустальных бассейнов полногрудые гурии радостно встретили доблестного воина чашами алого вина.

Славно бился, славно погиб! А маленький Джафар — нет, не в отца!

Чуть подрос, дед взялся переделывать натуру внука, упрямо выковывать в нем рыцарские качества. В строгости держал, в движении. Плачешь? — не плачь. Посмотри на Шейзара. Ведь младше тебя, а не плачет. Почему есть не хочешь? — ешь, должен сильным быть. Не натянешь тугой лук? — вот тебе поменьше. Меч велик? — держи сабельку. Седло? — ну, седел других не бывает, как и лошадей... не на баране же тебе ездить. Сиди уж как-нибудь во взрослом. Вон, смотри, как Шейзар скачет!

Воспитывал, воспитывал... потом увидел однажды, как Джафара тузит пятилетний сын повара. Сорванца на конюшню, повара в яму, внука пред светлые очи — ты что?! Размазня! Ты на два года старше! Почему сам не ударишь?! Уж не говорю, что раб не смеет тебя пальцем коснуться!.. но все же, сынок, внучек ты мой, почему ты не стукнул его в ответ?

Джафар молча теребил полу, потом поднял черные от горя, полные слез глаза:

— Дедушка, ему же больно будет...

Ах, чтоб тебя!

То ли дело Шейзар!

Они росли вместе, были неразлучны и лет до трех казались близнецами, хоть и появились на свет от разных матерей.

С годами это сходство истаивало. Шейзар и на самом деле был совсем другой. Верткий, сильный, цепкий, всегда охваченный каким-нибудь новым порывом, страстным желанием, исполнение которого не терпело даже минутного промедления. Когда охота, широким пожаром гудящая в тугаях, наваливалась на кабанье стадо, мальчик Шейзар, скалясь и вереща, как ошалелый кот, обгонял взрослых братьев и егерей,

чтобы первым рубануть по загривку освирепелого се-
кача. Чуть что не по нему — за нож: однажды из-за
какой-то ерунды пырнул раба-прислужника; прибежал
возбужденный, взахлеб рассказывал Джафару, как, оказывается, это легко: одно движение — и, став белее
речной воды, человек уже не может ничем ответить.

Джафара замутило. А старый Хаким пожурил
младшенького — мол, что же ты, испортил хорошего
раба. Не надо было; теперь если и выживет, будет болеть целый год. Тем дело и кончилось. Понятно, без-
жалостность — одна из главных составляющих столь
ценимого всеми рыцарства.

Джафар, как ни силился, сроду не мог попасть стрелой даже в самую большую тыкву из тех, что старый и
хромой вояка Афшин расставлял в качестве мишеней.
А для Шейзара Афшин вешал на ветку грушу, схватив
бечевкой черенок, и тот, разогнав коня, на всем скаку
насаживал грушу на остриё копья. Джафар знал, что
главное в этом деле — железно прижать локтем к бедру
тяжелое древко, но у самого него, как ни старался, ни
тужился, и близко так не получалось, и приходилось
только поеживаться, представляя, что будет, если вместо
груши на пути Шейзара окажется человеческое горло,
заманчиво белеющее в узкой щели доспехов.

Пятнадцати ему не было, взял силой одну из юных
невольниц — степнячку Айшу, — приобретенную
стареющим Хакимом для себя, да в силу множества
иных забот оставленную почти на полгода без муж-
ского пригляда. Тут уж Хаким освирепел хуже кабана.
Сгоряча приказал бросить Шейзара в яму, но к вечеру
остыл, призвал к себе; через час стало известно —

подарил Айшу бойкому сынку... а и впрямь, куда ее теперь? Через полгода Шейзар выгнал затяжелевшую наложницу из летнего шатра, а сам тут же сцапал девочку из деревни — и тоже силой добыл, так что Хакиму в конце концов пришлось даже чем-то откупаться от ее родных.

И, несмотря на то, что Шейзар умел и мог все, что касалось пиров и битв и было потребно для достойной жизни сына знатного дихкана (пусть пока только в бесспорных задатках), а Джафар, хоть и был так же всему выучен, но столь же бесспорно уступал ему всюду, где дело касалось удальства и безрассудства, именно Шейзар благоговел перед Джафаром, относясь к нему как к старшему (даже вопреки тому, что приходился ему дядей), то есть с безоговорочным уважением и послушанием, — хоть тот и старше-то был всего на полгода.

Нет, Шейзара не поражало, что брат может сложить песенку. Подумаешь! У них в Панджруде каждый может сложить песенку — любой подпасок. Потому что у них в Панджруде самые голосистые, самые звонкие во всем Аджаме* соловьи. Как самому не запеть, если заросшие арчой склоны возносят ночами небывалой красоты хоры? Коли наслушаешься их, так невольно начнешь лопотать какие-нибудь на скорую руку рифмованные глупости. Все здесь сочиняют песни. Сам Шейзар сколько раз складывал. Правда, до его творений никому нет дела, а вот Джафаровы почему-то разлетаются по всей округе. Да ведь песенка — она, в конце концов, и есть песенка.

* Аджам — часть мира, населенная говорящими по-персидски.

Дело в другом. По просьбе Джафара Хаким взял ему учителя — старого Абусадыка, муллу и знатока Корана. Шейзар начал было учиться за компанию с братом-племянником, однако, сделав две-три попытки вникнуть в смысл того, что происходит на пергаменте, пришел к ошеломительному, но совершенно неопровержимому выводу, что все его умения, навыки и способности не стоят ничего по сравнению с тем, чему так быстро научился Джафар. Овладеть мечом и искусством стрельбы из лука, клещом сидеть на коне, уворачиваясь от чужих стрел и лезвий, — не представляло никакой трудности. А вот понять чертовы законы, по которым пишутся эти чертовы буквы!*
Нет, что ни говори, это не его дело.

Шейзар бросил занятия, только время от времени просил разрешения молча посидеть рядом, чтобы, и впрямь ни бельмеса не понимая, с радостным изумлением наслаждаться высокоумием своего ученого брата.

Отпускать Джафара в Самарканд дед Хаким не хотел. Он уже решил для себя, что среди стольких сыновей-воинов ему не помешает и один внук-мулла. В конце концов, не все споры решаются мечом, иногда нужен человек, который способен при случае привести и божественные аргументы. Пререкаться с дедом было бесполезно. Тогда Джафар подговорил Абусадыка, и тот в разговоре со старым князем посетовал,

---

* Изучение арабской (и почти совпадающей с ней персидской) письменности представляет собой определенную сложность в силу того, во-первых, что на письме обозначаются только согласные и, во-вторых, буквы радикально меняют конфигурацию в зависимости от того, где находятся — в начале, середине или конце слова, — и с какими соседними буквами сочетаются.

что ничему уже не может научить даровитого подростка, которому теперь только возраст мешает стать муллой (да что возраст? — дело поправимое, со временем переменится). И что не перестает удивляться его разумности, явно выходящей за границы возраста, — обо всем на свете юноша способен рассудить как взрослый, опытный человек, всерьез, с пониманием всех последствий того или иного поворота событий. Вздохнул и о том, что такие вот, самодельные как бы, муллы, какими бы чудными достоинствами ума и образования они ни обладали, вечно живут под угрозой смещения: придет человек с эмирским фирманом, с ярлыком медресе — и все, извини-подвинься, теперь этот выскочка будет настоятелем мечети. А то еще, бывает, из халифата таких присылают — вовсе беда. Разве нужен нам в Панджруде мулла-араб?

Большой Хаким призадумался.

* * *

Было у дихкана Панджруда три знатных меча — Благодетель, Остряк и Избавитель. Много лет назад Хаким, препоясанный в тот раз Избавителем, вышел из дома. Он не нашел лошади у дверей и постоял немного, поджидая. Когда замешкавшийся стремянный привел ее, Хаким ударил слугу мечом, не вынимая из ножен. Хотел приложить плашмя, да тяжелая десница сама повернулась, как привыкла.

Меч рассек ножны, серебряные наконечники, плащ и шерстяную рубашку; локоть был разрублен, и рука отлетела. Удар, конечно, славный, но с тех пор Хаким содержал семью своего стремянного, одному из детей которого он и поручил заботу о внуке — звероватому, до самых глаз заросшему курчавой бородой парню лет двадцати трех, звавшемуся Муслимом.

Муслим был калач тертый: пару-тройку раз Хаким брал его в свою дружину — гонять шайки местных бродяг, в какие вечно сбиваются беглые рабы и прочая рвань, — и тот показал себя с самой выгодной стороны; в мирное же время помогал отцу, занимавшемуся (тоже по поручению дихкана) кое-какой торговлишкой, бывал и в Самарканде. За словом в карман не лез, любил и пошутить, да так, что жертвы его веселых шуток долго еще плевались и почесывались.

— Ты должен всегда быть рядом, — настойчиво повторял Хаким. — Следи за ним. Как за собственным глазом следи! Чтоб одет был, обут, сыт, чтоб крепкая крыша была над головой. Денег не жалей. Но и не транжирь попусту — вам до весны жить. Весна придет — хочет он того, не хочет, а ты хватай его и вези в Панджруд. Понял?

— Понял, хозяин, — кивал Муслим, прижимая руки к груди. — Все исполню, хозяин!

— Смотри у меня! — тряс костлявым кулаком Хаким. — Головой ответишь!

Утро было пронзительным и ясным.

Джафар взобрался в седло.

Он старался не показать своего смятения. Как ни хотел уехать, как ни стремился в Самарканд, как ни мечтал, воображая скорое будущее, а все же теперь, когда вот-вот копыта должны были и в самом деле застучать по камням, его охватила смутная бесприютность.

Казалось, прошлое уже грустно смотрит в спину, печально вздыхает и почему-то — несмотря на все его жаркие и искренние обещания — не надеется на новую встречу. Как будто стеклянная стена отделяла его от прежней жизни — и он тосковал, еще не до конца понимая, но уже смутно предчувствуя, что здесь, за стеной, остается самый тихий, самый теплый и надежный мир из тех, по коим предстоит ему странствовать.

— Я вернусь, — сказал он, глядя в выцветшие глаза деда.

— Сынок, — сказал старый Хаким.

Держась за стремя, Хаким смотрел на внука, и губы его подрагивали.

— Дед, ну чего ты?

— Сынок, я тебе вот что на прощание скажу, — Хаким вздохнул и погладил его по колену. — Понимаешь, всякую хорошую вещь можно оценить каким-то количеством таких же вещей, но дурного свойства. Одна хорошая лошадь стоит сто динаров — и десять скверных лошадей тоже стоят сто динаров. Хороший верблюд сто динаров — и десять никчемных сто динаров. Так же и одежда, и оружие, и драгоценности. Но только не сыны Адама: тысяча негодных людей не стоит и одного хорошего человека. Помни об этом!

Старик зажмурился и через мгновение уже шагал к дверям, опираясь на палку так тяжело и резко, что конец ее крошил глину.

— Дедушка! — крикнул в его сутулую спину Джафар. — Ты что? Ну я же правда вернусь! Весной!

Хаким не обернулся.

ВАБКЕНТ

Дорога ползла по косогору, понемногу забирая выше. Справа оставался обрыв и щебенистый склон, сбегавший к непроходимым, пышно зеленеющим сейчас, в конце апреля, зарослям, в глубине которых глухо ворчала невидимая вода. Слева — громадные валуны и фиолетово-красные заросли барбариса. А если оглянуться, увидишь все ту же кочковатую бурую степь, чередующаяся с белесыми пятнами солончаков. Поросшая редкой щетиной буро-зеленых кустов верблюжьей колючки, она уводила взгляд к горизонту, где в зыбком мареве еще угадывались очертания оставленного города.

Но он ничего этого не видит. Более того: удивительно, какой неровной становится дорога, когда ты шагаешь по ней незрячим, — спотыкаешься буквально через шаг.

Как плохо быть слепым! — привычно подумал он, но не возмущенно, а с жалостью к самому себе: от этого горло свело мгновенной судорогой, а в пустых глазницах стало неожиданно горячо и влажно.

Как плохо!.. и зачем теперь жизнь?.. длить мучения?..

Странно: но ведь он и прежде думал, что жизнь невыносима. Даже в дни полного благополучия, в дни, видевшиеся сегодня нескончаемой порой неслыханного счастья, — и тогда подчас накатывало что-то темное, отчаянное: мысли о смерти, о добровольном отказе от жизни приходили к нему.

Трудно понять, откуда бралось тогда. Но теперь...

Какой смысл теперь держаться за жизнь? Чем его непроглядный мрак отличается от мрака смерти?

Человека убивать нельзя. Можно убивать барана, корову. Можно убить собаку, льва. Кого угодно. Но если убивают человека, нарушают закон. Убивающие людей совершают грех.

Почему?

Потому что человек единственный знает Бога.

Ну да.

Но знает ли Бог человека? Какое дело Богу до знающих Его?

Человек должен верить. Но разве вера прибавляет что-нибудь Богу? А если да, если Бог кормится верой людей, то зачем такой Бог?

Ах, если бы Он помнил о людях! Пусть не как о лучшем своем создании, а хотя бы для того, чтобы питать к ним приязнь!..

— Джафар, подождите.

— Что? — слепой поморщился, отрываясь от своих мыслей. — Что такое?

Они стояли неподалеку от громадного валуна. Ветви деревьев вокруг украшало множество разноцветных лоскутков.

— Мазар, — пояснил Шеравкан. — Я сейчас.

— Чей мазар? — поинтересовался Джафар.

— Святого Амира, — с благоговением ответил Шеравкан. — Святой Амир, покровитель телок.

Слепец фыркнул.

— Каких еще телок?

В голосе его Шеравкану почудился оттенок издевки.

— Обыкновенных, — сдержанно сказал он, аккуратно отрывая от подола рубахи тонкую полоску.

Встав на цыпочки и бормоча молитву, повязал на ветку. Отошел на шаг, с удовольствием посмотрел. Бесчисленные выгорелые тряпочки трепетали на ветру. Его приношение было самым свежим. Между тем слепец, похоже, ждал продолжения.

"Надо же, таких простых вещей не знать!" — подумал Шеравкан.

— Стельных телок, — несколько покровительственно разъяснил он. — В прошлом году у нас телушка должна была первого теленка принести. Мы с отцом привели ее сюда. Она свежей травы с могилы пощипала, мы помолились как следует, маленький туй сделали: лепешку с молитвой поели, — по мере рассказа лицо Шеравкана светлело. — И все отлично прошло, святой Амир заступился за нас перед Господом.

Джафар скрипуче расхохотался.

— Что за глупость! Покровитель телок! Заступился перед Господом! Дурачье! Если Господу нет дела до людей, что за нужда ему думать о ваших телках?!

Шеравкан вспыхнул, набрал в грудь воздуху... но потом сжал зубы и ничего не ответил — только отвернулся и в ярости сплюнул на дорогу.

Они шагали в полном молчании. И каждую секунду этого молчания Шеравкану хотелось так дернуть старого дурака, чтобы он, запнувшись, со всего маху повалился на дорогу, да еще и плюхнулся своей тупой безглазой физиономией в коровью лепеху!

Нет, ну что ж такое, а! — такое про святого Амира сказать.

* * *

— Ручей, — неприязненно буркнул Шеравкан. — Подождите.

Коричневая вода негромко журчала, вымывая из глины бока черных камней. Пеший мог, переступая с одного на другой, пройти, не замочив ног. Пеший — и вдобавок зрячий.

— Слышу, — хрипло сказал слепец.

Он отпустил пояс и сделал осторожный шаг. Постоял, шаря впереди себя палкой. Потом снова куце шагнул, присел, протянул руку. Стал черпать ладонью и пить. Вода текла по бороде.

Шеравкан шагнул на камень, присел и тоже стал черпать холодную воду.

Слепой стоял, опершись на посох и наклонив голову набок. Выражение лица было внимательное, настороженное. Что он хочет услышать?

Шеравкан утерся полой и решительно произнес:

— Джафар!

— Что? — спросил слепец, вскидывая голову.

Он недослышал голос поводыря, не понял, откуда тот раздался, и стоял теперь, напряженно вслушиваясь в журчание воды и шелест ветра. В правой руке была палка, на которую он, обернувшись, нетвердо опирался. Шеравкан еще утром сбросил чапан, оставшись в одной рубахе — солнце лупило с ясного неба, жгло землю и глянцевую зелень растений. А этот левой рукой собирает ворот в горсть, — мерзнет, что ли?

Во всей его фигуре была какая-то птичья неуверенность. Горделиво вскинутая голова с повязкой на глазах не могла добавить силы и достоинства.

Шеравкан собирался сказать насчет сорока фарсахов. И что хорошо бы им шагать побыстрее.

Закашлялся.

— Я говорю, ручей надо перейти. Слышите?

— Ну да, — кивнул слепой. — Конечно.

Кое-как сел, с кряхтением снял сапоги и завернул штанины.

* * *

Вода была холодной. Камни — круглыми и скользкими. Поток дошел почти до колен и стал напирать. Ступня поехала по слизи, он пошатнулся, взмахнул посохом и едва не выронил сапоги. Но поводырь крепко держал за локоть.

Рука поводыря потянула вперед — и отпустила. Пропала, исчезла... и он снова почувствовал укол растерянности. Вернется ли? Влажный песок под ногами казался холоднее воды. Пробрал озноб. Надо сесть и обуться... вот камень. Вот он. Господи. Гладкий.

Легкий ветер неприятно холодил лицо.

Как странно чувствовать любовь к поводырю — робкую, трепетную любовь. Даже заискивающую. Хочется ему понравиться — чтобы относился лучше, чтобы не бросил... Лет семнадцать. Так солидно басит — а все же голос иногда предательски срывается. Мальчишка, пацан. Но он видит! Он может показать дорогу! Он всемогущ! Рука его — это рука Всевышнего. Когда он протягивает ее слепцу, у того в глотке уже булькают слова благодарственной молитвы. А когда отпускает, охватывает детский ужас: ведь оставляет одного. Одного — и в темноте!

За что он его так ненавидит?

Наверное, мальчишке в тягость вести его по этой дороге... ну да, конечно.

Он попробовал вспомнить себя в свои пятнадцать, шестнадцать, семнадцать лет. Каким он был? Что бы чувствовал, доведись вести слепца за сорок фарсахов?

Память обманчиво струилась — будто марево в степи... зыбкое струение, перламутровые волны, в которых бурые кусты пустыни изгибаются и танцуют.

Каким он был?

Каким? — да вот как сейчас и был. Он всегда был одним и тем же. Время меняло только его тело... переливало душу из одного сосуда в другой. Сначала ребенок... потом мальчик... вот и юноша, горделиво напрягающий мышцы... а скоро сильный, ловкий, веселый мужчина, смешливый, как кишлачная девчушка... и дальше, дальше... и вот — старик.

Правда, всегда прежде душа владела пятью чувствами... рассылала пять гонцов, доставлявших ей всю роскошь мира. Одного не стало. Наверное, самого важного. Да, конечно. Если бы исчезло осязание... или, допустим, вкус. Он никогда бы не смог отличить хлеб от вина, рис от мяса... или не чувствовал бы аромата цветов... запаха женской плоти... лошадиного пота... запаха огня, мокрой шерсти. Или, например, утратил бы слух — не слышал бы ни журчания воды, ни людских голосов... ни пения птиц, ни упоительного гула ветра в вершинах деревьев... ни тех глубоких вздохов, когда вихрь шумной опрометью летит по заросшему склону горы. Но он бы видел, видел! Блаженный дар зрения. Никакая иная утрата не может сделать человека столь беспомощным. Отняли самое дорогое. Славный, честный дар, позволявший видеть — видеть!..

Как он смотрел! Смотрел — и не мог насмотреться. Жадно, пристально, вглядываясь во всякую мелочь. В пустяк, мимо которого другие проходили, не заметив. Какого цвета земля? На что похоже дерево? Искал сходство в вещах неродственных... различия в похожих. Зачем? Сначала не понимал, просто слушался инстинкта. Потом осознал. Если не увидел — как облечь в слова? И что именно облечь? Что видят все? Тогда и скажешь то, что говорили до тебя тысячи раз. И еще тысячи и тысячи раз скажут после. Слепцы. Скажут — небо синее. Вода — голубая. Трава — зеленая. А на самом деле небо — как глаза невольницы. А вода — будто утренние круги у нее под глазами. А трава — трава высохнет от зависти к несказанной красоте северянки — и только тогда станет похожей на пряди ее волос.

Смотрел, не мог насмотреться.

Конечно, они знали, что отнять. Это придумал Гурган. Наверняка он.

Ах, если б могли до тебя дотянуться руки! Вырвал бы сердце из твоей жирной груди! Взял бы его — сальное, содрогающееся! — в ладони. Поднес бы ко рту, как праздничную чашу! И медленно, по глотку, пил бы твою черную кровь!

С кем тебя сравнить? Со змеей? — обидеть змею... с крокодилом? — оскорбить крокодила.

Укус кобры отнимает жизнь... и крокодил быстро избавляет беспечного купальщика от тяготы существования. Гурган оставил ему жизнь. Но разве он поступил лучше крокодила или кобры? Нет, хуже. Жизнь? — что стоит она, если каждый день думать, не лучше ли быть мертвым? Поминутно вспоминать, что мертвые, по крайней мере, не страдают из-за своей слепоты: ведь мертвые не помнят, как это было — видеть!

Сначала казалось — такого нельзя пережить. Ведь это конец, смерть: душа не выдержит, сердце остановится, мозг воспламенится, сгорит, станет золой.

Так нет же. Ничего подобного. Душа не отлетела. Сердце не разорвалось. Глазницы вот ноют по ночам, слезятся... но тоже мало-помалу подживают. И проклятый рассудок ничуть не пошатнулся, не расстроился: скребет себе и скребет... правда, все по одному и тому же месту. Перекладывает камушки. Справа налево... по одному. Потом слева направо — тук-постук.

По-прежнему что угодно можно обдумать, взвесить, размыслить: проклятый разум жует и жует свою вату.

Вот и выходит — что ни сделай с человеком, а он все тянет лямку существования. Зачем? — не скажет. Знает, что существовать бессмысленно, — и бессмысленно существует. Знает, что не нужно это теперь, ни к чему... убежден, что лучше было вовсе не появляться на этом свете, чем терпеть такие муки.

Так нет — живет. Перекладывает камушки. Тук-постук.

Червяк. Таракан.

Не надо думать об этом, не надо. Когда-нибудь его собственное сердце остановится от этих мыслей. От ненависти оно сжимается в комок... дрожит, ноет. Того и гляди лопнет, порвется. Не надо думать об этом.

Господи.

Рука поводыря.

Наверное, прежде тоже хотелось иметь такую руку — чтобы поддерживала, чтобы тянула куда надо.

Только сейчас это понял.

Верно — хотелось, да.

Но прежде не было руки.

Или была?

— Отдохнули?

* * *

Помедлив, слепец поднялся. Правая рука держала посох, левая как будто робко искала что-то в воздухе, да, так и не найдя, разочарованно присоединилась к правой. Ага! вот его шаги.

— Сколько тебе лет? — спросил Джафар, невольно вскидывая голову. Он еще не до конца привык говорить, видя перед собой только тьму.

Шеравкан вздрогнул от неожиданности — прежде слепой ничего не спрашивал. Вообще не заговаривал.

— Что? Мне-то?

Да еще и голос подвел — сорвался.

— Тебе, тебе. Сколько мне самому, я знаю.

— Ну, шестнадцать... А что?

— Да ничего, — слепой пожал плечами. — Нельзя спросить?

— Почему, можно, — смутился Шеравкан.

Слепой пожевал губами, как будто хотел что-то добавить, да так и не собрался.

Шеравкан протянул ему конец поясного платка. Тот сжал его в руке и сделал первый шаг. Потом второй. Третий.

Солнце висело низко. Широкую дорогу располосовали сизые тени.

Шеравкану надоело раздражаться, и он невольно все замедлял и замедлял шаг, потому что никаких средств заставить слепого шагать бодрее все равно не было. Устал слепец. Хоть и медленно тащились, а ему и это давалось через силу, — дышал хрипло, лоб над повязкой был мокрым, грязная короткая чалма вокруг куляха норовила размотаться, и он то и дело неловко затыркивал в середину ее свисавший конец.

Почему его не посадили на повозку? — подумал Шеравкан. Сорок фарсахов все-таки. Могли бы, правда, дать хотя бы повозку. А что? — он бы управился с лошадью.

Вообще, как-то странно было все с этим слепцом. С одной стороны — нищий преступник, которому даже повозку взять не на что. Но с другой — сам господин Гурган с надменным и презрительным видом стоял поодаль, когда его выводили из ворот тюрьмы. С надменным и презрительным видом — но стоял! Сам господин Гурган! Каждого ли нищего преступника провожает господин Гурган? Вряд ли, вряд ли. Господин Гурган приближен к эмиру Нуху. Молодой эмир Нух сел на место своего отца, эмира Назра... и говорили, что сам эмир Назр заточен в Кухандизе — Старой крепости. Не то жив, не то уже умер.

Аллах лучше знает.

* * *

Все это время они шли молча.

То ли потому, что сам слепой шагал теперь осторожнее и не вызывал лишнего раздражения поводыря, то ли сам Шеравкан старался не дергать попусту конец платка, за который тот держался, но к той поре, когда они вышли на околицу села, ничего плохого не случилось.

Вечерние дымы уже струились над крышами, путались в листве, таяли. Палец минарета сверху еще золотился, снизу уже розовел.

— Вабкент? — спросил Джафар.

— Вабкент, — хмуро ответил Шеравкан. — Ночевать будем.

Джафар со вздохом оперся о посох, повел носом, принюхиваясь.

— Смешное место этот Вабкент, — рассеянно сказал он. — Славную Бухару знают во всем подлунном мире. Скажи, что ты из одной деревушки близ ее окраины, и все поймут. Но нет — вабкентец никогда в жизни этого не скажет. Ни за что! Куда бы ни заявился, будет упрямо твердить, что приехал из Вабкента — из самого Вабкента! Всех запутает, всем заморочит голову, навлечет на себя раздражение и гнев, схлопочет десяток-другой палок — и только тогда признается, где находится его славная родина. Где же? — в полуфарсахе от такого незначительного местечка, как Бухара.

Хмыкнул и снова потянул носом.

Пахло дымом, пылью, сохнущей травой, навозом, парным молоком.

— Да-а-а! — повторил слепец с таким видом, будто вдохнул ароматы райского сада. — Вот он — Вабкент!

Глава вторая

ХОЗЯИН, КЕЛЬЯ, ПОЭТ. ЯВЛЕНИЕ КАРАВАНА

Две желтые собаки, валявшиеся у ворот караван-сарая в золотом свете закатного солнца, подняли головы. Одна села и стала чесаться. Вторая лениво взлаяла и снова уронила голову на лапы.

Шеравкан подвел слепца к колоде, стоявшей у стены.

— Садитесь, я сейчас.

Хозяин караван-сарая, толстый человек со шрамом на щеке, только что снял тряпицу с блюда, на котором лежали куски жареной баранины.

— Здравствуйте, господин, — сказал Шеравкан, кланяясь. — Сколько комната стоит?

— Пожрать не дадут, — со вздохом заметил хозяин и снова накрыл мясо тряпицей. — Откуда?

— Из Бухары.

— Из Бухары? Что-то не торопитесь.

— Вышли поздно, — сухо сказал Шеравкан.

— Ну что ж... лучше поздно, чем никогда, — вроде как пошутил тот. — Полдирхема.

— Полдирхема?!

— А что такого?

— Недешево...

— Ну, дорогой мой, — урезонивающе сказал хозяин. — Ты же в Вабкент пришел, а не куда-нибудь.

Шеравкан хмыкнул. Похоже, прав слепец насчет Вабкента.

— Ладно. Только на первом этаже дайте комнату.

Хозяин взял монету. Сощурился.

— У вас товар?

— Какой товар?

— На первом у меня купцы селятся, — пояснил хозяин. — С товарами.

— Нет товара. Я слепого веду, ему трудно по лестнице.

— Слепого? — насторожился хозяин. — Зачем мне слепые?

— Какая разница? Я такие же деньги плачу.

— А такая разница, что у меня приличное заведение, — сердито сказал хозяин, бросив дирхем в холщовый кошель и принимаясь выбирать из него медные фельсы похуже. — У меня купцы останавливаются. Караванщики. У меня чистота. Порядок! Понял? Калеки и нищеброды должны ночевать на базаре. Если караван придет, я вас на галерею выселю. Мне купцам нужно место давать. Держи сдачу. Почему ты вообще ко мне его привел, а не на базар?

Шеравкан пожал плечами.

— Мне сказали ночевать в караван-сараях.

— Сказали ему!.. Кто он такой, вообще?

— Не знаю.

— Как это? — удивился хозяин. — Сам ведешь, а сам не знаешь кого?

Шеравкан мученически возвел глаза к небу, намекая, что эти ненужные расспросы его уже страх как утомили.

— Из тюрьмы он. Джафаром зовут.

— Из тюрьмы? Ты родственник ему, что ли?

— Нет.

— Ничего не понимаю. Если он тебе никто, почему ты с ним?

Шеравкан снова пожал плечами.

— Поручили.

— Кто поручил?

— Господин Гурган.

— Господин Гурган? — изумился хозяин. — Это же...

Замер с полуоткрытым ртом.

— Ну да, — кивнул Шеравкан. — Господин Гурган. Визирь молодого эмира. Эмира Нуха.

— Визирь молодого эмира Нуха, да продлится его благословенная жизнь на тысячу веков, — пробормотал хозяин. — Кто же он тогда?

— Кто?

— Да слепец твой, слепец, — раздраженно сказал хозяин. — Что ж ты такой тупой-то, парень! Какое дело до него господину Гургану?

Шеравкан обиделся.

— Я не тупой, — сухо сказал он. — Я на самом деле не знаю. Мне не говорили. Слепой он. И нищий.

— Нищий, говоришь?

Хозяин призадумался.

— Я пойду, — воспользовался Шеравкан паузой. — Кумган можно взять?

— Кумган-то? — рассеянно переспросил хозяин. — Бери, да... в прошлом году шесть кумганов купил. Шесть! Один украли. Я знаю, кто украл. Знаю. Если этот мерзавец снова сунется сюда, гулять ему без руки.

— Ага, — Шеравкан кивал, переминаясь. Кумганы интересовали его с чисто практической точки зрения, однако уйти на полуслове было бы невежливо. — Так куда нам?

— Селись в угловую, справа от ворот. Там чисто.

— В угловую... ага.

— Погоди-ка! — Хозяин уже перекладывал остатки мяса с блюда на лепешку. — Ты вот что. Отнеси своему слепому, пусть поест как следует. Скажи, так, мол, и так. Скажи, дескать, Сафар послал, карвансарайщик. Кланяется, мол, желает благополучия. Да и сам перекуси. Вечером похлебка будет. Понял?

— Понял, — кивнул Шеравкан, принимая подношение. — Спасибо.

Оказавшись наконец на воле, он пересек пыльный двор, осторожно поставил блюдо у стены.

Жердяная дверь крошечной комнаты висела на ременных петлях. Вошел в келью, потянул носом. В углу лежала тощая стопка засаленных подстилок, курпачей. Должно быть, это именно от них несло застарелой псиной и гнильем.

Вынес наружу, по очереди вытряс, сложил в сторонке. Побрызгал водой и вымел пол, тут и там заляпанный бараньим салом. Сажи тоже хватало.

Аккуратно расстелил одеяльца. Ну хоть так.

Принес еще одну бадейку воды.

— Джафар, давайте-ка полью.

Слепец покорно сложил ладони лодочкой.

Когда с умыванием было покончено, помог ему пробраться внутрь.

— Садитесь. Я подмел, тут чистенько.

Джафар с кряхтением сел. Перевел дух.

— Вот, — сказал Шеравкан, ставя перед ним блюдо. — Хозяин угостил. Ешьте. Мясо, лепешка.

Взял слепого за руку, протянул к еде.

Тот нашарил кусок, принюхался. Шеравкан оторвал краюху хлеба, вложил в руку.

Джафар откусил, стал нехотя жевать.

— Странный он какой-то, — добавил Шеравкан. — Сам дерет за ночь полдирхема, а сам вот мяса дал.

Ели молча.

— Вот и хорошо, — сказал Шеравкан, когда блюдо опустело. — Отряхните бороду. Чай* будете пить?

— Потом.

Пошарив вокруг себя ладонями, слепец лег и отвернулся к неровной глинобитной стене.

— Отдыхайте, — согласился Шеравкан.

* * *

Он вышел за порог, постоял, пожевывая сухую колючку боярышника и осматриваясь.

После еды настроение значительно улучшилось.

---

* Собственно чай (Camellia sinensis) в то время еще не проник в Среднюю Азию, здесь пили отвары различных трав.

Идут они, конечно, медленно, ничего не скажешь. Потратили целый день — и что? До Вабкента добрели. Шеравкан в одиночку за полчаса добежал бы и не запыхался. Час — это совсем уж если нога за ногу. Очень, очень медленно идут. Даже вообразить страшно, сколько придется плестись до этого чертова Панджруда.

Но что делать?

Странно представить, как это — ничего не видеть? Вот Шеравкан смотрит — и видит: вот земля, вот трава... вот дерево, вот розовая полоса заката... Голову повернет: другое дерево, совсем непохожее на первое... другая трава... собаки у ворот... Все-все-все!

А он — ничего.

В одну сторону посмотрит — темно.

В другую — тоже.

И старый вдобавок. И больной, наверное.

Как ему быстрее?

Ну ладно, ничего. Сегодня отдохнет как следует, выспится. Вечером Шеравкан похлебкой накормит. Шаг за шагом, фарсах за фарсахом — так и доберутся. Ничего!

Вздохнув, направился к воротам. Постоял, глядя на дорогу. Проследил, как в одну сторону проехала арба, а минут через пять в другую — сутулый старик на печальном осле. Проводив его взглядом, решил пройтись под галереей. Ненадолго задержался у одной из комнат, наблюдая, как торговец сластями, проклиная настырных ос, сортирует свои липкие мешки.

Невдалеке от лестницы расположились два постояльца. Один сидел на приступке и, похоже, в беседе участвовал через силу. Другой стоял перед ним, страстно жестикулируя.

— Мои песни поют по всему Аджаму! — взволнованно восклицал он, то и дело сводя руки в замок, а потом снова расцепляя, чтобы резко взмахнуть или подергать себя за тощую бороденку. Взгляд глубоко посаженных глаз был лихорадочно-тревожным, грязные пальцы левой ноги торчали из рваного сапога. — Я — великий поэт! Я — Рудаки!* Я — Царь поэтов при дворе бухарского эмира! Никто — вы слышите: никто! — не сравнится со мной в искусстве поэзии!

— Да, да, — удрученно кивал второй. — Вы уже мне это говорили, уважаемый.

"Рудаки?" — удивился про себя Шеравкан.

Вот это да! Рудаки! Царь поэтов!

Разве мог найтись в Бухаре хоть кто-нибудь, не знавший этого имени? Стихи Рудаки были у всех на слуху. То и дело по городу прокатывались новые бейты, и каждый тут же запоминался наизусть — да в том и труда никакого не было, потому что все эти строки, раз услышанные, навсегда застревали в памяти.

Рудаки! Ничего себе!

Поэт Рудаки был известный, очень известный в Бухаре человек. Правда, известность его была иной, нежели, скажем, известность начальника эмирской стражи или визиря. Скорее, она походила на славу одного из святых покровителей города: ведь простые люди не имеют дела ни с визирями, ни с начальни-

---

* В персидском языке (и таджикском, который является его окающим диалектом) ударение в слове падает на последний слог: Саади́, Фирдоуси́, Рудаки́ и т. п.

ками стражи, они молятся святому Хызру; вот и быть причастным к Рудаки хотя бы тем, что знаешь несколько его бейтов, всякому так же приятно и лестно, как верить, что о тебе помнит святой заступник.

И вот — надо же: прославленный, обласканный царями поэт сидит на глиняной приступке грязного караван-сарая, нервно подергивая выглядывающими из сапог босыми ступнями.

Невероятно!

— Многие просто не знают! — нервно настаивал между тем на своем великий Рудаки. — Поют — и не знают, что это мои песни. Вы слышали, должно быть, такую, уважаемый...

Царь поэтов сцепил руки в замок, сложил, нелепо вывернув у груди, и заголосил надтреснутым голосом:

— Принеси мне глины, ласточка! Подари тростинку, горлица! Я себе хоромы выстрою!.. Или нет, подождите-ка... мне вот эта больше всего нравится... слышали?

И тут же принялся горланить на совершенно другой мотив:

— Ты смугла, как закаты Турана!.. Но восход на ланитах твоих!..

— Да, да, — мучительно морщась, кивнул собеседник. — Я слышал эту песню... не надо!..

— А мои стихи о вине? Все твердят мои стихи о вине, все их поют, на любом базаре можно услышать! — и никто не знает, что это мои стихи, стихи великого поэта, Царя поэтов — Рудаки! Вот послушайте! Как там у меня? Нам надо мать вина... сперва предать мученью, — торопливо декламировал он. —

Затем само дитя... подвергнуть заключенью! Ребенка малого не позволяют люди... до времени отнять от материнской груди. Отнять нельзя дитя, покуда мать жива, — так раздави ее и растопчи сперва!*

— Да, да, — пробормотал второй, поднимаясь. — Извините... я должен... дела!..

Вскочил и, на ходу запахивая чапан, поспешно направился к навесу.

— Дитя, в тюрьму попав, тоскуя от невзгод! Семь дней в беспамятстве, в смятенье проведет! — безнадежно выкрикнул поэт, провожая убегавшего пронзительным взглядом, полным тревожного сожаления, а потом повернул голову, оглядывая двор в поисках новой жертвы.

С одной стороны, конечно, было бы лестно привлечь внимание такого знаменитого человека... но с другой — какой-то он, оказывается, странный, этот Рудаки.

Поэтому Шеравкан отвернулся и как ни в чем не бывало пошагал в сторону, от греха подальше.

Неспешно обошел двор, возле кухни постоял, поглазел на галерею. Выглянул за ворота. Еще раз прошелся кругом, приглядываясь к постояльцам.

В общем, пошатавшись некоторое время без дела, он вполне уяснил обстановку. Да и впрямь: в Бухаре ли, в Мазаре, Вабкенте, или Кермине, или в других концах света, на других дорогах, — а сколько ни таскайся по ним, но как доплетешься до караван-сарая, так и увидишь все то же самое.

---

* "Нам надо мать вина сперва предать мученью..." и далее — строки из касыды "Мать вина", перевод С. Липкина.

Вот и здесь так.

Просторный двор охвачен квадратом глинобитного здания. Скрипучая деревянная галерея обегает хлипкие двери второго этажа. Об эту пору там было бы совсем пусто, если б не больной хивинец, одиноко хворавший в своей жаркой клетушке, — время от времени слышны его слабые стоны.

Помещения первого этажа тоже поделены на комнатушки. Купцы снимают их, чтобы хранить товары. Вон копошится пара солидных постояльцев, уже вернувшихся с базара, — упаковывают не проданное сегодня, достают и расправляют то, что надеются продать завтра.

Слева тянет дымком — там в углу, под камышовым навесом, невеселый хромой человек в синей рубахе и таких же штанах занят готовкой. Лук он уже почистил и нарезал. Теперь неспешно рубит морковь на корявой доске. Между делом помешивает в котле, под которым едва шевелится огонек. Коли есть деньги, можно, наверное, получить у него плошку мятного чаю, горсть сушеного тутовника или изюма.

В правой половине двора, напротив конюшен, коновязей, разгороженных жердями и пустующих сейчас верблюжьих загонов, расположены квадратные глинобитные возвышения — топчаны, — застеленные паласами. Тут тоже пустовато: на одном спит, накрыв голову рваным чапаном, какой-то босяк, на другом устроились два крестьянина из окрестных сел — им лучше здесь заночевать за пару медяков, чем гонять туда-сюда осла с полмешком непроданной капусты. У третьего собрались любители божественного.

Вот покамест и все общество.

Шеравкан присоединился к тем, кто слушал чтение Корана.

Хаджи* выглядел так, будто пять минут назад его случайным вихрем вырвало из смертельных объятий какой-то страшной бури: одеждой служили тлелые лоскуты, из прорех которых тут и там выглядывало голое тело, всклокоченные седые волосы полны мелкого сора и, вероятно, песка, а на темном морщинистом лице — отпечаток одновременно безнадежности и упрямства, оставленный годами богобоязненных скитаний.

Он сидел на топчане, положив раскрытую книгу на колени и ведя заскорузлым пальцем по таинственной вязи священных букв.

Дребезжаще допев очередной стих, замолк, чтобы аккуратно подуть на стоявшую перед ним чашку.

Шеравкан догадался, что хаджи готовит лекарство для больного хивинца, стоны которого по-прежнему доносились со второго этажа. Второй хивинец, узкоглазый молодой человек в зеленом суконном чапане, терпеливо дожидался окончания процедуры.

Хаджи замолк, переворачивая страницу, и хивинец заботливо придвинул чашку с водой ближе — не хотел, должно быть, чтобы пропала даром даже малая толика целебного дыхания, напоенного святостью заунывно читаемого текста.

"Неплохо было бы Джафару смочить веки! — подумал вдруг Шеравкан. — Вдруг прозреет? Интересно, сколько хаджи берет?"

---

* Хаджи́ — человек, совершивший паломничество в Мекку, к главному мусульманскому святилищу — Каабе.

Между тем хаджи дочитал суру, произнес завершающее благословение, последний раз аккуратно дунул на чашу и придвинул ее клиенту.

— Спасибо, учитель, — сказал хивинец. — Может быть, поможет.

Он снял с себя свой роскошный чапан и набросил его на плечи хаджи.

Хаджи онемел.

Хивинец взял чашу и, осторожно держа ее перед собой, направился к лестнице.

— Ц-ц-ц-ц! — очень похоже цокали языками присутствующие. — Ц-ц-ц-ц-ц!

Шеравкан тоже был поражен щедростью хивинца. Чапан! Совсем новый чапан! "Брат, наверное! — вдруг догадался он. — Вот в чем дело: брат его болеет!"

— Ну вот, благослови его Аллах, — сконфуженно сказал хаджи, утирая слезы рукавом своего нового чапана. — Велика милость Господа! А то что ж... Совсем поизносился — ведь два года домой добираюсь. И пусть горячего похлебает — тоже, бывает, оттягивает! — надтреснуто крикнул он вслед хивинцу.

Затем встряхнулся, окончательно приходя в себя после обрушившегося потрясения, и недовольно буркнул, глядя в сторону дымящего очага:

— Если, конечно, этот ленивец когда-нибудь настрогает свою проклятую морковь! Иначе мы его шурпы до Судного дня не дождемся.

Именно в это мгновение три кудлатые собаки, прежде мирно дремавшие поблизости от кухни (на таком удалении от котла, чтобы, с одной стороны, по возможности не упускать соблазнительного запаха готовящегося варева, а с другой — не вызвать раздражения повара, медлительность которого чудесным образом исчезала в случае необходимости схватиться за суковатую палку), сорвались с места и, отчаянно взбадривая себя спросонья хриплым лаем, погнали к воротам.

Кто вздрогнул, кто просто чертыхнулся, — но и повар, стучавший капкиром по казану, и купец-москательщик, на пару со своим мальчишкой перемерявший у открытой двери комнаты свертки маты и зенденя*, и два огородника, давно препиравшиеся из-за какой-то веревки, и хивинец, уже скрипевший ступенями по пути на галерею, и благочестивый хаджи, и два или три его слушателя, и Шеравкан — все повернули головы в ту сторону.

— Должно быть, караван идет, — сказал хаджи, прислушиваясь. — Несет их нелегкая на ночь глядя.

Собаки отчаянно брехали и бросались в сторону ворот, между делом поглядывая, не кинут ли кусок за отвагу и верность порядку.

— Ну, сейчас начнется, — недовольно повторил хаджи, беря лежавший подле святой посох из финикового дерева и шаря ногами под топчаном в поисках своих жалких опорок.

И точно: даже самый проворный повар не успел бы настрогать соломкой три желтые канибадамские морковки, как глухие бряканья верблюжьих ботал стали слышнее и звонче, заклубилась пыль, и вереница животных и людей начала втекать в ворота караван-сарая.

---

* Мата, зендень — хлопчатобумажные ткани, производившиеся в Бухаре.

Рассказ паломника.
Снова поэт.
Шахбаз Бухари

уматоха и впрямь поднялась несусветная. Хаджи поспешил к воротам и встал там, бормоча молитву и раздавая благословения, более или менее благодарно принимаемые утомленными странниками. Караван-баши, предводитель каравана, — невозмутимый человек громадного роста в некогда голубой, а теперь до белизны выгорелой чалме и длиннейшей хламиде из какой-то очень грубой ткани, с достоинством принимал приветствия хозяина, в промежутках покрикивая на вновь прибывших, занятых развьючиванием животных.

С одного из верблюдов снимали куджеве — две корзины, навешиваемые в качестве вьюков. Из одной тупо глазел трехдневный теленок, в другой настырно и громко мекали козлята. Когда их поставили на твердую землю, козлята забились под теленка, образовав хоть и ошалелую, но все же довольно живописную группу.

Крик и гам стоял несусветный — купцы выкликали

имена подручных, таскавших вьюки, хозяин метался между ними, пытаясь быстро и справедливо распределить помещения, собаки тоже по мере сил участвовали в расселении, и в конце концов одну из них крепко прибил злой кипчак[*] в треугольной шапке.

Шеравкан волновался, предчувствуя, что сейчас их с Джафаром попросят из нижней комнаты, в которую кто-нибудь из торговцев свалит свои товары. Однако обошлось: все мало-помалу утихло, и теперь деятельность кипела только возле верблюжьих загонов и коновязей, куда таскали бадьями колодезную воду, охапки сена и мешки с овсом.

На помощь хромому в синей рубахе поспешили еще двое, и теперь уже в нескольких очагах пылал огонь, плевались кипятком кумганы, бурлили казаны, поспешно стучали ножи по разделочным доскам. Кудрявая шкура, из которой еще пять минут назад хрипло орал возмущенный баран, висела на одном сучке, а его перламутрово-красная туша — на другом, и повар ловко пластал ее ножом, наведенным до остроты бритвенного лезвия.

Хаджи встретил знакомых паломников — таких же, как он, оборванных и изможденных. С некоторыми он переживал ужасы дальних путешествий. Для начала обнявшись и облив друг друга слезами, духовные братья сели в кружок и принялись толковать о многообразных чудесах, отголоски которых долетали до них в дороге. К ним то и дело подходил кто-нибудь с просьбой подарить ему нефес — святое дыхание. Получив согласие и присев на корточки, проситель закрывал

---

[*] Кипчаки, огузы — тюркские племена.

глаза. Паломник налагал руки на больное место, а потом три раза сильно дул. По окончании процедуры человек просветленно вставал, вручал подаяние в виде мелкой монеты или лепешки и удалялся, радостно возглашая, что теперь у него ничего не болит.

— Аллах сам знает, кому слать свои благодеяния! — дребезжал хаджи, то и дело горделиво поправляя ворот нового чапана. — Второй месяц сижу тут, как старая обезьяна, честное слово! Боюсь дальше тронуться. Сколько раз меня грабили, сколько раз едва с жизнью не простился! Неделями ни крова, ни хлеба, ни воды! Всю дорогу трясешься от страха... убьют, возьмут в плен, продадут в рабство... песчаная буря заживо похоронит. Под Хамаданом в снегу ноги поморозил, до сих пор ноют. На все воля Господа!

Паломники жарко с ним соглашались и толковали свое; с их слов выходило, что человек, пустившийся в дальний путь, вышедший за более или менее обжитые пределы своего города или, чего доброго, приблизившийся к окраинам родного края, рискует не только имуществом, сколь бы малым оно ни казалось на взгляд оседлого жителя, но и свободой, и жизнью. Особо бранили злых воинственных туркмен, живущих разбоем и работорговлей. Шеравкан невольно вспомнил головы, что время от времени появлялись на кольях возле стен Арка.

— Им пустыня — что тебе весенний луг. Они в песках — как у себя дома. Верблюд дорогу потеряет — а туркмен помнит. Твоя лошадь сдохнет, а туркмен свою гонит к тайнику, а там у него бараний курдюк закопан. Годами в песке лежит, а как придет пора, туркмен выроет, лошади даст, она сожрет — и ни воды ей не нужно, ни ячменя. Чуть передохнет — и опять скачет.

Шеравкан отвлекся на минуту, а когда вернулся, молодой беззубый паломник страстно рассказывал о происшествии, случившимся с ним во время одного из переходов.

— Я вам так скажу, братья: большего ужаса в жизни не знал. А ведь и в пустыне сох, и разбойники ломали. Кабанов в тех болотах — как блох в подстилке. Едем мы, значит, с дружком на лошади по топкому месту, а они вокруг в тростниках так и хрюкают, так и хрюкают — чисто бесы. Лошадей-то не хватает, — жарко откликнулся паломник на вопрос одного из слушателей. — Кто ж тебе одному лошадь даст? Была бы у меня лошадь, я бы!.. — и он отчаянно махнул рукой. — А то еще как побегут всем стадом — треск стоит. Ужас, братья. И вдруг кобылка наша испугалась да как рванет! Мы с нее в разные стороны кубарем. Шмякнулся я и слышу: брат Ильяс, что сзади едет, хохочет, прямо заливается. И еще вой какой-то у меня под ногами. Глянул — Господи Ты мой и святые Твои угодники! Упал-то я, оказывается, на двух совсем еще маленьких кабанчиков. Кабаниха рассвирепела, что я ее сосунков подавил, да на меня. Ужас, братья! Клыки — во! — Паломник ударил себя ребром правой ладони по левому локтю. — Зубы — во! — Он растопырил большой и указательный пальцы. — Чуть только не пламя из пасти! Все, думаю, конец.

Присутствующие принялись дружно цокать языками.

— Наверняка бы она меня забила, да спасибо брату Ильясу, что сзади ехал, — пришпорил коня и преградил ей путь копьем.

Все снова стали качать головами и цокать, а хаджи, огладив бороду, важно сказал:

— Повезло тебе, брат. Очень повезло. Ты должен быть счастлив, как никто из нас. Ведь если даже самый благочестивый мусульманин умирает от ран, нанесенных кабаном, он попадает на тот свет как нечистый.

Молодой паломник испуганно ахнул и прикрыл рот ладонью.

— И даже пятисотлетнее пребывание в чистилище не может избавить его от этой нечистоты! — грозно закончил хаджи и одернул на себе новый чапан.

— Какое счастье! — забормотали прочие. — Какая радость!

Кто-то завел молитву. Шеравкан увидел, как бегут слезы по щекам молодого паломника. Он тоже пел фатиху*.

* * *

Скоро стемнело, но большая бело-розовая луна, повисшая над землями Мавераннахра**, заливала все вокруг серебристым светом, и даже утлые строения

---

* Фатиха — первая сура Корана (перевод Равиля Бухараева):
    Во имя Аллаха Милостивого, Милосердного.
    Вся хвала надлежит Аллаху, Владыке всех миров,
    Милостивому, Милосердному,
    Властителю Судного Дня.
    Тебе Одному мы поклоняемся и к Тебе Одному взываем о помощи.
    Наставь нас на путь правый.
    Путь тех, кого Ты одарил Своими благами; тех, кто не навлек
                                          на себя Твоей
    немилости, и тех, кто не впал в заблуждение.
** Мавераннахр — междуречье Амударьи и Сырдарьи.

постоялого двора казались слепленными не из кро-
щащейся глины, а из благородного серого мрамора.

Шурпа допревала в котлах, повар не уставал зали-
вать чайники кипятком и доставать крючком лепешки
из пламенеющей пасти танура, а рассевшиеся постояльцы, потягивая чай, толковали о том о сем.

На ближайшем к кухне топчане вниманием завла-
дел Рудаки — тот самый нервный человек, которого
Шеравкан уже приметил ранее. Обжигаясь, он жадно
пил горячий чай, давился, засовывая в рот новые куски
дармового хлеба, кое-как глотал, снова припадал к
пиале — и все в целом почти не мешало ему говорить.

— ...но три раза я отказывался. Зачем мне это
нужно? Я Царь поэтов — живу себе, командую пи-
саками при дворе. Они мне делают различные под-
ношения — на все готовы, только бы я обратил внимание на их нелепые вирши. И вот на тебе: бросай
все и езжай в Герат вытаскивать оттуда эмира Назра!

Он окинул слушателей возмущенным взглядом и
развел руками — мол, сами понимаете, какая глупость.

— Эмиру что? Эмир уехал погостить у двоюрод-
ного брата, ну и загуляли они там, ясное дело. Охота,
пиры, наложницы! — что еще нужно человеку для
счастья? Это же просто рай на земле — сады, прохлада,
в ручьях вода — зубы ломит, всюду родники специ-
альные понаделаны, из которых вино бьет, девушки
кругом — нет, не девушки, а самые настоящие гурии — пышногрудые, податливые! Как от всего этого
уехать? Месяц он сидит в Герате, другой, третий... год
сидит! Свита томится, конечно, понятное дело... кому
охота торчать там без жен и детей? Бухара начала вол-

новаться — где правитель? Ну и впрямь — как жить людям без эмира? Ни суда, ни порядка, все в тревоге... А он гуляет. Один раз за ним послали — так, мол, и так, солнце наше, пожалуйте в столицу, без вас не может Бухара. Другой раз послали — то же самое. В конце концов визирь ко мне чуть ли не со слезами: "Рудаки, дорогой, поезжай в Герат, эмир тебя любит как родного сына... как отца тебя уважает!.. может быть, он хотя бы тебя послушает". До восстания недалеко, честное слово! Бухара в смятении — что, если туранские племена нападут? Кто защитит?

Рассказчик откусил от краюхи и опять приник к пиале.

Воспользовавшись краткой паузой, пожилой купец, со вздохом оглаживая бороду, заметил:

— Верное говорите, уважаемый. Бухара без эмира — что тело без головы. Это исстари так. Когда великому Исмаилу Самани, да усладится его душа райскими наслаждениями, посоветовали ввести новый налог на поддержание крепостной стены вокруг города, он ответил: "Не надо! Пока я жив, я — стена Бухары!" Верно, верно говорите, уважаемый: эмир — стена и крепость Бухары.

— Да, да... Кушбеги опять ко мне: "Рудаки, дам тебе десять золотых, только поезжай, всего святого ради!" Что?! — говорю. Десять золотых?! — говорю. Нет, говорю, за десять золотых я и с места не сдвинусь. Сто золотых! — тогда поеду.

Оратор победительно оглядел слушателей, многие из которых восхищенно переглядывались, повторяя: "Сто золотых!.. Сто золотых!.."

— Да! Сто! — повторил он. — Поеду, думаю. Делать-то все равно нечего. Кто еще, кроме меня, вернет эмира из Герата? Никто. Ладно. Получил сто полновесных динаров, сел на коня, взял слуг — и вперед. А туда, между прочим, путь неблизкий. Ну, дорога хорошая, кони сытые, вспенили, как говорится, копытами воду древнего Джейхуна*, миновали брод... домчались в два дня.

Говорящий перевел дух, отхлебнул чаю.

— Подъезжаем к дворцу... а дворец, дворец!.. — Он закатил глаза, поднес ладонь ко лбу. — Смотришь — кажется, джинны построили этот волшебный дворец! Золотые крыши! Башни! О-о-о!.. Конечно, стража с мечами, с копьями наперевес — куда?! зачем?! Я с седла кричу: великий поэт Рудаки примчался из славной Бухары к своему эмиру! Расступились, пропустили. Слышу, перешептываются: Рудаки, сам Царь поэтов Рудаки приехал! Ага, думаю, здесь тоже знают мое славное имя. Спешиваюсь, стремительно шагаю к залу, где пирует мой дорогой эмир со своим двоюродным братом. Пинком распахиваю дверь — и прямо с порога бью по струнам своего сладкозвучного чанга**. И пою! пою! Голос-то у меня тогда был не такой, что сейчас. Люди плакали от моего голоса. Последнее отдавали, чтобы только услышать.

Рассказчик сложил руки так, будто и в самом деле держал чанг — левой охватил гриф, правой стал часто бить по воображаемым струнам, — и задребезжал не-

---

* Джейхун — арабское название Амударьи.
** Чанг — струнный музыкальный инструмент, примерно аналогичный современному дутару.

чистым козлетоном, воспроизводя всем известные стихи о чудной красоте бухарских садов Мулиан: о покрывающей их душистой пене цветущих яблонь, о том, как непреложен их зов и сколько наслаждений обещают они далекому путнику.

— Когда я спел первый бейт, — сказал он, откладывая в сторону свой призрачный чанг, — эмир Назр встрепенулся и отстранил от себя нагую красавицу, расчесывавшую ему волосы. Я спел второй...

Повествователь встал и оглянулся так, будто только что проснулся и не может понять, где находится.

Слушатели безмолвно смотрели на него.

— Я спел третий бейт! Вы все знаете — про то, сколь страстно шершавый брод Аму жаждет шелковым песком расстелиться под ноги своего владыки. Ну, тут уж он совсем очухался, провел ладонью по лицу, помотал головой, сел кое-как... потом и встал, сделал шаг к двери... как был — босиком... в нелепых каких-то подштанниках... еще шаг!.. еще!.. побежал!.. мне пришлось посторониться. Уже в спину ему я спел четвертый. А пятый и вовсе пропал даром, потому что эмир вырвал у конюха поводья и взлетел в седло!..

Слушатели дружно ахнули.

— И слуги догнали его, чтобы обуть и одеть, только через два фарсаха, в местечке Бурута, — торжествующе закончил рассказчик. — Вот какую силу имели мои слова!

Он печально усмехнулся.

Повисла тишина, которую совершенно неожиданно нарушил громкий смех человека, с интересом прислушивавшегося к окончанию истории в нескольких шагах от топчана.

Слушатели невольно закрутили головами.

— Да, уважаемый, — продолжая смеяться, сказал незнакомец. Он был высок ростом, плотен, чернобород, опоясан красным кушаком и в целом выглядел довольно величественно. — Из вас бы получилась неплохая Шахразада — ну, знаете, героиня этих новомодных арабских сказок. Вы все рассказали совершенно правильно, все так и было. И допустили только одну ошибку: мой давний друг и учитель Рудаки, на которого вы, к сожалению, совершенно не похожи, получил тогда вовсе не сто, а пять тысяч динаров.

Присутствующие удивленно зароптали.

— Что? — грозно сказал купец, толковавший про славного Самани, не желавшего строить стену. — Да кто вы такой? Вы хотите сказать, будто...

Услышав его голос, человек с тревожными глазами сначала распрямился, как если бы хотел броситься на обидчика, но тут же, напротив, съежился, свесил ноги с топчана и, вяло бормоча какую-то бессвязицу, сунул их в свои дырявые сапоги.

— Я кто такой? — переспросил чернобородый в красном кушаке. — Меня зовут Шахбаз Бухари. А сказать я хочу именно то, что этот тип — самозванец и никакого отношения к Рудаки не имеет. Уж можете мне поверить.

В это самое время дверь комнатенки, где спал Джафар, отворилась, и сам он шаткой тенью появился на пороге.

— Шеравкан! Эй, Шеравкан!

Услышав его голос, Бухари резко повернулся. Уверенная улыбка, с которой он изобличал обманщика, сползла с лица.

— Шеравкан! — повторил слепец громче.

Бухари напряженно всматривался в сумрачное пространство, из которого доносился знакомый ему голос.

— Боже мой! — пробормотал он. — Неужели! Джафар, это вы?! Господи, что с вами?! Джафар!

— Бухари? — удивленно спросил слепец. Он повернул голову, прислушиваясь. — Неужели Бухари? Шахбаз, где ты?

Тихо смеясь, он протянул руки и неловко шагнул вперед.

* * *

Джафар сидел, подперев голову левой рукой. Правой он медленно покачивал пиалу.

Бухари подпирал голову обеими руками и вдобавок мотал ею из стороны в сторону, как если бы пытался избавиться от терзающей его боли.

— Что за зверье, господи!

— Да, да, — рассеянно сказал Джафар. — Хватит, дорогой мой. Согласись, что, даже если мы так зальем слезами округу, что расплодим лягушек, глаз у меня не прибавится.

Поднес пиалу ко рту, отпил.

— Это же звери, а не люди! — воскликнул Бухари плачущим голосом. — Почему именно с вами такое несчастье!

Джафар раздосадованно крякнул, посопел, потом сказал с усмешкой:

— Интересный вопрос, не спорю. Боюсь, правда, мы не найдем на него простого ответа. Скажи лучше, почему ты стал вдруг обращаться ко мне на "вы"? Думаешь, слепой я заслуживаю большего уважения, чем зрячий?

— Нет, не могу поверить, не могу! — повторял Бухари сквозь слезы.

Слепец взмахнул рукой, и пиала с громким треском раскололась о стену. Робкое пламя масляного фитиля испуганно затрепетало, тени метнулись по углам кельи.

— Ты заткнешься, наконец?! Или так и будешь выть, как поганый шакал?!

Бухари оцепенел.

Было слышно только тяжелое дыхание.

— Прости, — сказал в конце концов Джафар, протягивая руку, чтобы нашарить его ладонь и сжать ее. — Прости. Я не хотел. Прости. Видишь, у меня тоже выдержки не хватает, и я...

Бухари, всхлипнув, припал к его коленям.

— Ладно, перестань, — говорил Джафар, трепля его по плечу. — Перестань. Новые глаза мне уже никто не подарит, согласен? Не проводить же остаток жизни в бесконечных стенаниях. Шеравкан!

— Да?

— Придется заплатить за эту чертову пиалу... у нас еще есть деньги?

— Деньги?! — встрепенулся Бухари. — Бог с вами! Не думайте о деньгах! Уже завтра к полудню я буду в Бухаре. Я везу восемь тюков пенджабского кимекаба*. Восемь тюков златотканого кимекаба! Вы же знаете,

---

* Кимекаб — шелковая материя, тканная золотом или серебром.

племянник дал мне в долг под двадцать процентов годовых... видите, вы меня отговаривали от этого предприятия, а как все славно вышло. Завтра я заложу часть и тут же пришлю вам деньги. Какой смысл идти в Панджруд пешком? Вы наймете повозку и...

— Тебе нельзя сейчас в Бухару, — прервал его Джафар. — Исмаилит? — исмаилит. Сочувствовал карматам? — сочувствовал. Со мной и с Муради знаком был? — был. Речи возмутительные слушал? — слушал. Этого хватит, уверяю тебя. В лучшем случае — станешь таким, как я. В худшем — вовсе голову снимут.

Бухари поежился.

— Разве они еще не остыли?

— Не знаю. Говорят, возле Арка кровь ручьями текла.

Купец ахнул.

— Так говорят, — невозмутимо уточнил Джафар.

— Но прошло уже полтора месяца, — робко заметил Шахбаз Бухари. — Может быть, все успокоилось? И потом, разве я — важная птица? Я всего лишь ваш ученик... мои стихи мало кому интересны.

Джафар пожал плечами.

— Насчет того, насколько успокоилось, не знаю... В яме сидел. Да и вообще мало что мог разглядеть... Ну да, конечно, тебя мало в чем можно обвинить... заходил иногда вместе с другими молодыми поэтами... рассуждал о поэзии... казалось бы, это не преступление. Но ведь можно и иначе вопрос поставить: с кем рассуждал о поэзии? С бунтовщиком Муради рассуждал, с поощрителем карматских идей Джафаром Рудаки рассуждал. Если с ними рассуждал, значит и сам такой.

— Да-а-а, — вздохнул Бухари.

— И потом: был бы ты бедняк — дело другое. Но ты, к сожалению, человек сравнительно обеспеченный. Дом у тебя... имущество кое-какое... деньги в обороте... товары вот из Индии везешь. Почему не попользоваться? Тут же: так, мол, и так, поэт Шахбаз Бухари прибыл в Бухару с бесценным грузом пенджабского кимекаба. Кто сей Шахбаз? Известно кто: приверженец всемирной справедливости, сторонник двенадцатого имама, враг порядка и возмутитель спокойствия. Следовательно, сам он подлежит немедленной казни, а кимекаб его бесценный — столь же немедленной конфискации. Как прикажете, господин Гурган: прямо сейчас башку снести? А насчет кимекаба не беспокойтесь, доставим в сохранности.

И Джафар рассмеялся, качая головой, — похоже, ему нравилась собственная речь.

Бухари молчал, грызя ноготь на большом пальце.

— Пока соберешься объяснить, что вовсе ты не приверженец никакой, а напротив — верный слуга нового эмира. Впрочем, не знаю, — неожиданно переменил он мнение. — Может, и не так. Все-таки ты больше купец, чем поэт... пишешь не много, стихи твои малоизвестны... да и вообще.

Джафар осекся, будто чуть не сказал лишнего, пожевал губами.

— Да я не обижаюсь, учитель, — усмехнулся Бухари. — Я и сам знаю, что у меня таланта немного. Я ведь почему за стихи взялся? Понравилось мне с поэтами время проводить. Совсем другие люди. Со своим братом-купцом о чем толковать? Где повыгодней купить, как везти да кому сбыть подороже. День слушаешь, два, неделю, год — прямо выть хочется. А к поэтам придешь — благодать. Душа отдыхает! Они все о высоком. О божественном!

Бухари счастливо рассмеялся.

— Это да, — вздохнул слепец. — Те еще болтуны попадаются.

Помолчали.

— А брат ваш жив? — спросил Бухари.

— Шейзар? Был бы жив, нашел бы меня... но не знаю, ничего не могу сказать. Может, прячется.

Безнадежно махнув рукой:

— Я даже про Муслима ничего не знаю — жив ли, нет?

— Будем надеяться на лучшее... А эмир?

— Эмир? Эмир Назр отрекся в пользу сына Нуха... ныне сидит в Кухандизе. Во всяком случае, сидел. Теперь-то уж, может, и с голоду помер...

— Ужасно, — вздохнул Бухари. — И все равно мне нужно в Бухару. Племянник ждет денег. Или хотя бы товара. Мы разоримся, если я буду здесь сидеть. Что мне остается делать?

Джафар пожал плечами.

— Продай товар здесь, деньги поручи кому-нибудь из купцов, они люди честные, передадут твоему племяннику.

— Здесь я получу вчетверо меньше, — заметил Бухари и вдруг фыркнул: — Честные купцы! Знаю я этих честных купцов. Остригут как барана. Нет, нет, нет. Приеду, брошу товар на постоялом дворе, сам к племяннику. Он продаст кимекаб, хорошо заработаем.

Пришлю вам денег, — вдохновенно говорил Бухари. Глаза его блуждали: должно быть, он просто описывал встающие перед ним мысленные картины. — Вы наймете повозку...

— Да что ты заладил про эту повозку! — возмутился Джафар. — Не нужна мне никакая повозка. Я пойду пешком.

— Почему?

— Так велел господин Гурган, — Джафар скрипуче рассмеялся. — И пусть весь Мавераннахр знает, какие веления вылетают из уст этого господина. Я буду идти и рассказывать, почему я делаю это!

— Да, но...

— Перестань! — снова вспылил слепец. — Неужели ты не понимаешь? Пешком ли я заявлюсь в Панджруд, на повозке ли прикачу, принесут меня рабы в паланкине или нечистые аджина́* на ковре-самолете — все это не имеет ровно никакого значения. Бухари помолчал, обдумывая сказанное.

— Что же тогда имеет значение? — спросил он.

Джафар не ответил — безмолвствовал, упрямо наклонив голову; желваки играли на скулах.

Сверчки голосили на восемь разных ладов, и казалось, что вся их несметная толпа собралась здесь, в этой затхлой комнатенке.

От длительности молчания перехватило горло, и тогда Шеравкан спросил, осторожно тронув слепца за колено:

— Учитель, вам другую пиалу принести?

---

* Аджина́ — джинны, один из видов нечистых существ в мусульманской мифологии.

Спор с паломником. Самад и головы. Душа хивинца

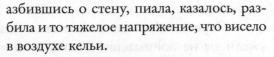

Разбившись о стену, пиала, казалось, разбила и то тяжелое напряжение, что висело в воздухе кельи.

Шахбаз Бухари встряхнулся, голос его если не повеселел, то, по крайней мере, утратил надрывное звучание непоправимого несчастья, и говорил он теперь с Джафаром совершенно обычно — будто тот как был зрячим во время последней их встречи, так им и остался; и Джафар отвечал ему или задавал собственные вопросы точно так же — как будто по-прежнему видел лицо друга, а не томился в кромешной тьме.

Шеравкан тоже чувствовал облегчение.

Однако со второго этажа все это время доносились стоны несчастного хивинца, и было жутко представить, каково ему сейчас приходится — глухой ночью, на чужой стороне, вдали от дома. Эка стонет, бедолага! эка стонет!..

Шеравкан размышлял, почему не помогло лекарство, с таким тщанием приготовленное стариком хаджи. Что может быть полезнее и целительней, чем благодать святого Корана? В конце концов он пришел к выводу, что, скорее всего, хаджи проявил какую-то недобросовестность. Читать-то он читал, конечно, все видели. Но сам в это время, может быть, думал о шурпе и морковке, кто его знает. Выходит, зря ему купец такой хороший чапан подарил.

Когда поели, Бухари, подмигнув Шеравкану, ненадолго вышел, а вернулся с небольшим глиняным кувшином в руках.

— Учитель! — торжественно сказал он, осторожно ставя его на пол. — Как известно, поэту нужно только два сосуда: склянка с чернилами и чаша с вином. Что касается чернил, то сейчас слишком темно, чтобы ими пользоваться. Как вы смотрите на то, чтобы припасть ко второму из упомянутых?

Джафар хмыкнул.

— Ты прав, — сказал он. — Слишком темно. Для тебя еще не рассвело, для меня... — Он осекся и махнул рукой. — Наливай, если не шутишь.

Дело пошло. Шахбаз Бухари то и дело наполнял пиалы. Пробормотав друг другу краткое пожелание благополучия, друзья немедленно их опустошали. Постепенно голоса их становились громче. Шеравкан сидел, прислонившись спиной к стене, и смотрел на огонек каганца, причудливо танцующего на кончике фитиля. Этот маленький гибкий танцовщик был в оранжевой рубахе и голубых шароварах... или, может быть, танцовщица?

Кто-то осторожно постучал в дверь и, выждав секунду, приотворил.

— Входите! — машинально сказал Шеравкан, отводя взгляд от пламени.

На пороге стоял один из паломников, прибывших с караваном. Худой, с лицом морщинистым, как сухой плод джиды, в неверном свете каганца казавшимся и вовсе черным, он, глядя на Джафара и переминаясь, робко попросил:

— Благословите, учитель!

Все молчали.

В конце концов Джафар сказал, наклоняя голову, чтобы лучше слышать:

— Кто это, а? Шахбаз, это он кому?

— Вам, — вздохнул Шахбаз Бухари.

— Мне? — изумленно переспросил слепец. — Подожди! Вы это кому, уважаемый?

— Благословите, учитель! — повторил паломник, стеснительно скаля гнилые зубы.

— Что за глупость! — возмутился Джафар. — Как я могу тебя благословить? Я не мулла, не хаджи, не прилежный богомолец! То есть нет — я, конечно, тоже мулла... не зря я учился когда-то в медресе и толковал Коран почище любого законоведа. Я мулла, ты прав... я и богомолец... ибо на кого нам уповать еще, кроме Бога... и как еще обращаться к нему, если не молитвой? Но видишь ли ты, что у меня в руке? — он протянул перед собой пиалу. — Чаша с вином, запрещенным для нас Аллахом!

Покачал головой, будто раздумывая над собственными словами, потом допил вино и закончил, утирая губы:

— Жаль, что ты немного опоздал, а то бы сам услышал разъяснения моего друга насчет того, что нам с ним в нашей пропащей жизни ничего не нужно, кроме этой чаши да еще чернильницы. И как же я, человек, нарушающий законы Пророка, могу тебя благословить?

— Ну и что, подумаешь! — примирительно возразил паломник. — Да, мы мусульмане. Но наши деды поклонялись огню. Мы отреклись от огня, от Ормазда, Михра и Зардушта*. Неужели нам нужно отречься еще и от вина? И потом: вы же Рудаки? Царь поэтов?

Слепец хмыкнул.

— Ишь какой рассудительный, шельмец... вон куда завел — к Ормазду! А с чего ты взял, что я — Рудаки?

— Люди говорят, учитель... земля слухом полнится.

— Не знаю, уважаемый, какая там земля и каким там еще слухом, — проворчал Джафар. — Болтовня и сплетни. Ну, допустим. Да, я — Рудаки. Джафар Рудаки. Сын Мухаммеда, внук Хакима. Отец Абдаллаха, вечная память несчастному малютке. Это так. Правда, насчет Царя поэтов теперь уже не уверен... но был когда-то, был... даже сравнительно недавно.

Лицо просителя просветлело, а Рудаки не совсем твердым движением протянул пиалу Бухари, и тот ее наполнил, не забыв при этом и о собственной.

---

* Зардушт (*греч.* Зороастр, Заратустра в европейской традиции) — пророк и реформатор древнеиранской религии огнепоклонников — зороастризма, автор древнейшей части священной книги зороастрийцев — "Авесты". Ормазд — верховное божество. Михра — один из верховных богов зороастрийского пантеона.

— Учитель, вы ближе к Богу, чем самый богомольный хаджи, — убежденно сказал паломник. — Ведь Господь говорит вам свои слова напрямую, без посредства мулл и мечетей. Благословите!

— Подожди-ка, друг мой! Разве ты забыл, что сказано? — за поэтами следуют заблудшие. Слова поэтов внушены им не Господом, а его падшими слугами — джиннами.

— Но ведь джинны подслушивают чистые речи ангелов, которые спускаются на облака от Божьего престола, чтобы потолковать о делах Всевышнего?

— Верно, да только когда потом пересказывают услышанное поэтам и прорицателям, то прибавляют множество собственных нелепиц. Нет, дружище, — печально сказал слепец, качая головой. — Держись от поэтов подальше. Пропащие они люди. Заведут тебя, не дай бог, в преисподнюю.

— Но ведь сказано и другое, — возразил паломник. — "Кроме тех, которые уверовали и творили добрые дела". Разве не так?

— Перестань. Какие еще добрые дела? Поэзия — обман. По-твоему, обманывать — это творить доброе дело?

— Когда обманывает простой человек — это, конечно, грех, — не сдавался паломник. — А когда поэт — это всего лишь украшение. Это вовсе не обман, это просто другая правда.

— Глупости, — фыркнул Рудаки. — Правду поэт может сказать разве что в скорбной элегии... да и то если пишет ее на смерть близкого человека, а не эмира.

А когда говоришь по заказу или из страха перед гневом правителя — какая же это правда?

— Благословите, учитель! — настаивал пришелец.

— Во народ, а! — вздохнул Рудаки. — Нет, ну вы только посмотрите! Не знаю, уважаемый, не знаю... вряд ли найдется лицо духовного сана, которое похвалит вас за подобные убеждения. Подожди, дай отхлебну этого волшебного напитка... м-м-м!.. настоящий мусалас!*

Паломник встал на колени, склонился.

Рудаки положил ладонь ему на голову, пробормотал фатиху.

— Дела, — протянул Шахбаз Бухари, когда тот, радостно шепча слова благодарности и своих собственных благословений, выскользнул за дверь. — Это еще что. Там один сумасшедший себя за вас выдает. Только что толковал, как он эмира Назра из Герата вызволял. Честное слово, я вам позавидовал — вот это слава!

— Серьезно? Не рассказывал, что когда он — то есть я — в первый раз ударил по струнам, все стали смеяться, когда второй — заплакали, в третий — уснули, а в четвертый — вскочили и разбежались?

— Нет, учитель, — твердо ответил Шахбаз Бухари. — Врать не буду. Этого не было.

Джафар хмыкнул:

— Ладно, наливай.

Бухари наполнил чаши, а ставя кувшин, меланхолично сообщил, что некий аджина, незримое присутствие которого возле себя он только что обнаружил

---

* Мусалас — вино, производимое в Мавераннахре по рецептуре домусульманских времен.

по свойственному их нечистой породе запаху корицы, ни с того ни с сего разлившемуся в воздухе, нашептал ему совершенно ангельское рубаи, в которое им, джинном, по его, Шахбаза Бухари, мнению, не было добавлено ни единого словечка. И тут же прочел громко и нараспев. Выслушав, Джафар буркнул что-то насчет пустой траты времени. У Шеравкана уже слипались глаза. Он лег на курпачу, с головой накрылся чапаном и повторил про себя рубаи, и еще, и еще, и с каждым разом этот краткий стишок нравился ему все больше. Но потом он отвлекся на что-то иное, а когда попробовал снова вспомнить, то рифмы почему-то потерялись, музыка расстроилась, строй развалился, и остался только смысл: что, де, мусалас я люблю больше, чем жен и детей: потому что жены и дети беспрестанно досаждают мне, требуя хлеба; в награду же за сладостное молчание мусаласа я сам готов с радостью дать ему хлеба — то есть обмакнуть в него хлеб.

— А я вам говорю, учитель, — вдруг громко сказал Шахбаз Бухари. — Все равно мы дождемся светлого дня. Все равно Махди придет!

— Тише ты, — шикнул Рудаки. — Мальчика разбудишь.

Однако Шеравкан не спал. Сон почему-то не шел к нему. Он куце позевывал, закрывал глаза, вот уже, казалось, начинал медленно проваливаться, тонуть в теплой, тягучей реке... и вдруг издалека звучало знакомое, внятное слово или известное имя. Река отступала, и оказывалось, что он снова прислушивается к негромкому разговору, большую часть которого не разбирает. Вот снова они об этом — Гурган... несчастный эмир Назр... новый эмир — Нух, сын эмира Назра... Почему "несчастный"?.. ну да, конечно... во время избиения карматов и пожара Бухары молодой эмир Нух не то убил отца, не то посадил в темницу... всем известно.

Они-то, должно быть, лучше всех знают. Рудаки знает... и этот его ученик... этот толстый весельчак Шахбаз Бухари. Еще бы, ведь они оба — придворные поэты, они всегда во дворце... Нет, Бухари — не придворный поэт, а всего лишь купец... но Рудаки — вообще Царь поэтов, главный поэт двора. Хотя какой же он теперь главный поэт... и какой дворец? Шеравкан ведет его в Панджруд, на родину... он слеп... его ослепили. За что? Так поступают с закоренелыми преступниками... потому что это наказание хуже смерти. Смерть — тоже страшно. Но слепота!..

Шеравкан видел. Они с Самадом — сыном десятника[*] из соседнего переулка — забрались на дерево, и правильно сделали, потому что иначе им и краем глаза не удалось бы ничего увидеть: ведь в тот день вся Бухара сошлась смотреть на казнь. Войско эмира Нуха пригнало толпу пленных туркмен из захваченных врасплох, сметенных с лица земли стоянок и селений. Поделом: зимой они разграбили караван в две тысячи верблюдов. Караван следовал из Хивы в Бухару. Не пощадили путешественников — отняли все припасы и одежду, и некоторые умерли в пустыне с голоду, другие замерзли, из семидесяти человек спаслись

[*] Десятник — воинское звание, командир десяти человек.

только восемь, да и то, как говорили, чудом, не без заступничества Аллаха и святого Хызра.

Без устали трещали барабаны. Пленных разделили на две группы. Тех, что были помоложе и годились для продажи, солдаты сковывали друг с другом человек по десять и уводили, нещадно молотя палками по чему ни попадя. Оставшиеся — все как один старики с длинными седыми бородами — по знаку палача легли на землю лицом кверху. Подручные быстро связывали им руки и ноги. Палач становился каждому коленом на грудь, делал два быстрых движения, а потом вытирал окровавленный нож о белую бороду ослепленного старца. Освобожденные от пут, они вставали ощупью, помогая себе руками... некоторые сталкивались, стукались головами, многие снова падали, издавая глухие стоны.

Когда все кончилось, толпа зрителей забурлила, спеша вернуться к своим торговым занятиям, и мальчишки едва вырвались из ее тесных и пахучих объятий.

Самад ликовал, перекрикивал дикий гвалт торжища, снова и снова расписывая подробности казни, — хотя Шеравкан и сам все отлично видел, и его еще мутило от увиденного. Отец Самада был в числе того самого отряда конной гвардии, что захватил и пригнал пленных. Самад восторженно толковал, что завтра отличившимся воинам будут раздавать наградные одежды — шелковые чапаны ярких расцветок с большими цветами, вышитыми золотом; и что эти почетные чапаны, которые герои похода получат из рук начальника кавалерии, кушбеги или даже самого эмира, — Аллах лучше знает! — имеют разное достоинство и бывают четырехглавыми, двенадцатиглавыми, двадцатиглавыми и сорокаглавыми.

"Головы, что ли, какие-то вышиты?" — вяло спросил Шеравкан, который уже не чаял отделаться от своего надоедливого соседа.

"Ты совсем, что ли?! — снова раскричался Самад, хохоча и хлопая себя по коленкам. — Какие вышивки?! Сколько голов из мешка всадник перед чиновником высыпал, такой чапан и получит. Если всего четыре головы — так четырехглавый, простенький, а сорок — ну тогда уж сорокаглавый, самый дорогой. Эх ты, деревенщина!.."

Шеравкан дернулся и чуть не закричал, потому что прямо на него покатились, как с горы, оскаленные человечьи головы. Но тут же понял, что не наяву, а привиделось в дреме.

"А это что за плач?" — заволновался он, засыпая. Что же это?.. это хивинец?.. это его негромкие хриплые стоны?.. или просто ветер слетел с холмов и с грубой нежностью ерошит во тьме листву карагачей? — раз за разом, раз за разом.

Ветер, конечно же, ветер!.. Хивинец спокойно спит, хаджи дал ему хорошее лекарство, болезнь отпустила, ушла! Завтра он встанет здоровым, спустится с галереи — осунувшийся, бледный, взволнованный своей радостью: ведь он выздоровел!..

Шеравкан увидел залитый солнцем двор караван-сарая... разномастных постояльцев, занятых своими делами, но дружно повернувшихся на скрип деревянных ступеней. Сконфуженное лицо хивинского купца, озирающегося так, будто вернулся с того света. И уже смех, улыбки, оклики: о-о-о, молодец!.. давай-давай, дружище!.. еще не хватало — разболеться в дороге!.. что еще выдумал!.. Аллах лучше знает, когда нам болеть, а когда быть здоровыми!.. когда жить, а когда прощаться с жизнью!.. Аллах ведь лучше знает, правда?.. Ведь правда?..

Так оно и было.

Душа принадлежала Господу, была предоставлена человеку во временное пользование, и под утро Всевышний послал ангела Азраила, чтобы вернуть себе свое имущество.

Незримый посланник сошел с небес, приблизился к одру и протянул хивинцу длань, в которой лежало райское яблоко. Учуяв сладостное благоухание этого дивного аромата, душа, приняв обличье мелкой фруктовой мушки, выпорхнула из левой ноздри умиравшего и тут же взмыла в поднебесье, а потом еще выше и еще — к самому небесному престолу, возле которого вечно шелестит бесчисленной листвой Дерево судеб. Некоторое время мушка растерянно сновала между ветвями, читая написанные на листьях имена, и никак не могла найти свое собственное. В конце концов она сообразила, что ее лист должен быть чуточку выше. Поднялась — и тут же радостно обнаружила его, и села на душистый зеленый глянец, и, часто крутя глазастой головой, стала мыть лапки и крылышки.

Похороны

тро только-только начало отделять тьму от света, а постоялый двор уже проснулся — жил, двигался, покрикивал и был озабочен множеством неотложных надобностей.

Четверо, в числе которых и Шахбаз Бухари, вооружившись мотыгами, ни свет ни заря ушли на кладбище копать могилу.

Тем временем толстый одышливый мулла начал обряд выкупа грехов.

Привели из конюшни лошадь покойного Саида — старую пегую кобылу. Она стояла смирно и только часто взмахивала сильно траченным хвостом. Левую руку, в пальцах которой у него были четки, мулла продел в уздечку. Правой взялся за край большого блюда с пшеничным зерном, комками каменной соли и мелкими деньгами. Другой край блюда держал старик хаджи: то ли по бедности, то ли из-за стыда за недейственность приготовленного им лекарства, приведшую к столь печальному концу, он согласился взять на себя грехи покойного.

Постояльцы столпились, образовав довольно тесный круг.

— Сколько было бедняге? — спросил мулла неожиданно тонким голосом.

— Двадцать пять, — сообщил хивинец.

— До двенадцати лет все мы безгрешны, — вздохнул мулла. — Стало быть, речь идет о тринадцати годах.

Он прочел короткую молитву, закончив словами:

— Саид, сын Аркеша, в своей жизни некоторые религиозные обязанности выполнял вовремя, а некоторые с опозданием. Сейчас пришел его смертный час. А жизни ему было двадцать пять лет.

Затем щелкнул первым камнем четок и, кивнув на блюдо, строго спросил у старого хаджи:

— Вы эти вещи мне подарили?

— Да, я их вам подарил, — согласился хаджи.

— Тогда вот вам за них грехи покойного, — сказал мулла, и хаджи, протянув руку, покорно коснулся пальцами первого камня четок.

Так было тринадцать раз — по числу грешных лет умершего. Тринадцать раз мулла читал молитву, тринадцать раз хаджи касался очередного камня, принимая на себя чужие грехи. Когда отзвучал последний год, хивинский купец, товарищ умершего, положил на блюдо несколько отрезов ткани. Один, самый большой, предназначался для шитья савана, пара других, значительно меньших, служила платой мулле и старику хаджи, остатки, из которых, даже сложив их вместе, не удалось бы выкроить приличного поясного платка, предстояло разделить между присутствующими.

Следовало также позаботиться о носилках, и хозяин предложил взять их в ближайшей мечети.

— Очень хорошие носилки, — кивнул мулла. — Отличные носилки. Пойдемте, я дам.

Однако хивинец воспротивился.

— Саид умер совсем молодым, — повторял он, качая головой и даже не пытаясь утирать слезы, беспрестанно текущие по смуглым и почти безбородым щекам. — Нет, мы не можем нести его на старых носилках. Что я скажу его родным? Что их сына и брата положили на старые носилки, как какого-нибудь седобородого старца, благополучно прожившего все положенные ему годы? Ему нужна колыбель — свежие носилки из гибких ветвей, украшенные зеленой листвой. Что делать, что делать!.. — причитал хивинец.

— Да, — вздохнул хозяин. — Но умер-то он не в родном селе, согласитесь. Возможно, они захотят его перезахоронить ближе к дому.

— Нет, — возразил хивинский купец. — Не захотят. Здесь он будет лежать ближе к Мекке, чем там.

— Это верно, — согласился хозяин. — Конечно. Так что? Может быть, все-таки послать в мечеть?

— Ах, верно говорят, что иметь одно неплодовое дерево лучше, чем дурного отпрыска! — горестно воскликнул хивинец, а потом спросил, указывая на раскидистую иву в углу двора: — Чье это дерево? Чья это ива?

Понятно, что обеспечить нуждающегося древесиной для носилок — дело богоугодное, а брать за него деньги — грех.

———

Однако ива (как и все прочее, что здесь было) принадлежала хозяину караван-сарая, и на его хмурой физиономии в ту минуту можно было прочесть, что последнее рассуждение представляется ему столь же справедливым, сколь и безрадостным.

Короче говоря, хозяин замялся.

— Вы не волнуйтесь, — взволнованно заговорил хивинец. — Если бы я просил у вас древесину для строительства дома или мечети, тогда, конечно, вам было бы зазорно брать с меня деньги. Мы бы обошлись богатым угощением, как и положено. Что же касается носилок, то дело обстоит иначе. Конечно, если бы вы продавали жерди родственникам бедного Саида, для них это явилось бы серьезным унижением — ведь они могли и сами в свое время позаботиться о посадке ивы, чтобы теперь не побираться по чужим людям. И они позаботились! — но Саид умер вдали от предназначенной ему ивы. А я не прихожусь ему даже дальним родственником, я просто попутчик. Поэтому, если вы, уважаемый, возьмете с меня за эту услугу один дирхем, все окажутся в выигрыше. Как вам кажется?

— Гость говорит правду, — одобрил мулла путаную логику хивинца.

Вздохнув и почесав плешивый затылок под засаленной чалмой, хозяин сказал свою цену. После краткого торга сошлись на полутора дирхемах, и добровольцы подступили к трепещущему на утреннем ветерке дереву.

Не прошло и получаса, как новые носилки, связанные тряпками из двух свежесрубленных жердей и пяти перекладин между ними, стояли у ворот. Хозяин помогал хивинцу доделывать свод: тот осторожно, чтобы не повредить листву, сгибал ивовые прутья дугами, а хозяин ловко привязывал концы к поперечным перекладинам. Постояльцы переминались вокруг, дожидаясь окончания.

Когда погребальные носилки и впрямь стали похожи на колыбель, хивинец распрямился, отряс руки и воздел их к небу.

— Хы-ха, облохи! — крикнул он, жмуря глаза, из которых катились слезы.

К нему быстро подошли несколько мужчин. Хивинец положил руки двум из них на плечи, и все сделали так же. Образовался круг человек из десяти.

Круг медленно двинулся посолонь. Вокруг него уже быстро складывался второй — больший. Этот пошел в обратную сторону.

— Хы-ха, облохи! Хы-ха, облохи!

На каждый выкрик "ха!" все склонялись в поклоне. На "облохи!" — резко выпрямлялись и делали следующий шаг. Смысл этих слов давно потерялся в темноте веков, и можно было только догадываться, что в "облохи" все еще звучит имя Господа — Аллах.

Вдруг хивинец высвободился из объятий своих соседей и вышел в центр круга. То же сделали еще трое. Они одновременно взялись за ножки носилок и резко подняли их на вытянутых руках к небу.

— Хы-ха, облохи! Хы-ха, облохи!

Каждый хотел на время оказаться в центре, чтобы с яростным криком поднять к солнцу погребальные носилки, и они кружили, пели и менялись местами до тех самых пор, пока, наконец, не пришла весть, что все готово для обмывания. Круг распался. Под громкие рыдания возбужденных, взвинченных танцем мужчин вынесли тело. Когда оно утвердилось на положенном ему месте, все смолкло и успокоилось.

Обмывальную доску, в качестве которой использовали хлипкую дверь одной из келий, установили в углу двора, завесив от лишних глаз двумя паласами. Один конец лежал на низком табурете, другой упирался в пару колышков, вбитых в землю. Котел с водой стоял чуть поодаль. Пук соломы под ним жарко полыхнул оранжевыми языками. Обычай предписывал греть воду, но не определял, сколь теплой она должна оказаться. Пламя поспешно облизало стенки казана и сникло, оставив после себя серый пух разлетающегося пепла.

Старик-хаджи, взявший на себя грехи покойного, вызывался также и в обмывальщики.

Мулла, проницательно на него посмотрев и одобрительно высказавшись в том смысле, что каждому человеку в жизни полагается трижды совершить богоугодное дело обмывания покойника, заметил затем, что как недобор, так и перебор этого числа является настолько большим грехом, что даже плата чрезмерно усердствующему считается нечистой.

После его слов хаджи нехотя сознался, что ему пришлось обмыть уже четверых, — и пригорюнился, поскольку, вероятно, рассчитывал на положенные обмывальщику рубаху, штаны, пояс и, главное, еще один новый чапан.

Однако назначенный в обмывальщики паломник предложил ему исполнять роль помощника, великодушно посулив четверть из того, что получит сам, и старик снова воспрял.

Шеравкану вручили пустотелую тыкву-горлянку. Он зачерпывал чуть теплую воду из котла, в три или четыре приема наполнял медный кумган и передавал его средних лет бухарцу. Покойник лежал на наклонной плоскости обмывальной доски. Бормоча молитву, паломник показывал, куда лить воду, и протирал тело ладонью, обернутой лоскутом грубого карбоса, а когда осторожно переворачивал тело, следил за тем, чтоб, не дай бог, не соскользнул кусок холста, стыдливо прикрывавший покойника от пояса до колен.

Когда дело подошло к концу, Шеравкану велели нарвать желтых цветков сафлора.

Выйдя за ворота, Шеравкан увидел Шахбаза Бухари — тот, закинув кетмень[*] на плечо, плелся к постоялому двору вместе с тремя другими гробокопателями, выглядевшими не менее усталыми.

— Ох, тяжела земля, — сказал Бухари, замедляя шаг. — И как только Господь сумел ее от неба отделить?.. Ну, что там?

Шеравкан пожал плечами.

— Носилки готовы. Меня за цветами послали.

— Понятно, — кивнул Шахбаз Бухари и произнес, разводя руками, будто заранее извиняясь:

Бьешься за жизнь, будто мышь на обмылке,
А под конец — лишь цветы да носилки.

— Хорошие стихи, — вежливо похвалил Шеравкан.

— А, разве это стихи! — отмахнулся тот.

[*] Кетмень — мотыга.

Кивнул на колючие стебли сафлора, тут и там торчавшие по обочинам.

— За этими, что ли?

— Ну да.

— А Джафар что делает?

— Я уходил, спал вроде.

— Вот бедняга! Господи, что за беда!..

Качая головой, он прошептал слова молитвы, а потом бросил кетмень на землю и принялся помогать. Шеравкан расстелил платок, и они кидали на него сорванные цветки.

— Хорошую могилу выкопали? — между делом спросил Шеравкан.

— Хорошую, — вздохнул Шахбаз Бухари. — Еще какую хорошую — аж спина трещит. Отличная могила. Чистенькая такая, глубокая. Сам бы в такую сел... дожидался бы Судного дня, — бормотал он, беспрестанно подмигивая и ловко отщипывая соцветия с верхушек стеблей. — А то ведь минуты спокойной не найти, суета сует: поездки, торговля... разве это для меня? Вот в могиле — совсем другое дело. Сочиняй сколько влезет... жаль, прочесть будет некому, кроме Мункара и Накира.

Он невесело рассмеялся, а Шеравкан вдруг с легким содроганием осознал, что этими желтыми цветами, лепестки которых отчего-то холодят пальцы, скоро осыплют мертвеца. Кто-то уже сунул бусину в его косный рот, чтобы не закусил невзначай край савана, а иначе беды не оберешься — будет шастать к живым по ночам, разносить свое несчастье, пока не разроют могилу, не разожмут сведенные зубы. Другой накинул угол ткани на лицо и затянул узел, а сделав это, подошел к одному из столбов, поддерживающих крышу, и совершил точно такое же действие, крепко обвязав столб поясным платком, — ведь что парное, то чистое. Долго ли трижды приподнять носилки, чтобы тот, кто лежит на них, забыл дорогу назад? Да и поставить у ворот блюдо с чечевицей и масляный светильник — на это тоже потребуется не больше двух вздохов. Сколько времени нужно десятку-другому мужчин, чтобы они, часто чередуясь, быстрым шагом, почти бегом, донесли его до кладбища — даже если задержатся на краю клеверного поля и прочтут еще одну поминальную молитву? А чтобы осторожно снять с носилок, опустить на поясных платках, протолкнуть в камеру и усадить? Вот и минули эти краткие сроки, и громкие голоса свидетельствуют, что люди освободились от тяжести смерти. А вот, кажется, стук булыжников, которыми они споро закладывают вход в его тесную келью. Хоть душа и отлетела, хоть Саид недвижен и холоден, хоть как будто сквозь вату или глубокий снег — но он слышит: грохот камней сменился шорохом — должно быть, кладку замуровывают глиняным раствором... вот шлепающий звук падающей земли... потом шелестение и скрежет — наверное, ее остатки сгребают в холм над могилой... краткий удар — это воткнули шест, украшенный разноцветными лоскутами... снова голоса, топот... кто-нибудь подхватил носилки — не бросать же, еще, глядишь, когда-нибудь пригодятся... шаги удаляются... совсем затихли... тишина.

В этот-то миг и возникнут перед ним Мункар и Накир — два Божьих пламенных ангела с черными лицами. И увидит мертвец, что один высок, и статен, и мощен, и смотрит пронзительно и страшно, а тяжелая булава в руке пламенеет синим, почти не видимым огнем. Второй же сутулится, правая лопатка выпирает над левой — он горбат.

— Встань! — властно скажет один, на короткое время наделяя покойника душой.

Саид вздрогнет и попытается встать — и не сможет, а только стукнется головой о земляной свод.

— Я умер? — удивится он.

— Кто твой Бог? — грозно спросит другой Вышний посланец. — Кто ты сам?

Терзаемый неотступными дознавателями, он будет мучительно вспоминать былую жизнь, похожую сейчас на отражение мимолетного облака в текучей воде, и путаться, и запинаться, и снова вспоминать, и фантазировать, и находить ответы, и стараться выглядеть лучше, и снова быть уличаемым во лжи, — и когда они наконец-то покинут могилу, Саид с облегчением и окончательно умрет: закроются уши, погаснут глаза, и станет он безмолвным и вечным ожидателем грядущего воскрешения, о котором протрубит с высокой горы над Иерусалимом вестник Всевышнего — ангел Исрафил.

Глава третья

ЭМИР НАЗР. СМЕРТЬ ДЖАЙХАНИ. ПОХОД

розвища саманидским* правителям давали после их смерти. Эмир Ахмад стал зваться Убиенный. Сон его сторожил лев, взятый котенком на одной из охот. Однажды у дверей покоев почему-то не оказалось ни льва, ни иных охранников, и темной декабрьской ночью 913 года от рождения Христова, то есть через триста с небольшим лет после переселения пророка Мухаммада из Мекки в Медину, несколько тюркских гулямов** беспрепятственно вошли к эмиру, чтобы перерезать ему горло.

---

*   Саманиды — феодальная династия (819–999). Название получила от имени Саман-худата из села Саман близ Балха. За помощь, оказанную при подавлении антиарабского восстания Рафи ибн Лейса (806–810), сыновья и внуки Самана получили в управление наиболее важные области Мавераннахра. Династия Саманидов прекратила свое существование после взятия в 999 г. Бухары тюрками-караханидами.

** Гулямы — буквально — рабы. В Средней Азии, как правило, попавшие в плен и ассимилировавшиеся тюрки. Гулямы составляли основной корпус эмирской гвардии.

На протяжении некоторого времени было не совсем понятно, в чьи руки упадет теперь золотое яблоко Хорасана. Однако счастье склонилось все же на сторону саманидов. Заговорщиков перебили, причем двое перед смертью показали на катиба, то есть главу эмирской канцелярии, как на своего главаря и организатора. Слышать это было странно: никогда прежде секретари-письмоводители в предприятия такого рода не пускались. Так или иначе, злонамеренного грамотея, тщетно силившегося уверить сподвижников покойного в очевидной своей невиновности, спешно и кроваво умертвили, после чего шейхи и воинство Бухары, недолго посовещавшись, единодушно выкликнули на царство восьмилетнего сына эмира Убиенного — Назра.

Он ясно помнил промозглый зимний день своего возвышения. Над Бухарой ползли низкие тучи. Заставляя всадников щурить глаза, холодный ветер бросал в лица то горсти мокрого снега, то брызги дождя. Лошадиные морды лоснились. Меховые шапки сотников тоже выглядели прилизанными. Рослый гулям поднял мальчика на плечи и вышел вперед. Когда войско яростно взревело, потрясая пиками и горяча храпящих коней, влажный воздух заколыхался в ритме долгого эха.

На следующий день его, как это и было положено каждому, кто всходил на престол Бухары, подняли на белой кошме и поставили на Зеленый камень, Санги сабз. Он лежал во дворе Арка — параллелепипед полированного зеленого мрамора длиной в человеческий рост, а высотой и шириной в два локтя.

В регенты при мальце гулямы выдвинули книжника Джайхани.

Это был человек сведущий, разумный, расторопный и образованный, во всем проницательный, — даром что ученый. При начале визирства он написал в разные страны света, прося выслать правила и обычаи царских дворов, как-то: государств Рума, Туркестана, Хиндустана, Китая, Ирака, Сирии, Египта, Занзибара, Забула, Синда и арабских стран. Все полученные списки рассмотрел и хорошо обдумал. Казавшееся лучшим он отбирал, а что было непохвальным — отставлял. Благодаря его уму и распорядительности все дела государства пришли в порядок. Возникали мятежи; на каждый из них он посылал войско, и оно возвращалось с победой и успехом.

Если бы Назр не был сиротой, жизнь его, скорее всего, текла бы так же, как течет в Хорасане жизнь всякого высокородного отпрыска: игра в човган[*], охота, безделье, раннее пьянство и столь же раннее распутство. Имея более или менее верные представления о жизни сверстников, мальчик сразу принялся бунтовать против ритма и стиля жизни, навязываемых регентом. Некоторое время они тягались в упрямстве, однако Джайхани, кроме упрямства, сумел проявить и последовательность, жестко пресекая попытки царедворцев купить расположение малолетнего эмира ценой лишнего пряника.

Жизни иных высокородных отпрысков мальчик мог только позавидовать: не было дня, чтобы после

---

[*] Човган — игра, при которой всадники, разбившись на две команды, гоняют небольшой мяч специальными палками; нечто вроде конного поло.

утренней беготни, прыжков, борьбы, ратных упражнений и купания, заведенных регентом по греческому образцу, он не попадал в тиски двух угрюмых сирийцев, наставлявших его в арабском, законоведении, географии, астрономии и математике, а также (напоследок) в толковании Корана. Затем, взбодрившись чашкой кислого молока и лепешкой, малолетний властитель оказывался в помещении совета, где ему предназначался самый высокий ворох подушек, возле которого на чуть более низком сидел Джайхани.

Джайхани учил его навыкам дипломатии, единственной целью которой было поддержание существующего миропорядка.

Конечно, каждое событие в отдельности было по-своему неповторимо и, как бы ни походило на предыдущее, требовало своей собственной оценки. Поэтому, например, год назад Джайхани рассудил богато отдарить хивинцев, приведших целый караван подношений, а ныне проявил оскорбительную сдержанность, хотя ни грабежей не стало больше, ни хивинской хитрости. Почему? — ему самому неизвестно. Но и неважно, поскольку нынешний визит хивинцев — не последний. Все повторяется, подтверждая тем самым неизменность времен: снова и снова возвращаясь, прошлое избавляет настоящее от налета сиюминутности и позволяет иметь некоторую уверенность в будущем.

Да, небо вращается, с каждым мигом меняя все вокруг, но и неуклонно поворачивая свой диск к той зарубке, с которой все начнется сначала. Снова хивинцы принесут дары, и снова эмир их примет. Многое в мире имеет значение, но еще большее — нет.

Говорили неспешно: слово стоило дорого — за каждым маячили громоздкие смыслы, — а будучи произнесенным, безвозвратно каменело.

Послы вручали Назру ярлыки и свитки. Посмотрев на учителя, он медленным кивком подтверждал свое согласие принять их. Присутствующие — человек тридцать-сорок знатных мужей Бухары и двора — степенно поглаживали бороды в ожидании той минуты, когда их обязанность быть свидетелями происходящего подойдет к концу.

После недолгой официальной беседы — все больше обиняками — Джайхани мог пуститься в расспросы о всякой всячине. Не приходили ли купцы с севера, от славян? Нет?.. А откуда приходили? Ах, вот как!.. ну, это обычное. А еще говорят, в Герат приехал один человек из Пешавара, толкует, будто в заполуденном климате снова расплодились одноглазые рогатые люди... не слышали?.. жаль. Ну, Аллах лучше знает.

Как-то раз кто-то из гостей, робея и смущаясь, сказал, что его люди принесли ему морские раковины, — спешно вытряс из кожаной сумки и протянул.

— Откуда принесли? — уточнил Джайхани, удивлено рассматривая высыпанные перед ним на дастархан[*] пыльные камни; кое-какие и впрямь гляделись чем-то вроде ракушек.

---

[*] Дастархан — расстеленное на полу или на небольшом возвышении покрывало, на которое ставятся блюда с едой или иные предметы. В европейском понимании — стол.

— С горы.

— С горы? — удивленно и задумчиво переспросил регент. — Впрочем, я слышал, что на горах находят подобия морских животных.

— Да, да, — кивал приободренный даритель.

— Это не подделка? — строго спросил Джайхани.

— Боже мой, разве посмел бы я представить вам подделку! Нет, нет! Совсем простые люди принесли мне... вот, говорят, эмир, что мы нашли.

— Морским животным свойственно жить в воде, — заметил Джайхани. — Следовательно, либо на этом месте прежде была вода, либо кто-то вынул их из воды и принес на гору.

— Ветер? — предположил один из гостей.

— Птицы! — уверенно высказался другой.

— Может быть, учитель, там и на самом деле прежде было море?

— Это совершенно исключено, — отрезал Джайхани. И усмехнулся: — Море есть море, а горы есть горы. Горы не ходят.

— Но, учитель, например, песчаные барханы меняют свое местоположение. Ветер несет песок, и бархан постепенно перемещается. Отец говорил мне, что его родное селение было погребено барханом, а когда он был мальчишкой, ничто этого не предвещало.

— Песок! — раздраженно бросил Джайхани. — Какой смысл сравнивать несравнимые вещи? Что общего между песком и камнем, между водой и огнем?

Он помолчал.

Присутствующие тоже молчали.

— Должно быть, все-таки птицы, — с нерешительностью размышления сказал учитель. — Собственно, чем плохи морские животные в качестве корма для птенцов?

Этот вопрос не получил ответа. Просто все покивали: действительно, чем?

Но, как правило, Джайхани не заводил разговор в столь глубокие научные русла, ориентироваться в которых может только по-настоящему просвещенный человек. Как правило, он лишь неспешно кивал, прикрывая веками усталые глаза, потому что ему, автору многих сочинений по разным прикладным и умозрительным наукам, было хорошо известно, сколь велика нелюбознательность вельмож — просто удивительно, до каких границ она простирается.

В конце концов дело переходило в пьяное застолье, являвшееся обязательным подтверждением серьезности достигнутых договоренностей, и всегда-то Джайхани делал так, что у Назра находились какие-то новые и совершенно неотложные дела — готовиться к завтрашней охоте, на которой его будут сопровождать послы, или играть в човган с их почтительными слугами и помощниками.

Если выдавался свободный час или день, когда можно было дать себе передышку в создании ученых трудов, Джайхани переписывал Коран. Он был великолепный каллиграф. Назр любил смотреть, как регент, расставив перед собой на низком столике несколько чернильниц, разложив порядком перья и кисти, завиток за завитком покрывает свежий пергамент все новыми и новыми строками. Очередной переписанный и переплетенный текст Джайхани клал в большой деревянный сундук. Назр неоднократно спрашивал, сколько их там всего.

— Придет время, узнаете, — всякий раз отвечал ученый.

И время пришло: не больше недели промучившись болями в спине и не получив облегчения ни от своих, ни от еврейских лекарей, старик отдал душу в добрые руки Того, Кто ведает и знает.

Перед смертью он просил положить ему в изголовье могилы все собственноручно переписанные Книги — как залог того, что Господние ангелы, которым придется иметь дело с новоотпущенной душой, отнесутся к ней благосклонно.

* * *

Оказалось, вдобавок к каждому Корану Джайхани написал отдельное заключение. В самом объемистом из них подробно излагались коранические науки: разночтения, редкие слова, арабские обороты, отменяющие и отмененные стихи, толкования, причины ниспослания Корана и его законы. От первой до последней буквы оно было написано золотом. Текст обрамляли празднично светившиеся орнаменты — яркая синь порошка бирюзы, нетускнеющий кармин червяков кошенили — и круглые голубые медальоны с золотыми изречениями Пророка.

Все остальное Джайхани выводил простыми чернилами, однако десятые и пятые части Корана, начала стихов, сур и всех тридцати двух частей тоже прорисовывал золотом.

— Сорок три списка! — сказал Балами, качая головой. — Да еще заключения. Ничего себе!

Они вынули и разложили на полу тяжеленные книги и теперь сидели у раскрытого сундука.

Назр кивнул.

— Да, потрудился старик. Уже сегодня его душа окажется в раю.

— Надеюсь. Однако нужно сказать людям, чтобы рыли могилу попросторней.

— Зачем?

— Иначе Кораны не поместятся.

Назр хмыкнул. Абулфазл Балами был не просто его другом, а другом с колыбели: они росли вместе, деля сначала детские забавы, затем часы занятий и отдыха, а теперь заседания совета и суда. Но больше всего он ценил своего друга за то, что именно в его голову приходили такие простые и здравые мысли.

Рядом с семнадцатилетним Назром — высоким, плечистым, мощным, стремительным в движениях, резким — его тонкокостный, худощавый, всегда будто чем-то опечаленный друг, так любивший тишину и книги, так часто замиравший в задумчивом созерцании облака или цветка, хоть и был старше на целых полгода, а выглядел совсем мальчиком.

Однако не зря отец Абулфазла состоял некогда столь ценимым и почитаемым визирем при эмире Убиенном: именно от отца он унаследовал рассудительный характер, умел проявить выдержку, предпочитал лишнюю минуту подумать, нежели исправлять последствия опрометчивых решений, и в целом как нельзя лучше уравновешивал порывистость молодого эмира.

— Тебе придется назначить визиря, — сказал Абулфазл с едва приметным вздохом.

— Я уже назначил, — кивнул Назр. — Мой визирь — ты.

— Понимаю. Но гулямы хотят видеть на этом посту своего человека.

Юный эмир вскинул брови.

— Неслыханно! Они думают, что имеют дело с пугливым мальцом? Я им покажу "хотеть"! Забыли свое место?! Напомню! Саманиды от веку брали визирей только из двух родов: Джайхани или Балами! Джайхани упокоился с миром, не оставив подходящего отпрыска. Балами в наличии. Ничего больше не нужно! Или они собрались мне указывать?.

Хмурясь, Назр начал быстро щелкать сердоликовыми четками, как всегда делал размышляя.

Конечно, он и сам понимал, что сказанное им вовсе не решает задачу. Всегда разделенный на партии двор источал яд многообразных интриг. Покойный Джайхани умел поддерживать равновесие — так индийские фокусники крутят на пальце большое медное блюдо, по которому катаются, не сталкиваясь друг с другом, несколько яблок. Со смертью регента задача поддержания равновесия ложится на его собственные плечи.

Между тем гулямы — одна из главных сил государства. Это армия. Точнее, ее тюркская часть. Гулямы хотят, чтобы от государя их отделяло как можно меньше властных ступенек. Поэтому желали бы видеть на посту визиря одного из своих соплеменников и предводителей — бека Ай-Тегина.

Ай-Тегин — сипах-салар, один из главных военачальников, командир тюркской дворцовой гвардии. Это серьезная фигура: он занимает третий пост в государстве после хаджиба — распорядителя двора. Командует не только гвардией, под его началом служат и кипчаки — два полка легкой кавалерии. Ай-Тегин набирает их сам — преимущественно из неграмотных, но бойких представителей своего сложно разветвленного рода. Слава Аллаху, что кипчаки вечно враждуют с огузами: если сойдутся, с ними вовсе не будет никакого сладу.

Очередного щелчка камня о камень не последовало.

— Хорошо бы его наместником в Самарканд, — протянул Назр, мечтательно глядя перед собой. И тут же сам недовольно констатировал: — Но Ай-Тегин в Самарканд не поедет.

— Не поедет, — согласился Балами. — Да и вообще все придут в недоумение, если ты назначишь наместником гуляма. Надо его как-нибудь задобрить. Потому что ничего решительного в отношении него мы сейчас предпринять не сможем.

— Понимаю, — вздохнул Назр. — Я уже думал об этом. Он чертовски осторожен. Всегда окружен оруженосцами, дом — крепость. Рабы его любят... Кроме тюрков никого к себе не подпускает. Понадобится время — каким-то образом внедрить к нему своего человека... выждать момент.

Оба они понимали, о чем идет речь.

— Ну да. А решать нужно сейчас.

— От этих проклятых тюрков всегда больше головной боли, чем пользы! — Назр выругался и в сердцах пнул подушку. — Плевать! Не обращай внимания! Пусть Ай-Тегин проглотит и утрется! Визирем он хочет! Советы мне давать?! Тупой мужлан! Что он умеет, кроме как головы с плеч сносить?! Все, я сказал: визирь — ты!

Балами хмыкнул.

— Интересное решение. Даже если они не взбунтуются тотчас же, ты получишь себе врага на всю жизнь. Сильного, серьезного врага.

— Взбунтоваться не посмеют. Они, конечно, сила. Но все же без поддержки имамов не рискнут на серьезные действия. Пока имамы в стороне — на тюрков можно опираться без опаски. Ничего, переживет. Посулю что-нибудь... обласкаю, поговорю, пообещаю. Может, место кушбеги освободится?

— Не знаю, — вздохнул Балами. — Все может быть. Пока ничто не предвещает.

— Ну и все, хватит об этом. Есть более важные темы.

— Например? Вообще-то нам пора идти, все давно собрались.

— Да, да... сейчас, — Назр покивал. — Обсудим одну вещь. Джайхани ушел от нас. Мы его проводим с почетом. Совесть наша будет чиста. Следовательно, мы сможем начать то, что предначертано.

— А что предначертано? — с деланым недоумением спросил Балами.

— Ты отлично знаешь, что нам предначертано. Поход в Нишапур!

— Ах, поход в Нишапур...

— Ты забыл? — рассердился Назр. — Говорено-переговорено! Да, поход в Нишапур. Нишапур наш! Но все время норовит отложиться. Это еще при жизни деда началось. Нишапур третий год не платит налогов! Чего ждать?! Пока они вовсе перестанут обращать на нас внимание?

— Джайхани был против этого похода, — меланхолично заметил Балами и тут же поднял руки, заведомо гася возмущение эмира. — Но даже если я соглашусь с тобой насчет того, что пора вразумить тамошних царьков, то все равно есть по крайней мере одно обстоятельство, которое препятствует походу. Я хочу сказать: сейчас препятствует, в настоящее время.

— Ну?

— Твой самаркандский дядя.

— Фарнуш?

— Фарнуш. Фарнуш Саманид.

— Ты думаешь, он...

— Непременно. И в очень скором времени. Буквально со дня на день. Поэтому до разрешения этого вопроса Бухару тебе покидать нельзя.

Назр снова всласть пощелкал четками.

— Глупости, — сказал он.

— Почему? — поинтересовался визирь.

— Фарнуш ленив и бездеятелен! Здоров как бык, а честолюбия — и на маковое зерно не наберется. Он тюфяк! Знаю я его как облупленного. Поленится задницу от подушки оторвать. Зачем ему эти хлопоты? Сидит себе в Самарканде, горя не знает, всегда может рассчитывать на нашу поддержку — и вот он ни с того ни с сего задушит синицу в кулаке и двинется добывать журавля в небе?! Нет, не такой он человек.

— А если кто-нибудь присоветует? И потом, знаешь, когда на кону такие куши, люди иногда меняются, — заметил Балами. — Что такое Самарканд в сравнении с Бухарой? Благородная Бухара! Это не лишняя тыква на базаре.

— И войско у него — дрянь! Остолопы! Видел я их в деле. Не посмеет.

— Войско — дрянь, — согласился Балами. — Но ведь и противник перед ним не ахти какой. — И добавил, чтобы подсластить пилюлю: — Так он, по крайней мере, думает.

— Ах, так он думает! — взъярился Назр. — Ах, не ахти! Хорошо же! Совет сюда! Воинских начальников сюда! Немедленно!

Назр вскочил.

— Погоди, — сказала Балами, поднимаясь следом. — Давай хоть старика похороним.

* * *

Следующие полторы недели прошли в суматохе, свойственной периодам, когда застоявшееся, зажиревшее и почти забывшее о своем предназначении воинство приводится командирами в чувство с помощью беспрестанного ора, зубочытин, беготни и всеобщей бестолковщины.

— Дерьмо! — стервенел Назр, наблюдая то за пехотными маневрами сарбазов, то за такой же спотычливой, неровной походью кавалерии. — Господи, Балами, у нас нет армии! Нас можно брать голыми руками!

— Не горячись, — успокаивал его визирь. — Застоялись ребята, жизнь была слишком спокойной. Дай срок, все будет.

И срок был даден — но совсем короткий: уже к вечеру следующего дня пришла весть, доказавшая совершенную правоту дальновидного визиря: Фарнуш Самаркандский, брат эмира Убиенного, то есть родной дядя Назра, собрал рать и двинулся на Бухару за тем, что было ему положено по праву; оказывается, он и прежде так считал, и только интриги старого книжника все эти годы мешали ему навести наконец должный порядок в благословенном Мавераннахре.

— Вот же старый ишак, а! — с досадой бросил Назр, выслушав донесение. — Надоела ему голова на плечах. Ну что ж...

Мимо шатра вялой рысью пылила конница.

— Обрати внимание на вторую сотню, — сказал Балами.

Приложив ладонь ко лбу, Назр проводил ее взглядом. Чем-то она и впрямь отличалась от прочих — то ли кони глаже, то ли всадники бодрее.

— Сотника ко мне! — приказал эмир.

От строя отделился всадник, стремительно, прижавшись к шее лошади, проскакал к шатру, поднял коня на дыбы — и уже скатился на землю, опустившись перед эмиром на одно колено и склонив голову.

— Как зовут?

— Шейзар, ваше величество.

— Встань! Откуда такой?

— Из Панджруда, ваше величество. Сын дихкана Хакима.

— Дихкана Хакима? — Назр вопросительно взглянул на Балами.

— Верный слуга вашего деда, — подтвердил визирь. — Сыновья дихкана Хакима воевали под знаменами эмира Убиенного... Жив старик?

— Жив, — улыбнулся сотник.

— Ну хорошо, Шейзар. Будь поблизости. Может, понадобишься.

— Слушаюсь!

* * *

Скоро из донесений разведчиков стало понятно, что к утру армия Фарнуша выйдет на рубеж старого русла Хайдарьи. И, если обнаружит перед собой строй войска Назра, будет вынуждена развернуться в боевые порядки.

Назр видел в этой диспозиции два преимущества. Во-первых, старое русло полузанесено песком, а самоощущение пехотинца, вынужденного принять оборону на нетвердой почве, отличается от самоощущение бойца, с диким "ур-р-р-ром" летящего на него по стеклянно-шершавой глади солончака. Во-вторых, справа от предполагаемого фронта лежала мелкая, как все в пустыне, жалкая, предательская, но все же ложбина: в ней, если положить лошадей на песок и не поднимать до мгновения атаки, могла укрыться конная сотня.

Остался час или полтора, чтобы вздремнуть.

Назр не спал. Он лежал с открытыми глазами, глядя во тьму, едва разреживаемую светом тусклого каганца. Его хватало, чтобы высветить бесконечную череду мгновений предстоящего боя, набегающих друг на друга будто рябь речной воды. Случалось все: он побеждал, он был побежден; он вонзал меч в грудь великана Фарнуша, великан Фарнуш разрубал его от плеч до самого седла; голоса и ржание сливались в дикий ор, почти заглушаемый бряцанием, лязгом, хрустом, храпом; его бойцы бежали, петляя в панике как зайцы, в тщетной надежде уйти от летящей за ними вражеской конницы; его конница сметала ряды сарбазов Фарнуша и гнала их по степи, оставляя за собой порубленные тела, щедро обагрившие кровью песок и полынь; все кончалось; все начиналось; все, все, все!

Балами коснулся плеча; Назр вскочил, растерянно озираясь.

— Пора, — сказал Балами.

Судя по всему, в час битвы счастье Фарнуша смотрело в другую сторону. Что же касается верного расчета Назра, то те неизбежные превратности войны, что подстерегают даже самых опытных полководцев, не смогли чрезмерно его исказить.

Когда войска сошлись, сотня Шейзара, возникшая из своего укрытия с ошеломительной неожиданностью (так орлица падает на мирно посвистывающего суслика) и оказавшаяся как раз на том расстоянии от порядков Фарнуша, чтобы кони успели набрать ход, с такой силой ударила в левый фланг, что армия тотчас же обратилась в бегство.

Сам полководец поздно заметил, что остался один. Возможно, впрочем, он решил не переживать своего позора — поражения от рук малолетнего племянника. Так или иначе, он действительно был велик ростом, мощен и отважно бился, немало навредив наседающим на него сарбазам Назра. Конь пал. Фарнуш сражался пешим, пока наконец знаменитый сотник Камол Малютка не снес его голову с плеч мощным взмахом своего пудового меча.

* * *

Назр ликовал.

Когда миновала пора пиров, вызвал из Самарканда старшего сына покойного Фарнуша, да насладится его душа свежестью райских источников.

Тот послушно прибыл с целым караваном подарков. В их числе было легендарное золотое блюдо, принадлежавшее некогда Исмаилу Самани; владение им, по мысли участников процедуры, означало безоговорочное признание старшинства Назра в роду Саманидов.

Назр, ублаготворенный символическим и неожиданным для него даром, провел с племянником полдня; найдя его вполне подходящим для исполнения должности, эмир принял клятву в вечной верности, вручив взамен ярлык на Самаркандский вилаят.

Теперь ничто не мешало походу в Нишапур.

Балами вздыхал, Назр же был полон энтузиазма и целыми днями терзал чиновников, добиваясь от них предприимчивости и решительности в исполнении всех тех надобностей, которые должны предшествовать столь серьезному предприятию. Кроме того, он то и дело собирал совет, вновь и вновь внушая, что не стоит размениваться на мелочи, когда есть возможность совершить серьезное, масштабное деяние, воистину достойное внука великого воина и собирателя хорасанских земель.

Члены совета соглашались насчет того, что провинцию давно следует посетить на предмет должного вразумления, а не то, не приведи Господи, Нишапур и впрямь отложится, о каковых его намерениях были знаки еще при жизни эмира Убиенного. С другой стороны, многие высказывали осторожное мнение, что Господь знает лучше и, возможно, было бы разумней начать с чего-то менее масштабного. Представляемые чиновниками сметы тоже многих неприятно поражали.

Однако Назр настаивал, уговаривал, приказывал, толкал дело вперед.

Все мало-помалу складывалось, однако складывалось как-то через силу, как будто некие таинственные силы и впрямь не хотели, чтобы этот поход состоялся. Северные области тянули с выплатой податей: выдача армейского жалованья оказалась под вопросом. Начальник кавалерии умер коликами. Прогнозы звездочетов выглядели не весьма благоприятными. Гадания тоже внушали множество сомнений. И так во всем — куда ни сунься, все не слава богу.

Однако слава деда — великого Исмаила Самани! — не давала Назру покоя.

Теплым мартовским вечером они с Балами сидели в айване за поздним ужином. Выступление войск было назначено на утро, все вокруг стремилось к этому часу, поэтому даже дворец, который, по идее, не должен был участвовать ни в каких перемещениях, приобрел налет чего-то походного, что выражалось, в частности, в том, что прислуга мешкала и путала очередность блюд.

Балами задумчиво отпил из чаши и сказал:

— Я вот что думаю. Не знаю, может быть, тебе эта мысль покажется неприятной...

Назр вопросительно поднял брови.

— Я имею в виду твоих братьев.

— Моих братьев?

— Ну да. Что ты так удивляешься? У тебя же есть братья?

— Есть, — согласился Назр, откусывая от утиной ножки, томленной в розмариновом сиропе. — Мансур, Хасан и Ибрахим. Братики мои родные. То есть два родных, а один единокровный. По отцу.

— Мансуру уже шестнадцать, — заметил Балами.

— Верно, — согласился Назр. — Недавно исполнилось шестнадцать. Я ему лошадь подарил. Хорошая лошадь, хатлонская.

— Вот я и говорю, — не отступал Балами. — По возрасту он совсем немного тебе уступает.

— Но гораздо глупее, — возразил Назр. — Я даже удивляюсь — от одного отца вроде. Правда, мать у него была арабка.

— Никто в этом разбираться не будет — умнее он тебя или глупее. Важно, что он тоже сын эмира Убиенного.

— И что?

— Назр, ты правда не понимаешь?

— Нет, — Назр бросил на дастархан обглоданную кость. — Не понимаю.

— Хорошо. Говорю прямо. В твое отсутствие могут найтись люди, которым выгодно забыть о том, что истинный эмир — ты. И выкликнуть на царство Мансура. И получить все выгоды этого положения.

— А, ты вот о чем, — Назр зевнул и откинулся на подушки. — Об этом не волнуйся.

— Почему?

— Сегодня всех троих переселили в Кухандиз.

— Боже святый! — изумился Балами. — Ты заточил их в крепость?!

— Ну, "заточил" — это, пожалуй, слишком сильно звучит, — с сомнением сказал Назр. — Но что запер, то правда. Пусть посидят месячишко-другой. Нуждаться ни в чем не будут. Но и разговоров лишних вести не с кем. Ты ведь это имел в виду? — спросил он, усмехаясь.

Балами только развел руками.

* * *

Неизвестно, чем бы кончился поход, если бы Назр и в самом деле достиг Нишапура, однако Аллаху было угодно, чтобы этого не случилось.

Тем не менее назначенное утро настало, и все до поры до времени пошло своим чередом: трубы заревели, залязгали удила в лошадиных зубах, зашатались, заныли обозные повозки, влекомые понурыми быками, затрепетали бунчуки на концах пик — и эмир Назр, горяча скакуна под алым ковровым чепраком, повел свое войско в дальний край.

Пыль встала в полнеба, а шум, лязг, ржание, скрип колес и топот копыт разлетелись до горизонта.

Впрочем, уже через час не было видно в мареве степи ни коней, ни всадников. Пыль осела, и тишина легла на зеленые весенние окрестности благородной Бухары.

Абу Бакр. Мятеж

ечерело. Тени оплывших башен вытягивались, ложась на крыши кибиток, лепящихся изнутри городской стены к мощным стенам старой крепости.

В скучных местах время течет медленно.

Кухандиз — скучное место.

Прежде тут хоть десятка полтора всеми забытых узников бытовало, а когда эмир приказал братьев поместить, то всех бедолаг перекинули в Арк, в тамошние зинданы. Оно для них, может, и лучше — к судьям ближе, может, с кем и разберутся наконец — кому плетей, кому со стены полетать, кого, глядишь, и выпустят — на свете ведь всякое бывает.

Прежде хоть изредка оживление случалось, а теперь вообще как на том свете. Высокородные узники молчаливы — что с них взять, пацаны совсем. Сидят, прижухнулись, как птенцы. Думают, небось, как дело повернется, когда вернется эмир из похода. Может быть, прикажет выпустить их, как в праздники люди

горлинок выпускают. А то, не приведи Аллах, еще
что удумает.

Ох-хо-хо!

Живут царевичи в одном покое. У двери день и
ночь стража. Окна узкие, не высунешься. А высунешься, так тоже рад не будешь — стена высокая,
внизу ров, лететь до него и лететь. Коли крыльев нету,
так шарахнешься, что и костей не соберешь.

Всем необходимым их повар обеспечивает — Абу
Бакр. Прежде он гарнизон своим варевом окармливал,
а теперь и для царевичей старается. Правда, царевичам
продукты из Арка привозят. И готовит им Абу Бакр
отдельно... да где же он, чертов сын?!

— Абу Бакр! — хрипло крикнул начальник стражи,
сидевший на низком топчане, покрытом ветхим па-
ласом. — Ты меня голодом хочешь уморить?!

— Иду, иду!

И уже через минуту начальник, помешивая щербатой ольховой ложкой в такой же щербатой глиняной миске, недовольно принюхивался к ее содержи-
мому.

— Из чего он эту шурпу варит, мать его так! —
буркнул начальник, откладывая ложку, и снова рявкнул: — Абу Бакр!

Повар опять высунулся из-за двери.

— Что?

— Ты из чего шурпу варишь? — грозно спросил
начальник. — Почему всегда грязной тряпкой воняет?!

— Ничего не воняет, — возразил Абу Бакр. — Из
чего положено, из того и варю. Вам — из ослятины
варю, из требухи, а молодым князьям...

— Из ослиной требухи? — сдавленно спросил начальник караула, давя рвотный позыв. — Да я тебя!

— Шучу, шучу! Нормальный баран был... ну, может, староват маленько для казана... зато уважаемый!.. ему бы в совете муфтиев заседать.

Абу Бакр дико загикал, нечеловечески запрокинув голову. Выразив таким образом охватившее его веселье, он скрылся в кухне.

— Вот же дурень, а! — с горечью сказал начальник караула. — Никакого сладу с ним. Я б такого дурака никогда в жизни при Кухандизе не оставил. Благородное место — а тут этот олух.

— Старинное место, — подтвердил молодой стражник, деливший с ним трапезу. Миска у него была поменьше, а от края общей лепешки он отщипывал осторожно, с деликатностью.

— Старинное! Не просто старинное. Сам Сияуш построил. — Начальник задумчиво пожевал и пояснил: — Его потом Афрасиаб убил.

— Афрасиаб много силы имел, — подтвердил стражник.

— Две тысячи лет жил, — наставительно сказал начальник, зачерпывая ложкой.

— Мощен был туранский царь, — снова согласился молодой.

— Убил — и закопал, — твердо сказал начальник, не обращая внимания на слова стражника. — Прямо где убил, там и закопал.

Они молча похлебывали шурпу.

— А говорят, он в Рамтине похоронен, — осторожно заметил стражник. — Так я слышал.

— Говорят! Ты слушай больше — такого наговорят, что уши заложит. Кто что толкует. Самаркандцы говорят — у них. Уструшанцы — тоже у них. Всех не наслушаешься. Здесь он похоронен, в крепости.

— Ну да, — на всякий случай кивнул молодой.

— Только никто могилу найти не может, — заметил начальник, задумчиво жуя. — Старики толкуют, что если в ночь Предопределения увидишь голубой огонь — там, значит, и могила. Разроешь, тронешь останки — станешь сильный, могучий, каким был Сияуш, вся власть мира к тебе стечется.

— Здорово! — мечтательно вздохнул стражник.

— Неплохо, что говорить, — рассудил начальник караула, с хлюпаньем втягивая юшку.

Некоторое время жевали молча.

— А я еще слышал, что потом крепость развалилась, — сказал стражник.

— Так и есть, — покровительственно одобрил его слова начальник. — Кей-Хусрав убил Афрасиаба и начал крепость перестраивать. Что-то ему не понравилось, значит. А она возьми — и развались. Снова кое-как слепили — опять рассыпается. В третий раз принялись — никакого толку. Тогда собрали ученых со всех краев земли. Ученые посоветовались и так решили: возвести крепость по плану наподобие созвездия Большой Медведицы — на семи каменных столбах.

Начальник караула отложил ложку, двумя глотками допил из миски остатки шурпы и сказал сдавленно:

— С тех пор стоит как влитая.

— А еще говорят, тут ни один царь не умер, — поспешил вставить свое слово стражник.

— Верно говорят, — кивнул начальник караула, отдуваясь. — Ни один. Ни из язычников, ни из мусульман. Да ведь судьбу, братец ты мой, все равно не обманешь! Им бы сидеть тут и не высовываться. Они бы и горя не знали. Жили бы себе поживали. Но ведь иных не переспоришь. Как его время подходит, так ему непременно приспичит куда-нибудь ехать. Проси его, умоляй — как об стену горох. Неужели нельзя ради такого дела день-другой на месте посидеть? И все бы образовалось, и, глядишь, еще сто лет бы прожил. Так нет. Втемяшится ему переть куда-нибудь по какой-то там срочной его царской надобности. И вот такой тебе, понимаешь, подарочек: только приедет в другое место, тут же: бац! — и готово, шагайте за лопатами...

— Да уж, судьба — это не огурец настругать, — вздохнул стражник. — Если позволите, дядя, я тоже кое-что расскажу. Когда пришел час моему отцу...

Пока охранники неспешно заканчивали трапезу, Абу Бакр бросил в закипевший кумган добрую горсть мяты, поставил на поднос блюдо с жареным мясом, положил сверху пару лепешек, приткнул три пиалы и, взяв кумган в одну руку, а поднос в другую, направился к юным узникам.

Пройдя низким коридором, он вышел в полукруглый залец. Низкое солнце било в два щелеобразных окна, заливая ярким светом расположенные напротив резные двустворчатые двери.

Сидевший у дверей стражник Хатлух мирно спал, свесив бородатую голову на грудь и цепко держась во сне за древко стоявшей между ног пики.

161

— Тревога! — со всей дури рявкнул Абу Бакр.

— Что? — Хатлух заполошно вскочил, перехватывая пику и направляя острие на повара. — Кто? Кого?

(В караулке молодой стражник тоже вздрогнул и недоуменно посмотрел на начальника. "А! — тот безнадежно махнул рукой. — Все шуткует, шакал".)

— Кого! Того! — передразнил Абу Бакр, балансируя подносом. — Дай пройти! Совсем совесть потерял. Дрыхнешь на посту.

— А, это ты! — сказал Хатлух, вытер рот рукой и спросил недоуменно: — Ты что орешь?

— Да то! — озлился повар. — Двери открывай! Вот ты тут спишь, как у мамки под сиськой, а царевичи сбегут, что будешь делать?

— Царевичи-то не сбегут, — буркнул Хатлух. — А вот ты в следующий раз так заорешь — я тебя точно проткну, ишак ты безмозглый.

— Ничего, посмотрим еще, сбегут или не сбегут, — ворчал повар, осторожно пронося поднос мимо притолоки. — Сбегут, так тебя собакам скормят. А тыквой твоей бестолковой горох будут обмолачивать.

— Иди, иди!

Хатлух заглянул в комнату поверх плеча Абу Бакра, убедился, что все на месте, затворил за ним двери, сплюнул с досады и снова сел, бормоча насчет того, что кое-кому самому давно уж пора настучать по безмозглой башке.

В комнате царевичей было сумрачно. Узкие зарешеченные окна смотрели на восток, солнце заглядывало в них только утром, скупо расплескивая раннее свое золото на стены, завешенные ткаными покрывалами, и на пол, застеленный коврами и одеялами.

Десятилетний Хасан лежал на животе, подперев голову руками и скрестив ступни согнутых в коленях ног. Шестилетний Ибрахим сидел с противоположной стороны шахматной доски, тоже подперев голову руками. Однако подпертая голова старшего выражала беззаботность и уверенность в себе, младший же хмурился, и напряженно сведенные к вискам ладони наводили на мысль об охватившем его отчаянии.

Мансур, развалившись в другом углу, рассеянно пощелкивал четками.

Войдя, Абу Бакр низко поклонился, ухитрившись при этом ничего не поронять с подноса, и осторожно поставил его на дастархан.

— Повелитель, — сказал он, с новым поклоном обращаясь к Мансуру. — Откушайте, пожалуйста. Ягненок молодой, сочный. Мальчики! Пожалуйте кушать!

Ибрахим только пуще нахмурился; Хасан, заинтересованно посмотрев в сторону яств, перевернулся, сел и сказал не глядя:

— Ладно, сдавайся.

— Сам сдавайся! — зло ответил Ибрахим. — Скоро смерть твоему царю!

— Да уж ладно, смерть, — примирительно пробормотал старший, пересаживаясь ближе к дастархану. — Давай лучше поедим, потом новую начнем.

Секунду помедлив, Ибрахим решился и с громким хохотом смел с доски фигуры, одну из которых заменяла персиковая косточка.

Младшие увлеклись ягненком. Абу Бакр, беспрестанно кланяясь, подсел к Мансуру.

— Все готово, ваше величество, — тихо говорил он, успокоительно разводя ладонями. — Вы, главное, когда начнется, не выходите отсюда, не надо. Если кричать кто будет, на помощь звать — все равно сидите, не высовывайтесь. Верные люди все сами сделают. Бухара ждет вас, повелитель. Скоро вы будете в Арке!

— А Назр? — хмурясь и нервно пощелкивая теперь уже не четками, а костяшками пальцев, перебил его Мансур. — Он точно погиб?

— Соболезную, повелитель... брат есть брат, я понимаю. Но известие верное — погиб. Гюрза его укусила... гюрза, ваше величество... черная смерть... знаете?

— Знаю, — снова поморщился Мансур. — Ладно, хорошо. Точно завтра?

— Точно, ваше величество. А если нет, если какая неожиданность, тогда я, как обычно, вам обед принесу... тогда и новости скажу, все как есть... хорошо?

Мансур нервно поежился.

— Вы поешьте, поешьте, — бормотал Абу Бакр. — Ягненок — как горлица... во рту тает.

— Не хочу! — скривился Мансур.

Дверь приоткрылась.

— Ты что опять тут застрял? — с подозрением спросил Хатлух, заглядывая внутрь. — Поставил поднос — и вали!

— Поели бы, — упрашивал Абу Бакр, на коленках пятясь от царевича к дверям. — Во рту тает!

На ноги он встал у самого порога.

Грозно сведя брови, Хатлух еще раз осмотрел внутренность покоев и неспешно закрыл дверь.

Между тем начальник охраны и молодой стражник доели свою шурпу и теперь сидели порыгивая.

— У этой птицы два сердца, — толковал молодой стражник, — поэтому она и летает быстрее всех, и живет дольше.

— Чушь какая-то, — сказал начальник.

— Не чушь, дяденька, — заупрямился стражник. — Мне отец говорил. А мой отец, между прочим, при великом эмире Самани...

Речь его прервало новое появление повара.

— Я пошел, Ахмад, дорогой, — полувопросительно сказал Абу Бакр, легко кланяясь начальнику караула. — Царевичам ужин отнес, не беспокойтесь.

— Отнес? — строго переспросил начальник, супясь. — Ну хорошо.

Абу Бакр шагнул было, но задержался, расплывшись в широкой улыбке.

— Завтра из чего вам шурпу сварить? Хотите, из козлиных копыт сварганю? А если шурпа надоела, могу редьку с парочкой крыс потушить? — их в подвале, как блох в подстилке, жирные такие.

— Иди, иди, болтун проклятый! Чтоб тебе подавиться твоими словами, придурок. Вот вернется эмир, я тебя точно отсюда выставлю!

— Эмир? — удивился Абу Бакр. — Это Назр-то? Пацан-то этот безусый? Вот-вот, пусть вернется поскорее. Я ему покажу, что такое ишачий Навруз! Он у меня узнает, как орехи задницей колоть.

— Что ты несешь, идиот?! — начальник караула налился черной кровью. — Шакалье отродье! Плетей давно не получал?!

Но Абу Бакр с диким своим гыканьем, заменявшим ему то, что у других называется смехом, уже скрылся в переходе.

— Натуральный придурок, — вздохнул стражник. — Сумасшедший. Сумасшедшим все можно болтать. Люди только смеются над их глупостью, вот и все. А они и того не понимают.

— Не знаю, — угрюмо сказал начальник караула. — Сдается мне, что до петли он все-таки однажды доболтается.

* * *

Абу Бакр спустился во внутренний двор, и скоро опять стало слышно его залихватское гыканье — это он перекинулся парой-другой своих диковатых шуток с тамошним дозором. Прошел в ворота — с двумя привратными стражниками тоже о чем-то посмеялся — и двинулся по широкой, разъезженной, грязной, неустроенной улице, какие всегда и везде ведут к тюрьмам и другим домам скорби и мучений.

Теплый ветер стаскивал к северу густое облако тяжелых городских запахов, вечно источаемых гнилыми арыками и лужами нечистот, а взамен нес с юга ароматы цветущей степи. И хотелось верить, что благородная Бухара вечно будет напоена таким свежим, душистым воздухом!

Напевая, повар дошел до переулка, оглянулся, проверяя, нет ли за ним слежки, свернул в квартал Дубильщиков, миновал два квадратных пруда, на выложенных камнем берегах которых пованивали сохнущие кожи. Повернул направо, к мечети святого Гийаса (хотя от самой крепости Кухандиз можно было пройти сюда значительно короче), и обошел ее, снова оглянувшись, чтобы убедиться, что его маршрут никого не интересует.

В конце концов, изрядно попетляв, уже в сумерках он свернул в один из проулков Тюркского квартала.

* * *

Осталось до конца неясным, на самом ли деле придурок Абу Бакр юродствовал по зову сердца, испытывая те неожиданные и острые припадки опасного вдохновения, что заставляют людей говорить царям правду и смеяться им в лицо, — или, напротив, *придуривался*, играл роль, убеждая зрителей в собственной никчемности, а на самом деле тщательно готовясь к выходу на совсем иную сцену.

Так или иначе, через некоторое время после того, как эмир Назр во главе походной колонны отбыл в сторону Нишапура, операция, подготовленная благодаря посредничеству повара Абу Бакра, успешно состоялась: несколько бухарских своевольцев ворвались в Кухандиз, повязали стражников и освободили царевичей, старший из которых уже хорошо представлял себе судьбу, подготовленную для него сипахсаларом Ай-Тегином.

В Арке дел тоже оказалось не много, поскольку охрану составляли все те же тюрки.

В разгар дня на базарной площади невдалеке от цитадели появился небольшой отряд конной гвардии, окружавший группу одетых в раззолоченные чапаны сановников. Взвыли карнаи, ударили барабаны, и под их тревожный рокот глашатаи прокричали оторопевшим жителям Бухары, что прежний их заступник — эмир Назр — погиб в дальнем походе, снискав великую славу и вечную память. И что новым эмиром провозглашается младший брат Назра, такой же законный, как Назр, сын эмира Убиенного, — Мансур.

— Мансур! — довольно нестройно взревели всадники, раз за разом норовя кольнуть синее небо своими острыми пиками. — Эмир Мансур!

Новый эмир в сопровождении свиты поспешно проследовал в покои Арка (повара Абу Бакра не отпускал от себя ни на шаг). Базарный же люд вернулся к привычным занятиям. И снова полетело над площадью, мешаясь в более или менее ровный гул, изредка нарушаемый безобразным ослиным ревом:

— А вот сено! Свежее сено!

— Холодная вода! Кому холодной воды!

— Овощи! Пригородные овощи!

— Дешевые веники! Веники подешевели!..

Но, конечно, и судачили между делом: впрямь ли погиб молодой эмир, да усладится его душа запахами рая, или Мансура выкликнули на царство при живом правителе, в дальнем своем походе еще, небось, и не знающем об измене; толковали, что сипах-салар Ай-Тегин прежде просился к Назру в визири, а тот отказал, а теперь вот оно как вышло; и что, конечно, имамы испугались тюрков, потому и одобрили возвышение Мансура, а то бы им, конечно, не поздоровилось; и что если Назр жив и сможет вернуть власть, то им, конечно, все равно не поздоровится — не оставит же Назр предательство имамов без последствий; и будет ли война (а как ей не быть?), а если будет, то подорожает ли хлеб и овес, и коли да, то насколько?

В Арке про овес и хлеб не говорили, но в целом все же рассуждали о похожем. Ай-Тегин, на правах визиря, осторожно уговаривал Мансура, что ему совершенно ничего не грозит, потому что гвардия — это мощная и, главное, профессиональная сила, призванная именно к тому, чтобы охранять правителя, не допускать никакого для него ущерба и, напротив, всячески заботиться о благополучии и процветании. Что же касается ополчения, из которого преимущественно состоит отряд Назра, то это просто кишлачные мужики, два раза в год собирающиеся на своих лошаденках и со своей провизией на положенные смотры. Поэтому, услышав о случившемся, Назр, как человек довольно робкий и малодушный... — тут Мансур вскинул брови и изумленно посмотрел на сипах-салара; ну пусть не малодушный, — поправился Ай-Тегин, — но все же и не такой храбрец, чтобы очертя голову совать ее в петлю. Поэтому, конечно же, услышав, что Мансур наконец-то занял по праву полагающийся ему престол, Назр не посмеет предпринять военные действия, распустит свой полувоенный сброд по кишлакам и, обливаясь слезами обиды и огорчения, поплетется в Самарканд просить у племянника крова и хлеба — раз у него самого теперь ничего своего нету.

Мансур кивал, и было заметно, что его окатывают то волны страха, то отчаянной уверенности в том, что все так и будет, как толкует Ай-Тегин. Ай-Тегин же заговорил о том, что надо при случае и народу показать, что эмир Мансур гораздо лучше эмира Назра, и для этого следует предусмотреть ряд мероприятий благотворительного характера — например, учитывая, что в прошлом году хлебный налог был собран с избытком, а ныне уж недалеко до нового урожая, раскрыть пару амбаров и раздать зерно нуждающимся — ну, или, точнее, всем, кто за ним явится.

— Да уж целым стадом сбегутся, тут спору нет, — заметил Абу Бакр. — Еще, чего доброго, друг друга перетопчут.

Мансур одобрительно хихикнул, и повар продолжил бодрее:

— Вообще, конечно, эмир должен о народе заботиться, что говорить. Эмирское дело какое? Я вот что слышал. Один эмир умирал. А сын и спроси: дескать, увижу я тебя еще когда-нибудь или нет. А эмир-то и говорит: да, мол, непременно — в первую, вторую или, самое позднее, на третью ночь приду к тебе во сне. Прошло двенадцать лет — ни слуху ни духу. На тринадцатый год сын все-таки его увидел. И говорит ему: "Отец! Зачем ты меня обманул?! Ты же обещал, что явишься через три ночи!" А отец, покойный эмир-то, — печальный такой, невеселый — отвечает: "Извини, сынок, занят был. Оказывается, в самом начале моего правления в окрестностях города поломался мост. Мои смотрители недоглядели, вызвали строителей только на следующий день, а за это время чей-то баран провалился и сломал ногу, — и до сего времени я держал за это ответ". Вот какие дела у эмиров, — закончил Абу Бакр и несмело гыкнул. — Такие у них дела.

Ай-Тегин молчал.

— Вот какие дела! — повторил за ним Мансур, восторженно хлопнув ладонями по коленкам, но явно отвечая при этом не повару, а собственным мыслям. — Молодец Абу Бакр, верно говоришь! Армию нужно готовить! Верно, дядя Ай-Тегин? Абу Бакр, вели седлать коней, мы едем по войскам!

* * *

Назр, наготу которого прикрывала лишь набедренная повязка, сидел на подушках в тени раскидистого орехового дерева.

Балами прохаживался рядом, с тревогой наблюдая за происходящим.

Табиб Мушараф, не касаясь тела эмира, плавно водил ладонями возле его поясницы, опускаясь ниже, к бедрам, и еще ниже, к самым ступням.

Назр морщился, иногда встряхивал головой, как делают лошади, отгоняя докучливых оводов. Губы у него запеклись.

Балами сделал знак, слуга подал чашу арбузного сока.

— Ну скоро ты будешь что-нибудь делать? — допив, хрипло спросил Назр. — Сколько можно издеваться?

Мушараф испуганно затряс пальцами, скривился:

— Подождите, господин, подождите! Лучше не спешить, тогда мы вытащим ее целой.

— А если не целой?

— А если, не приведи Господи, не целой, то две недели горячки тебе обеспечены, — грустно ответил Балами вместо табиба.

— Да еще какой горячки, — пробормотал врач, снова начиная ласкать воздух возле кожи эмира.

— Какой ты тогда врач! — буркнул Назр, закрывая глаза. — Я тогда тебя на кол посажу. Я завтра должен двинуться дальше. Господи, за что мне такое наказание. Что ж все не слава Богу-то.

Кожа на его правом бедре то и дело начинала шевелиться — как будто изнутри ее что-то вспучивало. Бугорки появлялись, исчезали — и тут же возникали рядом.

Мушараф произвел ладонями очередное мановение.

Балами вздохнул и отвернулся. Поход и в самом деле не задался. То одно, то другое. Теперь вот еще Назр с риштой*. Дай Бог, чтобы обошлось.

— Вот она, вот она! — бормотал Мушараф, лаская голень. — Иди, иди сюда!

В какой-то момент он сделал под коленкой мгновенный разрез возле возникшего на коже бугра — и вдруг, с фантастической ловкостью ухватив прямо в теле, вытянул из эмира с полпальца какой-то белой нитки.

Это и была ришта.

---

* Ришта (*тадж.*, буквально — нить), гвинейский червь, мединский червь (Dracunculus medinensis), — паразитический круглый червь семейства Dracunculidae, вызывающий одноименное заболевание человека.

— Тяни! — приказал Назр, не увидев, но почувствовав, что врач добился своего. — Скорей тяни!

— Боже сохрани, ваше величество! Не торопите меня!

Держа в щепоти, Мушараф другой рукой ловко защемил хвост червя заранее приготовленной палочкой, вырезанной из смолистой ветки тамариска, сделал пол-оборота... и еще пол-оборота, наматывая на спичину тонкое мучнистое тельце и тем самым постепенно вытягивая его из-под кожи.

— Терпите, эмир, — с придыханием повторял он, не замечая, как крупные капли пота текут по его раскрасневшемуся лицу. — Терпите!

Кровь неспешно сочилась из ранки. Когда чуть присохла, врач оживил ее острием ножа.

— Чтоб тебя! — сквозь зубы сказал Назр. — Балами! Смотри, что со мной творит этот коновал! Скажи, пусть вина принесут, что ли. Что вы из меня мученика делаете?

Дождавшись, когда пружинистая сила червя, старающегося остаться под кожей, чуть ослабла, Мушараф сделал еще несколько осторожных оборотов палочки.

— Идет, — азартным шепотом бормотал он. — Идет, паразит!

И еще на пару оборотов... и еще...

Прошло не меньше часа, когда наконец врач с торжествующим воплем поднял над головой свой инструмент с намотанным на него белым клубком размером со среднее яблоко.

— Готово!

Назр застонал, растирая затекшую ногу.

— Не порвал?

— Нет, слава Аллаху.

Он кинул клубок на угли жаровни, и тот, мгновенно размотавшись, задергался, зачадил и скоро исчез.

— Вот именно, слава Аллаху, — пробормотал Назр, морщась. — Все хорошо, что хорошо кончается... Может, сегодня еще успеем сотников собрать? Времени жалко.

— Сотников? — переспросил Балами, глядя в сторону заката.

Солнце — багровое, ясно очерченное, уже коснулось краешком уреза невысоких вершин Ханганского хребта.

— Или уже до утра оставим? Лучше бы сегодня... а завтра — вперед! вперед! Тянемся, честное слово, как эта проклятая ришта, чтоб ей гореть на том свете, как на этом, — в сердцах сказал Назр. — Давай, скомандуй, пусть идут на совет.

— Ну да, — вздохнул Балами, вопреки взвинченности повелителя проявляя странную флегматичность. — Можно и совет. Но тут, видишь ли, вот какое дело. Гонец прибыл.

— Из Бухары? — оживился Назр.

— Из нее, матушки.

— Ну?

— В Бухаре теперь новый эмир, — невесело сказал Балами. — Его зовут Мансур.

Глава четвертая

МУДРЕЦЫ

т глиняного пола тянуло холодом. Шеравкан завозился, пытаясь упрятать ноги под куцый чапан, и в конце концов разлепил глаза.

Ни черта не видно, только тут и там будто мукой припорошено: а это сквозь щелястую дверь и прорехи крыши просыпался в келью лунный свет.

Где все?

Спросонья представилось что-то совершенно несуразное. Джафар сбежал!.. Господин Гурган мчится сюда, маша саблей!.. Крики, топот, факела! "Где слепец?! Куда смотрел?! В яму его, мерзавца малолетнего!.."

Обулся, приоткрыл дверь, выглянул на двор.

Слава богу, было светло: огромный ковш луны висел над западным краем земли, проливая серебряный свет на все сущее; серебрилась листва, серебрились камни и стебли травы, вода в хаузе лежала серебряным слитком. Серебряный воздух звенел голосами сверчков.

Со стороны кухни доносился негромкий бубнеж. В поблескивающих гранях лунного света толком не разглядишь: все слоится и мерцает.

Там они, что ли?

Сидят у прогоревшего очага? Ну да, скорее всего. Сидят, болтают. Подойти?

Покидать жилье было боязно — ночь есть ночь. С другой стороны, светлая лунная ночь — это, конечно, совсем другое дело, чем, скажем, глухая осенняя тьма, в которой, как ни берегись, то и дело задеваешь ладонью шмыгающих вокруг зловредных аджина. Самому не приходилось, а отец рассказывал: говорит, такое ощущение, будто мышь по пальцам пробежала... легкая, пушистая... бр-р-р!

Пошел быстро, собранно, да и локти прижал к бокам, чтобы руками попусту не махать: береженого бог бережет.

Сидевшие у очага смолкли и повернулись; Джафар, впрочем, только наклонил голову, прислушиваясь.

Угли дотлевали.

— О! — негромко сказал Бухари. — Разбудили мы тебя?

— Нет, сам проснулся. Можно?

— Садись.

— Это ты? — спросил слепой.

— Я, — сказал Шеравкан.

— Дайте парню чаю.

— Да ладно, зачем.

Но Бухари уже нашарил пиалу, потянулся к одному из кумганов.

— Держи.

Старик-паломник покивал, приглаживая бороду:

— Ну, слава Аллаху!

Шеравкан присматривался к четвертому участнику полуночной компании и никак не мог понять, кто же это.

— В общем, я что говорю, — сказал Бухари, видимо продолжая начатое ранее. — Я ему в тот раз помог, а он потом меня же и высмеял — дескать, зачем совался, и без тебя хлопот хватает, только под ногами путаешься. У него в Пешаваре друг — начальник базара. Вот я и попросил, чтобы он за меня словечко замолвил. Как же! Скорее от шакала благодарности дождешься. Человек добра не помнит. Человек как устроен? Зарежь барана, тушу раздели, дай каждому поровну и себе возьми столько же... что будет? Сожрут, засалят все вокруг, расшвыряют свои поганые объедки, уйдут, рыгая, а потом раззвонят по всей округе, какой ты сквалыга: и баран-то был тощий, и соли-то пожалел, и вонь-то у тебя в доме такая, что кусок в горло не лезет.

Купец хмыкнул, как будто приглашая собеседников к одобрению; в лунном блике его черная борода блестела как намасленная. Не дождавшись реакции, продолжил:

— А если барана съешь сам, а гостям бросишь вонючие кишки и обглоданные кости — вот тогда все будут благодарить, улыбаться и почтительно кланяться! Разве не так? Кого палкой бьешь, тот тебе сапог целует. А к кому с уважением, тот сам норовит плеткой перетянуть.

— Во как, — пробормотал слепец.

— Что?

— Ничего, да только после твоих рассуждений жить не хочется.

Купец, при последних словах поднесший ко рту пиалу, чтобы промочить горло после длинной речи, поперхнулся; судя по черноте потекшего по бороде, это было вино. Поставив пиалу и утираясь, сдавленно пробасил:

— Почему же? Я правду говорю!

Джафар вяло махнул рукой. Поднял голову, учуяв, должно быть, запах пролитого.

— Налей глоток.

Неожиданно за купца вступился старый паломник.

— Видно, вы, уважаемый, горькую жизнь прожили, — с искренним сочувствием сказал он. — Тяжелые мысли и носить тяжело... да что делать. Вы правы, добрых людей стало мало на свете. Не то что в прежние времена.

Однако Бухари почему-то не принял его поддержки, а, напротив, неожиданно ощетинился.

— Это в какие же такие "прежние времена"? — сухо поинтересовался он.

Похоже, старик почуял в его голосе скрытую угрозу. Не желая затевать спор, он только глубокомысленно развел руками.

Вместо него инициативу взял тот, кто был четвертым.

— Ну в какие, — сказал он. — В древние времена. Во времена Пророка.

Теперь Шеравкан узнал: это был тот самый жулик, что выдавал себя за Царя поэтов. После своего шумного разоблачения он куда-то делся; Шеравкан грешным делом решил, что вовсе ушел из караван-сарая, чтобы не мозолить глаза людям. Не напоминать о собственном позоре. И на поминальном угощении его видно не было. А он, оказывается, вон чего: здесь. Еще и рассуждает. Бывают же такие бесстыжие!

— Ах, во времена Пророка, — саркастически протянул Бухари. — Это откуда же известно?

— Да известно уж, слава Аллаху... такое не спрячешь.

— Во времена Пророка больше было добрых людей? — не унимался купец.

Самозванец примирительно хихикнул, но все же не уступил:

— Гораздо больше.

— С кем же Пророку тогда воевать приходилось?

— Как "с кем воевать"? — переспросил самозванец, снова хихикнув.

— Да вот так: с кем воевать?

— Было с кем воевать! — не сдавался тот. — Я же не говорю, что плохих людей вовсе не было. Плохих людей и тогда хватало. А теперь от них просто спасу нет.

— Спасу нет?

— Ну да.

— А добрых мало?

Шеравкану показалось, что купец слишком уж напирает на этого неудачника. У него самого он тоже не вызывал никакой симпатии, но все же Бухари чрезмерно бычился и вращал глазами, будто хотел напугать. А дела не говорит. Кажется, ему просто пошуметь хочется, погрохотать. А о чем греметь — неважно. Должно быть, хмель подействовал...

— Мало, — вздохнул самозванец.

— Это еще смотря кого добрым считать, — упрямился Бухари.

— С этим понятно.

— Что понятно?

— Понятно, говорю, кого добрым считать.

— Ему понятно! — саркастически восхитился Бухари, после чего шумно выглохтал новую пиалу вина. — Кого же?

— Того, кто способен куском хлеба поделиться.

— Вот как! — с той же мерой напора и насмешливости пробасил Бухари, готовясь, вероятно, к новому наступлению. — Много ж тогда вокруг нас добрых людей бродит! Если всего куском хлеба!

— Ну да... только этот кусок должен последним быть.

Купец фыркнул.

— Да, — снова вступил в разговор старик хаджи. — Так и есть. Молодой человек правду говорит. Вот, например, под Багдадом есть одна пещера, где похоронено семьдесят святых. Почему они святые? У них была лепешка. Однако каждый уступал другому свое право отломить от нее. И этот хлеб переходил из рук в руки, пока все они не умерли — да благословит их Аллах! Пещеру так и называют — Голодная.

Повисло то, что можно было бы назвать тишиной, если бы не оглушительный грохот сверчков, поставивших своей целью распилить-таки к рассвету подлунный мир на мелкие части.

— Вы были в Багдаде, уважаемый? — поднимая голову, спросил слепец.

— Где я только не был! — хаджи махнул рукой. Жест определенно показывал, что о его странствиях не стоит и заговаривать: их так много, что устанешь перечислять.

— Говорят, в одной тамошней мечети есть камень, который Али расколол во сне.

— Ну да, — хаджи кивнул. — Есть. Большой такой валун... с баранью тушу примерно. Трещина — в палец. Одни говорят, что Али — да будет доволен им Аллах! — саблей рубанул. Другие — что просто рукой провел.

— Рукой? — уточнил Бухари. — Не саблей, а рукой?

— Шахбаз, дорогой, — мягко сказал Джафар. — Ты не тому удивляешься. Дело не в том, что рукой. А в том, что во сне.

— Вот именно, — подтвердил хаджи. — Учитель правильно говорит: во сне.

Помаргивая, Бухари в немом изумлении перевел взгляд со старика хаджи на Царя поэтов.

— Учитель, как такое может быть? — в конце концов спросил он со сдержанным негодованием в голосе.

— Эта мечеть — шиитская, — пояснил хаджи. — Понимаете?

— При чем тут мечеть! — возмутился купец. — Будь она хоть капищем идолопоклонников! Как человек мог расколоть камень во сне?!

— Уважаемый, — встрял самозванец. — На все воля Аллаха. И потом что же: вы сами никогда снов не видите?

— Сны я вижу! Но те камни, что я колю во сне, во сне и остаются! А когда просыпаюсь, все камни вокруг меня целые!

— Состояние сна внушает человеку большую уверенность, нежели состояние бодрствования, — вздохнул слепой. — И потом, Шахбаз: ты же все-таки не Али.

— Да будет доволен им Аллах, — сказал хаджи, подводя черту.

Недовольно сопя, Бухари наполнил пиалу вином.

— Держите, учитель.

— Поставь.

Они помолчали.

— Скажите, учитель, — несмело начал самозванец, которого, судя по всему, прежде сказанное навело на новые размышления. Шеравкану показалось, что он усмехается с выражением какой-то загадочности. — Как по-вашему, что в человеке самое главное?

Джафар хмыкнул.

— Я вам чужими словами скажу. Спросили об этом одного мудреца. Он ответил: самый большой дар — это природный ум. "А если Господь не наделил человека умом?" Тогда знания, — сказал мудрец. "А если и знаний маловато?" Тогда правдивый язык. "А если и того нет?" Тогда надо молчать, — сказал мудрец. "А если нет сил молчать?" — спросил этот несчастный. Тогда умри! — крикнул мудрец, потеряв терпение.

Самозванец рассмеялся. Потом сказал:

— Я так и думал, что вы этим ответите. Это ведь из...

В эту секунду Бухари бранчливо перебил:

— Нет, а что это значит: умри?

— То и значит, — буркнул Рудаки. — Умри, чтобы не докучать людям бессмысленной болтовней.

Все молчали. Бухари обиженно сопел.

— Ты чего? — спросил Рудаки, когда молчание затянулось. — Это мудрец так сказал, а не я. Слышишь?

Купец сказал хмуро:

— Да ладно вам... разве я не понимаю?

— Умереть трудно, — вздохнул хаджи. — Как ни страшна жизнь — а все равно тяжело оторваться. Жизнь — будто морская вода: чем больше пьешь, тем сильнее жажда.

Самозванец кинул на угли несколько хворостин. Одна из них скоро зачадила и вспыхнула.

Все смотрели на разгорающееся пламя.

Шеравкан взял пустой кумган и пошел к колодцу.

От ворот обернулся.

Фигуры мудрецов в лунном сиянии казались вылитыми из серебра.

Когда он вернулся, разговор шел о совершенно иных вещах.

Глава пятая

ШЕЙЗАР. ПОРАЖЕНИЕ АЙ-ТЕГИНА

Назр буквально трясся от злости. Больше всего его почему-то задело, что между заточенными им братьями и злоумышленниками, пустившимися на мятеж, посредничал какой-то чертов повар из Кухандиза!

— Балами, дорогой! Это что же?! — вопрошал Назр, мечась по шатру. — Против отца письмоводители затевали, а теперь уже и повара в ход пошли?!

Повернули назад — благо что и уйти далеко не успели: поход как начался не в добрый час, так и тянулся ни шатко ни валко, с нескончаемыми непредвиденными задержками — то разлив реки заставлял тащиться лишний десяток фарсахов, то налетали невесть откуда неисчислимые полчища мелких желтых мушек, доводивших до умоисступления лошадей и верблюдов, людей же бросая своими укусами в жестокую трехдневную лихорадку с бредом и видениями; то вот ришта одолела самого эмира, и счастье еще, что дело кончилось, благодаря искусству врача, более или менее благополучно.

— Балами, дорогой! — повторял Назр, скрипя зубами и хлеща ни в чем не повинную лошадь. Он мчался во главе передового отряда. — Повара, повара бы нам не упустить!

Балами боялся, что, эмир, охваченный обидой, яростью и неукротимым стремлением вернуть себе то, что принадлежит ему по праву, без раздумий кинется и дальше, к броду, вспенит воду копытами коня, — а ведь это самое подходящее место, где братья могли бы встретить его по-свойски.

Но нет — охваченный горячкой ярости, Назр все же помнил об этом.

Пыль из-под копыт уже сделалась серой, когда осторожно выехали к реке и остановились, прячась за прибрежными кустами тальника. Лошади тянули морды, норовя щипнуть горькой листвы.

В синих сумерках шатры на противоположном берегу выглядели скромно. Однако костры поодаль, косяк лошадей на взгорке и некоторые иные признаки с очевидностью говорили, что Ай-Тегин выслал дружину — охранять переправу через Джейхун.

— Ну что? — хмуро спросил эмир, спешиваясь. — Заночуем?

— Сейчас пошлю человека предупредить, чтобы стояли пока в ущелье. А с этими... — Балами задумался. — Хорошо бы разведать для начала, что да как.

— Господин, в полуфарсахе выше есть еще один брод, — сказал Шейзар, которого в последнее время эмир почти не отпускал от себя.

— Серьезно? — оживился Назр. — Хороший брод?

— Хороший, — кивнул сотник и сощурился. — Там, правда, маленько глубоковато...

— Глубоковато? Это не очень хорошо, — сказал эмир. — Но если...

— Конечно, конечно, — поспешил Шейзар согласиться с властителем. — Да это бы ладно, только еще и течение сильное.

— Течение?

— Несет маленько. Но если на хорошей лошади...

— Какой же это брод! — фыркнул Назр. — Такой брод — это, дорогой мой Шейзар, не для людей. По таким бродам пускай ходят сомы и золотые рыбки... ну и, пожалуй, аджина из тех, что посмелее.

Он со смехом покачал головой.

— И гуси, — добавил Балами.

Сотник смерил визиря хмурым взглядом.

— При чем тут гуси? — спросил он. — Я тоже перейду.

* * *

Река угрюмо катила в темноте свою фиолетовую воду. Вдали она казалась гладкой. Но возле рябой лунной дорожки то и дело вспучивались какие-то желваки, и тогда становилось понятно, как мощно и напористо, расталкивая друг друга, движутся в глубине плотные струи.

Под копытами похрустывали сухие стебли камыша. Ночь вообще была шумной — пропахший тиной и влагой воздух дрожал от оглушительного, страстного пения насекомых, сливавшегося с такими же самозабвенными трелями лягушек. От воды долетали таинственные плески и хлюпанье.

Шейзар спешился, разделся, оставив на себе только поясной ремень с кинжалом. Конь послушно опустил голову, и Шейзар надежно закрепил ремнем на его затылке крепко перевязанный тючок одежды.

Низкий, поросший камышом берег был вязок, тинист. Шакар недовольно фыркал, чавкая по топкой грязи.

Конь плыл, высоко задирая морду. Шейзар держался за стремя, греб правой рукой. Вода несла. Он вспомнил почему-то, как при осаде одной крепостицы неподалеку от Герата под ним убили его любимого Кира. Копье буквально вспороло лошади брюхо, кишки вывалились, но Кир все же вынес его из чехарды беспорядочной схватки и только там, саженях в сорока от ближайшего всадника, упал сначала на колени, потом лег. Эмир, позже названный Убиенным, приказал облить нефтью подножье стен и поджечь. Сверху летели камни, кувшины с той же горящей нефтью. Шейзар видел, как один из них опрокинулся прямо над головой сарбаза, и тот, мгновенно объятый пламенем, яркой звездой скатился по откосу. Огонь перекинулся на крыши лепившихся к крепости лачуг. Глиняные стены крепости, понятное дело, не вспыхнули, но все же концы тут и там торчавших наружу бревен каркаса кое-где занялись и выгорели. Скоро стена частично обрушилась. Когда забрезжил новый день, Шейзар, дремавший у трупа лошади, встал и огляделся. Лагерь эмира Убиенного лежал молчаливой россыпью палаток, погасших костров, стреноженных лошадей, — лежал свернувшись, как побитая собака. Крепость также молчала — там, отбив несколько приступов, тоже, должно быть, зализывали раны, переводили дух, чутко подремывали, ожидая продолжения... Шейзар бросил свой тяжелый казакин — в нем, одна под другой, были вшиты две кольчуги, каждая подбитая войлоком и заячьим мехом, — снова препоясался мечом и, поправив шлем, побрел к стене. За ночь она кое-где еще больше осыпалась. По образовавшимся уступам ему удалось добраться почти до самого верха. Поработав кинжалом, он сделал пяток лунок и, схватившись за торец бревна, перевалился на стену. На стене никого не было. Шейзар пошел в сторону ближайшей башни. Из проема высунулся человек и стал рассматривать его, будто не решаясь признать. "Мухаммед?" — неуверенно сказал он. Шейзар ударил его мечом, человек упал, из башни выскочили еще двое. Эти были вооружены. Громкий лязг мечей разносился далеко. Шейзар видел — от лагеря спешит, вооружаясь на ходу, еще десяток пехотинцев. Двое уже торопились повторить его путь по стене, следом карабкались другие... Он зарубил обоих противников. Бой разгорался не на шутку. В узких проулках городка метались люди. Шейзар в числе еще человек пятнадцати пробивался к воротам, когда стрела проткнула правое плечо и он утратил возможность действовать мечом. Но к воротам все же прорвались и, хоть и потеряв половину небольшого отряда, смогли открыть их...

Вода несла; от того места, где Шакар смог выбраться на берег, было совсем недалеко до расположения войск Мансура.

Конь шумно встряхнулся. Шейзар смахнул с себя капли воды, неспешно оделся, препоясался.

— Стой здесь, Шакар, — сказал он, беззаботно накинув тонкий чумбур на первый попавшийся куст, — знал, что конь не ослушается. — Стой, я скоро приду.

Ласково погладил его по ноздрям и пошел в сторону лагеря.

Костры большей частью погасли, но все же кое-где солдаты еще кучковались у огня. Тянуло горечью дыма, запахами какой-то стряпни.

Шейзар выбрал два из них, неслышно прошел, чтобы оказаться между ними, а потом пошагал на правый огонь, шумно загребая сапогами траву.

Ступил в ближний круг света, говоря:

— Нет Бога, кроме Аллаха!.. Братки, сольцы не найдется? Все обшарили — ни у кого ни крупицы!..

— Да погоди! — отмахнулся солдат, что-то горячо перед тем рассказывавший. — И подъезжает к ним на лошади какой-то молодой тюрк. С ним еще мул верховой, на муле мешок и девушка. Тюрк, значит, спешивается, спускает девушку и говорит: "Эй, — говорит, — молодцы, помогите снять мешок". Отец помог ему, а мешок тяжелющий, да побрякивает, да похрустывает: вот он сразу и понял, что набит какими-то драгоценностями. А тюрк этот молодой и спрашивает — где, мол, дорога в Ахбар? Ну, отец ему толкует — дескать, дорога-то здесь, вон она, дорога-то, да только на той дороге человек шестьдесят бродяг пасется, и я бы, мол, не советовал туда одному соваться. А этот парень смеется и говорит: "Что мне, — говорит, — какие-то бродяги. Подумаешь!"

— Свою надо иметь, — буркнул другой, приглядываясь к Шейзару. — Что это такое — в поле да без соли.

— Да погоди! — снова возмутился рассказчик. — Что вы заладили с этой солью. Короче говоря, тюрк уехал, а отец, не будь дурак, сам побежал туда, где эта шайка время проводила, рассказал им все и выговорил себе долю.

— Лихой! — покачал головой один из солдат. — Сам, значит, предупредил, а сам, значит, и навел.

— А если бы он не навел и долю себе не выговорил, тюрка все равно обокрали бы, — возразил рассказчик. — Верно?

Солдат пожал плечами.

— Нет, ты скажи: верно говорю? — настаивал рассказчик.

— Не знаю... Только нехорошо это.

— Хорошо или нехорошо, а вот так вышло. И, короче говоря, встретили они его. Тюрк этот молодой глазом не моргнул, снял лук, приложил стрелу — а тетива-то возьми и лопни! Тут они бросились, успели лошадь под уздцы схватить, а он с седла прыг — и бежать, только пятки сверкают. Да луком своим бесполезным размахивает.

Шейзар одобрительно хохотнул.

— Здорово! — негромко сказал он, присаживаясь ближе к огню. Тот, что приглядывался, уже потерял к нему интерес.

— Погоди, погоди! — ликовал рассказчик. — Ну и вот. А тут девушка и говорит. Молодцы, говорит. Ради Аллаха, говорит, не позорьте меня, а дайте мне выкупить себя вместе с мулом ценой ожерелья из драгоценных камней. Оно стоит пятьсот динаров, говорит. Или даже больше. Оно, говорит, у тюрка в сапоге. Пустите меня, я схожу к нему — а тюрк-то отбежал и стоит невдалеке, перетаптывается, — и принесу вам ожерелье, и вы меня отпустите. А мешок и так забирайте, мол. Согласны?

Рассказчик горящими глазами оглядел слушателей. Кто-то крякнул и сказал:

— Ну а что не согласиться?

— Вот! Почему не согласиться? Пятьсот динаров! За нее саму-то по тем временам сто — и то нельзя было получить.

— Эх, цены, — вздохнул кто-то. — Все дорожает...

— Отпустили они ее, она подошла к тюрку, что-то ему сказала. Тюрк снял сапог, а в сапоге у него — новая тетива!

Все дружно ахнули.

— То ли он забыл, а она ему напомнила, то ли сама и подложила. Короче говоря, эти-то к нему было бросились, да он уже натянул, да как начал их чесать! Валит одного за другим, только стрелы свистят. Да как валит — без промаха, точно в горло. Человек десять перебил, остальные бежать кинулись. Потом отца моего увидел. Ах, говорит, такой-растакой, так ты с ними с ним заодно? Подошел к нему, покачал головой — да как даст по зубам.

— Во как!

— Три зуба вышиб, — с гордостью сказал рассказчик. — Отец потом всем показывал.

— Хвастался, — констатировал кто-то.

— Ну да, — согласился рассказчик. — Хвастался. А в другой раз он...

— А вот у нас тоже случай был, — сказал Шейзар.

Рассказчик осекся, с возмущением на него глядя.

— Отсыпьте ему соли кто-нибудь, в конце-то концов! — воскликнул он. — А то не даст рассказать. Все время встревает, честное слово.

— Нет, нет, извините, — Шейзар испуганно выставил перед собой ладони. — Продолжайте, я не хотел вас перебивать...

— Ты вообще откуда, парень? — спросил тот, что прежде к нему приглядывался.

— А вон, — Шейзар мотнул головой за плечо. — Десятник послал — иди, говорит, соли принеси. Все перерыли — ни крупицы.

— Соль — дело такое, — вздохнул приглядывавшийся. — Без хлеба не сытно, без соли не сладко. Есть у нас?

— Может тебе к Абу Бакру сходить? — хохотнул кто-то. — Он ведь повар.

— Был повар... а теперь большой человек.

— И не говори, — поддержал рассказчик. — Три дня назад у очага стоял с капкиром, а теперь вон чего — правая рука эмира Мансура. Смех, да и только.

— Ну, ты так не говори, — возразил другой сарбаз. — Какой же смех? Это не смех, а судьба. Судьба повернется — и сам, глядишь, сегодня у костра, а завтра, как Абу Бакр, будешь в отдельном шатре рядом с эмирским почивать.

— Держи, — приглядывавшийся развязал мешочек и щедро сыпанул Шейзару в подставленную ладонь.

Отходя, Шейзар лизнул.

Соль была хорошая, сладкая.

Стало быть, в отдельном шатре, думал он, прикидывая, с какого конца лучше приниматься за дело. Рядом с эмирским...

* * *

Уже светало, когда Шейзар выволок на берег тело по-
лузахлебнувшегося Абу Бакра. Левым запястьем тот
был привязан к стремени. Теперь Шейзар отвязал его,
крепко спутал обе руки, надежным узлом стянул конец чумбура.

— Вставай, кулинар!

Абу Бакр заворочался, кое-как сел.

— Тебя, шакал, мои молодцы на куски порежут, —
бормотал он, отплевываясь. С бороды текла вода. —
Тебя, падаль, воронье сожрет.

— Там видно будет, — меланхолично заметил Шейзар. — Вставай, некогда разлеживаться.

Он ехал по высокой траве поймы, с удовольствием
щурясь на брезжащий свет утра, в котором медленно
растворялись мелкие звезды. Шакар, понимая, должно
быть, что дело кончено и скоро его расседлают и пустят
пастись, ступал весело, высоко поднимая передние
ноги. Повар трусил следом. Когда падал, Шейзару
приходилось придерживать коня. Потом Абу Бакр перестал вставать. Хмыкнув, Шейзар перевязал чумбур
за седельный ремень. Тело легко скользило в траве,
почти без рывков.

— Принимайте, — сказал он охранникам, спрыгивая с коня.

Должно быть, Назр не спал — тут же взметнул тяжелую ковровую полу входа, вышел.

Абу Бакр стоял на коленях. Поднялся, шатнувшись.

— Этот? — спросил эмир.

— Ну да, — кивнул Шейзар.

— Как ты его взял?

— Да как, — Шейзар пожал плечами. — В шатре дрых. Три охранника у него было... да они у входа толклись, а я сзади подлез.

— Ты, Шейзар, черт, а не сотник, — сказал эмир как бы даже с неудовольствием — будто огорчался, что сам хоть и лих, а все же не до такой степени.

Он неторопливо обошел лошадь и встал перед пленником.

— Это ты повар?

— Ну я, — сказал Абу Бакр. — А ты кто?

Шейзар занес камчу. Назр остановил его движением руки.

— Я — эмир Назр.

Повар хрипло захохотал.

— Эмир! — повторял он, пытаясь связанными руками утирать слезы. — Нет, ну ты послушай его — эмир! Ты ишачий царь, а не эмир. Эмир! Что ты мне можешь сделать? Вот увидишь, твой собственный сын однажды запрет тебя в Кухандиз, и ты сдохнешь там от голода и жажды. Эмир! Тоже мне — эмир!..

— Сын, говоришь? — холодно спросил Назр. — Ну хорошо.

На этом их разговор, при всей оригинальности его начала, не говоря уж о возможных продолжениях, был окончен.

Битвы тоже не случилось.

Во-первых, исчезновение Абу Бакра внесло сумятицу в ряды отрядов Мансура, и без того не больно-то воодушевленных перспективой предстоящего сражения. Все понимали, что дело темное — на той стороне прежний эмир, законный, на этой — новый, тоже почти законный, и был бы законным без "почти", если бы не существовало прежнего. Ай-Тегин не мастер был на духоподъемные речи. Кроме того, выяснилось, что одним из отрядов командует близкий родственник Балами. Ему переправили записку. В середине дня прислали гонца с известием о сдаче, а также о признании Назра единственным законным эмиром и о том, что войска просят прощения и клянутся в вечной верности.

Как говорится, не нашлось даже двух коз, которые бы стали бодаться из-за этого.

Назр вошел в столицу.

О, это был торжественный вход! Шествие предваряли восемь боевых африканских слонов. Их голубовато-аспидные спины покрывали златотканые попоны, а подбрюшья и столбы ног до колен были закрыты коваными доспехами, уснащенными шипами и лезвиями. В Молитвенные ворота их ввели гуськом, а при подходе к Арку, где позволило пространство, слоны выстроились в боевой порядок: впереди один, за ним два, потом еще два, а напоследок три. По команде погонщика-сикха, управлявшего первым, самым старым и мощным животным, покрытым неисчислимыми шрамами, сама походка которого — валкая, неспешная и неотвратимая — наводила на мысль о бренности всего сущего, звери дружно задирали хоботы, издавая душераздирающий рев. Слонам вторили медные трубы, каждую из которых несли три солдата. Барабанный бой накатывался волнами. Мощным строем прошла конница. За ней, блестя медными шапками и щитами, шагала пехота.

Назр уже стоял на въезде в Арк, на возвышении, осанисто оглядывая свою армию.

Народ ревел, теснился. Сарбазы заранее выстроились вдоль дороги, чтобы сдерживать возбужденную толпу.

— Эмир! Эмир вернулся!..

— Вечная жизнь ему!..

— Да сядет он у престола Господа!..

Назр неопределенно хмыкнул.

— Что? — Балами тронул коня, чтобы приблизиться.

— Я говорю, ничего у меня народец-то, а? — сказал эмир, весело подмигивая. — Дай срок, мы тут такого наворотим!

Балами не стал отвечать — слишком широкий смысл мог быть вложен в эти слова, — и только согласно кивнул.

До самого утра Бухара радостно волновалась. У всех ворот города и на всех площадях пылали очаги, светились тануры — эмир приказал бесплатно раздавать хлеб и мясо.

Возвращение Назра в свою столицу настолько не походило на куцее провозглашение нового эмира, случившееся несколькими днями ранее, что о братьях даже не сразу и вспомнили.

Зато эмир, похоже, ни на минуту не забывал об Абу Бакре.

Способ казни был продуман им самолично.

Большой, почти в два человеческих роста мешок наполнили красными пчелами. Затем туда поместили повара. Даже уже хватаясь переломанными руками за края и мешая прислужникам затянуть горловину, безумец хрипел что-то про Наврузы, ишаков и сыновей эмира.

Некоторое время мешок выл и ворочался.

Эмир невозмутимо следил за его движениями.

— Будет тебе ишачий Навруз! — опять послышалось оттуда.

Позеленев от злости, Назр выхватил у сарбаза пику и, бешено скалясь, стал с размаху дырявить карбосовую ткань блестящим острием. Из отверстий горстями вываливались одурелые от злости пчелы.

— Проклятый араб! — крикнул Назр. — Все ваше отродье на ремни порежем!

Отшвырнув пику, хмуро смотрел, как мешок подплывает кровью, как затем, отмахиваясь от разъяренных насекомых, сарбазы вытрясают из него неузнаваемо опухлое, изуродованное тело.

Приказал сжечь, чтобы и костей не осталось.

Останки Абу Бакра пролежали в печи целую ночь, огонь пылал, пожирая все новые порции хвороста.

Утром оказалось, что ни один член проклятого араба не обуглился.

Эта весть мгновенно разлетелась, вызвав новое смущение в народе.

— Чтоб тебя! — юный эмир рычал таким голосом, что обмирали видавшие виды гулямы-гвардейцы. — Рубите его! Ломтями рубите!

Примерно тысячью кусков Абу Бакра разбросали у городских стен — на радость птицам и шакалам, — и последнее действие, слава Аллаху, произвело среди жителей славной Бухары окончательное успокоение.

Что касается братьев, то дня через три, когда улеглось возбуждение, Назр призвал их к себе.

Он сидел на возвышении, а они понуро стояли внизу. Самым удрученным выглядел десятилетний Хасан.

— Ты чего такой? — с усмешкой спросил эмир.

Хасан сердито мотнул головой.

— Тебе Мансур обещал что-нибудь? — догадался Назр.

Хасан смотрел в пол, ковыряя ковер мыском сапожка.

— Обещал?

— Обещал...

— Что обещал?

— Обещал начальником сарбазов сделать...

Эмир расхохотался.

— Ну и правильно обещал! Будешь начальником сарбазов. Ну, не сейчас, конечно, а лет через десять. Согласен подождать?

— Согласен! — просиял тот и тут же усомнился: — А точно?

— Точно, точно...

С мальцом Ибрахимом и вовсе было просто. А вот с Мансуром...

Проведя с ним несколько мирных бесед, Назр почувствовал, что краткое возвышение не прошло для брата бесследно. В нем поселилась змея — маленькая черная змейка. Год за годом она будет сосать его сердце, напоминая то, что было, и нашептывая то, что могло быть. Она будет пить его кровь, пропуская через себя, и когда вся кровь брата Мансура почернеет...

— Поедешь в Самарканд, — со вздохом заключил Назр. — Там будешь жить.

Мансур провел в Самарканде четыре года и, как говорили, все это время очень тосковал. Потом уехал в Пешавар и там умер.

Что же касается изменника Ай-Тегина, то он, дожидаясь в темнице казни, способ которой еще не был придуман Назром, не терял времени зря: пробуравил железным гвоздем толстенную стену и ушел куда-то в Хиву с небольшим отрядом своих приближенных.

ДЕЯТЕЛЬНОСТЬ НАЗРА. РУДАКИ ПРИЕХАЛ В БУХАРУ. ВСТРЕЧА С ШЕЙЗАРОМ

С тех пор прошло лет двадцать.

Эмира Назра давно уже никто не называл молодым эмиром, и никто еще не знал, что впоследствии он будет прозван Счастливым. Все эти годы судьба его разворачивалась, как разворачивается розовый бутон — лепесток за лепестком. Каждый следующий подтверждал, что расцветает судьба не землекопа и не крестьянина, не купца и не воина, не ткача и не священника, не лекаря и не книжника, не придворного и не палача, а самого настоящего бухарского эмира, то есть человека, владычествующего с простым и ясным убеждением: в пределах благословенного Хорасана, чудного Мавераннахра и достославной Бухары все эти мелкие черви — землекопы, крестьяне, купцы, воины, каменщики, ткачи, медники, муллы, лекаря, книжники, придворные, стражники, рудокопы, обмывальщики трупов, огородники, хлебопашцы, вышивальщики, конюхи, мясники, писцы, гадатели, мастера по выделке ослиных седел, рассказчики божественных историй, продавцы гранатов, ювелиры, сапожники, оружейники, гончары, серебряных дел мастера, разносчики воды, чтецы Корана, портные, судьи, кожевники, перекупщики, певцы, штопальщики, резчики алебастра, прачки, потомки святых, бабки-повитухи, еврейские красильщики, единственно умеющие придавать ткани синий цвет, банщики, хаджи, мыловары, мойщики бараньих кишок, что идут на струны для чангов, вязальщики циновок и даже та женщина, что построила мечеть на деньги, заработанные продажей портянок, шерсть для которых она собирала с колючек в степи, где паслись чужие овцы, — вообще все, все, все! — копошатся лишь по его воле и с его позволения.

Единственное, что отличало Назра от иных, это некоторые странные, несвойственные, как правило, эмирам склонности, унаследованные им от регента Джайхани. Назр любил, бывало, умственно поговорить о вещах отвлеченных. При этом, желая потолковать о божественном, чурался исламских теологов, резонно полагая рамки родимой веры тесными для этих разговоров. Зато с удовольствием склонял ухо к христианам и последователям Будды, а также к евреям с их путаными рассуждениями. Веротерпимость его достигала таких высот, что, возвращаясь к правилам своего славного деда, он позволил построить у самых стен Бухары несколько христианских храмов, индийских капищ, а неподалеку от столицы, в Рамтине — еще и китайскую пагоду.

Правда, все это делалось отчасти в пику арабам — арабской вере, арабскому языку, арабскому влиянию, арабским чиновникам, то и дело наезжавшим из столицы халифата.

— Мы — правоверные мусульмане, — любил повторять эмир. — Но над могилой моего деда, великого эмира Исмаила Самани, сооружен мавзолей в виде храма зороастрийцев. И уже никто и никогда его не перестроит.

Он даже вернул на место Базар идолов. Среди духовенства это вызвало ропот и чуть ли не возмущение. Назр не стал усмирять их силой, а, напротив, мирно велел явиться к нему всех настоятелей мечетей.

— Если призадуматься, царь Мох — наш прародитель, — толковал эмир, сидя на золоченых подушках перед угрюмо поглядывающими на него имамами. — Неужели можно вообразить, что великий царь устроил этот базар без благого умысла? Все плотники и ваятели целый год выделывали идолов, а в назначенный для торга день выставляли на продажу. Каждый, кто потерял своего идола или у кого он пришел в ветхость, мог прийти и купить себе нового... Потом на этом месте было капище огнепоклонников. И лишь много позже мусульмане, слава Аллаху, усилившись, построили на этом месте мечеть. Аллах велик, но стоит ли нам забывать о своих предках? — вопрошал Назр, грозно оглядывая имамов. — Разве растет дерево без корня?

В конце концов мечеть так и стала называться — мечеть при Базаре идолов. А потом и еще проще: Мечеть идолов, и дело с концом.

Двор тоже отличался от иных. Интриги интригами — это как всюду. Зато нигде не встретишь столько ученых, столько поэтов, как в Бухаре при благословенном троне Назра Саманида.

Балами, весь род которого на протяжении многих десятилетий славился своей просвещенностью, исподволь подпитывал во властителе соответствующую разновидность тщеславия. Дорогой Назр, твой двор — все равно что звездный небосклон ясной ночью. Где еще бывает такое, чтобы одна звезда то и дело затмевала другую? Герат? — оставьте! Герат просто большой кишлак, а тамошний наместник, твой двоюродный брат, просто неотесанный чурбан, которого интересуют только девки да кувшин с вином, — разве нет? посмотри на его нос. Хива? — смешно говорить, тамошний двор — собрание хмурых анальфабетов с немытыми пятками. Багдад? — ну разумеется, Багдад может с нами поспорить... но что вы хотите — резиденция халифа, повелителя правоверных. Багдад в силах соперничать с Бухарой, несомненно, дорогой Назр, — но благодаря твоему вниманию к людям просвещенным, благодаря твоим милостям и поддержке их деятельности Бухара тоже может соперничать с Багдадом! Покровительство, которое ты оказываешь поэтам и ученым, едва ли не более значительно, чем то, что прославило Харун ар-Рашида. Да, конечно, ты скажешь: как же, а халиф Мамун, верный друг свободолюбивых философов и искателей истины? — он тоже много сделал для просвещения. Да, отвечу я тебе, дорогой Назр, да! — вы похожи с ним. Но что же в этом удиви-

тельного? — не забывай, что Мамун был персом по
матери.

Соглашусь, что и Рум в какой-то степени мог бы
потягаться с твоей Бухарой... А вот страна франков —
ни в коей мере: населяющие ее народы возглавляемы
людьми, которые могут похвастать лишь отвагой и
доблестью: все, что касается склонности к наукам, раз-
мышлениям, искусствам, у них отсутствует начисто.
Может быть, кому-то любопытно знать обычаи этих
диких неверных, но лично меня они не интересуют...

Что остается? — Самарканд! О, это правда: Самарканд тоже похож на звездное небо. Но увы, увы
Самарканду! — мы уже переманили его самое яркое
светило — поэта Рудаки.

— Как? — изумился Назр этому известию. — Балами, ты шутишь? Ты переупрямил этого упрямца?

— Именно так, — отвечал Балами с веселой и удов-
летворенной улыбкой. — Поэтому он уже выехал оттуда. Он покинул Самарканд и направляется к нам.
Самарканд в сумерках! Самарканд в печали и грусти!..
О нет, дорогой Назр, только при твоем дворе можно
увидеть весь этот блеск, только при твоем. И, кстати,
не перетянуть ли к нам Шахида Балхи? Недурной
поэт этот Шахид, право слово — недурной.

* * *

Потрясая плеткой и ругаясь, Муслим напирал конем
на смурного стражника.

Стражник, не будь дурак, сделал шаг назад и тут
же ловко упер ему в грудь пику.

Бранясь, Муслим попятил коня.

— Ты что! — орал он, размахивая камчой. — У господина Рудаки аудиенция! Его ждет эмир Назр, да живет он тысячу лет!..

— Погоди, — остановил его Рудаки. — Любезный, ну-ка позови старшего, коли не хочешь дождаться палок.

Стражник начал уныло озираться. В этот момент из стрельчатого проема показалась гибкая фигура Балами.

— Джафар! — окликнул он, смеясь. — Неужели вас не пускают?

— О! Господин Балами! — обрадованно воскликнул Рудаки, спрыгивая с коня и бросая повод Муслиму. — Что вы! Бухара может спать спокойно. Эмир в безопасности. В его дворец даже мышь не проскользнет.

Он поклонился, а визирь ступил вперед, раскрывая объятия.

— Пойдемте, — сказал он после троекратного поцелуя. — Эмир ждет.

Когда они скрылись в сумраке сводчатого коридора, стражник, меняя положение "смирно" на тот расхлябанный постав, которому как нельзя лучше способствует возможность опереться на пику, покачал головой:

— Ишь ты! Сам Балами встречает...

— А то, — сказал Муслим, скаля зубы. — Знаешь, кто мой хозяин?

— Ну?

— Царь поэтов — Джафар Рудаки! — торжественно произнес Муслим, поднимая указательный палец.

Стражник хмыкнул и покачал головой. Затем поинтересовался:

— Богатый, поди?

— Еще бы, — Муслим спрыгнул с лошади и стоял теперь, держа обеих в поводу. Обычно он рассказывал интересующимся, что для перевозки одной только драгоценной утвари его хозяина — золотых блюд и кубков — приходится нанимать двенадцать верблюдов. Но сегодня у него было особенно хорошее настроение. — Спрашиваешь! Одно только золото на двадцати верблюдах возим.

И пренебрежительно махнул рукой — мол, что с тобой толковать, деревенщина!..

* * *

Знаменитый поэт и знаменитый визирь шли под сводчатыми потолками длинной гулкой галереи.

— Слава Аллаху! — говорил Балами. — Мы вас давненько поджидаем...

— Ох, дорогой господин Балами! — с нарочитым смирением, единственно позволявшим сохранить дистанцию, отвечал Джафар. — Я начал собираться месяц назад... сами посудите, легко ли сняться с насиженного места!..

— Понимаю, понимаю... Говорят, одни только ваши драгоценности приходится возить на двенадцати верблюдах? — нарочито серьезно поинтересовался Балами.

Рудаки смущенно покачал головой.

— Я не могу сказать, что чрезмерно беден... однако на двенадцати верблюдах! Помилуйте. На шести, восьми... ну на девяти, в конце концов. Но никак не на двенадцати!..

Смеясь, они прошли галерею, одна сторона которой представляла собой чередование дверей, другая — колоннаду, открытую в цветник, и оказались в одном из внутренних дворов. Молчаливые старики в расшитых золотом чапанах и белых чалмах, сидевшие у стен, при их появлении как по команде повернули головы.

Миновав его, нырнули в прохладный коридор.

— Прошу вас! Вы можете просто поклониться, — негромко сказал Балами.

Стража расступилась. Кисея, завешивающая вход, поднялась как по волшебству, и Рудаки, низко склонясь, вошел в зал.

В первое мгновение не разобрал, где что — взгляд потерялся в многообразном сверкании.

Тогда он сделал три куцых шага и снова поклонился до самого пола.

Эмир Назр, облаченный в алый бархатный чапан, расшитый драгоценными камнями, и чалму, увенчанную султаном из перьев цапли, сидел на ковре, накрывавшем подушки. Золотая петлица пересекала чалму по диагонали. Перед эмиром располагался низкий столик, на котором стояла золотая чаша. Справа от него, в некотором отдалении, опустившись на одно колено, замер прислужник. Он держал наготове большой тонкогорлый кувшин — тоже золотой. Слева блистали шитые золотом и пурпуром занавеси, из-за которых лился мягкий свет.

— Ага! — сказал эмир, одновременно щелкая пальцами.

По этому знаку прислужник сделал несколько быстрых плавных движений и, оказавшись в непосредственной близости от эмира, наполнил чашу.

— Так вот вы какой, — пробормотал эмир, отхлебывая. — Звезда Самарканда? — он перевел взгляд на визиря.

— Бывшая звезда Самарканда, — с поклоном сказал Балами, ободряюще взглянув на Джафара. — Отныне величайший поэт — одно из самых славных украшений вашей короны.

— Ну да, ну да, — покивал Назр. — Да, да... мы любим стихи... поэтов... Сколько у нас поэтов, Балами?

— Больше сорока человек, — с новым поклоном ответил визирь.

— Вот! Больше сорока человек! — со значением повторил эмир. — Целое войско! А войском надо командовать. Потому что если войском не командовать, это будет не войско, а стадо. Причем стадо баранов... не правда ли?

— Конечно, — согласился Джафар, склоняясь в поклоне.

— Вот видите, — вздохнул эмир. — К тому же все они хотят жрать, но сами по себе удивительно бестолковы в практических делах, и если их не направлять, то половина сдохнет с голоду... верно, Балами?

— Совершенно верно, — поддержал визирь. — Не все они одинаково талантливы... если не заниматься ими, как отрядом, таланты затрут бездарей, и те окажутся без средств к существованию.

— Скорее наоборот, — вздохнул Джафар. — Как раз именно талантливые поэты более обращены к самим себе, чем к явлениям практической жизни.

— Ну, не будем сейчас вдаваться в детали, — прервал его Балами, морщась. Похоже, он не рассчитывал потратить на эту аудиенцию более пяти минут. — Талант есть талант. Вы по-своему правы, дорогой. Для вас талант — все. И это правильно. Что еще мы должны ценить в поэте? Неужели его умение подольститься? — Балами недоуменно развел руками, как бы призывая присутствующих подивиться абсурдности последнего предположения. — Но здесь — двор. Здесь — процесс. Вы же не сможете каждый день писать по длинной и вдобавок выдающейся в поэтическом отношении касыде, правда?

— Правда...

— Вот видите. А нам нужно каждый день. И не одну, а несколько. Поэтому этот процесс нельзя пустить на самотек.

— Ну да, — согласился Рудаки, решив и впрямь не вдаваться пока в детали. — Конечно...

— Ну и все, — подвел черту эмир. — Будете ими распоряжаться.

— Как сотник, — ввернул Балами.

— Нет, — возразил Назр. — Бери выше! — он расхохотался. — Сипах-салар! Главный военачальник!

Рудаки молчаливо поклонился.

— Но главное не в этом.

— В чем же? — спросил Джафар.

— Мне нужен памятник, — сообщил эмир, ставя чашу и поднимая на поэта сощуренные глаза. — Будь я правителем Индии, я бы приказал отлить скульптуру из чистого золота. Я бы сидел на коне, подняв меч. Лицо мое было бы грозным и властным. Может быть, я велел бы изобразить, что копыта коня попирают поверженных врагов. Чтобы и дети, и внуки, и самые дальние потомки могли увидеть: вот каким он был, великий эмир Назр Саманид!..

Он помолчал, потом развел руками:

— Но дело, к сожалению, обстоит так, что мы, слава Аллаху, мусульмане.

— Хвала ему, Всевышнему, — пробормотал Балами.

— Наш пророк Мухаммад, да святится имя его, разрушил идолов, поэтому я тоже должен оставаться без памятников. Хорошо, говорю я им. Тогда я прикажу расписать стены дворца моими портретами. Правители Согда позволяли себе, так изобразите и меня в бою, разящим врагов. Нарисуйте на охоте, вступающим в поединок со злобным вепрем или яростным тигром. На пирах, когда я сижу в кругу друзей, в объятиях земных гурий, с чашей в руке. Разве мы собираемся поклоняться портрету? приносить жертвы?! мазать кровью?! — он замолк, горестно качая головой. — Но и этого нельзя. Ничего нельзя.

— Да, — осторожно кивнул Рудаки. — Как это ни печально, но по заветам Пророка всякое изображение — идол. Кроме того, в день Страшного суда живые существа сойдут с картин, чтобы потребовать свои души у тех, кто их изобразил, и если художник не сможет выполнить этого требования, он обречен гореть в адском пламени.

— Знаю! — отмахнулся Назр. — Все так. И двоюродный брат Пророка, Абдаллах ибн Аббас, да сохранит Аллах его имя в вечной чистоте, наказывал рисовать живых либо лишенными головы, дабы они не походили на живых, либо так, чтобы они напоминали цветы. Но я не хочу видеть себя ни безголовым, ни в виде ромашки или даже розы.

Рудаки рассмеялся.

— Поэтому вся моя надежда — на тебя, дорогой Джафар, — сказал эмир, неожиданно легко вскакивая, чтобы сделать к нему шаг и обнять за плечи. — Если нельзя употреблять глину и краски, будем пользоваться словами. Ты — волшебник. Ты превращаешь неподатливые камни слов в шелковые нити. Ты можешь вышить ими любую картину. Только ты своим искусством способен продлить мою славу в веках, только ты!.. только от тебя я жду памятника себе! Если он появится, я отвешу столько же золота, сколько пошло бы на отливку моей фигуры в полный рост. Ты понял?

У дверей раздался какой-то шелест, и Балами, быстро прошагав туда, перебросился несколькими тихими словами с появившимся сановником.

Рудаки поклонился.

— Вы слишком высокого мнения о достоинствах своего раба, о повелитель... но я... я постараюсь. Это для меня высокая честь... я благодарю вас...

— Смелей, — сказал Назр, садясь и протягивая руки к чаше, уже наполненной кравчим. — Смелей!

— Начальник кавалерии просит аудиенции, — сдержанно сообщил Балами. — Позавчера ему было назначено. По поводу расформирования тюркских полков.

— Э-э-э, не дадут поговорить, честное слово, — вздохнул эмир. Он отпил, поставил чашу и сказал: — Зови.

Занавеси колыхнулись. В зал ступил высокий широкоплечий человек с тяжелым лицом военачальника.

Джафар остолбенел.

Совсем, совсем другой — и все же тот же, что когда-то провожал его подростком... Ехали молча. О чем говорить? — давно уж все говорено-переговорено. К середине дня каменистая тропа выбежала в разложистое ущелье, плавно стекавшее в долину. Остановились. "Ладно, теперь уж сами давайте. Не боитесь?" Муслим весело оскалился: "Ой боимся! Ой как страшно!" — "До свидания, брат! — Джафар на мгновение приник к нему. — Весной увидимся". — "Весной, говоришь? Ладно, брат, прощай!" Казалось, хотел еще что-то сказать напоследок — да только взмахнул камчой, зло повернул шарахнувшегося коня и поскакал обратно...

— Господи! — невольно вырвалось у Джафара. — Шейзар!

Глава шестая

—

Самарканд. Поступление в медресе. Проделки Муслима

Если бы ты собирался в Бухару, я бы тебе так сказал: в Бухаре есть медресе Фарджек, славное на весь мир, и учиться в нем — завидная доля для каждого юноши.

Но Бухара далеко. Ты послушался моего совета, решил ехать в Самарканд и правильно сделал. Поэтому я скажу тебе по-другому: как приедешь, прямиком шагай в медресе святого Усамы.

Эх, был бы я помоложе — сам бы поехал тебя проводить. Привел бы за руку — так, мол, и так, друзья, возьмите моего ученика Джафара. Ему всего шестнадцать, но парень знающий, не зря я сколько лет его наставлял: Коран — наизусть, по-арабски — сам кого хочешь научит, воспитан, вежлив, сообразителен. Где еще ему учиться, как не в медресе святого Усамы?

219

Потому что именно медресе святого Усамы — самое лучшее медресе Самарканда. Все прочие по сравнению с ним — тьфу. Нигде не учат так разбирать Коран и так рассуждать о божественном, как здесь. Да что говорить! Кому, как не мне, это знать, коли я просидел там целых четыре года.

Это у самого базара, любой покажет. Найдешь там муллу Бахани. Мулла Бахани — мой старый друг. Мы с ним, пока учились, из одной миски похлебку черпали, из одной пиалы мусалас отхлебывали, бывало, что и одним чапаном укрывались... Спросишь у него: помните друга юности Абусадыка? "Боже! — скажет он. — Мой друг Абусадык! Да как же не помнить?! Жив ли он?.. Жив? Какое счастье!"

Обрадуется, обнимет, пригласит к себе ночевать. Или даже пожить некоторое время, пока не отыщется подходящая квартира. Мулла Бахани — душевный человек, добрый, он ради своего друга Абусадыка не то что жить у себя оставит, последнюю рубашку отдаст.

Да, друг юности, старина Бахани. Тоже небось седой, горбатый. Тоже небось худущий, высохший. Жизнь — она любого к старости обглодает. То ли дело молодость!..

Ах, юность, юность! Какое время! Как зелены были сады Самарканда, как шумен базар, как душисты порывы весеннего ветра!..

В общем, мой друг Бахани все для тебя сделает, только заикнешься обо мне... Но все же не стоит чрезмерно обременять этого услужливого и приветливого человека. Ведь у него, наверное, тоже семья, свои заботы, дела, он не может все бросить и заниматься только тобой. Поделикатней с ним, не нужно садиться на шею. Просто скажешь ему: так, мол, и так, Абусадык шлет привет и обнимает. Старые кости скрипят, конечно, но ничего — держится. Да повежливей: о здоровье расспроси как следует, о делах... ну и подарки передай, не забудь...

...Наставляя его в дорогу, Абусадык повторил все это раз сто. До того крепко вдолбил, что несколько ночей перед отъездом Джафар, ложась и закрывая глаза, чтобы уснуть, тут же явственно видел себя вступающим под своды какого-то величественного здания: несомненно, это было медресе святого Усамы, из дверей которого, радостно смеясь и протягивая руки для объятия, уже спешил ему навстречу мулла Бахани.

* * *

Самарканд оглушил еще на подступах: по всем дорогам скрипели арбы с горами хвороста, погонщики орали на ослов, семенивших под грузом мешков и корзин, пеший люд тащил такие же корзины и мешки — припоздав к самой рани четвергового базара, все спешили нагнать упущенное.

Муслим, вооруженный короткой пикой, ехал первым, прокладывая дорогу. Кулях на нем был пунцовый, чалма белая, чапан ярко-синий, новый, сапоги по случаю отъезда пошили специально — с узкими носами, украшенными медными наголовьями, с медными же бляшками по голенищам; из правого чуть высовывалась костяная рукоять длинного ножа.

Джафар, одетый во все белое, если не считать сапог, отличавшихся от муслимовых только тем, что украшены были серебром, а не медью, подпоясанный серебряным поясом, на котором висел длинный кинжал в крепких, окованных серебром ножнах, солидно следовал за своим слугой.

Муслим не робел.

— Сторонись! — то и дело пошумливал он, пробираясь в толпе, сгустившейся возле Кешских ворот. — Дай проехать, говорю! Куда прешь! Убери осла, баран!

Надо сказать, что после того, как великий Исмаил Самани выкурил из Самарканда мятежного наместника Шарафа ал-Мулька, он приказал разрушить все ворота города, дабы никто не смел впредь запираться от его монаршего гнева и расправы. Обитые узорчатой медью створки, распах которых позволял свободно проезжать четверке коней, сняли и увезли в Бухару, а в здешних стенах остались лишь бесформенные проломы — называвшиеся, впрочем, как и прежде, воротами.

Как на грех, именно у Кешских ворот две арбы сцепились колесами и перегородили дорогу. Владелец одной осыпал вола проклятьями, отчаянно таща его. Вол задирал голову и ревел. Второй охаживал своего плеткой. Подоспели два стражника — эти и вовсе молотили палками по чему ни попадя. В конце концов первая арба дернулась и, отчаянно захрустев подломившимся колесом, завалилась набок, окончательно засыпав проезд вязанками колючего хвороста.

— Во! — сказал Муслим, оборачиваясь к хозяину, когда они наконец выбрались из сумятицы и ора. — Ну просто день Воздаяния!

Джафар то и дело невольно озирался, не успевая схватить взглядом те чудесные явления, что по мере погружения в город все плотнее окружали их, беспрестанно меняясь и перетекая одно в другое. То ли после бессонной ночи в караван-сарае, где они стали добычей несметного полчища тамошних блох, то ли и впрямь то, что появлялось перед глазами, было достойно восхищения, но его одолевал беспричинный восторг: хотелось петь, скакать галопом, сорвать с головы шапку и крутить ее над собой.

Узкие улицы, уставленные бесчисленными домами (среди них попадались причудливые — многоярусные, с галереями и башнями), выводили к площадям, гордо державшим в своих ладонях праздничные зеркала голубых прудов, яркие купола мечетей, звонкие трубы кирпичных минаретов. Так долго мечтаемый, Самарканд восставал из небытия, врастал в настоящее, как врастают в сознание города снов и сказок; он возвышался, неудержимо наплывал, слепя своим блеском, шумно торжествуя, владычествуя и решая судьбу.

— Ну и грязища тут у них! — ворчал Муслим, объезжая кучи мусора и нечистот. — Срут где ни попадя! Крыш им не хватает, что ли!

Долго толклись вокруг базара: никто не мог указать, где находится медресе святого Усамы. Наконец какой-то старик, почесав затылок, направил их по одной из улиц в сторону Бухарских ворот, наказав для начала искать мечеть Четырех праведников.

И точно — высокий глиняный забор медресе почти примыкал к стене квартальной мечети.

— Жди здесь, — сказал Джафар, спешиваясь и протягивая Муслиму поводья.

Невысокий портал — пештак — был выложен зелеными глазурованными кирпичами. Короткая купольная галерея вывела в квадратный двор, образованный тремя приземистыми, кривобокими, но все же двухэтажными зданиями. Центральное было, судя по всему, тутошней мечетью. По бокам к нему примыкали помещения, где, как рассказывал Абусадык, в отдельных крошечных кельях-худжрах жили учащиеся. Там же располагались и комнаты для занятий.

Пока Джафар стоял, оглядываясь и размышляя, где именно следует искать муллу Бахани, из дверей слева высыпала группа молодых людей в зеленых чапанах и светло-голубых чалмах. Негромко переговариваясь, они двинулись к галерее. Проходя мимо Джафара, один из них — совсем еще мальчишка, как ему показалось, — замедлил шаг и спросил, окидывая незнакомца взглядом:

— Новенький, что ли?

— Я? — отчего-то растерявшись, переспросил Джафар. — Нет. То есть да. Но... Скажите, уважаемый, где я могу увидеть глубокоуважаемого муллу Бахани?

— Муллу Бахани? — хмыкнул мальчишка. — Зачем он тебе? Барана давно не покупал?

— Какого барана? — не понял Джафар.

— Скоро узнаешь, — рассмеялся юный исследователь наук. И, уж совсем было пустившись догонять приятелей, махнул рукой и сказал: — Да вон идет — жирный!

Джафар обернулся — и точно, из дверей медресе выходил какой-то толстяк. Шагал он тяжело, крепко опираясь на палку и выставляя далеко вперед тугой живот, на котором не сходились полы обширного одеяния.

Честно сказать, со слов Абусадыка Джафар представлял его совершенно иным, но, как говорится, тот казан или другой — лишь бы целым был. Нервно вздохнул, пересиливая нахлынувшую робость, и пошел навстречу.

— Простите великодушно, — сказал он, с поклоном заступая дорогу. — Разрешите спросить вас, учитель, не вы ли — глубокоуважаемый мулла Бахани?

Толстяк остановился. Взгляд был мутным, заплывшие глаза — блеклыми. Зато щеки — яркие, румяные, а нос покрыт сеткой красных прожилок.

— Ну, я, — сказал он, перемежая слова шумным пыхтением. — Чего тебе?

— Если вы, учитель, и есть глубокоуважаемый мулла Бахани, то я должен передать вам привет от вашего друга Абусадыка, — сообщил Джафар, снова кланяясь и прижимая ладони к груди. — Мулла Абусадык справляется о вашем здоровье и просит сообщить, что сам он пока еще скрипит помаленьку.

— Абусадык? — недовольно переспросил мулла, пожимая плечами. — Что еще за чертов Абусадык? И черта ли ему в моем здоровье?

— Мулла Абусадык — ваш старый друг, — растерянно пояснил Джафар. — Вы с ним учились вместе, глубокоуважаемый Бахани. Похлебку из одной миски... мусалас из одной пиалы... помните?

225

— Мусалас? — подозрительно спросил мулла, а потом сказал как отрезал: — Не знаю никакого Абусадыка! И знать не хочу. Ты-то кто такой?

— Я его ученик. Я приехал учиться в медресе святого Усамы...

Мулла Бахани издал веселое хрюканье.

— Приехал он! Вас таких приезжает — мешками можно насыпать! На что учиться-то?

— В каком смысле — на что? — окончательно смешался Джафар.

— На какие финики? — мулла со значением потер друг о друга пальцы левой руки. — Что ты выпучился? Деньги, говорю, у тебя есть?

— Как же, учитель, конечно! Я знаю, что...

— Ну а коли есть, так иди на базар, — перебил тот. — Знаешь, где базар?

— Знаю, — снова поспешил Джафар. — То есть... подождите, глубокоуважаемый мулла Бахани! Вы хотите сказать, что я смогу у вас учиться?

— А почему нет, коли деньгами богат? — хмыкнул мулла. — Да ведь учеба — это тебе не хвосты собакам крутить. Учеба — дело серьезное. Поэтому для начала пойди купи мне баранины... лучше всего задок возьми, — одышливо уточнил он. — Да выбирай пожирнее, а не из тощих. Еще белой индийской пшеницы... моркови и лука. Знаешь, где я живу?

— Нет.

— В квартале Швейников. Спросишь, любой покажет. Завтра с мутавалли* поговорим.

---

*   Мутавалли — распорядитель медресе, заведующий финансовыми и кадровыми вопросами.

— А проверять меня кто будет?

— Проверять? — мулла неожиданно тонко хихикнул. — Что, боишься? Не знаешь ничего?

— Почему же, — смутился Джафар. — Знаю.

— Что знаешь?

— Коран наизусть знаю... арабский знаю.

— Ишь ты! — заговорил мулла по-арабски. — Знает он! Ты хоть понимаешь, что я говорю тебе, самоуверенный мальчишка?

— Конечно, учитель, — ответил Джафар на том же наречии. — Я не очень самоуверен, но вас понимаю очень хорошо.

— Смотри-ка, — хмыкнул мулла и проговорил начало фразы одной из сур Корана: — "Разве Я не говорил вам, что знаю сокровенное..."

— "...на небесах и земле, знаю, что вы делаете явно и что вы утаиваете?"* — подхватил Джафар.

Мулла Бахани пожевал губами, рассматривая его, и, казалось, сейчас настроение его переменится и он скажет нечто такое, что выходит за рамки, очерченные темой базара и бараньего задка. Но в конце концов только недовольно махнул рукой, подводя разговору черту, и, недовольно бормоча что-то себе под нос, понес свое необъятное пузо к выходу.

Поглядев ему вслед и обескураженно почесав в затылке, Джафар тоже вышел и сел на лошадь.

— Где тут какой-нибудь караван-сарай?

— В караван-сарае будем жить? — ужаснулся Муслим.

---

* Здесь и далее выдержки из Корана в переводе Османова М.-Н. О.

— Нет. Просто попьем чаю, отдохнем. Потом ты поедешь на базар...

— Зачем?

— Продашь лошадей.

— Продать лошадей?!

Джафар посмотрел на него и поправился:

— Ну хорошо, только свою продашь.

— Продать мою лошадь? Да вы что, хозяин!

— Сам посуди, зачем нам две лошади? Кормить попусту. А когда соберемся домой, подыщем тебе какую-нибудь другую клячу, — рассудил Джафар.

— Вот тебе раз — клячу, — обиделся Муслим. — Большой Хаким мне приличную лошадь дал, а вы теперь говорите — клячу! А спросит он потом — где хорошая лошадь?! Что я скажу?

— Не твоя забота, я сам объясню.

— А как мы на одной ездить будем — кто впереди, кто сзади?! Если я в седло сяду, вы на крупе не удержитесь, а если вы в седло, тогда...

— Заткнись! — крикнул Джафар. — И слушай. Потом купишь хорошей баранины. Задок. И чтоб жирный был. Еще белой индийской пшеницы возьми, моркови и лука.

— Сколько?

— Ну, по полмешка, что ли.

— Ничего себе. Зачем нам все это, хозяин? — опять удивился Муслим. — Если пировать, так я обратно поскачу, у меня в Панджруде хороший бубен остался.

— Отвезешь в квартал Швейников, в дом муллы Бахани, — продолжал Джафар, уже не обращая на него внимания.

— Мулла Бахани! — просветлел Муслим. — Так бы сразу и сказали. Жить у него будем?

— Нет, жить будем не у него, — вздохнул Джафар.

— Разве мулла Бахани к себе не звал? — изумился Муслим с такой силой искренности, что если бы в этот момент он свидетельствовал в пользу того, что сам является лошадью, на него и впрямь пришлось бы накинуть узду.

— Забудь об этом. Просто отвезешь — и все.

— Как подарок, что ли?

— Как подарок.

— Ничего себе, хозяин. Если каждому встречному по барану покупать, мы с вами скоро по миру пойдем. Мы и так ему много чего привезли. Вон, хурджины у меня как набиты! Мешок сушеного тутовника, мешок муки, два кувшина топленого сала...

— Вот и это все заодно оставишь.

— Да если бы Абусадык...

— Заткнись, Муслим, — хмуро попросил Джафар. — Не знает мулла Бахани никакого Абусадыка. Не помнит он его.

Муслим от неожиданности натянул поводья и остановился.

— Как же вы учиться будете, хозяин?

— За барана с морковью, — хмыкнул Джафар, заворачивая лошадь в широко распахнутые ворота караван-сарая. — За индийскую пшеницу. Что непонятного?

Сумерки Постучавшийся. Праздник Мужчин

* * *

Приглянувшаяся Джафару половина дома имела отдельный вход, состояла из двух комнат, а до медресе было минут пятнадцать неспешного ходу.

Хозяин оказался истым самаркандцем — приветливый, радушный, готовый на любую услугу. Однако помещение сдавал как есть — с голыми глиняными полами и стенами, что вынуждало постояльцев самим обзаводиться всем необходимым — подстилками, одеялами, какой-никакой посудишкой, казаном... Должно быть, знал, скопидом, что люди делятся на улиток и тараканов: первые весь свой скарб упрямо таскают с собой, вторые, как приходит время, несутся куда-то, побросав все лишнее. На том, что после очередных жильцов можно будет чем-нибудь добавочно поживиться, и строился расчет, так и выпиравший из бугристого лба умильного арендодателя.

Муслим отчаянно торговался, хватал лошадь под уздцы, намереваясь увести со двора, приводил в свидетели небо, своего хозяина и святого Хызра, воздевал руки и тряс ими, крича: "Да где ж такое видано, Господи!.." — короче говоря, в конце концов столковались.

Джафар не вмешивался, но когда ударили по рукам, заметил недобрую усмешку, на мгновение разрезавшую честный рот его слуги, — и подумал, что когда-нибудь Муслим найдет способ отыграться...

Утром следующего дня он, надев новехонький зеленый чапан и голубую чалму, ушел в медресе. Когда к вечеру вернулся, Муслим готовил ужин — жарил мясо в казане. Казан был отличный — большой медный казан, каким не каждый бай может похвалится: ну просто замечательный казан. В таком и на двоих приготовить не грех, а если нагрянут десятеро, то и тогда каждому достанется от пуза.

— Купил? — между делом поинтересовался Джафар.

— Купил! — фыркнул Муслим. — Вы, хозяин, как маленький, честное слово. Если нам такие казаны покупать!.. — он безнадежно махнул рукой: дескать, по миру пойдем с такими-то покупками. — У этого взял, — он мотнул головой в сторону второй половины дома. — Завтра обещал отдать. Вы кушайте, хозяин, кушайте...

Дело повторялось: Муслим раз за разом обращался к хозяину дома с просьбой о казане. Морщась и вздыхая, тот отвечал обычно, что вот какая незадача: сам хотел кой-чего приготовить. Но раз уж дело такое, то деваться некуда, гость в доме — как птица в небе, без гостя нет жизни, ради гостя он собой поступится, — и давал, всякий раз получая фельс в качестве арендной платы.

Настал день, когда Джафар обнаружил в углу комнаты совсем маленький казанчик — ну просто игрушечный.

— Муслим, а мне варить яйцо ты не собираешься? — устало пошутил он.

— Почему?

— Потому что одно в этот наперсток кое-как поместится, — пояснил Джафар. — Но уж два — ни в коем разе.

— При чем тут яйца? — не принял шутки слуга. — Это для другого дела.

— Тоже в долг взял?

— Нет, — сухо отвечал Муслим. — Не в долг. Этот казан я купил.

— Зачем? — удивился Джафар.

Муслим вздохнул.

— Хозяин, подождите пару дней, скоро все узнаете. Одно могу сказать: вам от этого — одна выгода.

Уже следующим утром, возвращая, как обычно, домовладельцу большой казан, Муслим присовокупил к нему маленький.

— Это что? — подозрительно спросил домовладелец.

— А это, видите ли, казанчик, — с готовностью объяснил Муслим. — Похоже, от вашего родился. Вечером я один оставлял... даже остатков масла не слил... утром смотрю — два! И в маленьком — тоже масло!

— Масло?

— В том-то и дело! — тарахтел Муслим. — Просто чудеса какие-то. Я ни сном ни духом!..

— От моего? — хозяин крякнул, переводя одурелый взгляд с одного казана на другой.

— Ну да. По закону он тоже ваш.

— Мой? По какому закону?

— Ну, вы же понимаете: если я, к примеру, нанял у человека кобылу, привел к себе во двор, а она у меня возьми да как на грех ожеребись, то ведь я не только лошадь, но и жеребенка хозяину вернуть должен? Верно?

Самые нелепые утверждения находят отклик в человеческом сердце, если за ними брезжит хоть небольшая выгода.

— Верно, но...

— Ведь приплод? — добивал его Муслим. — Ведь так? То есть, я хочу сказать, если по закону.

— Приплод? — тупо повторил хозяин. — Нет, ну кобыла-то... она того... а казан?

Муслим развел руками: дескать, он лишь немой свидетель случившегося.

— Никогда я о таком не слыхивал, вот чтоб меня шайтан съел, — пробормотал домовладелец. — Но если ты говоришь: по закону...

— А как же! — с готовностью подхватил Муслим проклюнувшийся росток мысли, позволяющий выстроить разумные основания случившегося. — Вы же сами про кобылу...

Хозяин помотал замороченной головой и сказал:

— Ну ладно, поставь там.

Как известно, хозяйство — вещь хлопотная: то шурпы надо сварить, то голубцов запарить. Поэтому Муслим (всякий раз исправно платя свои фельсы) брал большой казан еще два или три раза — до тех пор, пока однажды Джафар, вернувшись из медресе, не увидел в комнате другой казан — такой же большой и гладкий как хозяйский, с крышкой и приданным ему капкиром, но все же другой: с клеймом иного мастера.

— Это еще что? — удивился Джафар.

— Это казан! — с гордостью объявил Муслим.

— Ты меня уже заморочил своими казанами. Вижу, что не корова. Чей?

— Наш.

— Наш?! Откуда?

— Откуда! Вы, хозяин, как маленький, честное слово. Будто не знаете, что все в мире, кроме людей, берется с базара.

— Ты что ж его — купил?

— Опять "купил"! Я ведь не сумасшедший, чтобы такие казаны покупать. Не купил, а поменял.

— На что поменял?

— На тот.

— Какой "тот"?

— Хозяйский.

— Как это? Чужой казан поменял?!

— А что такого? — Муслим беззаботно пожал плечами. — Я ж ему не говорил, что я его казан поменял на этот. Ему я сказал, что его казан умер. А если про этот спросит, скажу — купил.

Джафар расхохотался.

— Не смейтесь, хозяин. Все по закону. Если казан может дать приплод, то ведь он и умереть может? Вот, к примеру, взять кобылу...

— Ну бестия ты, Муслим! — смеялся Джафар. — Жалко, Хаким не знает о твоих проделках. Он бы тебе показал, чем кобыла от казана отличается.

— Старый господин меня бы похвалил, — возразил Муслим. — Правда, этот скупердяй грозит пойти к судье, да я намекнул, чтоб и думал забыл: соседи-то все слышали, сам хвастал, придурок, что у его казана малыш родился.

— Смотри, гореть тебе в адском пламени...

— Я перед тем воды побольше выпью, — хихикнул Муслим. — Потом сделаю так: пфу-у-у! — и все погаснет!

Стена поэтов. Юсуф. Мулла Бахани. Успех

Тот мальчишка, что при первой встрече насмешливо интересовался насчет баранов, оказался вовсе не мальчишкой. Юсуф был младше всего на два месяца. Просто тонкая кость, малорослость и какая-то детская просветленность, то и дело сквозившая в живом, искрящемся взгляде, и впрямь могли ввести в заблуждение насчет его возраста.

Джафар поздоровался.

— О! — обрадованно сказал тот, узнав его. — Что, взяли?

— Взяли. Вчера с мутавали разговаривал...

— Сколько манов?*

— Пятьдесят, — с достоинством, как само собой разумеющееся, сообщил Джафар — но не удержался, расплылся в ликующей улыбке.

---

* Ман — мера веса, около 800 граммов. Как правило, студенты медресе получали стипендию трех разрядов — 35, 40, 50 манов пшеницы в год.

— Ничего себе! Поздравляю. Заплатил ему?

— Кому?

— Мутаввали.

— Мутаввали?

— Ну что ты как ребёнок! — рассмеялся Юсуф. — Взятку давал? Или ты арабский так хорошо знаешь?

— Не давал я никаких взяток, — обиделся Джафар. — Арабский я знаю. Он меня по всему проверил!..

— Да ладно тебе. Если так, скоро сам мутаввали будешь, — Юсуф весело хлопнул его по плечу и неожиданно переменил тему: — А стихи пишешь?

Джафар замялся.

— Я-то? Да как сказать...

Ему не хотелось с первых слов выдавать всю подноготную. Да и потом — что он там в самом деле пишет? В Панджруде кое-кому нравились его незамысловатые песенки, это правда. Но здесь, в Самарканде, где люди на поэзии собаку съели!.. Поднимут на смех, вот и вся радость. Ишь, скажут, деревенщина. Посмотрите на него. Приехал, рифмоплёт, Самарканд самодельными стишками завоёвывать...

— А я пишу, — сообщил Юсуф. — Даже лакаб[*] себе выбрал! Муради!

— Муради? Хороший лакаб, — одобрил Джафар. — Нет, я как-то... занятий много... и вообще....

— Жалко, жалко...

Он почувствовал, что новый товарищ теряет к нему интерес.

---

[*] Лакаб (или тахаллус) — поэтическая кличка, псевдоним поэта, обычно озвучивавшийся в последнем бейте стихотворения. Муради — посвящённый одной цели, охваченный одной мыслью.

— У нас тут многие пишут. Такие есть мастера! — Юсуф покачал головой. — Ну ладно, мне пора. Увидимся.

* * *

С возвышения, где громоздились строения Регистана, в центре которых возвышалась пустующая ныне цитадель (эмир Исмаил Самани давно перенес столицу в Бухару), был виден весь город: стены его, будто туго затянутый ремень (а башни как великанские кулаки), сжимали глиняную лепнину строений, тут и там выпиравшую буграми и неровностями, а в целом более всего похожую на сбитое на землю ласточкино гнездо; во множестве торчали минареты — почти все со сломленными в результате недавнего землетрясения верхушками.

За восточной окраиной лежал Афрасиаб — древний город великого царя туранцев, сказания о котором терялись во тьме тысячелетий. Говорили, чародей построил много дворцов и городов, но этот — Самарканд — оставался лучшим и любимым. Афрасиаб сделал его столицей мира, и все цари пришли поклониться ему. Да, наверное... почему бы и нет? — в древности случилось много чудес, тайны древних героев никогда не будут разгаданы людьми...

Впрочем, ныне Афрасиаб представлял собой волнистую местность, заросшую солончаковой полынью, редкими кустами саксаула, покрытую тысячами намогильных насыпей и небольших курганов, какими гляделись оплывшие останки крепостных сооружений. Люди на Афрасиабе не селились, да и случайно оказаться тут после наступления темноты было опасно. По ночам над этими землями, будто огромные нетопыри, носились духи прошлого: молили мертвых встать из сухой земли, тщетно взывали и, злясь на их глухое молчание, с досады нападали на сбившихся с пути путников, безжалостно рвали смертоносными когтями забредших по неведению...

У Стены поэтов Джафар побывал еще в самый день приезда — не терпелось удостовериться, что и впрямь на земле есть место, где всяк может вывесить лоскут бумаги или пергамента со своими виршами.

Оказалось, Стена поэтов существует на самом деле, однако пергамента на ней нет и в помине, да и бумагу нескоро обнаружишь — но, может, в конце концов и попадется лоскут-другой.

Длинная восточная стена Регистана была сплошь завешена сухими капустными листьями. В сущности, бумаге они уступали лишь тем, что лохматились по краям, но если не обращать внимания, что калам — тростниковое перо — то и дело спотыкается на жилках, на каждом из них вполне удавалось навалять пару-другую бейтов. Что, собственно говоря, уже и сделали неведомые стихотворцы.

Если налетал ветер, новая стайка страниц этой странной книги слетала и, печально шурша, уносила свои слова вниз по склону, где они застревали в щетинистой траве.

На убыль никто не обращал внимания — должно быть, оставшихся хватало с избытком.

Когда Джафар остановился поодаль, чтобы приглядеться, у Стены прохаживался десяток-другой молодых людей. Похоже, все они хорошо знали друг друга: весело переговаривались, смеялись. То и дело кто-нибудь выкрикивал стихотворные строки (Джафару не всегда удавалось расслышать, какие именно), и, как правило, все снова покатывались со смеху. Иные переходили от одной группы к другой, разнося, должно быть, удачные шутки, а то еще показывали пальцами на те или иные испещренные вязью капустные листы и снова хохотали, хлопая себя по коленкам, — то есть, судя по всему, эта публика имела достаточно досуга, чтобы в довольно ранний утренний час обсуждать новинки поэзии, появившиеся за ночь.

Через пару минут со стороны мечети Шахи-Зинда показался торопливо шагавший. У него было не так много времени, как у прочих, — мельком кивнув кому-то из знакомых, он без долгих слов приколол свой лист, отступил на шаг, пристально в него вглядываясь (должно быть, перечитывал напоследок), обреченно махнул рукой и пошагал обратно.

Как только он удалился на приличествующее расстояние, поэты слетелись к новому стихотворению, будто стая ворон на свежую падаль. Один громко и с выражением прочел новоиспеченные вирши. Присутствующие раскололись на две примерно равные по численности партии. Представители одной еще во время чтения выкрикивали одобрительные возгласы, сторонники другой взрывались издевательским смехом. Одни кричали, что новое творение Салама Шахиди чудо как хорошо, сам он — баловень судьбы и гений; другие — что стихотворение никуда не годится, а Шахиди — всем известный бездарь, да и на руку нечист: месяца не прошло, как его уличили в плагиате: украл у одного одаренного парня из Балха — Шахида Балхи — его лучшие строки и вывесил тут, пытаясь выдать за свои. Да кто ж поверит, что он сам сумел по-человечески связать пару слов?

Завязалась перепалка, но до потасовки дело не дошло. Скоро все успокоилось, и снова праздные стихоплеты прохаживались у Стены, неспешно беседуя друг с другом или жарко, с сердцем, убеждая в чем-то оппонента.

Джафар робко приблизился и стал рассматривать вывешенное. Стихи были преимущественно на родном языке, но попадались и на арабском, и даже на пехлеви.

Много встречалось четверостиший — рубаи́. Большая часть озвучивала давно известные образы, отличаясь друг от друга почти исключительно степенью корявости, с какой слагались в них неструганые слова. Зато одно оказалось просто блестящим. Правда, с первого прочтения оно показалось Джафару обидным, даже оскорбительным. Ведь он сам собирался стать муллой, а речь в рубаи шла именно о муллах, да с такой насмешкой, что невольно охватывала злость: дескать, великое счастье, что глупости мулл соответствует их толщина, а не высота, — потому что в противном случае солнце, до которого им было бы рукой подать, испепелило бы их пустые тыковки.

Однако все четыре строки и каждый слог так ладно прилегали друг к другу, так перекликались и аукали, что рубаи звенело, будто выкованное из серебра. А виртуозная составная рифма, занимавшая половину каждой строки и все три раза удивлявшая новым изяществом и точностью, скрепляла его намертво. Третья строка, не имевшая рифмы, тоже была не проста — вся она крепко и звонко держалась на повторении одного и того же ударного звука: — Э! — э — э! — э — э! — э! — и при желании ее можно было расписать в три одинаково рифмующихся бейта.

Джафар перечел еще раз — уже на память — и хмыкнул, понимая, что теперь никогда этой жемчужинки не забудет, как бы при этом он сам ни относился к муллам.

Встречались и большие тексты — касыды. Одна из них, например, на бесчисленных листах, повешенных друг за другом сверху вниз (следовало полагать, автору сего пришлось сгрызть немало кочерыжек), рассказывала о деяниях Сияуша.

Автор этой многолистной поэмы мог оказаться сейчас в числе тех, кто прохаживается у Стены, поэтому Джафар старался проглядывать написанное совершенно невозмутимо, ничем не показывал, нравится ему прочитанное или нет, и лишь легким притопыванием обутой стопы о землю отбивал ритм произведения.

Надо сказать, это было не так просто — ритм гулял как хотел, то и дело съезжая с хадзажа на рамал и обратно.

При этом автор понимал, что тщится поведать людям о событиях грандиозных, великих, и, в соответствии с описываемыми предметами, стремился и свой текст сделать как можно более внушительным и монументальным.

Поэтому конь Сияуша, называемый "животным о четырех копытах с длинными ногами, мощными как у слона", был величиной "с половину подлунного мира" ("не покрытого водой" — зачем-то уточнял автор). О жестокости битвы говорило, в частности, то, что "от дрожи земли под копытами все враги умерли от страха" — и с кем тогда, спрашивается, оставалось воевать Сияушу? А меч героя "захлебываясь, пил кровь врага", и если бы этот образ не был таким затасканным, а далее не оказывалось, что вдобавок он "жадно ел точильный камень", то эта строка могла бы показаться совершенно удачной.

Некоторые пассажи были настолько нелепы, что Джафар, силясь сдержать смех, сначала покраснел от натуги, а потом все-таки прыснул, испуганно при этом оглянувшись: не видел ли кто?

Сравнения выглядели явно натянутыми.

Однако — что такое сравнения? В конце концов, одному они кажутся смехотворными (ему, например, казались), а другого необъяснимым образом приводят в восхищение. Они со стариком муллой Абусадыком часто толковали об удивительной разности человеческих вкусов, одинаково признавая их необъяснимость: что одному маслом по сердцу, другому просто вилы в бок. Абусадык тоже изредка пописывал, но главное — в прежние годы прочел деваны* самых знаменитых тогда арабских и аджамских поэтов и многое, самое яркое, помнил наизусть.

Нет, дело было не в сравнениях, а в звуках. Даже тот, кому понравились сравнения, должен был бы признать, что звукам здесь живется довольно горестно — как пленникам в цепях и путах.

---

* Деван (девон, диван) — собрание стихотворений, стихотворная книга какого-нибудь одного поэта, но не в современном значении этого слова, поскольку обычно девон складывался не самим поэтом, а его почитателями.

Каждый из них был сунут в строку насильно, с надсадой, а потому дыбился и выпирал. Вбитые, как гнущиеся медные гвозди в арчовую доску, и чередуясь самым причудливым и дурацким образом, они заставляли чтеца то каркать, то икать: он то заикался, озвучивая столкнувшиеся в одной строке три долгие гласные, то пырхал на четырех сомкнувшихся согласных и в целом ворочал языком с такой натугой, будто дожсвывал вязкий плод зеленой айвы.

Стихи крякали, пыхтели, страдали одышкой, хромотой и еще невесть какими недугами. В конце концов они заставляли сердце читателя биться — но не от высокого поэтического волнения, а от болезненной жалости к судьбе этих несчастных.

— Что, парень, местечко ищешь?

Джафар обернулся.

Молодой человек лет двадцати был одет в цветастый чапан, а лисий верх шапки намекал на его более или менее знатнос происхождение.

— Я? — переспросил Джафар.

— Ну не я же! — хмыкнул юноша. — Я свое уже повесил. Ты пишешь?

Джафар вспыхнул от смущения и едва удержался, чтобы не кивнуть.

Пишет ли он? Да, он пишет. Но признаться в этом здесь, у знаменитой на весь Аджам самаркандской Стены поэтов, с которой каждый лист кричал о том, как много в мире людей, сочиняющих стихи, с какой жадностью ждут они одобрения и похвалы, как мечтают стать знаменитыми...

Признаться в том же и встать с ними в один ряд? — нет, это было совершенно невозможно.

— Я? — снова переспросил Джафар, залившись краской от нелепости собственного поведения.

— Вот баран! — с досадой сказал человек в лисьей шапке и, покачав головой, пошел к своим.

Джафар побродил еще некоторое время, проглядывая вирши и прислушиваясь к болтовне завсегдатаев, а вернувшись домой, наказал Муслиму купить четыре больших кочана капусты.

* * *

Прошло дней пять.

— Муслим! — шипел Джафар (всегда робеешь говорить в такой час полным голосом). — Вставай, говорю!

Ночь еще покрывала город глухим черным платком.

— А? Что?

Муслим заворочался, сел, уставился на трепещущий фитилек масляного каганца, безуспешно пытаясь осознать, что, собственно говоря, происходит.

— Давай! — торопил его Джафар. — Иди!

Муслим потряс головой.

— Да-да, — пробормотал он. — Иду, да... куда идти?

Но, видимо, уже отчасти проснулся, поскольку жалобно заныл:

— Да вы чего, хозяин?! Ночь на дворе! Мы же договаривались: под утро!

— Сейчас и есть под утро! — шипел Джафар. — Именно что под утро! Через час уже светло будет!

— Вот заберет меня стража, — ворчал Муслим, шаря вокруг себя в поисках сапог. — Вот тогда посмотрите... будете из ямы вытаскивать... денег одних сколько...

— Давай скорей, болван!

— Ну конечно, болван. Муслим — болван, что тут спорить. Если б не был болван, вернулся бы в Панджруд... к старому Хакиму... да где же они?

Джафар яростно пнул стоявшие в углу муслимовы сапоги, и один из них чуть не угодил тому в физиономию.

— Спасибо, хозяин, — чинно поблагодарил Муслим. — Так и так, сказал бы, внучок ваш совсем сбрендил... вместо того чтобы учиться, все стишки какие-то.

— На! — сурово сказал Джафар, протягивая ему густо исписанный капустный лист. — Да смотри у меня! На видное место вешай! И крепко! Чтоб ветер не сорвал!

— Это мы можем понимать, — бухтел Муслим, нахлобучив кулях и путаясь теперь в рукавах чапана. — Ветер, конечно... как дунет — все труды насмарку. Во имя Аллаха Милостивого, Милосердного!.. Что ж за мука-то такая, господи. Ни свет ни заря.

Джафар запер за ним калитку и вернулся в дом.

Стихотворение он написал нынче вечером. Раньше не мог, потому что капустные листы не просохли. А как просохли — так и написал. Быстро написал, солнце не успело переползти с верхушки растущей во дворе молодой сливы к краю крыши, а уже все было готово. Потом, правда, раз шесть перебеливал, но как такового перебеливания не получалось, потому что каждый бейт всякий раз облекался неожиданно по-новому.

Вообще, все это, как всегда, случилось как-то само собой, как будто вовсе без его участия: кто-то пришел и все сделал, а он потом только прочел и удивился, как складно все вышло. Или, скажем, задремал, увидел приятный сон, а когда вздрогнул и раскрыл глаза, исчерканные капустные листы валялись по всей комнате, а последний, с окончательным вариантом, лежал перед ним, и даже чернила еще не высохли на его желто-зеленой поверхности.

Темнота в слюдяном, размером в кулак, оконце сделалась белесой.

Джафар представлял, как Муслим бредет по темным улочкам... вот наконец выходит к Регистану... шагает к Стене... Вот нашел подходящее место, пришпилил... побрел назад...

Наверное, Муслим был самым первым, и его никто не видел. Уже через час туда поспешат все, кому не терпится похвастаться плодами ночных бдений. А когда солнце залезет на верхушку минарета Шахи-Зинда, к Стене поэтов сойдутся праздношатающиеся любители стихотворчества — и те, кто уже был здесь рано утром, а теперь хочет услышать, что толкуют о его виршах, как оценивают, хвалят или ругают; и те, кто сам сегодня ничего не пытался обнародовать, но желает почитать, оценить, обсудить, хихикнуть, побрюзжать насчет неточности рифм, натужности образов или просто ошибок языка, выдающих в авторе человека не то малообразованного, не то просто глухого к говору соплеменников...

Он содрогнулся, осознав, что и его творение тоже окажется под взорами чужих глаз!.. Зачем он это сделал?! Может быть, еще не поздно кинуться следом, догнать, вырвать, порвать в клочки? Ужасно! Ведь это — как будто самому раздеться и встать посреди площади, чтобы все на него показывали и хохотали!..

Он метался по комнатенке, не замечая, что дышит так, будто взобрался на гору.

Нет, поздно... еще увидит кто-нибудь.

Ах, ладно, пускай!..

А вдруг... а вдруг кто-нибудь заметит?.. обратит внимание?

Не нужно, не нужно об этом мечтать! Забыть! Ничего не было! Он не писал! Муслим не ходил! Капуста не сохла! Ничего, ничего, ничего!..

А если... если, наоборот, никто даже и не увидит? Повисит день, другой... а потом ветер сорвет, чтобы унести по склону. И все, что он так старательно выискивал — все созвучия, все переклички смыслов, — все это истлеет и будет размыто дождем. Никому не нужно, никому!..

Встал на колени, принялся было молиться, но тут послышался стук в калитку, — вскочил, выбежал, отпер.

— Повесил?

— А что не повесить? — буркнул Муслим. — Это же не жернов... как сказали, так и повесил.

— Крепко? Не сдует?

— Да не сдует, не сдует. Что вы, хозяин, как маленький, честное слово, — завел было он свою обычную песню, но Джафар так дернулся и так глянул, что Муслим замолк и пошел от греха подальше в другой конец двора — разводить огонь под кумганом.

Джафар сел на колоду, сжав голову ладонями. В висках что-то резко постукивало, казалось, два птенца с двух сторон головы собрались пробить скорлупу и выбраться на волю.

— Во имя Аллаха Милостивого, Милосердного! Вся хвала надлежит Тебе, Владыке Миров, — шептал он, крепче и крепче сжимая виски. — Дай мне сил и терпения!..

— Что с вами, хозяин? — испуганно спросил Муслим, садясь около него на корточки и по-собачьи заглядывая в глаза.

— Ничего, ничего... хорошо все. Давай чаю, да мне идти пора.

Он решил — сегодня стерпит, не пойдет к Стене.

Завтра. Завтра пойдет.

Если к тому времени его стихи сдует ветер — это судьба.

Если их никто не заметит — тоже судьба.

Но он узнает об этом не сегодня.

Нет, он выдержит.

Завтра.

* * *

Занятия начинались общей молитвой. Потом чтение Корана. Мулла Бахани сам выбирал суру. "Корова!" — с одышкой говорил он и показывал толстым пальцем на какого-нибудь из учеников. Или "Вырывающие". Мулла Бахани мог произнести название любой из всех ста четырнадцати сур. Сам он знал их на память — каждую, от первого до последнего слова. "Смоковница!" — говорил он и указывал на одного из них.

Если это был хороший ученик, он тоже шпарил наизусть. Если хуже, подползал на коленях к Книге, лежавшей около муллы, осторожно перелистывая, находил нужное и бойко тарабанил. Если оказывался совсем плохой, читал с запинками, а то и вовсе не мог понять или произнести какого-нибудь слова.

Мулле Бахани было все равно — он подремывал, тяжелым мешком сала развалившись в подушках, изредка приподнимая отяжелевшие веки и кивая чему-то. Чему именно — Джафар никак не мог уловить: мулла кивал и плохим, и хорошим.

Часа через полтора или два чтение заканчивалось. Начинался тафсир — толкование прочитанного.

Для толкования мулла Бахани выбирал самых резвых. Тупицы должны были молча слушать и запоминать, потому что если позволить говорить, тут же сойдешь с ума от их блеяния.

На общий намаз шли в мечеть. Подчас заглядывал и мутаввали, и тогда сначала все муллы, а затем и ученики, низко сгибаясь, подходили к нему, чтобы приложиться к руке.

После намаза возвращались в класс.

Мулла Бахани, щурясь, выглядывал кого-нибудь из учеников (старался справедливо чередовать) и поручал принести ему с базара большую касу шурпы или плова — каши из индийской пшеницы с мясом, морковью и пряностями.

Юсуф возмущался такой постановкой дела.

— Почему я должен покупать шурпу этому жирному?! Разве это справедливо?! — горячился он, когда несколько дней назад они с Джафаром на пару вышли со двора училища. — Что за издевательство? Откуда у меня деньги? Я ему осенью полбарана купил, полмешка зерна, моркови. Весной то же самое. Так еще и шурпу эту, будь она неладна, чуть ли не каждую неделю таскай. Вот не понесу в следующий раз, как Бог свят, не понесу!

И точно, не понес. Мулла указал на него пальцем, Юсуф покорно ушел, а вернулся часа через два, когда голодный мулла Бахани уже пребывал в состоянии совершенного изнеможения.

Вернулся, но — без шурпы.

Он стоял в дверях, безвольно опустив руки и покорно склонив голову, а мулла Бахани смотрел на него тяжелым взглядом, в котором, как ни странно, все же поблескивала искорка любопытства.

— Ты не принес шурпы? — спросил он таким тоном, будто до конца не верил в случившееся. Так спрашивают: ты не веришь в Бога? Или: ты убил отца?!

Юсуф развел руками — мол, сами видите.

— Почему?

— У меня есть на это девятнадцать причин! — смело ответил нарушитель порядка.

Мулла помолчал.

— Назови первую.

— Во-первых, у меня не было денег, — сообщил Юсуф.

— Хватит, — сказал мулла Бахани, сопя. — Остальные восемнадцать оставь при себе. Расходитесь, занятия окончены. Я не собираюсь умирать тут с голоду. Завтра проверка по арабскому. Кто не сдаст, будет лишен пособия.

Выйдя во двор, парни дружно накинулись на Юсуфа: если мулла захочет, он из-за проделок одного всем устроит такую веселую жизнь, что небо с овчинку покажется. Ты слышал?! — проверка! Может, это ты богач, а для многих тут каждый ман хлеба на счету. Как тебе не стыдно? Он же всех сгноит. Десять лет будешь сидеть, чтобы ярлык получить! Что за глупость?! Надо, надо покупать ему шурпу!

— У тебя пяти фельсов нет на эту поганую шурпу?! — кричал Рушан, сын карминейского судьи. — Я буду давать тебе деньги, только веди себя прилично.

— Не надо мне твоих денег! У меня свои есть. Но это несправедливо. Почему мы должны кормить его?! Он в сто раз богаче всех нас вместе взятых!..

Юсуф, несомненно, был прав, Джафар и сам так думал. Что касается Рушана, сына судьи, то с ним однажды Юсуф поспорил всерьез, дело едва не кончилось дракой, Джафару пришлось заступаться. Началось с пустяка, но вдруг перешло на вещи серьезные.

— Справедливость — это закон и порядок, — самодовольно посмеиваясь, говорил Рушан. — Только глупец этого не понимает.

— Всякий закон? — вкрадчиво любопытствовал Юсуф.

— Всякий. Как бы плох ни был закон, но если он есть, то все идет своим порядком. А если идет своим порядком — это и значит, что порядок есть. А если есть порядок, если он не нарушается — есть и справедливость. Вот когда рушится закон — от справедливости не остается и следа.

— И что же, — спрашивал Юсуф, щурясь. — Если раб трудится на поле, а хозяин его за это исправно кормит, предоставляет клочок крыши над головой и не надевает колодки — это справедливость?

— Ну да, — кивал Рушан. — Конечно, так и есть.

— А если хозяин не обеспечивает его всем необходимым для поддержания жизни или, например, раб ворует хозяйское зерно или просто бежит — это несправедливость?

— Несомненно, — подтверждал Рушан, покровительственно улыбаясь: как можно не понимать таких простых вещей. — Разве справедливо, когда хозяин не кормит раба?

— А разве справедливо, что он раб? — взвился Юсуф. — Почему он должен быть рабом? Чем он отличается от хозяина?

— Ты хочешь сказать, что... — Рушан был явно озадачен таким поворотом.

— Я хочу сказать, что он такой же человек, и несправедливо, что его сделали рабом.

— Ну да, такой же — две ноги, две руки... Но ведь он попал в плен? И его продали на невольничьем рынке... а хозяин купил. Верно?

— И что?

— Как что? Он заплатил деньги за этого раба... поэтому теперь раб должен работать. А хозяин — кормить.

Юсуф возмущенно фыркнул.

— С чего ты взял, что это справедливо?!

— Все это знают. А ты наслушался этого своего христианина, вот и думаешь, что все должно быть по его словам. И правильно, что твой отец его продал. Иначе он бы совсем твои мозги свернул!

Отец Юсуфа действительно владел когда-то рабом-христианином. По словам Юсуфа, этот раб был добрым человеком. Он мастерил свистульки, строил запруды на ручье, чтобы заставить крутиться водяные колеса... ну и рассказывал иногда, как жил прежде.

Его все любили. И отец любил. Но потом отец продал румийца. Григорий знал румскую грамоту, а кому-то из купцов понадобился переводчик. Предложили хорошие деньги, а отец обеднел к тому времени — и продал.

Юсуф побледнел, напрягаясь.

— Разве справедливо, что с ним обошлись как с вещью?

— Если что-то продается и покупается, значит, это и есть вещь.

— Ах вот как!.. А разве справедливо, что один владеет многим, а многие ничем? Да вот хотя бы и на тебя посмотреть. Твой отец — главный судья Кермине, казикалон. Я сам из Кермине, я знаю. Ваши поля тянутся на десяток фарсахов. Твой отец владеет сотнями крестьян, которые возделывают землю. Он купается в роскоши, хотя не шевелит и пальцем, а те, кто солят его землю своим потом, рады, если на вечер у них есть одна лепешка... Разве это справедливо?!

— Твой отец тоже владеет землей и рабами... просто у него меньше.

— Мой отец тоже поступает несправедливо, — закусив губу, упрямо стоял на своем Юсуф. — Но твой — хуже моего во сто крат. Хуже и безжалостнее!

В общем, едва не подрались. Рушан обозвал их последними словами и ушел, негодуя.

— Зря ты с ним так, — вздохнул Джафар, когда они остались вдвоем. — Ведь в чем-то он прав...

— В чем?

Джафар пожал плечами.

— Не может быть в мире совершенной справедливости.

— Почему?

— Ну не знаю... Ты хочешь, чтобы все жили одинаково?

— А ты не хочешь?

— Я не знаю... но так никогда не будет.

— Будет! — торжествующе возразил Юсуф.

— Когда же?

— Когда вернется Махди.

— Махди? — удивился Джафар.

Они сидели на холме за Афрасиабом. Весенний ветер гнал переливчатые волны травы, то показывавшие серебряный испод своих полотнищ, то снова заливаясь густой зеленью.

— Не слышал, кто такой Махди? — так же удивленно переспросил Юсуф.

Джафар слышал. Но вот уж верно говорят: краем уха. Дед Хаким, ругая проклятых шиитов, испортивших истинную веру (находил на него порой такой стих), упоминал это имя. Но что за человек этот Махди, чего он, собственно говоря, хочет или значит, понять из ворчания старого дихкана было совершенно невозможно.

— Этот еще их Махди! — рычал старик, стуча палкой по каменной глине. — Имам! Кому он нужен, этот имам! Проклятые изменники! Лучше бы они верили как следует, вот что я скажу! И никакой Махди им бы не понадобился! И никакие имамы! Вера есть вера!

Когда же Джафар просил его рассказать, кто такой Махди и почему дед его ругает, старый дихкан только сердито отмахивался:

— Дался тебе этот Махди! Не нужен тебе Махди! Выдумают еще — Махди!..

Джафар пожал плечами.

— Слышал что-то... Это шиитский пророк, что ли?

— Это имам, с приходом которого начнется последняя эпоха мира. Шииты уверены, что сокрылся двенадцатый. После смерти Джафара ас-Садика они ошибочно признали следующим Мусу ал-Казима, потом еще четырех, а мы...

— Мы? — переспросил Джафар.

— Мы, исмаилиты... Ни один из признанных ими имамов не мог нести в себе *илм* — божественное понимание тайных смыслов послания Аллаха. Истинный имам седьмой: Мухаммад сын Исмаила. Кое-кто думает, он умер. На самом деле — ушел в сокрытие. А когда он станет Махди и вернется, установится справедливость.

— Да? А почему бы ему не открыться уже сейчас?

— Не все так просто, — покачал головой Юсуф. — Люди еще не готовы к равенству. Вообрази: начинаешь ты на площади кричать: люди! человек не может быть рабом другого! поделитесь имуществом, пусть бедные тоже станут богатыми! Представляешь, что будет?

Джафар хмыкнул.

— И часа не проживу...

— Вот и он, наверное, так думает, — вздохнул Юсуф. — И все-таки скоро он выйдет. И у нас будет свое государство — халифат Фатимидов. Государство истинной веры и справедливости!

* * *

Ну, а в тот день палец муллы Бахани уперся в Джафара.

Джафар встал, послушно поклонился учителю и, выйдя из медресе, направился за шурпой.

Солнце поднялось уже высоко — стояло в зените, а то, пожалуй, и перевалило.

Он неторопливо миновал несколько улочек, вышел к одному из четырех больших базаров Самарканда, обошел москательные ряды и двинулся за овощные, в обжорные — оттуда тянуло запахом свежего хлеба, жареного мяса, дымком из-под котлов с разнообразным варевом.

Он шагал мимо бесчисленных корзин, мешков, разноцветных груд овощей, между которыми сновали покупатели; мимо продавцов, каждый из которых нещадно голосил, расхваливая свой товар; все эти вопли, крики, ослиный рев, ржание, топот, шарканье, хруст кочанов, стук насыпаемой в мешок брюквы — все эти бесконечно разнообразные звуки сливались в неразличимый гвалт, в яростный шум торговли, более всего похожий на грохот битвы, из которого нельзя было вычленить ни отдельного слова, ни конкретного звука — например, шума падающей на землю вязанки хвороста.

И вдруг сердце его свело страшной судорогой, он задохнулся, запнувшись и едва не упав на ослабших ногах, остановился, смятенно озираясь.

Потому что откуда-то до его слуха долетели слова о куропатке! — те самые слова, что он писал вчера вечером! Те самые, над которыми так мучился, добиваясь, чтобы чередование звуков в плотно сошедшихся в строку словах напоминало именно куропаточье болботанье!

Откуда?! Кто?!

Он дико озирался, крутясь на месте, точно как собака за собственным хвостом.

И вдруг увидел — вот же! Парень сидит на арбе поверх горы веников. Горланит на весь базар, и рот до ушей. И уже выкрикивает следующую за куропаточьей строчку. И тоже его, его: им, Джафаром, написанную вчера вечером!

Этого просто не могло быть! Ведь Муслим повесил листок со стихотворением только сегодня утром. А его уже распевают какие-то люди на возах с вениками?!

Господи!..

Джафар метнулся вправо, в сторону Регистана, потом влево, к училищу... Сообразив наконец, что надо делать, бросился к ближайшей торговке снедью, схватил лепешки (на одну из них она навалила куски шипящей баранины, а второй накрыла), бросил деньги, забыв о сдаче, пулей, едва не сшибая встречных, вырвался из толчеи базара в проулок, помчался к медресе.

Влетев в двери, он, кланяясь, повалился на колени, подполз к мулле Бахани, с почтением опустил перед ним еду.

Мулла насторожился, по-заячьи двигая носом.

257

— Учитель, — задыхаясь, говорил Джафар. — Позвольте отлучиться, учитель. Я... мне... ненадолго... позвольте!

— Иди, ученик мой, — вознося ладонь, будто отпускал на волю голубя, и не переставая принюхиваться, важно сказал мулла.

А когда Джафар, едва не снеся косяк, уже исчез в дверях, назидательно произнес:

— Отпусти же нам полной мерой и будь щедр к нам. Воистину, Аллах вознаграждает подающих милостыню!..

Немедля набил рот кусками лепешки, затем вопреки ожиданиям умудрился пропихнуть туда еще здоровущий кусок мяса и, вытаращив глаза на Юсуфа, несколько дней назад обидевшего его своей скаредностью, невнятно спросил:

— Это из какой суры? Вот ты!

— Сура двенадцатая, — хмуро сказал Юсуф. — "Юсуф".

* * *

Пустившись бежать так, будто за ним гналась шайка ифритов вперемешку с дэвами, он все же сумел вовремя перейти на шаг и в виду Регистана показался расслабленной походкой человека, который приплелся сюда исключительно от нечего делать.

Он сразу увидел, что сегодня завсегдатаи не бродят вдоль стены, а стоят, по-бараньи сбившись в кучу, на одном месте. Доносились невнятные выкрики. Многие размахивали руками.

Джафар неспешно подошел ближе и остановился, скользя взглядом по вывешенным текстам и не различая в них ни единого слова и ни одной буквы, потому что все его чувства, включая зрение, превратились в слух.

— А я тебе говорю, что это Шахид! — кричал худощавый человек лет тридцати в синей чалме. — Ну кто, кто, как не Шахид, мог такое написать?!

— Шахид живет в Балхе, — урезонивал его круглолицый юнош, поигрывавший легким посохом. Джафар этот его посох еще в прошлый раз приметил. Еще подумал — вот ведь воображала. Ладно бы хромой был, а так-то что? Под дервиша рядится?

— В Балхе, да! — крикнул тот, что в синей чалме. — Ну и что? Он пять раз в год из Балха приезжает.

— Это верно, — сказал еще один — сутуловатый юнош в светлом чапане и белой шапочке-тупú. — Но он всегда или сразу сюда идет, или ко мне заходит...

— И ко мне бы обязательно заглянул!

— И ко мне...

— У меня он вообще обычно останавливается. Зачем ему скрываться?

— Откуда мне знать? Я не знаю, зачем ему скрываться. Но это его рука, его, — не унимался в синей чалме. — Разуйте глаза! Вы так слепы, что не видите этого блеска?! Это же серебро! Это гранит! Здесь слово нельзя поменять! Буквы не выбить! Цельный слиток! Кусок золота! Кто еще мог бы так звонко написать?!

Напор его был столь мощен, что присутствующие стушевались.

— Помните его вещицу про мулл, про их пустые тыковки? — крикнул он.

И, резко отмахивая правой ладонью, нараспев продекламировал рубаи — то самое, что отметил Джафар, придя к Стене в первый раз. Вот оно что. Оказывается, это был стишок Шахида Балхи...

— Его рука, его! Так только он умеет! Смотрите: первая строка: — А! — а! — а! — а!

Поклонник Балхи в синей чалме пропел строку, с силой выделяя ударные гласные.

— Вторая: О! — о! — о! — о!

— Да уж, — вздохнул кто-то. — Сам петь заставляет...

— Ну кто, кто, как не он?!

— Похоже, похоже, — примирительно согласился юноша в белой шапочке. — Но обрати внимание вот на что. Балхи пишет очень традиционно...

— В этом и прелесть его стихов! — вспыхнул оппонент, не дав договорить. — Вдыхать новый воздух во всем известные образы — это и есть мастерство поэта!

— Погоди, я не про то. Я согласен: вдыхать новый воздух в известные образы — это и есть мастерство. По крайней мере, многие так считают. А в этом стихотворении — читай! — любимую сравнивают с куропаткой. Ты обратил внимание? Ты плохо читаешь, Раджаб. А ведь здесь написано: от ее нежного воркования сердце любящего волнуется так же, как сердце охотника, слышащего голос куропатки. Куропатки! Ку-ро-пат-ки! Где такое бывало, чтобы любимую сравнивали с куропаткой?!

— Вот именно, чушь какая-то, — неожиданно встрял еще один участник дискуссии — полный человек средних лет, бородатый, курчавый, с глазами навыкате, как у барана, и с брюзгливым выражением тронутого оспой лица. — Я согласен с тобой, Аташ. Это бред сумасшедшего!

Юноша в белой шапочке, звавшийся Аташем, немо раскрыл рот — похоже, своими словами толстяк поддержал его во мнении, которого он вовсе не имел.

— Любимая — и куропатка. Что за глупость?! Ни в какие ворота. Любимая — роза! Любимая — нарцисс! В самом крайнем случае — горлица! Но уж никак не куропатка, никак.

— Почему? — спросил Аташ.

— Почему?! А если куропатка, то почему не курица? — взвился толстый. — Почему не гусыня?! И потом: здесь нет ни одного арабского слова. Это неуч какой-то писал.

— При чем тут гусыня?! — возмутился Аташ. — Чем тебе нехороша куропатка?! Что, куропатка — некрасивая птица? Почему же ее все любят держать дома?! Или она — не изысканная дичь? Может, для тебя куропатка — это что-то вроде хорька или свиньи?!

— При чем тут свинья?! — тряся кулаками, завопил критик куропатки.

— А при чем тут арабские слова?! — воскликнул ее защитник. — Почему человек, который пишет на родном языке, должен использовать арабские слова?! Он что — араб?! Пусть арабы пишут по-арабски. У нас есть свой язык!

— Арьян прав, — подтвердил молчавший до сей поры пожилой человек в белой чалме с четками в руках.

Джафару подумалось, что он, несомненно, мулла. И вот надо же: тоже ходит к Стене и участвует в спорах.

Мулла одобрительно кивнул горделиво выпрямившемуся толстяку:

— Арабский язык — язык Пророка, язык веры!

— Как будто пророк был один, — саркастически воскликнул юноша с посохом.

— Вот именно, — радостно подхватил защитник куропатки. — Разве Зардушт — не пророк?! Персидский язык — это тоже язык Пророка. Мухаммад относит к людям Писания иудеев, христиан и персов. Потому что у нас тоже есть Книга!

— Все равно, — упирался толстый ценитель арабского. — Если человек способен щегольнуть чужим словцом, это говорит о широте его культуры, о воспитании... А тут на тебе: куропатка!

Он громко фыркнул и стал качать головой, явно недоумевая, как можно было додуматься до такой глупости.

Повисла короткая пауза.

— Куропатка или не куропатка, арабский или не арабский, а все-таки автор этого чу́дного стихотворения — это не Балхи, — сказал юноша в белой шапочке. Он повысил голос, чтобы не дать себя перебить. — Вы разве не видите? — лакаба нет! Балхи всегда в последнюю строку встраивает свой лакаб. "Что мольба, что стихи — все равно для красотки пустой. Коль заплачет Балхи, ты умоешься этой водой!"

— Глупости! — отмахнулся Аташ. — Я знаю с десяток его стихотворений, где нет лакаба...

Джафар уже пятился вдоль стены Регистана, отступая к строениям первых переулков. Свернув за угол, он ударил себя кулаками по коленкам и подпрыгнул, как заяц, изо всех сил маша руками. Он сам не знал, что делать, — может быть, взлететь? Может быть, превратиться в порыв ветра?!

Сорвался с места, кинулся со всех ног. Воздух казался слаще меда. Он бежал, ничего перед собой не видя, ничего не слыша, — бежал, бежал, бежал!..

Очнулся на каком-то пустыре. Огляделся...

Он был на Афрасиабе.

Гул города стекал сюда, как облако стекает со склона горы.

Звенели кузнечики, шуршала трава под ветром.

Здесь страшно, здесь злые духи.

Здесь аджина!

Но почему-то он не чувствовал страха.

Нет, только ликование.

Упал в траву, перекатился с бугра на бугор. Быть может, там, в глубине, лежали истлевшие тела древних героев.

Но он-то был здесь!

— А-а-а-а!!! — закричал Джафар в небо. — Я зде-е-е-есь!

Вытянулся, закинул руки за голову.

Долго лежал, стараясь пережить свою радость — и все никак не находя сил сделать это. Она накатывала новыми и новыми волнами — он плакал, смеялся, катался по траве, снова смотрел в небо, снова плакал и снова смеялся.

Ему нужен лакаб!

Он тоже будет подписываться, вплетая псевдоним в вязь последней строки.

Какой же?

Вот вопрос!.. Шахид Балхи — это понятно... он из Балха... Лакаб по названию того места, откуда он родом... обычное дело.

А ему что выбрать?

Он из Панджруда... Панджруди?.. Пятиречный... Пожалуй, это нескромно. Никто не возьмет себе прозвище "Поэтище" или, скажем, "Величайший". Хороший тон — немного принизить себя в псевдониме...

Впрочем, стихи все равно сами скажут за себя, какой лакаб ни выбери. Горделивый или приниженный — если стихи нехороши, любой лакаб не будет стоить даже той бумаги, на которой написан.

Руд — поток... Рудак — речушка, ручей. Скорее даже — ручеек. Может быть, Рудаки? Сидящий у ручья... у тихого ручья... Мелодично журчащий ручей — это же не мощная река, гремящая камнями в потоке... это тихий ласковый говор, пленительный лепет.

Рудаки?..

Уже смеркалось, когда окончательно пришел в себя. Огляделся. На чапан налипли травинки, репьи. По левому рукаву сосредоточенно ползла зеленая гусеница.

Он пересадил ее на стебель полыни, отряхнул полы и, напевая, пошел к городским воротам.

Тем вечером пришла из столицы весть, что великий эмир Исмаил Самани, да будет Аллах им доволен, окончил свой земной путь.

На престол взошел сын Исмаила Самани Ахмед, впоследствии названный Убиенным, — да благословит его Аллах и да приветствует!..

Глава седьмая

Утро в караван-сарае. Кармат. Спор о вере. Кошелек. Звезды. Богатство

Утро только начинало брезжить, а уж суматоха поднялась почище вчерашней: поить верблюдов и лошадей, кормить, вьючить... Шум, гам, беготня, окрики, команды... Вот уже взгромоздили на одного из последних свободных одногорбых куджеве, и теленок, высовывая голову из корзины, жалобно мычал, тупо разглядывая происходящее.

Шахбаз Бухари подвел Джафара к скамье.

— Учитель, — говорил Шахбаз, не выпуская его рук из ладоней. — Я все-таки поеду. Клянусь, я буду осторожен. Поселюсь у племянника... он хороший у меня, не выдаст. Продам этот чертов кимекаб, будь он трижды неладен, разделаюсь с долгами — и тут же к вам. Недели через две ждите. Три — от силы.

— Не надо бы тебе ехать, — покачал головой Джафар. — Но я вижу: ты решил...

— Да, Джафар, решил.

— Тогда Бог в помощь. Храни тебя Аллах и сонмы его ангелов. Только прошу — не медли, не засиживайся в Бухаре. Дела сделаешь — и тут же в Панджруд. Засядем как в крепости, оттуда не выкурят. Там все свое... А если Шейзар жив, он тоже когда-нибудь доберется.

— Приеду, Джафар, приеду, — кивал Шахбаз Бухари. — Я вас одного не брошу, обещаю. Еще как надоем, палкой меня придется гнать.

Джафар через силу усмехнулся и, протянув руку потрепал друга по щеке.

— Эх ты, купец-путешественник!..

Шахбаз Бухари снова схватил ладони Джафара, прижался к ним щекой, замер. Щека была мокрой, Шеравкан ясно видел — дорожка слезы блестела на ярком, только что выглянувшем из-за стрехи солнце.

Но караван-баши уже сунул ногу в стремя. Лошадь шатнулась, когда он вознес в седло свое громадное тело.

Привстав на стременах, он окинул двор грозным взглядом, призывно рыкнул зверьим голосом и, помахивая камчой, поспешил вперед крупной рысью — должно быть, с целью занять место во главе вереницы лошадей и верблюдов, большей частью уже выползшей из ворот и растянувшейся по дороге.

— Пора, учитель! — со слезами в голосе сказал Шахбаз. — Прощай, Джафар!

Прижался щекой к груди Рудаки.

— Ладно тебе, — низким голосом бормотал Джафар. — Давай, давай! От каравана хочешь отстать?

Вот радость кому-то будет — твоим драгоценным кимекабом завладеть.

Шахбаз Бухари оторвался, встал.

— Береги его! — страшными мокрыми глазами глядя на Шеравкана, срывающимся голосом сказал он. — Береги! Как сына прошу!..

Махнул рукой и, придерживая чалму, трусцой пустился догонять свой кимекаб...

Последние верблюды прошли ворота, бряканье ботал становилось тише, изредка долетал еще зычный голос караван-баши — вероятно, никак не мог навести должного порядка.

— Как две стрелы над полем боя, — пробормотал Джафар.

Про стрелы — это Шеравкан знал, отец частенько напевал, когда чинил обувь или лошадиную сбрую. "Как две стрелы над полем боя, мы разминемся, брат, с тобой..."

Он прокашлялся и уже хотел сказать, что сейчас пойдет к хозяину попросить чаю и пару лепешек — а потом, наверное, надо выступать. Дорога длинная...

Но хозяин караван-сарая уже сам спешил к ним с подносом в руках.

— Пожалуйте сюда, — крикнул он, ставя поднос на край ближайшего ката. — Мальчик, веди господина Рудаки! Пожалуйте откушать!

— Джафар, он еду принес, — констатировал Шеравкан. — Пойдемте?

— Еду? — Джафар нерешительно склонил голову, прислушиваясь.

— Неудобно, — прошептал Шеравкан. — Пойдемте, а?

Вздохнув, Джафар нашарил посох и поднялся.

Угощение оказалось знатным — только что зажаренная в тануре курица, бараньи ребрышки с луком, свежие лепешки, зелень, кислое молоко...

— Пожалуйста, — повторял хозяин, разламывая скорлупу спекшегося теста, которым была обмазана курица. Он обжигался, морщился и то и дело дул на пальцы. — Прошу вас... от чистого сердца!..

— Спасибо, спасибо... Не беспокойтесь, пожалуйста...

— Для нас такая честь принимать вас, господин Рудаки, — говорил хозяин, суетливо переставляя блюда — видимо, с целью найти их наилучшее расположение.

Шеравкан коснулся пальцев слепца, вложил кусок курицы. Подержав, Джафар положил курицу рядом. Ищуще пошевелил пальцами. Шеравкан почему-то догадался, что он хочет зелени, придвинул. Джафар удовлетворенно кивнул. Сунул в рот пару стебельков кинзы.

— В чем же честь? — хмуро спросил он, неспешно пожевывая. — Государственный преступник, ослепленный по приказу господина Гургана, прямиком из зиндана, — это для вас честь?

— Ах, это какая-то ошибка, господин Рудаки! — плачуще воскликнул хозяин. — Какой же вы преступник?! Вы поэт! Такой человек, как вы, — и зиндан! Такой человек, как вы, — и это страшное наказание! Это ошибка, клянусь!

Рудаки хмыкнул.

— По-вашему, такое можно сделать по ошибке?

— Конечно, господин Рудаки, — хозяин в порыве искренности прижал ладони к груди. — Разумеется, только по ошибке.

Вот дурак, с тревогой подумал Шеравкан. Сейчас он его доведет. Заладил как попугай — ошибка, ошибка. Если ошибка, то ведь неисправимая!

Джафар молча откусил, стал жевать.

— Мы-то ведь все равно к вам со всем уважением. Если б не вы, господин Рудаки, мы бы никогда не поняли, на каком языке говорим. Ваши песни распевают по всему Аджаму. Строки из них становятся поговорками, люди повторяют, даже не зная, откуда они взялись. Вы великий стихотворец...

"Ну вот, сейчас", — обреченно подумал Шеравкан.

— ...и нам совершенно все равно, слепой вы или нет!

— Заткнись, придурок, — крикнул Джафар, отшвыривая надкушенный кусок. — Замолчи!

Едва увернувшись от куриного бедра, просвистевшего в опасной близости от уха, хозяин вскочил и оторопело вытаращился, переводя взгляд с Рудаки на Шеравкана и обратно. Губы у него подрагивали. Шеравкан, скорчив рожу, молча и яростно закрутил ладонями — мол, тише, не надо больше говорить.

— Я, господин Рудаки... простите меня... Может быть, я как-то... Но ведь мы со всем уважением. Простите, если что не так... мы люди простые...

— Это вы меня простите, — буркнул Джафар, поднимаясь. — Я и сам должен был понимать, что вам совершенно безразлично, зряч я или слеп.

— Господин Рудаки! — завыл хозяин. — Да ведь я!..

— Спасибо за угощение! Ты расплатился? — он повернул голову, ожидая отклика поводыря.

— Нет, нет! — хозяин замахал руками. — Ничего не надо, господин Рудаки! И подождите, подождите. Носилки уже готовы.

— Какие носилки?

— Обыкновенные носилки!.. Сядете спокойно, мои парни часа за два домчат в Кунар. Там постоялый двор... брат мой держит... он со всем уважением... сегодня праздник, они будут рады.

— Я пойду пешком, — сказал Джафар, нащупывая посох. — Не надо носилок. Я буду идти пешком, провались оно все пропадом! Спасибо за все, уважаемый... как вас зовут?

— Салар, — поспешно ответил тот. — Отца Шахромом звали, да возлюбит его Аллах...

— Спасибо вам, дорогой Салар, — сказал Джафар немного смягчившимся голосом. — Но правда: я пойду пешком. А у вашего брата мы, наверное, остановимся... где его двор?

— Прямо у дороги, даже если захотите, все равно мимо не пройдете...

Он сделал Шеравкану знак, отзывая его в сторону.

— Слушай, парень, он что, на самом деле пешком пойдет?

— Наверное, — Шеравкан пожал плечами. — Вчера друг повозку ему предлагал. Отказался.

— Но почему?! — плачущим шепотом воскликнул держатель караван-сарая. — Такой человек!

— Не знаю, — буркнул Шеравкан. — Такой человек.

— Тогда вот что. Слушай. Вот что. В Кунар придете, брату скажешь... его Бехрузом зовут... скажешь, Салар передал то-то и то-то. И расскажешь все. Понял? Чтобы он вам лучшую комнату дал. Понял?

— Понял...

— Вообще-то вас в любом доме примут... а уж отец жениха как будет рад!

— Там свадьба, что ли? — хмуро уточнил Шеравкан.

— Свадьба. Староста кишлака сына женит... Ладно, стой здесь.

Бегом кинулся к своей конторе. Через минуту, запыхавшись, вернулся с какой-то котомкой, тряпками, завернул курицу, мясо, сунул лепешки.

— На!

— Спасибо...

— И вот еще, — хозяин протянул дирхем. — Держи, это твой. Со святого человека нельзя брать.

— Да ладно вам, — возразил Шеравкан. — У меня есть на дорогу.

— Держи, держи, — хозяин силой положил на его ладонь, закрыл пальцы.

— Шеравкан! — сердито крикнул Джафар. — Мне долго тут стоять?!

— Иду, иду! До свидания!

Закинул котомку за спину, поклонился, поспешил к Джафару, протянул руку.

— Держитесь.

Двинулись к воротам.

— Пошли, нечего тут, — ворчал Рудаки. — Вишь ты, все равно ему, слепой я или нет... баран безрогий!.. Ну да, допустим: я не вижу того, что видит он. Зато я вижу то, чего он не видит!.. Ишак разнузданный!.. Ни черта не соображает!.. Простые люди... знаю я этих простых людей — такая сволочь!..

Принялся яростно тыкать перед собой палкой, рассчитывая, должно быть, нащупать воротный столб.

— Правее, — буркнул Шеравкан.

Ему не нравилось, что Джафар обидел хозяина постоялого двора. Тот сам виноват, конечно, но... Он и позавчера накормил за так... вчера хивинец поминальное угощение устраивал, всем хватило... но сегодня снова угощение... И приятные слова хотел сказать, а ему в ответ — его же яствами ему же в физиономию. Неудобно как-то.

Между тем хозяин долго стоял у ворот, глядя вслед слепцу и его поводырю. Слепой шел вскинув голову, будто пытался взглянуть из-под своей повязки. Мальчик поначалу вел его под руку, но потом, перемолвившись парой слов, они поменялись местами: теперь поводырь неспешно шагал впереди, а слепец за ним, правой рукой взявшись за конец поясного платка, а левой помогая себе посохом...

Хозяин постоялого двор качал головой и что-то страдальчески шептал.

Когда путники скрылись за поворотом, он, не переставая бормотать и поглаживая ладонью бороду, побрел вдоль внутренней стены своего караван-сарая.

Остановился, присматриваясь.

И вдруг, встряхнувшись, заорал бодрым и злым голосом:

— Салах, раздери тебя шайтан! Я сколько раз говорил: воду в ведрах не оставлять! Я тебя вожжами отхожу, козел ты рогатый!

— Да это я на минуту поставил, хозяин... что вы так кричите?!

— Что кричите! На вас не кричать, вы вообще шевелиться не будете. Убери! А потом вот что, — он покусал ус. — Возьми осла. Погрузи те два одеяла, что я вчера принес. Поезжай в Кунар. Одеяла Бехрузу отдашь, скажешь — Салар прислал... да он и так поймет. И скажи, что к нему скоро большой человек придет. Царь поэтов Рудаки!

— Сам Рудаки?! — изумился Салах. — Правда, что ли? То-то я слышал, вчера болтали... а я не поверил. Что здесь самому Рудаки делать?

— Не поверил он... баран ты комолый. То-то и оно, что сам Рудаки. От повозки отказался, пешком плетется. С мальчишкой. Ближе к вечеру будут. Так и скажи. И пусть встречает как положено. Понял?

— Как не понять, хозяин, — обиделся Салах.

— Как не понять!.. Знаю я тебя. Смотри не перепутай... Да короткой дорогой езжай, а то позже них приедешь, с тебя станется.

— Да понял я, хозяин, понял...

* * *

По обе стороны от дороги тянулись дувалы, а за ними — зелень деревьев, крыши домов, дымы.

Дорога была пуста, только, не успели они отойти от постоялого двора на сто саженей, их обогнал какой-то человек на осле, а на окраине кишлака увязался пес: сначала облаял, яростно припадая на мощные передние лапы, когда же Шеравкан сделал вид, что, наклонившись, нашаривает камень, кинулся в сторону, поджав хвост, — должно быть, получал уже по горбу булыганом.

Но потом, сочтя, видимо, что исполнил свои обязательства и теперь ничто в родном Вабкенте не держит, потрусил следом, вывалив на сторону фиолетовый язык.

— Что за собака? — хмуро поинтересовался Джафар.

— Собака, — Шеравкан пожал плечами. — Обыкновенная.

— Уши рубленые?

— Рубленые.

— И хвост?

— И хвост.

— Волкодав, — определил Рудаки. — Кобель, сука?

Шеравкан пригляделся.

— Кобель.

— Белый?

— Нет, не белый... желтый такой. Коричневатый. Как вода в паводок.

Рудаки остановился и свистнул.

Пес послушно подбежал и, униженно приседая, полез широким лбом под его ладонь.

— Ах ты зверюга, — бормотал Джафар. Он присел и огладил пса. Тот жмурился, норовя лизнуть руку. По лицу слепого блуждало подобие улыбки.

— Что это он к вам так?

— Чует хорошего человека. Да, зверюга? Как же тебя зовут?

Пес сел, подняв голову и стал с обожанием смотреть на него.

— Имя должно быть звучное, — рассуждал человек. — И оно должно хотя бы отчасти отражать характер предмета. То есть твой характер. Каков же у тебя характер? Несомненно, ты могуч и вынослив. Наверняка смел и предан. Не назвать ли тебя Батинитом?

— Почему так? — удивился Шеравкан. — Разве все батиниты могучи и выносливы? Смелы и преданны?

— Да нет, конечно, — отмахнулся слепец. — Просто на язык навернулось. Глупость, конечно. Ну а как?

— Не знаю...

Джафар вскинул голову.

— Тебя зовут Кармат! — сказал он, как будто разглядев что-то в той тьме, что стояла перед его глазами. — Кармат! Верно? Я угадал?

Пес оглушительно взлаял, закрутил обрубком хвоста.

— Угадал! Имя звонкое. И благородное. И не понравилось бы подлецу Гургану. Вот и хорошо. Ну что ж... Меня ты знаешь. А это Шеравкан, — Джафар протянул руку и привлек Шеравкана к себе. — Тоже хороший человек, будешь с ним дружить. Понял?

Кармат потянулся к Шеравкану (у того сердце замерло: это же собака, что она понимает в человечьих разговорах? а ну как бросится?) и, привстав, дружески боднул тяжелой головой.

Они миновали руины нескольких кибиток. Должно быть, эта окраина Вабкента когда-то подверглась нападению. Много лет прошло — в квадратах оплывших стен густо росли кусты жасмина, молодые урючины, карагачи.

— Арабы почему-то собак не любят, — негромко заговорил вдруг Джафар на ходу. Каждый второй его шаг отмечался хрустом гальки, в которую вонзался посох. — Они охотятся с ними. Даже из Рума привозят каких-то особых для охоты... хвастают друг перед другом. А вот не любят, и все тут. Может быть, потому что в Коране ничего о собаках не сказано? — задался он вопросом и тут же сам себе возразил: — Нет, погоди-ка, как же. Сура восемнадцатая, "Пещера". Там есть о собаке.

Произнес арабскую фразу, пожал плечами и опять спросил:

— Но что тут сказано о собаке? Собственно говоря, ничего толком не сказано. Сказано, что она лежала на пороге, и если б ты ее увидел, то наверняка бы испугался. А какая она была, эта собака? Добрая? Хорошая? Или злая, непослушная? Помогала людям, защищала их? Или готова была предать в любую секунду? Об этом Аллах умалчивает. Погоди-ка.

Шеравкан остановился. Мелькнула было прежняя мысль, что все-таки надо им шагать бодрее, а то они этак никогда не доберутся до Панджруда, — но оказалось, что прошедшие два дня обесцветили ее, и никакого волнения, раздражения эта мысль в нем уже не вызывала. Днем раньше придут, днем позже... И потом — Рудаки впервые заговорил с ним. Ну, то есть, не по определенному какому-то делу — воды принести или еще что, — а просто так, о собаке, о Коране...

Кармат тут же подбежал под свободную руку человека, которого, вероятно, теперь считал хозяином.

— А в нашей Книге собака — священное животное, — бормотал Джафар, трепля пса по загривку и ушам. — Вот такая собачина священная... у-у-у, зверюга!.. Нам предписывалось даже такое: сначала кормить собак, а потом уж есть самим. В Авесте прямо сказано: голодные собаки очень волнуются, когда видят вкушающих людей, поэтому, как бы голодны вы не были, кормите их первыми... А зубищи-то, зубищи! Сколько ж тебе, года четыре?

Двинулись дальше. Дорога виляла мимо полей проса и пшеницы, легонько брала книзу, потом опять забирала вверх.

— Между прочим, вепрь — тоже священное животное Авесты, — сообщил Джафар. — Священное животное зороастрийцев.

Для Шеравкана это было — как гром с ясного неба.

— Вепрь? — ужаснулся он. — Свинья, что ли?

— Дикая свинья, кабан, — подтвердил Джафар. — Сам понимаешь, как дело обстоит теперь, когда мы должны быть мусульманами. В Коране сказано... — Он произнес фразу по-арабски, потом перевел: — В День воскресения Господь рассудит уверовавших с иудеями, сабиями, христианами, зороастрийцами и многобожниками. То есть всех многобожников Аллах относит в одну сторону, а всех людей Писания — в другую. Ну и действительно, зороастрийцы — тоже люди Писания, люди Книги — Авесты... Однако возникает неустранимое противоречие. С одной стороны, мусульманин готов согласиться с тем, что зороастрийцы — люди Книги. С другой — никакими силами нельзя ему втолковать, что кабан — то есть свинья — может быть священным животным. Мусульманин взял от иудеев, что свинья — это самое поганое, что может быть на свете. Хотя, честно говоря, лично я не понимаю, чем свинья хуже хорька, или фаланги... или, скажем, даже господина Гургана. Но все равно: правоверный мусульманин никогда не поймет, как это животное может называться священным... а поэтому и к зороастрийцу будет относиться с подозрением... если не с ненавистью. Что, собственно говоря, и делает.

Джафар фыркнул — не то смешливо, не то презрительно — и замолчал.

Шеравкан повторил про себя: кабан — священное животное! Потом еще определенней: свинья — священное животное!..

— Я не огнепоклонник, — буркнул он, чувствуя тошноту.

— Что? — недослышал Джафар.

— Я не огнепоклонник, — раздельно повторил Шеравкан, повернув голову.

— Ты? — удивился слепец. — А кто говорит, что ты — огнепоклонник? Нет, конечно, ты не огнепоклонник, не зороастриец, ты — мусульманин. Но предки твои были зороастрийцами. Люди Согда — а мы, в сущности, потомки людей Согда, согдийцев — поклонялись солнечному свету и огню. В их глазах собака и вепрь несли на себе печать святости. Им даже приносили жертвы.

— Ну и что? — возмутился Шеравкан. — Какое мне дело?! Были и были!.. а я — мусульманин! И отец мой мусульманин! И дед — тоже мусульманин!..

— Но уж у твоего прадеда в доме наверняка был особый очаг, где всегда горел огонь, — с неприятной настойчивостью возгласил Джафар. — Огонь, воплощавший собой божественную силу.

— Да откуда вы знаете-то, что у моего прадеда в доме было?! — возмутился Шеравкан. Он, конечно, ничего не мог сказать про дом своего прадеда. Кто его там знает, какой это был дом. Но все равно: неприятно, когда кто-то берет — и, даже не спросив твоего мнения, тебя, мусульманина, записывает в огнепоклонники. Которые поклоняются свинье. Тьфу, гадость какая!

— Вы под ногами-то у себя ничего не видите, в уж в доме моего прадеда!..

Осекся — да ведь вырвалось уже, вылетело!

— Джафар, простите... я хотел сказать, что...

— Ты можешь заткнуться? — высоким голосом крикнул слепец. — Давай шагай, вот твое дело!

Шеравкан заткнулся.

Джафар тоже молчал.

Молчал и Кармат — трусил следом, а то иногда сбегал с дороги и скрывался в зарослях, спугивая птиц. Потом возвращался и с озабоченным видом снова строился в колонну.

Они давно уж миновали последние строения Вабкента, да и окрестные его поля остались за спиной.

Джафар тяжело дышал, стал часто спотыкаться.

Устал, — решил Шеравкан.

— Может, отдохнем?

— Иди, иди, какое твое дело! — хрипло отозвался Джафар.

Прошли еще пару десятков шагов.

— Я ведь просто хотел... — начал было Шеравкан. Жалость сдавливала ему горло.

Но в этот момент стал слышен стук копыт, и из-за поворота дороги со стороны Бухары показался всадник.

Он был одет в легкий зеленый чапан, а выбившийся конец белой шелковой чалмы весело развевался на ветру. Было похоже, что ему не приходит в голову мысль пощадить коня. Во всяком случае, вылетев из-за кустов, он круче пригнулся к шее жеребца, хлестнул его камчой, и тот, злобно оскалившись и непокорно мотнув головой, наддал еще.

Шеравкан схватил Джафара за рукав и потянул к обочине.

— Джафар, в сторону! Там какой-то сумасшедший!..

Слепой заворчал и нехотя последовал за ним. Кармат тоже сунулся к обочине, но, похоже, приготовился к тому, чтобы с лаем броситься вслед.

Однако вместо того, чтобы с громом пролететь мимо пеших и исчезнуть, оставив только пыль, острый запах лошадиного пота да еще стремительный промельк силуэта, который долго еще будет таять во взгляде, всадник резко натянул поводья, заставив коня с храпом подняться на дыбы.

— Джафар? — крикнул всадник.

Слепой вскинул голову. Шеравкан заметил, что лицо побледнело, рука инстинктивно сжала посох, и весь он напрягся, как будто ожидая, что вслед за окликом из окружающей тьмы последует неожиданный и страшный удар.

— Я, — глухо сказал он.

Весело скалясь, лихой наездник снова поднял на дыбки ошалело заплясавшего жеребца, и бросил какой-то темный комок.

— Это вам! — крикнул он, одновременно поворачивая коня и занося плетку.

Танцуя, конь крутнулся на месте, со звоном ударил копытами о камни — и всадник и лошадь исчезли там, откуда появились. Только прозрачные волокна пыли плавно струились в солнечных лучах.

Джафар перевел дух.

— Ему бы скакуна своего... перековать, — запинаясь, сказал он. — Левая передняя у него... вот-вот отвалится.

На взгляд Шеравкана, скакун был несказанно хорош: буланый, сухой, с небольшой, как у всех карабаиров, головой; и чепрак из белой кошмы; и арчак украшен серебряными гвоздиками; и медные стремена, — разве такому не позавидуешь... Но левая передняя подкова и впрямь болталась на двух гвоздях, грозя вот-вот слететь с копыта. Шеравкан угукнул, мельком подумав, что, пожалуй, не каждый зрячий обратил бы внимание.

— Седло богатое? — озабоченно спросил слепой.

— Богатое.

— И конь хорош... Ну, тогда случайно, — сказал Джафар так, как если бы разрешился вопрос, касавшийся его собственного коня и подковы. — Пустился в путь, тут-то она и оторвись. Бывает.

Шеравкан между тем подобрал кошелек. Протянул:

— Вот, возьмите.

— Что это?

— Кошелек он, что ли, кинул... держите.

— Кошелек? Зачем он мне? Сам посмотри.

Пожав плечами, Шеравкан ослабил неподатливый сыромятный ремень, стягивавший горловину.

— Деньги, — сказал он, не в силах отвести взгляда от яркого золота. — Много.

— Много — это сколько? — брюзгливо переспросил Джафар. — Посчитай.

Стал считать.

Господи! Целое состояние!

— Пятьдесят динаров.

— Записки нет?

— Вот.

Машинально протянул было сложенный клочок бумаги слепому, но вовремя спохватился.

— Прочти.

— Я не умею.

— Не умеешь? Ну хорошо, — равнодушно кивнул Джафар. — Тогда хотя бы не потеряй. И деньги спрячь, пригодятся.

Он стоял, закинув лицо к солнцу, и, судя по всему, не собирался больше поддерживать разговор.

Шеравкан нахмурился.

Ничего себе! — пятьдесят динаров, а старик и ухом не ведет. Как можно такие деньги доверять незнакомым людям?! А если он возьмет сейчас — и деру даст с этим кошельком? На всю жизнь хватит. А слепец — он и есть слепец: так и будет на дороге стоять. Ни догнать, ни даже глянуть, куда это его поводырь побежал. Вот беда-то, господи!..

Вздохнув, сунул записку обратно, затянул горловину. Потом, озабоченно сопя, тем же ремешком привязал кошелек к поясу.

* * *

...то есть гордился ты даром слагать слова и считал себя лучшим среди людей. Не хотел знать, что дар твой — от Господа. Потерян ты был для веры. Никогда в душе твоей не было восторга перед Господом, и никогда ты не мог сказать прямо: верую! Потому-то и хуже ты последнего, потому-то и кровь твоя бесплодно кипит и мучается, потому-то и ад уготован был тебе на земле, и вся жизнь твоя — хождение по его пределам!.. Не видит тебя Господь, как ты не видел Его. Не верит тебе Господь, как ты Ему не верил. И не спрашивай теперь Господа. Никому не нужно твое жалкое существование... даже тебе самому.

Поводырь не мог понять, почему слепец так тяжело дышит — как будто жернова катает. А ведь идут они еле-еле... Дурно ему, что ли?

— Ну все, хватит, пожалуй! — оборачиваясь, произнес он наигранно-бодрым тоном.

Успел заметить, как искажено лицо, как сильно, чуть ли не до крови, закушена губа...

— Слышите?

— А? — Джафар вскинулся, невпопад стукнул посохом, пошатнулся, замер. — Что? Что ты?

— Я говорю, давайте все-таки отдохнем, учитель, — ласково сказал Шеравкан. — Садитесь, вот хорошее место.

Тот стоял, вскинув голову и как будто не решаясь согласиться. Помедлив, все же подчинился чужой воле... нехотя сделал шаг в сторону. Потыкал палкой, пощупал. Камень. Теплый камень. Но в тени. Хорошо.

Сел, перевел дух. Морок отчаяния отступил.

Кармат сел у ног, вывалил язык, поднял морду, ища хозяйского взгляда, потом почти неслышно заскулил.

Джафар положил ладонь на лобастую голову, потрепал загривок.

Господи. Боже ты мой. Великий, Милосердный.

— Почему ты зовешь меня учителем? — хмуро спросил он, пристраивая посох. — Разве я учу тебя чему-нибудь?

— Ну... не знаю.

Шеравкан замялся. Голос Джафара показался ему каким-то едким, что ли... не простил, значит.

— Вы же ученый, — нашелся он.

— Ученый, — слепец хохотнул и покачал головой. Повторил, будто удивляясь этому слову: — Ученый!..

Некоторое время сидели молча. Пес подошел, растянулся у ног, щурясь в ожидании ласки, сунул голову под ладонь слепого.

Джафар вздохнул.

— Вот ты говоришь, что я ничего не вижу даже у себя под ногами...

— Да не хотел я вас обидеть! У меня вырвалось просто. Это же поговорка такая. Все так говорят! Вот и сказал нечаянно...

— Да ладно тебе, — Джафар махнул рукой. — Ерунда какая. Я уж и думать забыл.

"Как же, забыл!" — хотел укорить его Шеравкан. Сдержался.

— Я не злопамятный, нет, — пробормотал Джафар, как будто отвечая на его мысли. И вдруг сказал совсем другим тоном, как будто посмеиваясь: — Под ногами не вижу, это правда... Что делать!

Помолчал. По лицу блуждала усмешка.

— Сейчас ведь день, да?

— Ну да, день, — подтвердил Шеравкан эту само-очевидную, на его взгляд, истину.

— Солнце?

— Солнце.

— Звезд не видно?

Шеравкан хмыкнул. Опять смеется, что ли?

— Не видно, — терпеливо сказал он.

— А вот я вижу, — вздохнул слепец. — Вот они. Вон.

Еще круче задрал голову.

— Вот.

Протянул руку, стал показывать пальцем.

— Вон южная клешня Скорпиона. Видишь? Кривая такая... А вот северная клешня. Вот Ковш. Эти две, что образуют стенку Ковша, называются "Указатели"... вон куда они указывают — на Северную звезду. Последняя в ручке Ковша по-арабски зовется "ал-Каид банатнаш", а по-нашему — "Предводитель плакальщиц"... Потому что — видишь? — плакальщицы впереди, их ведет предводитель... а уж следом погребальные носилки. Каждая звезда ковша тоже носит собственное имя. "Дубхе" значит "медведь"; "Мерак" — "поясница"; "Фекда" — "бедро"; "Мегрец" — "начало хвоста"; "Мицар" — "кушак" или "набедренная повязка". Между прочим, совсем рядом с Мицаром, совсем близко — звездочка "Алькор", то есть "незначительная". Видишь ее?

— Как не видеть, — буркнул Шеравкан, озираясь.

Солнечный свет заливал зелень, камни на дороге сверкали, волны травы переливались под ветром в дневном сиянии. Происходило что-то колдовское.

— Молодец! — похвалил слепой. — Значит, хорошее у тебя зрение. Еще Искандар Великий проверял зоркость своих солдат на этой звезде... А всего Медведя видишь? Ковш — это верхняя часть его головы и седло. А там, куда упираются его ноги, шесть звезд попарно лежат на одной прямой. Они называются "три прыжка газели". И впрямь — похоже на отпечатки копытец, да?

Он повернул голову, как будто ища взглядом лицо поводыря.

— Не знаю...

Джафар вздохнул и снова задрал голову к небу.

— Эта яркая звезда — "Ан-наср ал-ваги", то есть "падающий орел". Падающий на добычу, нападающий... А вот созвездие Охотник. Встал на полнеба... Самая яркая его звезда — "Байт ал-джауза", то есть "плечо охотника". Когда смотришь на нее зимней безлунной ночью, она кажется красноватой, как Марс[*].

Он замолчал, склонился, опершись на посох.

— Понимаешь, иногда проще разглядеть что-то в небе, чем под ногами. Ну да ладно. Нас ждет брат этого, как его...

— Салара, — сказал Шеравкан.

— Салара, да, — кивнул Джафар. — Такой же, должно быть, добрый человек. Тоже небось будет объяснять, что ему наплевать, вижу я что-нибудь или нет...

Шеравкан чувствовал — злость прошла, осталась только насмешка.

— Так что, Шеравкан? Пойдем?

Это предложение прозвучало совсем мягко. Даже почти ласково.

— Пойдемте, — согласился он. — Вы только не спешите. Не надо.

— Да я и не спешу, — пожал плечами слепой. — Куда мне спешить? Пошли, собачище!

Кармат послушно встряхнулся, сел, в ожидании начала вывалил на плечо жаркий язык.

Шеравкан протянул Джафару конец поясного платка.

Другой рукой машинально потрогал кошелек — на месте ли.

---

[*] Южная клешня Скорпиона ныне относится к созвездию Весов; "падающий орел" — в русской астрономии закрепилось название Вега; созвездие Охотник — Орион; от "Байт ал-джауза" происходит современное название — Бетельгейзе.

* * *

Дорога огибала пологий холм. Казалось, что холм подрагивает, зыблется — но это просто высокая трава на его верхушке волновалась и текла под порывами ветра. Справа лежала степь — широко простиралась вдаль струящейся зеленой тканью. Переливчато вытканная пестрыми нитками цветов, островками кустарника, несколькими рощицами дикой оливы, она жила и двигалась. Ветер выворачивал наизнанку узкие листья джиды, и деревца то серебрились, то снова закрывались густой зеленью. По левую руку сколько хватало глаз тянулась цепь холмов, а где-то совсем далеко, в дымчатой дали горизонта, к которому небо сходилось, как сходится к берегам, мельчая, голубая вода хауза, призрачно прозревались коричнево-бурые неровности гор.

Шеравкан с удовольствием вдыхал воздух, несший густые, пряные запахи, с удовольствием поглядывал по сторонам, позволяя взгляду свободно скользить по залитому солнцем пространству окрестного мира.

Беспокойство, так томившее его поначалу, отступило. Просто не нужно было думать, как скоро они придут в Панджруд... днем раньше, днем позже — какая разница? И потом: он ведет не случайного бродягу, а самого Рудаки.

Вообще, все было хорошо, и если бы не стук посоха за спиной, не рывки, передававшиеся ему от руки слепого, крепко державшего конец поясного платка, он вообще, наверное, был бы счастлив.

Эти рывки его не раздражали, нет.

Но Джафар шагал следом, и Шеравкан то и дело возвращался к мысли о том, что он ничего не видит. Как много солнца кругом: переливается листва в его лучах, поблескивают камни, синеет небо, белые праздничные облака неспешно скользят по его лазури! — а он совершенно слеп и ничего не видит.

Вот несчастье-то!..

Как это — быть слепым? Быть Царем поэтов, а потом попасть в немилость... потерять глаза под ножом палача... как это?

Шагая, Шеравкан пытался размышлять о том, как Джафар жил прежде, — но не мог даже вообразить себе этой жизни.

Вот кошелек с пятью десятками динаров — это оттуда, из той жизни. Честно сказать, он его то и дело трогал. Поначалу эти прикосновения доставляли ему горделивое удовольствие — пусть и не твои, а все же приятно чувствовать тяжесть золота. Потом стало казаться, что с каждым шагом кошелек тяжелеет. Глупость, конечно: ничего не тяжелеет, висит себе и висит. Но мысль, раз поселившись, уже не покидала головы. А ну как оборвется? Пятьдесят динаров! — подумать страшно. Вообще, почему Джафар велел ему нести этот кошелек?.. нес бы сам. Правда, ему, слепому, должно быть еще страшнее иметь дело с такими деньгами... такие деньги и у зрячего-то попятят, не успеет он глазом моргнуть... за такие деньги и ножом пырнут, не задумаются... нет, хорошо все-таки, что молодой эмир переловил всех воров и разбойников... молодец, вон сколько голов по весне на кольях торчало... правда, это были карматы, а не разбойники. Ладно, хорошо, он будет их беречь... если бы у него были сапоги, можно было бы сунуть кошелек за голенище... нет, пожалуй что и не поместился бы за голенище-то... вот еще забота!..

А Джафару плевать на этот кошелек.

Похоже, у него таких много было. Очень много.

На то он и придворный. На то и Царь поэтов. Кто возле эмира трется — тот богато живет.

Собственно, все его сведения о жизни приближенных к эмиру складывались из того, что время от времени рассказывал дядя Асим. Дядя Асим служил при казнохранилище Шатров — правда, в очень незначительном чине, бесконечно далеком от, скажем, звания Мастера с перевязью, заведовавшего там всем хозяйством.

Дядя не скрывал, что занимается почти исключительно тем, что в компании с напарником ворочает, когда требуется, тяжелые тюки с шатрами, точнее — с их деталями.

Большинство их было сделано из разных драгоценных тканей, вытканных узорами, причудливыми орнаментами, а также слонами, львами, лошадьми, павлинами и прочими птицами и хищными зверями. По словам дяди, на самых старых, сильно траченных вековой жизнью, попадались и человеческие изображения. Обитые изнутри златотканой парчой и кимекабом, снабженные необходимыми принадлежностями — столбами с серебряной оковкой, золочеными канатами, медными крюками и кольями, они представляли собой серьезный груз. Перевозка самых скромных обходилась двадцатью верблюдами, а средние и большие занимали не меньше сотни. К таким относился, например, четырехугольный шатер с четырьмя стенами и крышей на шести столбах, а еще два поддерживали навес над входом. Затем — большой круглый шатер, державшийся на столбе высотой в шестьдесят пять локтей и состоявший из шестидесяти четырех частей, крепившихся друг к другу застежками и шнурами. Его сконструировали и соорудили по приказу эмира Убиенного — сто пятьдесят мастеров работали в течение девяти лет, и обошелся он в тридцать тысяч динаров. Этот шатер являлся почти точной копией старого шатра "Катуль", изготовленного при Исмаиле Самани, но столб был выше, а сам шатер — шире и просторнее. Что касается самого "Катуля", то название свое — Убивающий — он получил за то, что его расстановка, в которой участвовали двести человек, не обходилась без несчастных случаев, и два или три прислужника непременно погибали...

Шеравкан вздохнул.

Тот мир всегда представлялся миром благополучия. Миром неизбывного счастья.

А теперь выходец этого мира нетвердо бредет за ним, держась за конец поясного платка... разве можно такое себе представить?!

Он оглянулся.

По лицу Джафара струился пот.

* * *

А ведь он испугался. Да еще как испугался — сердце застучало, ноги ослабли. Думал — все... прислали добить!.. и он испугался.

А за что испугался? Выходит, за жизнь.

Вот так. Испугался за жизнь.

А еще несколько дней назад говорил себе, что лучше смерть, чем такая жизнь. Разве нужна ему такая жизнь? Нет, не нужна.

Так он говорил себе. Да и сейчас так же скажет... вот только сердце перестанет колотиться.

Нет, такая жизнь не нужна, нет.

И вот надо же: испугался.

Приблудная собака доверчиво сунулась мордой в колени — и уже жалко оставить эту собаку, уйти от нее. Мальчишка идет рядом — уже и к мальчишке привязался. "Под ногами у себя не видите!.." Что за злой дурачок!

Испугался, да.

А ведь и в самом деле Гурган мог бы кого-нибудь послать. Пораскинул умишком — и послал. Да и впрямь, зачем еще одному слепцу-побирушке (ведь будет, будет побираться, хоть ему и запрещено!) таскаться по дорогам благословенного Мавераннахра? Ни к чему. Поезжай-ка, Садык... или кто там?.. Салих! — сними с него голову.

Вот он и испугался, подумав об этом... кровь прихлынула к сердцу от ужаса... а если рассудить, это могло бы стать избавлением.

Разве нет? Разве лучше во мраке перебирать ногами дорожные камни? Зачем? Что его ждет? Эта темнота не рассеется... рассвет не наступит. Вечная ночь? — лучше уж вечная ночь без чувств, без мыслей.

Да, мог бы послать. Он ведь совершенно безжалостен. Как скорпион. Нет, скорпион жалит защищаясь, а этот!..

Джафару вспомнился кишлак Бистуяк...

Когда это было? Года три назад. Эмир Назр уехал в Герат. Да так крепко засел, что в конце концов пришлось за ним ехать... Хаджиб двора умолил: Джафар, дорогой, ради всего святого!.. Теперь эту историю какие-то придурки рассказывают на постоялых дворах от своего имени... Прав Шахбаз Бухари: вот она, настоящая слава. Смешно...

Старшему сыну эмира Назра Нуху было тогда... лет пятнадцать ему тогда было. Или шестнадцать. Назр оставил его сидеть вместо себя на троне. Ну, не эмиром, конечно... но все же человеком значительным: сын эмира не пучок моркови. Вроде как заместитель. Гурган всегда крутился возле Нуха. Тоже, в сущности, пацан — года на три старше. Но из ранних: хитрый и, главное, жесток не по годам. Все нашептывал мальчишке, что нужно быть твердым... нужно быть сильным. Жалость свойственна слабым... сильный человек тверд и безжалостен. Джафару доводилось слушать его рассуждения... с трудом сохранял невозмутимость.

И вот случилась эта история с несчастным кишлаком.

Он спешил тогда — хотел догнать, попытаться остановить. На полпути встретил уже возвращавшуюся с дельца сотню. Гурган скакал во главе, конь-о-конь с командиром. Завидев его, сорвал с головы чалму, издевательски весело завертел в воздухе, как будто мчался с праздника и приглашал к продолжению.

Тропа выползла на бугор, ветер погладил лицо прохладной ладонью. Наверное, отсюда далеко видно —

степь волнуется, блестит... чаша неба кругла и бездонна.

Как это прекрасно — видеть.

— Давай передохнем, — попросил Джафар. — Вода осталась?

Шеравкан помог ему сесть, дал напиться.

— Слышал о таком кишлаке — Бистуяк? — спросил слепец, проводя тыльной стороной ладони по губам.

— Бистуяк? — Шеравкан покачал головой. — Нет, никогда...

Бистуяк. Гурган

Не вспоминай о тех,
Кто убивает с наслаждением –
От рассказов о них
Поседеют наши новорожденные дети!..

Усама ибн Мункыз

о владении дихкана Шахруха было три селения: Яктанан, Дутанан и Бистуяк. Жил Шахрух хорошо, по достоинству и положению, по закону, на который, слава Аллаху, никто не покушался. А если покушался хотя бы тем, что исполнял от века заведенное без должного усердия, крепкие парни, что состояли у Шахруха на службе, быстро напоминали неразумному, что к чему в этом мире.

Орлов своих Шахрух брал из дальних кишлаков, чтоб ни родни, ни друзей у них в его владениях не было. Знались только друг с другом, получали неплохое содержание и к местной голытьбе относились свысока, даже с презрением. Ну и понятно: человек хорошо одет, крепко подпоясан, на добром коне, со жгучей камчой в умелой руке, с мечом на поясе, а мужик "коси-копай" вечно в грязи возится, — есть разница?

К жалобам и стонам своих крестьян Шахрух относился спокойно. Знал — у них совести ни на воробьиный хвост, надобы да жалобы никогда не кончаются. Им, дармоедам, палец протяни — ладонь попросят, дашь ладонь — по локоть отхватят. Хоть бы раз что-нибудь новое придумали, так нет — долдонят как заведенные все одно и то же. Что им ответить? Посевы град побил? — ну, брат, я за Господа не ответчик. Оброк велик, а урожай плохонький? — так вези весь, а не половину! И теперь не хватает расплатиться с дихканом за его милости? — ну показывай тогда, что в доме есть, а нет ничего, так смотри кабы дочь не пришлось отдать, а не то самому брести с ярмом на шее, в дихкановой яме сидеть.

Почему-то особенно тяжко жизнь складывалась у жителей кишлака Бистуяк. Ну да Аллах сам ведает, что кому на роду написано — кому беком быть, кому под плетью корчиться. Так, должно быть, и жили бы дальше, перемогаясь, крохоборствуя и голодуя, лишнюю миску зерна почитая за великое достояние.

Но однажды пришел в кишлак один старик.

Он появился в самый солнцепек, часа в четыре пополудни. В белесом небе висел коршун, безнадежно выглядывая попрятавшуюся в норы мелкую живность, иссохшая желтая трава пахла горячей пылью, волнами накатывал заунывный звон цикад и кузнечиков.

Старик вошел в кишлак со стороны предгорий — должно быть, спустился по тропе, петлявшей по увалам холмов.

Подойдя к крайнему дому, оглядел пустой двор, затем постучал клюкой по плетню. Когда Фарух выглянул из двери своей кибитки (покойный дед его одно время разводил коз, за то и звали Фаруха "козлятником"), старик завел дребезжащим голосом:

Во имя Аллаха Милостивого, Милосердного!..
Вся хвала надлежит Аллаху, Владыке всех миров!..
Милостивому, Милосердному!..
Властителю Судного Дня!..

Фарух покорно дослушал фатиху до конца и в свою очередь пробормотал:

— Во имя Аллаха Милосердного!..

— Хлебушком не богат ли, сынок? — поинтересовался старик, моргая подслеповатыми глазами.

— Хлебушком! — Фарух почесал затылок под засаленной тюбетейкой. — Ячмень уж весь подъели, а ты говоришь — хлебушком...

— Ячмень? — удивился старик. — Да-а-а... Ну, спаси тебя Аллах, сынок.

Фарух-козлятник смотрел ему вслед, потом крикнул:

— Отец, ты у нас и фасолиной не разживешься! Шагай лучше в Яктанан, там народ побогаче живет.

Но старик то ли недослышал, то ли не поверил. Правда, и по плетням больше не стучал. Оглядывая кособокие кибитки и голые дворы, лишь кое-где стыдливо прикрытые зеленью, добрел до кишлачной площади.

— Ты смотри, какое дерево, — удивленно пробормотал он, задирая голову. — Храни тебя Господь.

Чинара, высившаяся на краю площади, и впрямь была немалой — вековая, корявая. Обхватить ее смогли бы, пожалуй, человек восемь, да и то пришлось бы тянуть руки изо всех сил. В тени, сбившись в кучу на вытоптанной земле, пережидали жару бараны. Мощные корни, у ствола выпиравшие из земли, крепко держали в своих тесных объятиях три валуна. Прямо над одним из камней, возвышавшимся на четверть человеческого роста, зияло огромное дупло. Видно, когда-то ударила молния, дерево наполовину выгорело, но все-таки устояло и продолжило жизнь.

Старик обошел вокруг, приглядываясь.

В дупле валялась ореховая скорлупа и шелуха семечек — должно быть, дети, играя, считали его пещерой Аладдина или царским дворцом.

Задумчиво потыкав в дупло клюкой, он снял свой ветхий чапан, оставшись в холщовых штанах и рубахе. Встал на валун, постелил чапан, залез сам и лег, свернувшись калачиком и подложив под голову котомку.

Под вечер, когда жара спала, к чинаре сбежалась ребятня. Дети долго стояли, глядя на торчавшие из дупла босые ступни, перешептывались и прыскали. Когда ступни зашевелились, они настороженно замолкли. Из дупла высунулась всклокоченная голова. Старик оглядел их, пригладил волосы и бороду, намотал чалму и сел, свесив ноги.

— Храни вас Господь, — сказал он, озирая детишек. — В Бога верите?

Дети пытались спрятаться друг за друга, теснясь, как бараны в жару, но в конце концов старший смело сказал:

— Верим! А ты кто?

— Я-то? — переспросил старик, почесывая бороду и зевая. — Да вот шел мимо... смотрю — кишлак. Странник я.

— Странник... странник! — залопотали друг другу мальчишки. — Странник он!..

— Странник, да, — задумчиво повторил старик. — А вот кто смелый-то из вас?

Перешептывание и стеснение кончилось тем, что вытолкнули самого маленького:

— Вот! Он смелый!

Тот пятился, глядя на пришельца полными слез глазами, но его снова выпихивали вперед.

— Вижу, что смелый, — согласился старик. — Ну а ты, — он показал пальцем на старшего, которому было лет десять. — Ты разве не смелый?

— Не знаю, — смутился было тот, но здесь же нашелся: — У меня дядя — охотник!

— Вот видишь, — кивнул старик. — Как же ты можешь не быть смелым, если твой дядя охотник? Неужели опозоришь его?

— Нет! — мальчик замотал головой.

— Ну, а раз ты тоже смелый, принеси-ка воды испить, — попросил старик, протягивая ему тыквенную чашку. — А я за это про тебя Махди слово замолвлю...

Минут через десять они уже крепко подружились. Мальчики уселись на камни и корни вокруг дупла и, раскрыв рты, слушали, что толковал им старик, назвавший себя хаджи Мулладжаном.

— Э-э-э! — говорил он, качая головой. — Где я только не был! Земля большая — идешь-идешь, а все края нет. До самых морей доходил. Большое чудо! Смотришь — только вода впереди.

— И другого берега не видно? — недоверчиво спросил кто-то.

— Не видно, — подтвердил Мулладжан. — Одна вода.

Мальчишки по-взрослому зацокали языками, демонстрируя свое изумление.

— Бывает, волнуется оно, кидается на берег, камни ворочает, о скалы бьется... А корабли — ничего, не боятся, плавают, — старик покачал головой, будто сам изумляясь бесстрашию кораблей. — И в пустынях ходил...

— А в Мекке были? — спросил старший.

— Сколько раз! — Мулладжан махнул рукой, будто речь шла о чем-то совсем незначительном. — Когда впервые попал — вот радости-то. А потом уж не так... Да ведь, если подумать, есть люди, которые всегда в Мекке живут. И что? Живут себе и живут, совсем как те, кто в иных местах... женятся, детей воспитывают, скот пасут... ну совсем как простые. Иные как мечтают туда попасть — прямо с ума сходят. Пускаются в дорогу, сколько мучений переживают, погибают в пути... А эти родились себе — и живут! — Мулладжан хихикнул, как будто не в силах осмыслить этот парадокс. — Живут — и нет им ничто.

Когда солнце, прячась за холмами, сначала вызолотило листву чинары, а потом залило ее нежным розовым светом заката, пришел подросток и, вежливо поздоровавшись с гостем, погнал домой баранов.

Скоро он вернулся, снова поприветствовал хаджи и поставил на край дупла миску мучной похлебки.

— Отец вас просит принять это угощение, — сказал он. — Помолитесь за его здоровье, пожалуйста.

— Как зовут твоего отца? — спросил старик.

— Фардод, — ответил подросток.

— Господь, храни Фардода за его щедрость, — радостно возгласил Мулладжан. — Прости ему все сразу, если сможешь!..

* * *

Фардод — сухощавый, дочерна загорелый человек в обычном крестьянском тряпье (одна штанина была у него почему-то короче другой — то ли собака рвала, то ли просто холста не хватило) и с неровно постриженной седеющей бородой, был первым, кто пришел вечером к чинаре.

Он поклонился, поприветствовал странника, осведомился о его здоровье и о том, легкой ли была дорога, а в ответ выслушал множество благословений. Пришлось почему-то к слову, и хаджи Мулладжан подробно рассказал ему о земле Арка, где живут огромные скорпионы, а также твари, именуемые алфис: у них человечьи лица и руки, пасти собак, бычьи ноги, козьи уши и баранья шерсть, они страшны, но питаются собственным жиром, покрывающим их живот и груди, и поэтому совершенно безопасны. Услышав вдобавок, что когда у людей наступает день, на землю Арка опускается ночь, Фардод, не переставая изумленно качать головой, забрал пустую миску и распрощался, пообещав утром прислать сына с полной.

Ночь была тихой — полупрозрачной, вышитой звездным бисером.

День прошел у всех по-разному, у хаджи Мулладжана — в молитвах. По вечернему холодку под чинарой собрались старики. Фардод привел Фаруха-козлятника — тому хотелось узнать, правда ли, что есть на свете земля, у обитателей которой козлиные уши. Но старики подняли его на смех, указав, что существуют и более интересные предметы для рассуждений и рассказов, поостерегшись, впрочем, произносить вслух его прозвище. Фарух обиделся, но перечить не посмел.

Так и пошло. Каждый вечер сходились к дуплу люди, и странник, по-птичьи выглядывая из него, рассказывал им всякую всячину — толковал о чужих краях, об обычаях и норовах, о чудесах и диковинах. Говорил темно, все больше обиняками да загадками, пересыпая россказни бесчисленными байками и притчами. Часто вспоминал, что засиделся он, что пора ему дальше по свету шагать, нести добрую весть, от которой поет у него душа и Божий свет кажется веселым и радостным.

— Не спешите, уважаемый хаджи, — уговаривали его и старики, и мужчины. — Разве вам у нас не хорошо?

— Хорошо, хорошо, — кивал хаджи Мулладжан. — Да ведь надо, надо!

И снова бормотал, сбиваясь с одного на другое, с пятого на десятое, часто повторяясь, но все же заставляя слушателей просеивать муку его речей через сито их внимания.

Весть, которую старик нес по миру и не уставал повторять здесь, была о седьмом имаме истинно верующих — Махди.

По словам Мулладжана, Махди должен появиться на земле перед самым концом света. Он придет, и Аллах распространит на него свою милость и благословение. Имам Махди наполнит мир справедливостью и равновесием — вместо прежнего угнетения и неравенства. Он разделит между людьми блага земные с совершенной беспристрастностью, справедливо и честно, во всех спорах отделит ложное от истинного. Никто при нем не останется в нужде или унижении. Он сделает бессчетными и безграничными все богатства. Само слово "богатство" потеряет смысл, потому что ни в чем богатый не будет отличаться от бедного. Ибо опускает он ладонь в лужу, чтобы почерпнуть грязной воды, а вынимает полную горсть динаров. А каждый, кто припал к нему душой, будет съедать всего горсточку каши или финик — и того ему хватит, чтобы сполна насытиться.

Обе руки его будут правыми, и такова благодать, что даже Иисус, лицо Аллаха, снизойдет, чтобы молиться за него. Земля озарится пронзительным светом Творца, в котором легко будет людям отделить правду от лжи. Империя Махди распространится до краев Востока и Запада. Люди станут счастливыми, князья — добрыми, все будут жить в мире и согласии и относиться друг к другу истинно по-братски.

Конечно, если бы в кишлаке Бистуяк имелась мечеть, а настоятель ее был человеком более или менее сведущим в толках ислама, он бы немедля подверг слова пришельца суровой критике. Он объяснил бы односельчанам, что образ Махди порожден в самых черных недрах шиизма, напоенных ядом сатаны и опаленных жаром близкой геенны. И что все это — ересь, ересь в самом страшном смысле этого слова, пришелец же — шиит, исмаилит или, совсем уж беда, кармат, и его ждет скорый суд и расправа. Им же, простым труженикам, исповедующим суннизм (то есть следующим путем, заповеданным самим Мухаммедом, а не одним из его родственников, норовившим после смерти Пророка урвать свой кусок власти и влияния, что и вызвало раскол), следует крепко-накрепко закрыть врата своего внимания перед соблазнительными словами этого негодяя.

Но муллы не было, никто не мог объяснить крестьянам, кто сей на самом деле. И, напротив, всякому было понятно, что хаджи Мулладжан — человек благочестивый, пустыми выдумками пробавляться не будет, словам его можно верить. Что же касается конца света, то изнемогающим в нищете и непосильной работе жителям кишлака Бистуяк и так было ясно, что до него рукой подать.

Люди переглядывались. У кого-то по лицу блуждала смущенная улыбка — так хотелось, чтобы Махди появился скорее! Кто-то хмурился — он с горечью думал о том, как много опасностей подстерегает сошедшего в мир пророка.

— Мы не знаем правды, Аллах еще не открыл нам глаза, — говорил хаджи, улыбаясь и кивая. — Где Махди? Где странствует Мухаммад сын Исмаила?.. Отец его был потомком Пророка, мир ему и благословение! Мать — румская принцесса из рода Симона Петра, наследника Иисуса. Мальчик рос просветленным, милосердным, жили они счастливо, но все в руках Господа! Когда умер имам Исмаил, сын Мухаммад стал седьмым имамом истинно верующих, унаследовав не только звание, но и особое знание — *илм!* — позволяющее узреть то, чего не зрел раньше. Оглянулся он и увидел, что мир лежит в крови и неправде. Загорелось его сердце болью за нас и решил он сокрыться до той поры, когда люди станут лучше. И исчез!

Много раз повторял свою повесть хаджи Мулладжан, и всегда люди, услышав это, ахали, прижимая руки к щекам и горестно переговариваясь:

— Исчез! Ты представляешь, он исчез! Как же так? Исчез!..

— Да, исчез, — продолжал странник. — Аллах накинул на него волшебное покрывало. Махди стал невидим нам, чьи глаза залиты ложью и насилием. Махди переселяется из одной местности в другую, кочует по странам и климатам, смотрит на нашу жизнь, ждет того часа, когда сердца наши очистятся и мы будем готовы принять его. Прозвучат слова Аллаха, Махди снимет покрывало и исполнит предначертанное.

— Господи! — качали головами слушатели. —
Скорей бы!..

— Может быть, он принимает иные обличья? —
спрашивал старик, задумывался, бормотал несколько
слов молитвы и отвечал сам себе, просветленно улыбаясь: — Конечно! Он всегда с нами, хоть и невидим.
Мы можем надеяться на него, он всегда рядом и всегда
готов помочь. Вот птица щебечет в ветвях — может
быть, это голос Махди? Ветер шуршит в траве — мы
не понимаем слов, а ведь это его речь. Река гремит на
камнях — мы не знаем, что она пытается втолковать
нам, но это проповедь Махди!..

— Велик Аллах! — перешептывались собравшиеся,
и кое-кто утирал слезы, набежавшие на жадные до
счастья глаза.

— Может быть, родится в вашем селе ребенок —
и душа и сущность Махди вселится в него?

— В нашем селе! — перешептывались сельчане, невольно поеживаясь. — Поверить только: в нашем
селе!..

— Да, он родится, и все цари земли принесут ему
в дар свои богатства. Алмазы, рубины, изумруды, сап-
фиры — все это будет лежать перед ним, как пыльные
камни на дороге. Он не протянет к ним руки. Он
только рассмеется, глядя на этот мусор. Он всему знает
истинную цену. Потому что он — Махди!..

Все больше волнуясь, хаджи простирал руки из
дупла, как будто желая обнять весь мир.

— Как бы я хотел дождаться этого дня, чтобы поклониться ему! Как бы я хотел принести в дар Махди
лал Джамшеда!

* * *

В большом доме дихкана — массивном, с толстыми глиняными стенами — царствовала прохлада.

— Лал Джамшеда, говоришь? — повторил дихкан Шахрух, задумчиво отхлебывая из пиалы и щурясь. — Рубин, значит?

— Да, господин, — подтвердил Ишанкул, исполнявший в доме должность управителя. — Садык так и сказал: дескать, хочет старик отдать свой рубин. Прежде, мол, им Джамшед владел. А теперь, стало быть, у него. То и дело об этом толкует. И басни всякие рассказывает. Где был, что видел.

— Ишь ты.

— Народ слушает его... как муллу прямо, — добавил Ишанкул.

— Как муллу, — дихкан поморщился. — Понятное дело: мечети-то нету. Нет чтоб собраться да построить... да настоящего муллу нанять. Так они все только клянчат: мечеть бы нам. Понимаешь? Мечеть бы им, бездельникам!

Шахрух с досадой сплюнул.

— Кормят его, — сообщил Ишанкул. — Кто супу нальет, кто какого-нибудь печева сунет. Хлеба кусок... или там поминки у кого.

— Во! — со злобным удовлетворением отозвался дихкан. — Как оброк нести — у них нет ничего. А как бездомного болтуна кормить — так с нашим удовольствием.

— Соломы ему принесли. Насовал в дупло, лежит как на перине. И чапан второй откуда-то появился, —

Ишанкул покачал головой, недоумевая. — Рваный, правда.

— Придурки, — презрительно процедил Шахрух. — Чапаны дарят со своего плеча. А он вон чего, оказывается. Рубины у него. Нет, ну ты скажи, откуда у него рубины?

Управитель пожал плечами.

— Шайтан его знает, — сказал Ишанкул с сомнением в голосе. — Может, господин, и нет у него никаких рубинов, а? Может, старик болтнул что по глупости — вроде как пошутил, — а мы тут себе голову ломаем.

— Ну конечно! — от слов управителя Шахруха бросило в жар: так не хотелось отказываться от мысли, что старик таскает с собой бесценный рубин. — Что ты несешь?! Опомнись! — хриплым от гнева голосом сказал он. — Не зря же старикашка его лалом Джамшеда называет. Разве станет человек такими вещами попусту бахвалиться?! А если кто-нибудь показать попросит — тогда что?!

— И то правда, — подумав, согласился управитель.

— То-то же... Я тебе больше скажу: эти нищеброды — самые богатые на свете люди, — убежденно заявил дихкан, шевеля усами от обуревающей его страсти. — Самые богатые, точно тебе говорю. Просто они все свое имущество где-то прячут, чтобы ни с кем не делиться. Деньги, камни... золото! Зарывают, должно быть, в неприметных местах. Или в пещерах каких... Вот и выходит: сам шатается по деревням, миску похлебки клянчит, а у самого где-нибудь тысяч сто закопано.

— Дирхемов? — уточнил Ишанкул.

— Как же, дирхемов! Динаров, конечно.

Шахрух замолчал, сердито супясь.

— Ну хорошо... Позови-ка этого Садыка, — приказал он, но тут же остановил слугу взмахом ладони: — Хотя нет, вонища от них от всех... не продохнешь. И так все ясно. Ну его. Дай что-нибудь, и пусть проваливает.

— Что дать, господин?

— Что дать, что дать... — Шахрух озабоченно побарабанил пальцами по колену. — Меру пшеницы... постой, лучше вот что: полмеры отсыпь.

— Понял, — Ишанкул направился к дверям.

— Погоди-ка, — опять остановил его дихкан. — Что я несу — полмеры. Куда ему полмеры? Четверть дай. Четверть — в самый раз.

— Хорошо, господин, — кивнул Ишанкул, снова склоняясь в поклоне, но теперь уж больше для того, чтобы спрятать невольную усмешку.

Когда управитель сделал шаг к двери, Шахрух взволнованно вскочил с подушек.

— Стой! Стой! Давай-ка рассудим!

Ишанкул покорно остановился, ожидая уточнения приказа.

— Ведь я — его хозяин, а он — мой раб. Верно?

— Верно.

— Если верно, почему я должен давать ему зерно?

Ишанкул подумал.

— Можете не давать, — в конце концов сказал он, безразлично пожав плечами. — И впрямь, зачем ему зерно? Только ведь тогда он это...

Управитель почесал левую залысину.

— Что?

— Не придет он в следующий раз...

— Не придет в следующий раз, — повторил Шахрух, осмысляя сказанное. — А ведь и правда... Вот сволочь! Я ему и то, и се, и пятое, и десятое, и зерна вот дать хочу — а он, значит, плевал на меня вместо благодарности: не придет, чтобы дихкану своему какую-никакую новость сообщить. Ну не сволочь? Да ему за такое не зерна, а плетей надо дать!

— Ну, плетей-то, может, и того... — несмело заговорил управитель. — Все-таки пришел, донес... а? Так сказать, со всем почтением.

— С почтением! Нужно мне его почтение. Сволочи. Рвут на части. Тому дай, этому дай!..

Шахрух сел и хмуро уставился в окно.

— Так что, господин? — спросил управитель через минуту. — Как вы решили?

— Ладно, отсыпь четверть, — махнул рукой дихкан. — Пусть подавится. Да Масуда мне позови. Где он там?

Ишанкул вышел от хозяина, пятясь, но, как только закрылась дверь, выпрямился, выпятил живот и напустил на свою рябую физиономию выражение презрительной важности.

— Пойдем, — важно сказал он дожидавшемуся у крыльца Садыку. — Дихкан оказывает тебе милость.

Гремя связкой железных ключей, он повозился у дверей амбара, отпер и, махнув Садыку рукой — дескать, стой здесь, — нырнул в полумрак.

Через минуту он вышел, легко неся в руке меру — большую долбленую тыкву.

— Хозяин оказал тебе милость, — повторил Ишанкул. — Он велел дать тебе зерна. На мой взгляд, сведения, принесенные тобой, того не стоят. Но хозяин часто совершает благодеяния в ущерб себе. Так и сказал: Ишанкул, дай ему восьмушку. Я не могу ослушаться. Держи.

Садык подставил тюбетейку, и зерно почти наполнило ее.

— Знай щедрость нашего дихкана!

Садык побрел прочь.

— Да уж, — пробормотал Ишанкул, глядя ему вслед и морщась. — И впрямь вонища от них — не приведи господи...

А потом крикнул:

— Масуд! Эй, Масуд! Иди скорей. Хозяин зовет!

* * *

Как известно всякому ученому человеку, Аллах сначала создал семь небес, а уж потом решил сотворить и семь земель.

Для того Он повелел ветру взволновать воду. Вода вздыбилась, вспенилась и образовала пар. Пар затвердел, и Всевышний, потратив два дня своего Божьего времени, слепил из него на поверхности воды Землю. А чтобы она была прочной, утвердил на ней крепкие горы — как вдоль, так и поперек.

Но несмотря на это, Земля качалась на волнах, как утлая лодка, то и дело грозя перевернуться и пойти на дно.

Озадачился Господь. Поразмыслив, повелел одному из ангелов взять Землю на плечи, руками же поддерживать западные и восточные пределы.

Ангел послушался. Но поскольку не имел опоры, тут же стал тонуть, едва не захлебнулся, и, чтобы спасти несчастного, Господу пришлось бросить ему под ноги четырехугольную скалу из зеленого рубина.

Однако теперь тонула скала. Серчая и досадуя, Всевышний создал быка, который поддержал скалу величественными рогами.

Каково же было Его изумление, когда оказалось, что и бык вот-вот захлебнется! Рассердился Господь, недобрым словом помянул нечистого и сотворил кита по имени Ал-Бахмут, приказав ему плавать, представив копытам быка свою широкую спину.

И обозрел Свое творение, и признал его совершенным.

Однако дьявол, никогда не покидающий ни одного из миров, нашептал киту что-то насчет того, как он велик и мощен, как огромен и вместителен; дьявол внушил киту гордыню и неповиновение — и тот возымел желание нырнуть.

К счастью, Господь догадался о дерзком умысле и, нимало не медля, создал мелкого зверька — ласку, запустив его в левую ноздрю левиафана.

Непослушный гигант все еще раздумывал, как глубоко ему погрузиться в пучины вод, а ласка уже грызла его мозг, причиняя ему тем самым невыносимые страдания. Охваченный ужасом, кит взмолился, прося у Господа пощады и прощения. Господь Милостивый, Милосердный простил его, но пригрозил,

314

что, если тот будет своевольничать, ласка снова за него возьмется, — и приказал ей оставаться в ноздре до скончания веков. А для земной жизни создал другую — точно такую же...

Так все наконец успокоилось.

Земля окончательно утвердилась, климаты покрылись буйной растительностью, и всюду расселилась по воле Господа разнообразная живность, включая и людей, — всякая со своими привычками и повадками. Стала бродить по горам, лесам и степям, вознося Ему хвалу и выказывая почитание.

Но однажды Он заметил, что во всех Его землях царит странное уныние. Веселы только жвачные да еще, пожалуй, обезьяны: первые жадно едят траву, а вторые радостно чавкают, поедая плоды. Прочие же слоняются меланхолично и без цели: хандрят, то за одно примутся, то за другое, и все им не по вкусу, и ропщут они на Господа, Владыку их мелких душ.

Услышав сей ропот и удивившись черной неблагодарности своих созданий, Господь задумался. Мысль насчет того, что хищники жаждут крови, Его не посетила. Вместо того Он решил, что тварям не хватает добра. И тут же послал ангела рассеять его семя во всех пределах.

Ангел-порученец послушно взял лукошко и слетел на землю.

Встав на ноги, он огляделся — и стало ему хорошо. Так славно шумела листва под легким весенним ветром! Так сладко журчала вода в ручье! Так благоухал чабрец под жаркими лучами солнца! Так звенели кузнечики, так звонко жаворонок, невидимый в голубой выси, оглашал мир своей песней! Так мягка оказалась постель душистой травы!..

Он прилег в тенечке, пожевывая стебелек, у которого еще не было названия, и бездумно глядя в яркую лазурь неба, украшенную праздничными белыми бантами крахмальных облаков. Помечтал о том, что скоро он сделает порученную работу и вернется к подножию Господня трона; и как Господь похвалит его, а то еще, глядишь, повысит в должности. Потом ангел задремал, а затем и крепко уснул.

Тогда дьявол подкрался к лукошку и расчетливо плюнул в него черной вязкой слюной.

Солнце перевалило пуп и стало клониться.

Когда оно уж было совсем низко, ангел проснулся. Некоторое время он моргал, не соображая со сна, где оказался. Потом сладко потянулся, встал, ополоснул лик и, не заметив, что семя добра превратилось в семя зла, принялся за работу.

И где сыпал он налево, сильный начинал жрать слабого.

И где сыпал он направо, благословение становилось проклятием.

И где кидал перед собой — там кровь вскипала и пенилась.

И где бросал за спину — слез не хватало, чтобы залить пламя гнева...

День за днем и месяц за месяцем шел он по земле, не теряя времени, старательно исполняя порученное дело.

А когда прошел все пределы, Господь посмотрел вниз — и ужаснулся...

Такая вот была история.

Но всадник, выехавший с подворья Шахруха в самый глухой час ночи (примолкли сверчки, ветер перестал шуршать сухой травой, и даже вода утихла, сонно перетекая в ручье с камня на камень) не размышлял о столь отвлеченных предметах — да и вообще вряд ли имел о них представление.

Звали его Масуд, только вряд ли кто-нибудь признал бы его сейчас: шерстяной кулях всадник низко надвинул на лоб, нижнюю часть лица завязал белым платком. Лишь платок и маячил во мраке, будто отблеск луны на глыбе кварцита, а все остальное — вороной конь, темная одежда всадника и его черная шапка — нераздельно сливалось с ночью.

Качаясь в седле и позевывая спросонья, он думал о том, согласится ли дихкан Шахрух поговорить с его собственным дихканом — Орашем — насчет его, Масуда, дельца. Дельце заключалось в том, что Масуду было очень желательно перенести межу длинной стороны своего поля аршина на четыре восточней. Выгода в этом виделась для него несомненная. Сам он на земле не работал, сдавал исполу, но даже и половина урожая с нового лоскута прибавила бы ему мешков сорок зерна. При этом, конечно, ровно на то же количество уменьшился бы урожай его соседа. Ну да про это особо думать Масуду было некогда: на его службе не до лишних раздумий. И вообще не до пустяков. Короче говоря, если б Шахрух Орашу за него словечко замолвил, так дело бы и сладилось, там уж не поспоришь: как владетель скажет, так и будет.

Конь шел шагом. Копыта едва слышно постукивали о камни.

Расслабленно покачиваясь в седле, Масуд уже подъезжал к околице, когда в шаге от дороги из куста шумно порхнула птица.

Конь шарахнулся, вперебив ударив подковами.

— Я тебе! — шикнул Масуд, занося камчу. — Тихо!

Он миновал хирман — гладкую глиняную площадку, где по осени крестьяне обмолачивали зерно. Въехал в улицу, с обеих сторон стесненную дувалами.

Кишлак спал. Только откуда-то с другого края послышалось ржание, и Масуд протянул руку, зажал коню храп, чтобы тот не вздумал отозваться.

Скоро он оказался на кишлачной площади. Громадина чинары закрывала полнеба, и ни одна звезда не просвечивала сквозь ее тугие, полные листьев ветви.

Масуд спешился, кинув повод на ближний плетень.

Конь опустил голову, понюхал пыль и разочарованно фыркнул.

— Тихо, тихо, — пробормотал Масуд.

Оглядевшись, он неслышно вошел во тьму, сгустившуюся под кроной. Дупло было темнее самой густой темноты — казалось чернильным пятном.

— Эй! — негромко сказал Масуд. — Слышь, ты! Никто не отозвался.

Масуд протянул руку внутрь. Нащупал что-то теплое. Потеребил.

— Слышь, как там тебя!

— Что? А? Кого? — должно быть, человек в дупле спросонья ничего не мог понять.

— Кого-кого! — вполголоса передразнил Масуд. — Никого. Вылазь, говорю.

Хаджи Мулладжан заворочался.

— Сынок, тебе что нужно? — спросил он. — Ты чего не спишь?

— Рубин давай, — сказал Масуд.

Старик молчал.

— Слышишь, нет? Добром прошу.

— Я не понял, сынок... чего ты хочешь?

— Рубин, — терпеливо повторил Масуд.

— Какой рубин?

— Ах ты хорек! — зашипел Масуд. — Придуриваться будешь!

Схватил, рванул.

Охнув, старик вывалился из дупла. Голова с костяным стуком ударилась о камень. Масуд вдобавок со всей силы пнул каблуком кованого сапога.

— Хорек!..

Обшарил одежду. Порылся в котомке, выкинув из нее по очереди кривой корешок неведомого растения, комок соли, бечевку, четки из сухих ягод боярышника и тряпичную ладанку с какой-то трухой.

Сопя, сунулся в дупло, переворошил солому, прощупал все щели.

Постоял в раздумьях, озираясь так, будто ждал подсказки.

— Вот хорек...

Снова пнул тело.

— Где рубин?! Куда заныкал?! Говори, гад!

Но старик молчал.

Масуд в ярости вышвырнул из дупла всю солому, снова раз пять переворошил и перещупал жалкие пожитки странника.

Выругавшись напоследок, разобрал поводья, сунул ногу в стремя, взмыл в седло, уже занося камчу.

Стук копыт стих за поворотом...

* * *

Следующее утро выдалось для дихкана Шахруха суматошным, причем суматоха эта нарастала буквально с каждым часом.

Началось с того, что ко двору явился бистуякец Садык и сообщил о гибели старика-странника. Выслушав эту новость из уст передавшего ее домоправителя, Шахрух потребовал к себе Масуда. Вместо того чтобы протянуть владетелю бесценный камень, Масуд, запинаясь и не глядя в глаза, доложил, что рубина он не нашел, а что касается хорька-старикашки, то о нем он ничего сказать не может. Шахрух был так расстроен отсутствием лала Джамшеда, что смерть безвестного бродяжки потеряла какое-либо значение. Он целый час бесновался и орал, обвиняя Масуда во всех смертных грехах, затем велел обыскать. Обыск не дал результатов. "Ага, — сказал Шахрух, и от напряжения мысли у него на лбу двигалась кожа. В конце концов осенило: — Спрятал, что ли?" Масуд оцепенел. В это время примчался Садык и доложил, что старика уже похоронили, что же касается мужчин села Бистуяк, то они собираются идти в Бухару жаловаться эмиру.

Такого рода сведения направили мысли Шахруха по другому руслу, и пытка с целью вытрясти из Масуда похищенный у хозяина рубин была отложена.

Поначалу Шахрух вообще не поверил. Жаловаться эмиру?! — такого и в заводе отродясь не было. Как они и думать-то смеют о чем-нибудь подобном?!

Дихкан снова было разорался, однако трепещущий Садык стоял на своем: да, так и есть, он не обманывает — все мужчины кишлака Бистуяк, включая стариков и подростков, собрались на майдане под чинарой. Сначала долго галдели, потом повесили на шеи веревочные петли и накрылись рогожами взамен чапанов в знак совершенного своего смирения. И, должно быть, уже плетутся по Бухарской дороге... во всяком случае, все к тому шло, когда он, Садык, улучил минуту, чтобы незаметно улизнуть.

Осознав происходящее, Шахрух бранчливо потребовал коня; со словами, что, дескать, сейчас он покажет всем этим ублюдкам, каково замышлять против дихкана, поскакал, браво возглавив свой небольшой, но решительный отряд. Однако не прошло и часа, как вернулись, причем одного из парней привезли с пробитой головой: непокорные крестьяне обрушили на них такой шквал комьев глины и камней, что поневоле пришлось отступить.

Едва ли не впервые в жизни Шахрух чувствовал настоящее смятение. Идут в Бухару! к эмиру! а он ничего не может сделать!..

Правда, он знал, что эмир Назр сейчас в Герате... ждут его возвращения, а он все не едет... но ведь все равно при дворе полно начальников. Сын эмира есть, царевич Нух... хаджиб есть... а ну как кто-нибудь из них поверит этим мерзавцам?!

Единственное, что оставалось, это опередить их — самому скакать в столицу, падать в ноги, слезно жаловаться.

Взял с собой Масуда.

Объехав кружным путем маршрут бистуякцев и оказавшись на Бухарской дороге далеко впереди них, Шахрух повернул коня в сторону невысокого холма. Копыта крошили суглинок.

Бугристая выжженная степь плыла знойным маревом. Марево слоилось, сгущаясь и трепеща. По правую руку заманчиво блестела поверхность воды, отражавшей плоскую пустыню белесого, отвратительно жаркого неба. На самом деле это было не озеро, а солончак.

Шахрух щурился, вглядываясь: мелкие, как вши на кошме, такие же желто-бурые, как степь, неприметные.

Если б не ветер, тянувший легкое облако пыли, поднимаемой их босыми ногами, и вовсе было бы не разглядеть.

— Скоты! — в сердцах сказал Шахрух.

Лучше всего было бы им одуматься. Остановиться, постоять, потоптаться. Порассуждать. И повернуть обратно.

Нет, идут.

— Сволота, — пробормотал Шахрух и, дернув повод, чтобы развернуть лошадь, рявкнул: — Это ты виноват, дурак! Зачем ты его трогал?!

Он занес камчу.

— Да вы же сами сказали, — заныл Масуд, закрываясь локтем. — Не бейте, хозяин! Вы же сказали: принеси рубин... я пошел, а старик...

— Старик-шмарик! — зло оборвал его Шахрух. — Что — старик?! Разве я тебе велел его убивать?!

Масуд понуро супился и сопел.

— Что ты молчишь, шакал?! Отвечай: велел?!

— Нет, хозяин, но...

— Что — но?!

— Он первый начал, хозяин! Замахнулся на меня. Я думал — все, сейчас голову расшибет.

— Чем замахнулся?! Булавой?! Мечом?!

— Палкой...

— Палкой! Ну и треснул бы он тебя этой палкой, все лучше было бы! А теперь я прикажу сто палок тебе дать, дубина ты стоеросовая. Сдохнешь под моими палками. Старика угрохал, рубин украл. Замахнулся он!.. Шкуру твою вонючую на барабан натяну. Дурак чертов! Вот уже верно говорят: с дураком свяжешься, сам дурак будешь.

Марево сгущалось, сгустки двигались. Уже было видно, что это все-таки не вши, а люди.

Растянувшись чуть ли не на полверсты, они медленно брели по пыльной дороге.

Худые оборванные мужчины, голые по пояс, накрыты от солнца грубыми рогожами.

— Прежде не было такого, господин, чтобы сразу к эмиру, — робко заметил Масуд.

— Не было, говоришь?! Глаза разуй! Что, глазам своим не веришь, ублюдок?!

Впереди шагал сухой старик в грязной чалме. У него было непреклонное выражение лица, и посохом своим он всякий раз колол землю так же непреклонно. И петля на его морщинистой шее болталась так, будто означала не покорность, а, напротив, являлась символом бунта. Знаменем.

— Вот я устрою им ишачий праздник, — устало пробормотал Шахрух, трогая лошадь. — Ладно, погнали!

Они повернули коней.

Отсюда, с холма, уже брезжил зыбкий мираж — приземистый город, растопыривший пальцы минаретов...

* * *

У Молитвенных ворот не было слышно стука копыт, да и колеса повозок хоть и так же натужно скрипели, но не громыхали: улицу и прилегающую к ней площадь выстилали ковры. Время от времени мальчишки ковровщиков кое-как расправляли их — загаженные конским пометом, пропитанные верблюжьей мочой, сбитые в комья ногами, копытами, колесами; — кое-как сгребали, сметали навоз, и тогда черно-красные, багряные и синие узоры вновь плавились в дрожащем воздухе полуденного зноя.

У одного из дуканов толстый сириец в алой чалме кричал на продавца, доказывая несуразность запрашиваемой цены, но в окружающем гвалте казалось, что он лишь попусту разевает рот.

Ближе к Арку теснились москательщики, подпираемые с одной стороны гончарными рядами, с другой — текстильными.

— Дай проехать! — надеясь старанием загладить свои вины, во все горло орал Масуд, тесня конем толпу. — Шахрух едет! Шахрух!

Кто такой Шахрух, никому здесь не было известно, и вопли Масуда производили на участников торжища примерно такое же действие, как если бы он просил милостыню.

Но все же, миновав Регистан, пробрались к более или менее благоустроенным подворьям канцелярий и приказов. Тут прохаживались стражники, разгоняя торговцев, было просторно, а волнообразно накатывающее гоготание базара слышалось издали почти приятной музыкой.

— Дихкан Шахрух, — сказал Масуд стражнику, направившему пику в грудь лошади.

— А по мне хоть Харибек*, — добродушно ответил стражник, кривя рябую рожу в ухмылке. — Прочь с коня!

Спешились. Шахрух, то и дело утирая красным платком пот, струившийся из-под бобровой шапки, бросил повод Масуду и, нетвердо после долгой скачки ступая кривыми ногами по глубокой пыли, двинулся к огромному пештаку, являвшемуся воротами внешней стены Арка.

Выйдя на внутреннюю площадь, окруженную несколькими мечетями, Шахрух остановился, расте-

---

* Игра слов: Шахрух — лицо царя, Харирух — ишачье лицо.

рянно озираясь. То и дело сновали молодые муллы — то с каким-то свитком в руках, то с молитвенным ковриком под мышкой.

— Уважаемый!.. — первые двое не удостоили его взглядом, третий помедлил. — Во имя Аллаха милосердного! Не подскажете, где мне найти глубокоуважаемого хаджи Гургана?

Мулла равнодушно пожал плечами и ускорил шаг.

Шахрух колебался. Он знал, что царевич сейчас в летнем дворце — это, получив пару дирхемов, сообщили стражники при въезде. Но идти к нему просто так, без представления, было рискованно. Известно, чем кончаются подчас такие визиты... Вопрешься — а он не в духе. Раз — и башка с плеч. Да и не пустят, пожалуй, — мучительно размышлял дихкан, глядя на двух дюжих сарбазов, скрестивших пики у входа.

Чувствуя, как начинают неметь ноги, он все же двинулся к ним.

— Добрый день, уважаемые. Я...

— Шапку сними, — хмуро посоветовал тот, что стоял слева, — рябой и узкоглазый.

Шахрух сбил с головы шапку и поклонился.

— Чего надо? — сказал стоявший справа.

Он был широколиц, бородат, смотрел весело, даже с любопытством, а вовсе не так тупо и угрюмо, как его напарник.

Именно к нему Шахрух и обратился:

— Простите, уважаемый... во имя Аллаха Милосердного... все в Его руках! Как бы мне увидеть глубокоуважаемого хаджи Гургана?

— Хаджи Гургана? — переспросил тот. — Визиря царевича Нуха?

— Да, да, — обрадовался Шахрух, часто кивая и утираясь платком. Честно сказать, он не понимал, какой-такой визирь может быть у молодого эмира. Визирь — это у самого эмира... иначе не бывает... ну да что, дурак он — спорить со стражником, злить его?! Визирь так визирь. — Верно говорите, уважаемый. Визирь молодого эмира. Его уже назначили? Да его и так все знают, как же можно не знать глубокоуважаемого хаджи Гургана? Он с царевичем рука об руку... из одной чаши пьют. Его эмир Назр любит, к себе приближает. И понятно — ведь товарищ родного сына, как не порадеть...

— Ага, — саркастически буркнул узкоглазый. — Хаджи!.. Из него такой же хаджи, как из моей коровы — муфтий.

— Ну перестань, — урезонил его бородач. — Что ты корову с человеком равняешь? Ведь твоя корова чалму не носит?

— Не носит, — согласился тот. — Но если дело в чалме, намотаю — глазом не успеешь моргнуть.

— Да ладно тебе, — махнул рукой бородач и снова перевел взгляд на Шахруха.

Он покачал головой, явно изумляясь количеству пота, которое струилось по красной от жары и волнения физиономии просильца и спросил с усмешкой:

— Что, теплый нынче денек выдался?

— Ага, — тупо кивнул Шахрух. — Очень жарко, очень. Тут еще ничего, а в степи... — Безнадежно махнул рукой и повторил: — Так где же, уважаемый?

— Хрен его знает, — по-доброму ответил бородач, пожимая плечами. — Не было сегодня.

— Не было? — растерянно переспросил Шахрух. — Как же так? Ведь господин Гурган всегда во дворце! Он ведь...

— Двигай отсюда, — сухо сказал узкоглазый и с отчетливой угрозой качнул древком пики. — Двигай, двигай, нечего тебе тут делать.

Глаза его еще больше сузились, превратившись в черные щели.

— Да, да, — пробормотал Шахрух, утирая пот.

Он понимал, что затея проваливается. Оставалось одно — заявить стражникам, что он заявился не просто так, а по делу государственной важности. Оно не терпит промедления. Эмир должен быть оповещен немедленно. Если нет эмира, тогда хаджиб. Нет хаджиба — царевич. А поскольку речь идет о вещах секретных, то пусть его тотчас же проводят в покои!

Он размышлял, отчаянно потея.

Не дай бог, попадешься под горячую руку... не вовремя... некстати... махнет хаджиб рукой и — в яму Шахруха... а то и с башни. Никто и не вспомнит, что он дихкан, владетель!..

— Я ведь... оно... глубокоуважаемые... во имя Аллаха милосердного, — бормотал дихкан, но слова о государственной важности его дела только бесполезно скребли горло, вызывая натужный хрип, а наружу не лезли.

И — о чудо! — именно в это тусклое, гиблое мгновение он увидел господина Гургана.

Точнее, он увидел невысокого полноватого человека в голубой чалме и длинном светло-зеленом халате — то есть одетого и выглядящего именно так, как одеваются и выглядят молодые муллы. Озабоченно наклонив голову набок и потирая друг о друга ладони, будто они зябли (это при таком-то зное, когда стоило лишь махнуть насквозь мокрым платком, как он высыхал, покрываясь белесыми разводами соли), человек этот шел мелким шагом — но таким быстрым, что полы чапана разлетались на ходу, и время от времени становилось видно, что он препоясан мечом — чего никакой мулла не мог бы себе позволить. А тут и рукоять мелькала, и ножны высовывались. Странное сочетание, ничего не скажешь... однако Шахруху было не до того.

— Хаджи Гурган! — узнав, закричал он голосом, каким взывают погибающие в пустыне. — Ах, господи, хаджи Гурган! А я-то вас ищу!

Гурган удивленно вскинул взгляд.

— Как ваше здоровье? — уже бормотал Шахрух, хватая его ладони в свои и даже пытаясь привлечь в объятия, чему тот ошеломленно воспротивился. — Как вы себя чувствуете? Все ли в порядке? Мы с вами родственники, уважаемый хаджи! Двоюродный брат вашего деверя моему дядьке свояк. Хасан его зовут! Как же вы меня не помните? Я вас еще вот таким!.. — задыхаясь, Шахрух мотал рукой у колена. — Вот таким маленьким еще!..

— А как ваше? — попытавшись было отнять руки, машинально завел было молодой мулла ответное бормотание. — Все ли у вас хорошо, уважаемый Шахрух, все ли спокойно?.. Да что вам нужно-то от меня, уважаемый?!

Не позволяя ему ускользнуть в тень портала, Шахрух поспешно и путано излагал свою тяготу.

— То есть вы хотите к царевичу? — нетерпеливо оборвал Гурган. — Я правильно понял?

— Да! Да! Жаловаться! Они идут сюда! Не слушаются!

— Сто динаров.

— Сто?! — ахнул Шахрух, будто прямо под вздох вогнали ему лезвие ржавого кинжала. — Мы ведь родственники, хаджи. У меня нет таких денег. Возьмите половину.

— Видите ли, уважаемый Шахрух, — сказал Гурган. — Если налить в кувшин половину того, что он вмещает, там и будет ровно половина, а уж кувшин вы можете называть как угодно. Хотите, говорите во имя Аллаха "полупустой", а хотите — "полуполный".

Шахрух сморщился.

— Что? — хрипло спросил. — При чем тут?

— Долженствования, или обязательства, бывают трех видов, — складывая руки на животе, напевно и ласково перебил его молодой хаджи. — Обязательства первого рода связаны лишь с исполнением оных, то есть собственно обязательств. Обязательства второго рода связаны с исполнением некоторых других обязательств. И, наконец...

Мучительно напрягающийся в попытках понять, о чем идет речь, Шахрух затряс головой:

— Ну нет у меня ста динаров! Возьми шестьдесят, ради Аллаха. Последнее отдаю. Оброка еще не собирал.

Хаджи задумчиво посмотрел на него сощуренным взглядом темных глаз. Лицо у него было безусое, под нижней губой пушилось что-то вроде бородки.

— Ну ладно, — нехотя кивнул он, пряча тяжелый мешочек. — Но тогда к зиме пришлешь мне пятьдесят баранов. Есть бараны? Или ты в своем Бистуяке и баранов заморил?

Хаджи махнул, сарбазы расступились.

— Есть бараны, — облегченно оживился Шахрух, шагая за ним. — И люди есть. Работать только не хотят, сволочи. Представляете, господин Гурган, совсем нет совести. На все готовы, лишь бы выцыганить лишние деньги! Притащился невесть откуда какой-то безумный старец... зороастриец, наверное, не иначе... чертов огнепоклонник. Заморочил всех, а потом невзначай и помри, а меня виноватят. Только и разговоров про покойника... И все для чего? — чтоб по миру пустить.

— Бедный, бедный Шахрух, — покачал головой хаджи. — Сердце кровью обливается, когда слушаешь о ваших бедах. Да, наш эмир, да продлится его царствование на тысячу веков, попустительствует зороастрийцам. По-хорошему, давно пора всех огнепоклонников повесить на тополях. И всех прочих, кто отходит от истинной веры... Между прочим, в этом и ваше упущение, дорогой Шахрух, ваше упущение.

Они прошли длинным сводчатым коридором, оказались в тенистом и прохладном внутреннем дворе; обложенный тесаным камнем бассейн окружали источающие благоухание розы. Негромко гулила горлица, потренькивал где-то в покоях чанг, гулко отдавались шаги по каменным плитам.

Возле стен тут и там сидели молчаливые люди в расшитых золотом чапанах и белых чалмах. Миновали еще одну галерею.

— Это со мной. К молодому эмиру. Дело государственное, — отрывисто сказал Гурган, проталкивая бледного Шахруха мимо стражников.

Он первым, откинув занавесь, нырнул в дверной проем и, согнувшись, пошел вперед.

Шахрух без раздумий пал на колени и пополз следом мимо стоящих по обе стороны от дверей сановников (один держал что-то вроде алебарды с серебряным топориком).

Царевич сидел на подушках, покрытых красным ковром. Черный бархатный чапан, украшенный драгоценными камнями, подчеркивал белизну и свежесть его лица. Муслиновая чалма была увенчана султаном из перьев, а серебряная петлица пересекала ее по диагонали. Справа от Нуха замерли два мальчика с какой-то драгоценной утварью в руках. Высокопоставленные царедворцы чинно стояли по обеим сторонам от возвышения.

Сделав три шага, Гурган низко поклонился.

— Мумин! — капризно воскликнул Нух. — Наконец-то! Тебя обыскались. Где ты ходишь?! Меня тут уже совершенно заморочили. Иди сюда! Выпей вина. Дайте ему.

Опустившись на колени, Гурган сел рядом. Мальчик с поклоном протянул чашу, он отхлебнул и почмокал.

Тогда царевич Нух привлек друга к себе и что-то горячо и весело зашептал на ухо.

Тот рассмеялся, отстраняясь.

— Согласен! Когда?

— Как когда? Да прямо сейчас! — обрадовался царевич, делая попытку подняться с подушек. — Все, совет окончен.

— Подожди, — ласково попросил Гурган. — Я привел одного человека...

Нух досадливо сморщился.

— Погоди, погоди, тут дело важное. Дело касается подданных твоего отца. Это — он указал на припавшего к подстилке Шахруха, — владетель селения Бистуяк. Под его рукой жители так обнищали, что решили идти к эмиру Назру с жалобой...

— Отец в Герате, — заметил Нух.

— Ну да, так кому, как не тебе, с этим разобраться?

— С чем разобраться?

— Они идут к Бухаре, — раздельно сказал Гурган. — Нужно что-то делать.

— Идут к Бухаре? — обеспокоенно переспросил хаджиб, высокий полный человек в шитой золотом чалме. — Кто им позволил?

— Никто, — развел руками Гурган.

— Что-то делать, — царевич задумался. — А что делать? Ну, пусть он даст им денег... или чего там? Зерна пусть пообещает, хлеба. Что не будет их притеснять, — Нух повернул голову и сердито посмотрел на Шахруха. — Ты почему людей мучишь, мерзавец?! В яму захотел?! Отвечай!

Шахрух онемел и, попытавшись было приподнять голову, снова пал лицом в палас.

— Старик пришел, — забормотал он. — Пришел старик, поселился в дупле... стал мутить.

— В каком еще дупле? — поморщился царевич. — Что ты несешь? Разве он — птица?

— Нет, не птица... дерево... дупло, — лепетал Шахрух. — Честное слово, ваша милость!..

Кто-то из сановников, стоявших справа от возвышения, хохотнул и громко произнес звучный бейт: дескать, мы склонны прощать птиц, когда они гадят нам на головы, в силу малого количества их дерьма; но что делать, коли мы начнем летать сами?

Все расхохотались.

Гурган скривился, бросив быстрый взгляд в сторону поэта.

— Уважаемый Джафар, вы это сейчас придумали?

Рудаки молча поклонился.

— Замечательные стихи! Не устаете поражать нас своим талантом. Но все же дело серьезное.

— Да уж куда серьезней, — согласился Рудаки. — В дупле старик или не в дупле, но сытые люди не пойдут толпами бродить по дорогам Мавераннахра. Думаю, добрый Шахрух довел своих крестьян до полного отчаяния...

— Шахрух всего лишь стоит на страже собственного имущества.

— Но ради увеличения собственного имущества не стоит отнимать у людей последнее.

Глаза молодого хаджи заледенели. Он огладил бородку и сказал со вздохом:

— Шахрух — простой добрый человек. Знаете, Джафар, поговорку, что бытует в кругу людей, подобных доброму Шахруху?

— Я знаю множество поговорок. Какую именно вы имеете в виду?

— Что съел, что выпил — то твое. А что глазами увидел — ушло к другому.

Джафар покивал, соглашаясь.

— Верно говорите, господин Гурган, верно... Не буду оспаривать доброту уважаемого Шахруха. Но, согласитесь, судьбу того, что съели и выпили, можно увидеть чуть позже, когда пойдете по нужде... не хотите ли вы сказать, что добрый Шахрух и жизнь своих крестьян перевел на это?

Гурган повернулся к царевичу.

— Что бы кто ни говорил, а Шахрух — человек добропорядочный, я его хорошо знаю, могу поручиться... о людях своих заботится, поборами не угнетает. Сдал оброк — работай на себя. Нет, тут в другом дело. Бунтуют!

— Бунтуют? — озадаченно повторил царевич.

— Бунтуют. Да еще как! Кто их звал в Бухару?! Ну, послали бы одного или двух... с жалобой. А они всем кишлаком идут. И еще неизвестно, как они идут! Может, они с мотыгами своими идут? Если мотыгой по голове, то это, дорогой мой Нух, не хуже алебарды. Они взбунтовались против твоего отца. И против тебя. Этот благородный человек делает все, чтобы им жилось привольно и сытно. Но тупые скоты хотели все большего, а работать не желали вовсе. А теперь и того пуще: вооруженной толпой двинулись в твою столицу!

— Разве вооруженной?

— Ну а разве нет, если с мотыгами?!

Шахрух кивал, не смея поднять глаз.

— Сколько их?

— Человек пятьдесят, ваша милость, — прохрипел Шахрух.

— А по какой дороге?

— К Молитвенным...

— Пятьдесят человек, — повторил Нух, растерянно глядя на Гургана.

— Думаю, надо их проучить, — заявил Гурган. — Показать сволочи, что под рукой эмира Назра все должны соблюдать порядок. Согласись, эмир постоянно об этом говорит: давайте соблюдать порядок!

— Пождите, ваша милость, — Рудаки выступил вперед. — Прошу вас, не спешите! Позвольте мне одному поехать им навстречу. Я уговорю их вернуться. Уверен, что уговорю. А потом спокойно разберемся...

— Нет, нет, нет! — взвинченно воскликнул Гурган, глаза которого сияли желтым огнем. — Это опасно! Поймите, господин Рудаки. Эмир не простит, если с вами что-нибудь случится. Со всех присутствующих головы снимет!

От молодого хаджи текла сейчас энергия и сила; казалось, воздух вокруг струится от жара.

— Да, верно, — завороженно сказал царевич. — Надо что-то предпринять.

— Разрешаешь? — Гурган схватился за рукоять меча. — На все готов! Сам сотню поведу!

— Да, но... а как же?.. мы же хотели...

— Через час вернусь, — Гурган, шагнув к дверям, попутно пнул Шахруха мыском сапога. — Через два!.. Вставай, владетель!

* * *

Набирая ход, блестя оружием, трепля по ветру бунчуки на концах пик, сотня звонко и дробно шла по Пайкандской дороге.

Шахрух и Масуд скакали последними. Шахрух волновался, как бы эта тяжелая лавина злых коней и оседлавших их людей, вооруженных и закованных в бронь, не проскочила поворот.

Но Гурган и здесь не оплошал — сбавив аллюр, кони уже впроскачку перебирались через глубокие рытвины, оставленные весной колесами ароб, и выходили направо, на нужный отвилок дороги.

Вдали показалось облако пыли, и скоро можно было различить человеческие фигуры.

Командир сотни вырвал из ножен меч, дико завизжал, равномерно и быстро крутя им, сверкающим, над головой.

* * *

Заметив клубы пыли, сухощавый старик с непреклонным выражением лица упер посох в землю и поднес ладонь к глазам.

Люди переговаривались.

— Смотри-ка!

По изможденным лицам блуждали недоуменные улыбки.

— Войско, что ли?

— Точно, войско!

— Ух ты!

— Войско, войско!

— Да много!

— Разве это много? Вот когда...

— Много, много!

— Наверное, наш эмир пошел Баласагун воевать.

— Точно, точно!

— Какой эмир?! Эмир, говорят, в Герате...

— Да, да! Ахмед сказал — воевать Баласагун!

— Баласагун воевать? Давно пора с неверными разобраться...

— Конечно... мало своих бед, еще чертов Баласагун...

— Чертов Баласагун, да! Показать им!..

Между тем сотня совершала непростой маневр — строй взял правее, пронесся полукругом, топча посевы, и теперь уж, стремительно приближаясь с левой руки к растянувшейся по дороге процессии, рассыпался в лаву.

Топот копыт прибавился к шороху травы, к посвисту ветра, к дребезжанию кузнечиков. К ошеломленному молчанию пеших.

— Что вы делаете, люди!..

* * *

Командир-тюрк властно махнул рукой, ординарец выкрикнул команду. Похохатывая и переговариваясь, всадники вытирали клинки. Трубач поднес к губам трубу...

На дороге остался растерянный и понурый Шахрух. Масуд, беспрестанно облизываясь и сглатывая слюну, ошеломленно озирал залитую кровью, заваленную телами дорогу. Лошадь потянулась было к окровавленной траве — он испуганно поддернул повод...

Сотня уже почти скрылась за холмом, когда от нее вдруг отделились два всадника и поскакали назад.

Шахрух обеспокоенно всматривался... просиял, разглядев.

— Дорогой хаджи, — закричал он, привставая на стременах. — Спасибо! Я ваш должник! Баранов через пару месяцев пригоню!

Гурган неспешно подъехал, придержал лошадь, огляделся.

— Да-а-а, — протянул он, качая головой. — Напахали ребята...

— Через пару месяцев, — толковал Шахрух, но улыбка отчего-то сползала с его лица, заменяясь серой бледностью.

— Да какие уж теперь бараны, — сказал Гурган, скалясь в усмешке. — Я вот о чем подумал... зачем нашему эмиру владетели без крестьян?

Командир-тюрк взмахнул мечом.

На мгновение клинок превратился в широкую полосу блестящего воздуха.

Голова Шахруха, медленно упав, откатилась в сторону. Тело, заливая кровью седло, сползло набок.

Лошадь фыркнула и переступила.

— А ты кто? — спросил Гурган, поворачиваясь ко второму.

— Я слуга его, — деревянно сказал Масуд. — Просто слуга я.

Зажмурился.

Тюрок, не вытирая лезвия, выжидающе смотрел на Гургана.

Гурган покусывал тонкий ус.

— Кто наследует покойному? Дети есть у него?

Масуд снова открыл глаза.

— Детей нет...

— А кто есть?

— Брат есть... Рядом живет, — Масуд неловко махнул непослушной рукой.

— Поезжай, скажи брату: так, мол, и так. Думай, брат, о своем благополучии. Эмир Назр не любит, когда кто-нибудь притесняет его подданных. А сын его Нух — тем более.

Гурган хлестнул коня. Командир-тюрк, так и не дождавшись второго кивка, ловко вытер меч о круп лошади, бросил в ножны и поскакал следом.

Глава восьмая

САНАВБАР.
АРДАШИР

Шли молча.

Шеравкан пытался представить себе, что стало с кишлаком после всего этого. Остались одни женщины. Дети, старухи... теперь уж, наверное, нет никакого Бистуяка. Женщины взяли детей и ушли, разбрелись по родственникам... кибитки скособочились, крыши просели, а потом и провалились... глиняные стены оплыли, превратившись в безобразные бугры... трава и кустарник стремительно и жадно захватили новые пространства для своей жизни. Был кишлак, люди жили... пусть тяжело жили, через силу, а все-таки, наверное, и радости у них какие-то были, и мечты о лучшем... А теперь нет ничего — только змеи и черепахи ползают в развалинах.

Что ж, черепахи не боятся змей, змеям не страшны черепахи.

Только люди боятся друг друга...

Время от времени он косился на слепого. Джафар шел, то ли погрузившись в раздумья, нахлынувшие на него после собственного рассказа, то ли, наоборот, бездумно шагал, освободив себя этим рассказом от какой-то душевной тяготы.

Кармат трусил следом, вывалив на сторону сиреневый язык.

— А Махди, значит, так и не пришел, — полувопросительно сказал Шеравкан; и, еще не договорив, пожалел об этом. Ведь Джафар только что рассказал: когда он придет, мир наполнится справедливостью и равновесием... блага будут поделены справедливо и честно... ложное отделится от истинного... и никто не останется в нужде или унижении...

А сам, ослепленный, плетется за сорок фарсахов... при этом даже милостыню запрещено просить!.. и тут Шеравкан с дурацкими вопросами: дескать, не пришел ли Махди.

Вот потому и качает головой... думает, наверное: что за осел этот Шеравкан!..

Хотел уж было начать разъяснять, что и так все понимает (предчувствуя, что разъяснения не улучшат, а только еще хуже запутают все дело и Джафар, чего доброго, совсем разочаруется в своем поводыре), но Кармат взлаял, и Шеравкан, обернувшись, увидел вынырнувшую из-за поворота человеческую фигуру.

— Тихо! — сказал Джафар. — Что ты шумишь, неразумная собака?

— Учитель! — издалека закричал нагонявший. — Подождите!

— Кто это? — спросил Джафар, останавливаясь и наклоняя голову, чтобы вслушаться.

— Это вчерашний, — сказал Шеравкан, присматриваясь. — С которым ночью сидели. Ну, который сначала рассказывал, как эмира Назра из Герата вызволял. Дескать, что он — это вы. Поэт-то который...

— А-а-а! — протянул Джафар, и Шеравкану показалось, что в голосе его послышалось приятное удивление. — Что ему надо?.. Тише, Кармат! Свои!

— Подождите, учитель! — повторил запыхавшийся поэт-самозванец. — Не помешаю? Позвольте проводить вас. Собачка не кусается?

— Еще как кусается, — буркнул Джафар. — С чего это вам вздумалось меня провожать?

— Вы уж забыли, наверное: меня Санавбар зовут... Какая хорошая собачка, — лепетал тот, не в силах еще перевести дух и боком, боком обходя Кармата, будто полыхающую охапку дров; последний, впрочем, с первого взгляда уверился в совершенной безвредности пришельца и потерял к нему интерес. — Замечательная собачка... у-тю-тю... Я еще вчера хотел сказать, да при этом толстом купце духу не хватило... он бы смеяться начал. Вы уж простите меня за мои... э-э-э... вольности.... Что позволил себе назваться вашим именем. Видите как... Неловко вышло. Я не хотел, но...

— Но жить-то надо, — понимающе кивнул Джафар.

— Вот! вот! — обрадовался Санавбар его пониманию. — Вот именно, учитель: жить-то надо!

— Это да, — со вздохом согласился Джафар.

— Вот я и говорю, — взволнованно воскликнул любитель поэзии, смятенно глядя на Шеравкана; взгляд у него был по-прежнему тревожным и несчастным; но, должно быть, все-таки уже не боялся, что прогонят немедленно. — Как жить, учитель? Как?

Джафар хмыкнул. Потыркав посохом, нащупал камень. Шеравкан помог сесть. Тут же и Кармат лег у ног старика, положил голову на лапы.

— Присаживайтесь и вы, уважаемый Санавбар, — сказал Рудаки. — Камней много, выбирайте любой. Как жить, спрашиваете... Скажите прежде: плохой совет получить не боитесь?

— Почему плохой?

— Я вам посоветую, вы последуете моему совету, станете жить, как я, — и знаете, чем дело кончится?

— Чем? — недоуменно поинтересовался Санавбар.

— Тем, что когда вы, потеряв свои глаза, имущество, дом и близких, побредете от одного постоялого двора к другому, вас нагонит какой-нибудь простодушный любитель рассказывать чужие истории и спросит, как ему жить...

— Вы сердитесь, — догадался Санавбар и посмотрел на Шеравкана так, будто надеялся на заступничество.

Шеравкан отвернулся.

— Ничуть, — возразил Рудаки. — Вы хотели присвоить мою славу, что с того. Как бы ни мало я ее ценил, она все равно осталась при мне... так за что же мне на вас сердиться? Давно вы этим промышляете?

— Лет пятнадцать.

— Пятнадцать? Сколько же вам самому?

— Недавно тридцать исполнилось. Сначала я выдавал себя за вашего сына...

— Сына?!

— Я-то знаю, что ваш сын умер... а кому еще до этого есть дело?

Несколько мгновений протекли в оцепенелом молчании.

— Мерзавец! — хрипло сказал Рудаки. — За моего сына?!

Он распрямился и вздернул голову.

— Значит, когда на погребальных носилках еще не высохли слезы!.. когда душа моя рвалась вслед за бедным моим Абдаллахом!.. когда в совершенном отчаянии я был готов на самые нелепые поступки!..

Рудаки замолчал, уткнувшись лбом в сложенные на посохе ладони.

Кармат настороженно сел и неприятно облизнулся, не сводя с незваного гостя пронзительных желтых глаз.

Джафар перевел дух, потом сказал с сухой досадой в голосе:

— Все это время по свету, оказывается, расхаживал некий любитель поэзии, называвшийся именем моего сына! С ума можно сойти...

— Видите ли, учитель, я... — начал было Санавбар.

— Молчите! — крикнул Рудаки, снова стукнув посохом. — Вам повезло, что я не узнал об этом раньше. Иначе давно бы вам висеть на крепком суку старого тутовника возле моего дома! Скворцы садились бы на вашу гнилую голову, как на тыкву! Тем более что она, похоже, мало чем от тыквы отличается...

Все же в последней фразе звучало больше насмешки, чем возмущения.

— Простите, учитель, — пробормотал Санавбар и вытер глаза кулаком. — Видит бог, я не хотел обидеть... и это не в знак неуважения, наоборот... Просто когда я назывался вашим сыном, мне было проще объяснить, почему никто лучше меня не знает вашего творчества.

— Но зачем вам знать мое творчество, зачем? — сердито удивился Рудаки. — Какая в этом польза для вас?

— О пользе я не думал, — признался Санавбар. — Это потом уж... когда понял, что этим знанием можно кое-как кормиться. А тогда я просто любил ваши стихи. Сначала я и сам пытался сочинять... Мой отец был уличным лекарем, мы едва сводили концы с концами. Он мечтал накопить денег и отдать меня в медресе, чтобы я смог по-настоящему освоить врачебное искусство, описанное в книгах. Но он умер, когда мне было двенадцать, успев, к счастью, выдать замуж двух старших сестер... еще брат, тоже старший, но он смолоду болен, и мне самому приходится заботиться о нем. Я успел научиться читать на родном языке, а до медресе так и не добрался... В нашем квартале жил один добрый человек, да будет ему земля пухом... Усман, чтец Корана... он научил кое-как разбирать арабский: хотел сделать меня своим учеником и помощником. Но когда мне стало тринадцать, на меня навалилась жажда слагать стихи... я перестал спать, я не мог есть, я исхудал, как от любовной горячки: слова беспрестанно вертелись у меня в голове в сумасшедшей пляске, то сбегаясь гурьбой, то снова кидаясь в разные стороны... Каждое хотело найти себе созвучную пару — и находило; но как только образовывался этот недолгий союз, наваливались толпы новых, еще более подходящих и звучных, безжалостно растаскивали их, цепляющихся друг за друга, в разные стороны... сами хватались за руки и соединялись, чтобы через мгновение остаться разлученными... и так без конца! К сожалению, стихов из всего этого не получалось. Слава Аллаху, я не сделался окончательно безумен: я, по крайней мере, хорошо понимал, что строки, появляющиеся из-под моего пера — точнее, из-под моей палочки: бумаги не было, приходилось писать на кусочках влажной глины, — совсем не похожи на те звучные, гулкие, пьянящие напевы, что время от времени достигали ушей... Однажды я спросил, знает ли кто-нибудь, чьей руке принадлежат эти дивные стихи, и мне сказали: "Рудаки". Я спросил в другой раз и опять услышал: "Как же? Ты не знаешь? Это бейты Рудаки, Царя поэтов!.." И оказалось, что все, к чему обращался мой слух, что привлекало внимание, в сравнении с чем стихи других поэтов напоминали глухой стук деревянной колотушки или противный скрип аробного колеса, — все было создано поэтом по имени Рудаки.

Рудаки крякнул, откашлялся и поправил повязку, в итоге кое-как согнав-таки с лица появившуюся помимо его воли самодовольную ухмылку.

— Думаю, что, если бы не ваши стихи, мой рассудок не смог сдержать напора одолевавших его слов... В конце концов их нескончаемый хоровод, не находивший возможности облечься в законченную касыду или хотя бы рубаи, свел бы меня с ума. Но я стал искать ваши стихи, искать и заучивать наизусть — и повторять, повторять раз за разом, находя в этом успокоение души.

Санавбар перевел дух и покачал головой, как будто сам удивляясь тому, что рассказал.

— И теперь я все ваше знаю наизусть, все — от первой до последней строки... ну, если только в самое последнее время написали что-то новенькое, тогда, конечно, придется подучить. И читаю лучше всех. Даже лучше вас. Иногда мне кажется, что я и написал бы лучше вашего... если бы, конечно, мог. Вот, например... "Мать вина" я читаю так... слушайте. Я делаю упор на первых четырех бейтах — от этого касыда начинает звучать звонче... следующие четыре гораздо мягче... десятый иногда вообще пропускаю — не хочу упоминать грязное имя... вы понимаете?

— Чье имя? — с легким изумлением спросил Рудаки. — Сатаны?

— Да, да, его, проклятого... мне кажется, вам тоже не следовало этого делать...

Услышав порицание, Джафар возмущенно фыркнул, но все же смолчал, более желая, вероятно, не выяснения отношений, а продолжения похвал.

— Я даже "Калилу и Димну" знаю наизусть! Ведь это ваш перевод?*

— Что значит — перевод?! — полыхнул поэт. — Я переложил стихами!

— Неудачно выразился... очень точно переложили...

— Владеете арабским? — буркнул Джафар. — Иначе как оценить точность?

Санавбар замялся.

---

* Получивший широкое распространение на разных языках санскритский сборник дидактических рассказов "Панчатантра" Рудаки переводил с арабского на персидский.

— Да как сказать... Арабский знаю плоховато, конечно... учу, учу... особенно "ширушакар"** помогает. Но ваша речь льется свободно и плавно, как вода в большой реке, — разве это может быть плохо? Разве по-арабски это могло звучать лучше?

Джафар хмыкнул.

— Ну ладно, не стоит преувеличивать моих заслуг, — с достоинством и довольно строго сказал он (несмотря на то, что, как отметил Шеравкан, ему все же не удалось устоять перед лестью). — По-арабски тоже недурно звучит. Ну что же... приятно встретить в пути такого знающего человека. Если бы не мое скорбное состояние...

Он вздохнул, покачав головой.

— Скорбное? — удивился Санавбар. Потеребил бородку, как будто не решаясь высказаться. — Учитель, простите, если я... Я понимаю, как горько вам потерять зрение, но...

Джафар вскинул голову.

Шеравкан заметил, как напряглись у него мышцы лица — точь-в-точь как в прошлый раз, когда он швырнул курицей в хозяина постоялого двора. Шеравкан сделал Санавбару страшные глаза и потряс головой: молчи, мол! Не доводи до греха!

Но Санавбар, не обратив внимания на ужимки поводыря, продолжал:

— Конечно, это страшное злодеяние... геенна огненная ждет тех, кто сотворил черное дело. Но я что

** Ширушакар (дословно — "молоко и сахар") — любимое развлечение поэтов эпохи Восточного ренессанса: в каждом бейте (двустишии) одна строка написана на фарси-дари, вторая — на арабском.

хочу сказать? Вы ослепли — да, это ужасно. Невосполнимая потеря. Однако, учитель, слепота подстерегает каждого из нас. И вовсе не требуется впасть в немилость и заслужить гнев какого-нибудь владыки, чтобы столкнуться с ней. Множество людей слепнет просто от старости. Я говорил, что мой старший брат болен: так вот, он всего лишь упал с лошади, немного ушибся, через день уже забыл об этом происшествии — а еще через год ослеп... А сколько разных болезней, с которыми не могут справиться лекари, подстерегает наши глаза... иногда стоит лишь искупаться в нечистом водоеме — и ты становишься незряч. Еще я слышал о несчастных, которым под веки забираются какие-то мелкие насекомые, — эти тоже слепнут. И есть еще тысяча причин, чтобы потерять зрение. Но ведь никто из слепцов не обладает тем, что есть у вас...

Шеравкан невольно подался вперед — ладонь слепого дрогнула, и ему показалось, что сейчас Джафар в ярости ударит своего неразумного собеседника своей палкой: успел даже вообразить, с каким треском это произойдет.

Однако вопреки его неприятным ожиданиям Рудаки только взялся за посох второй рукой и, опершись, низко опустил голову.

— Не нужно отчаиваться, — мягко говорил Санавбар. — Ваша жизнь не кончилась, учитель. Я понимаю, как вы оскорблены, как унижены случившимся. Понимаю, что ваше сердце сжигает ненависть. *Все, что жжет, можно смягчить или потушить: огонь — водой, яд — целебным зельем, любовь — свиданием, а печаль — терпением. Лишь пламя ненависти не ути-*

шить ничем, и пылает оно вечно...[*] но все же не нужно отчаиваться. Учитель, я знаю, какие незаживающие болезненные раны оставляет ненависть. Тут не нужны слова: даже если бы вы попытались рассказать мне о ваших чувствах, то не смогли бы ничего добавить к моему пониманию. Язык не всегда способен раскрыть то, что таится в душе, зато сердце способно постичь страдание другого сердца. Честное слово, учитель, сердце — свидетель более верный, чем язык.

Он замолчал, с тревогой глядя на слепца и, видимо, ожидая приговора.

— Да, уважаемый Санавбар, — в конце концов проговорил Рудаки, поднимая голову. Шеравкан почувствовал смятение: на щеке поблескивала дорожка слезы, только что скатившейся из-под повязки. — Вы хорошо читали мою "Калилу и Димну". Я могу лишь позавидовать вашей памяти...

Должно быть, и Санавбар увидел поблескивающий след влаги; во всяком случае, он поспешно встал со своего камня и, сделав шаг, опустился на колени у ног слепца. Обхватив своими ладонями его, сжимавшие посох, Санавбар сказал голосом, в котором тоже звучали слезы:

— Дорогой Джафар! Я вас так люблю! В самых сладких мечтах я не мог вообразить, что встречусь с вами на этой дороге. Позвольте мне быть вашим слугой! Вам, незрячему, тяжело будет заботиться о себе.

— У меня есть Шеравкан, — сказал Рудаки. — Мальчик, где ты?

[*] "Все, что жжет, можно смягчить..." — отрывок из "Калилы и Димны".

353

— Да здесь я, — хмуро отозвался Шеравкан.

Ему это все не очень нравилось: навязался этот сумасшедший на их голову, честное слово... пристал, как репей к собачьему хвосту. И не отстает, наоборот: теперь вон чего, слугой хочет быть, вынь ему и положь.

— Ну и что? — не уступал Санавбар. — Две руки лучше одной... и разве Шеравкан хочет остаться с вами в Панджруде?

— Я был бы рад, но ведь Шеравкана ждут в Бухаре, — Рудаки покачал головой. — Ведь так, Шеравкан?

— Не знаю, — ответил Шеравкан. — Вообще-то да, конечно...

— Вот видите! — настаивал Санавбар.

Джафар вздохнул.

— Бог весть что творится на белом свете, — сказал он. — Дорогой Санавбар, дорога длинная... Если вам не нужно спешить в другую сторону, можете идти в ту же, куда шагаем мы. Но зачем нам давать друг другу поспешные обещания? Может быть, через день вам наскучит мое общество, — предугадав возражение, Рудаки властно поднял руку. — Не будем спорить. Так или иначе, нам надо идти, а там видно будет.

Он пошарил ладонью в воздухе и, нащупав загривок Кармата, потрепал густую шерсть.

— Пойдем, зверюга?

Поднялся с камня и снова протянул руку, теперь нашаривая протянутый Шеравканом конец поясного платка.

* * *

Прежде шли молча, и если еще вчера молчание слепого казалось Шеравкану враждебным, а свое собственное — вынужденным (попробуй молвить слово, если чувствуешь исходящие от спутника волны неприязни и раздражения), то сегодня с утра он слышал его совершенно иначе: поэт молчал, поскольку был погружен в свои мысли. Не хотелось мешать ему в этом и, напротив, было интересно воображать, о чем он думает: должно быть, вспоминает жизнь... размышляет о своем несчастье... пытается представить, как жить дальше... вот беда-то, господи.

Теперь же они шагали под беспрестанную болтовню нового попутчика. Оказалось, молчать Санавбар не умеет совсем, и если исчерпывает тему, не имея еще повода углубиться в следующую, то бормочет совсем уж чепуху: "Смотрите, какие тенистые кусты... отличные кусты!.. я люблю тенистые кусты. Бывают кусты ободранные, почти без листьев... не дают тени... я такие не люблю, ну их. А вот густые тенистые кусты просто обожаю. Сейчас-то, впрочем, не очень жарко... но это сейчас. А летом просто спасу нет!.."

* * *

Не исключено, что все-таки жулик. Но по-своему очаровательный. Это его рассуждение о слепоте... "Никто из слепцов не обладает тем, что есть у вас!" С одной стороны — наглое. Но можно иначе: правдивое. Не всегда хочется признавать правду. Но... Ах, краснобай!..

———

355

Ишь чего теперь: "Учитель, слава пришла к вам — как степной пожар!" Как степной пожар... Это из касыды "Отвага"... вот память, позавидуешь. Жулик, наверняка жулик. Честный человек уже исчерпал бы возможности лести. "Ваша слава пришла как пожар в степи!.."

Слава, слава... Прав будет тот, кто скажет: пустой орех.

Первый ее вкус он изведал при Самаркандском дворе... а привел его туда Ардашир Нури.

Сколько лет минуло!..

Как началось — так и шло: Муслим исправно вставал среди ночи, ворча и бранясь, чтобы, как он выражался, "тащиться" к стене Поэтов и "развешивать" там "никому не нужные" капустные листы с виршами своего хозяина.

— Лучше б я из них голубцов наделал, — бормотал он, обуваясь. — Все больше пользы. Вас дедушка учиться послал, а вы вон чего!..

— Давай скорей, — понукал Джафар. — Рассветает!

Но он уже не волновался, как впервые. Напротив: его все полнее захлестывало ледяное спокойствие, при котором вкус торжества был особенно сладким. Пять раз Муслим вывешивал его стихотворения — и пять раз потом вокруг них весь день толклись знатоки, многие переписывали, и трижды уже к полудню его строки звучали из уст простых людей, шумящих на базарной площади под стенами Регистана.

Ему хотелось продлить удовольствие: он с упоительным наслаждением вплетал лакаб в последнюю строку и бродил потом возле Стены, с еще большим упоением ловя долетавшие до слуха восклицания: да кто такой этот Рудаки? кто знает этого Рудаки?..

На шестой раз Муслим, вернувшись, сказал хмуро, что за ним от самой Стены увязались какие-то черти; он прибавил шагу — они тоже, он стал петлять по городу — не отстают...

— И что?

— Не знаю, — буркнул Муслим. — Должно быть, у ворот стоят.

Джафар выглянул — никого. И продолжений не последовало. Должно быть, померещилось. Недоспал малый...

Дня через три Муслим снова поплелся к Стене — и снова вернулся "с хвостом".

— Ну откуда я знаю?! — возмущался он, выслушивая упреки. — Идут себе и идут. Я же не могу им запретить? Может, им тоже в эту сторону надо. Я уже в прошлый раз наблукался. Полгорода обежал, чтобы со следа сбить. Люди спят, а я, как заяц, петли наворачиваю...

— Так к дому и пошел?

— Так и пошел, — твердо кивнул Муслим. — А что? Мы люди честные... нам бояться нечего.

Джафар только сплюнул с досады. Вышел к воротам — опять никого.

Однако вечером, когда он вернулся из медресе, кое-кто все-таки заявился.

Открыл хозяин. Закричал взволнованно:

— Уважаемый Джафар, это вас, наверное!

Ворота уже распахнулись, и во двор входила процессия нескольких невозмутимых прислужников. Первый нес огромное блюдо с горой чего-то, накрытой несколькими слоями лепешек. Судя по запаху, это было мясо. Второй сгибался под круглым, величиной с тележное колесо, подносом, на котором возвышалась груда винограда, яблок, инжира и прочих даров земли. Третий тащил два больших кувшина. Четвертым шагал невысокий господин без ничего, но зато богато одетый, с длинной, узкой, очень черной (явно крашеной) бородой, горбоносый, в белой чалме, украшенной алой петличкой.

— Уважаемый господин Рудаки? — осведомился он, кланяясь. — Прошу вас, примите от меня это скромное подношение. От чистого сердца, господин Рудаки.

"Рудаки"!

Джафар немо смотрел на него, соображая, что делать. Муслима выследили; привел к дому; да еще и два раза к тому же; отпираться глупо.

— Да, это я, — сказал он, невольно морщась. — Спасибо, но...

— Позвольте представиться. Ардашир Нури, ваш покорный слуга и поклонник вашего дивного творчества, — сообщил господин, снова кланяясь. — Как вы себя чувствуете? Все ли хорошо у вас, все ли спокойно?..

— Спасибо, спасибо... Да вы пройдите, господин Нури, — предложил Джафар. — Что мы с вами на пороге...

Ардашир Нури последовал его совету, не переставая при этом кланяться и бормотать приветствия, на которые Джафар, как и было положено, отвечал сходным бормотанием.

Наконец они более или менее спокойно уселись.

— Муслим! — крикнул Джафар. — Ну-ка возьми отсюда что-нибудь... хозяина угости. А то ноги некуда протянуть.

— Хороший у вас слуга, — заметил Ардашир Нури, когда Муслим, унеся подносы, немного расширил пространство, где они могли разместиться.

— Неплохой, — согласился Джафар. — Это вы за ним следили?

— Ну что вы! — Ардашир Нури покачал головой. — Мне не по годам. Послал людей, разумеется.

— А почему два раза?

— Хотел убедиться, господин Рудаки! — с жаром ответил Ардашир. — Хотел убедиться в том, что замечательный поэт, чьи стихи разлетаются по всему городу, как осенние листья, живет именно в этом доме. Глупо было бы совершить ошибку...

— Спасибо, спасибо, — Джафар почувствовал, что краснеет. Сердце колотилось. — Вам правда... нравятся, да?

— Господи, да о чем тут говорить?! — воскликнул Ардашир Нури. — Я же говорю: весь город. Все словно с ума посходили. Каждый, кто хоть сколько-нибудь интересуется поэзией, только и долдонит: Рудаки, Рудаки, Рудаки, Рудаки! Но главное — базар. Вы знаете, что ваши стихи поют на базаре?

— Знаю, — кивнул Джафар, потупившись.

— Вот видите... Честно сказать, вы здорово всем заморочили голову. Стихи есть, лакаб есть, а поэта — нет! — Ардашир Нури помолчал, а потом сказал со вздохом. — Я вам завидую, господин Рудаки. Честное слово.

Джафар молчал. Глупо было бы спрашивать, чему именно завидует Ардашир Нури.

— Я много написал... у меня даже есть деван. Но — увы! — ни одно из моих стихотворений не вызывало такого оживления ни в среде знатоков, ни, что самое печальное, о чем я мечтал всю жизнь, на базаре. Да-а-а... Услышать свои строки из уст какого-нибудь болвана, сидящего на возу с морковкой, — вот истинное признание. Да что говорить. Дар — он или есть, и тогда поэт сразу становится известным в народе... собственно, потому и становится известным в народе, что народ признает в нем своего, потому что эти стихи ему понятны и близки... Или его нет, и тогда в лучшем случае тебя будут хвалить за хорошие рифмы и красивые образы... но этот парень с морковкой в жизни про тебя не узнает, никогда не споет твою песню.

Он с горечью махнул рукой, и по этому жесту Джафар вдруг отчетливо понял, что перед ним человек чистый, даже наивный в своей сердечной простоте.

Они с удовольствием закусили — мясо еще не успело остыть, — и часа через два Джафару уже казалось, что он давно знает этого человека — чуть ли не с детства.

Давно стемнело, когда гость приступил наконец к делу.

Оно сводилось к следующему. Поэт Ардашир Нури предлагал поэту Джафару Рудаки сделку. Джафар Рудаки должен взять на себя обязательство написать десять больших стихотворений — касыд, три из которых должны являться одами, восхваляющими наместника Самарканда Фарнуша, брата эмира Бухары Ахмеда.

Разумеется, ни в одном стихотворении нет места лакабу "Рудаки". Да и вообще господин Рудаки обещает, что, написав... как бы выразиться удачнее?.. да просто забудет о них, забудет и никогда не вспомнит, иначе случится большая, очень большая беда: обоим не сносить головы.

Если эти условия подходят господину Рудаки, то за каждое стихотворение Ардашир Нури обязуется выплатить ему десять золотых динаров.

Джафар вскинул брови. Ничего себе!..

Ардашир Нури иначе понял его гримасу.

— Это еще не все, — заторопился он. — Дорогой Джафар, я хорошо понимаю, что нельзя обманывать людей долго, а уж тем более — вечно. Поэтому как только десять стихотворений будут готовы и я обнародую их под своим именем, я обязуюсь представить вас эмиру Фарнушу как молодого, но выдающегося поэта, дарование которого вне всякого сомнения должно послужить украшению двора. Вы хотите этого?

— Конечно, — ответил Джафар, пожав плечами.

Ардашир невесело улыбнулся.

— Честно говоря, я чувствую себя тем змеем, что предлагал яблоко Еве.

— Почему?

— Ах, мой молодой друг, бойтесь совершить три поступка, на которые отваживаются лишь безрассудные и после которых остаются невредимыми лишь немногие: не пытайтесь завести дружбу с владыками, не вверяйте свои тайны женщинам, не пейте яд, чтобы испытать его силу...

Джафар усмехнулся.

— Мудрецы и ученые люди сравнивали царский двор с горной вершиной, куда трудно добраться, — продолжал Ардашир. — Там шумят деревья, усыпанные дивными плодами. У их корней рассыпаны драгоценные каменья. Растут травы, отвары которых дарят здоровье и долголетие. Там все прекрасно, и нет числа сокровищам. Но за каждым деревом прячется могучий лев, свирепая пантера или кровожадный волк, а в пещерах и расселинах свили гнезда ядовитые змеи. Подняться на вершину трудно, но еще труднее хотя бы ненадолго остаться там в живых.

— Но у поэта нет иного пути. Если ему нет места при дворе — тогда пусть выльет чернила и сломает калам... И потом: разве поэт — стоящая добыча для тамошних пантер и тигров?

Ардашир махнул рукой:

— Конечно, нет, но мимоходом сожрут — и даже не заметят... Однако вы правы: в противном случае нужно забыть об этой стезе. То есть — вы соглашаетесь?

Ну да, он согласился... и написал десять касыд, принесших ему сотню полновесных динаров.

Конечно, в сравнении с тем, что получал он уже через год, эта сотня представляла собой совершенно ничтожную сумму.

Зато Ардашир Нури выполнил свое обещание.

Надо сказать, когда стихотворений стало восемь, а исполнитель собирался с силами, чтобы навалять два последних, заказчик явился к нему с предложением получить не сто динаров, как договаривались при начале предприятия, а пять тысяч.

— Совесть мучит, — признался Ардашир. Теребя бороду, он выглядел довольно сконфуженным и несчастным. — Поймите, вы — юноша, я — опытный человек. Я предполагал, что с вашей помощью смогу поправить свой достаток. Но на меня просыпались такие богатства, что мне просто стыдно. Обманщиком себя чувствую. Возьмите, а?

Джафар отказался, смеясь.

— Перестаньте, Ардашир! Договор дороже денег. Я человек небогатый, для меня и сотня — большие деньги. Нет, не уговаривайте, не возьму. Но скажите точно, когда поведете во дворец?

Ардашир вывел его в свет, сделал известным при дворе, сам же через некоторое время ушел в тень, добровольно уступив место первого поэта Самарканда...

Легкий человек был Ардашир. Единственный в своем роде.

Память его казалась безграничной — он помнил наизусть все, что когда-либо попадалось на глаза. Джафар этим похвастаться не мог — частенько забывал даже свои собственные вирши: наваливалось слишком много новых. Ардашир стал для него библиотекой — почти каждый день они приходили к нему с Юсуфом Муради, и учитель, как они называли Ардашира, час за часом читал стихи персидских и арабских поэтов, комментируя, указывая на особенности ритмики, сравнивая, толкуя темные места...

Через несколько лет Ардашир нижайше обратился к эмиру, прося позволения заняться созданием истории

Мавераннахра с древнейших времен. Главное внимание он предполагал уделить славным деяниям Саманидов. По его мнению, на поприще исторических описаний он мог бы принести больше пользы эмиру, чем тщась сравниться талантом с такими блистательными поэтами, как Рудаки и Муради. Получив разрешение, стал готовиться к путешествию в Багдад: хотел встретиться там с человеком, слух о котором гулял по всему Аджаму, а имя воплощало собой само представление о новейшей истории, — с ученым и богословом по имени Абу Мухаммед бен-Джерир ат-Табари.

Друзья уже отчаялись его когда-нибудь дождаться. Весна сменялась осенью, зима — летом, наступала новая весна, а от Ардашира не было ни слуху ни духу. Муради вздыхал: "Погиб!.. погиб!.. Как жаль, он не дождался пришествия Махди!.."

Оба они давно окончили училище, получив ярлыки значительно раньше других. На мутаввали произвело сильное впечатление то, что у его подопечных внезапно появились серьезные связи при дворе. Готовясь подписать и вручить ярлык Джафару, он хмуро, даже как-то через силу сказал, что исполнен глубокого уважения к муфтию такому-то, такому-то и такому-то; глубоко понимает важность их рекомендаций и высоко ценит их участие в деятельности медресе. Замолчал, нервно барабаня пальцами по еще не надписанному ярлыку; должно быть, ему было неприятно под давлением этих муфтиев выходить из рамок установленных в медресе правил; правила есть правила, и о каком порядке в стране можно говорить, если даже в таком тихом, удаленном от страстей мирских, близком к Аллаху заведении все продается и покупается?! Может быть, он думал про себя: "Чертов выскочка! Другие учатся!.. зубрят!.. сдают экзамены!.. стараются быть лучше! А этот прибился ко двору — и вот на тебе: за него замолвили словечко... Отказать? Но как отказать? Рекомендатели состоят в совете попечителей училища... между тем должность мутаввали — не пожизненное звание... однажды на этот пост могут назначить другого..."

Подняв на Джафара хмурый взгляд, стукнул пером в чернильницу, размашисто занес, посадив кляксу на собственный рукав; Джафар отчетливо видел, что рука мутаввали упирается изо всех сил, не хочет писать; он вежливо ждал — что ему оставалось делать?

— Да! — воскликнул вдруг мутаввали, просветлев от того, что нашлась соломинка, за которую могла схватиться его пропащая совесть. — Как же я забыл! Ведь вы у нас все-таки лучший ученик!

И перо скользнуло-таки по листу бумаги.

Придворные обязательства отнимали немного времени. Поэты сходились у эмира по четвергам, чтобы прочесть написанные за неделю хвалы и получить, в случае удачи, поощрительный приз — сотню-другую дирхемов, сотню-другую динаров, случались и большие суммы... Джафар признавал среди них только несколько человек, включая Муради. Все прочие были бездарями. Их топорные, корявые вирши даже на самый доброжелательный взгляд не были достойны ни пергамента, ни даже бумаги — лишь капустного листа да порыва ветра, срывающего этот лист со стены, чтобы решительно подвести черту их тусклой жизни.

С чего эти люди возомнили себя поэтами и как оказались в самой гуще жизни, предполагавшей оплату их нелепого творчества, можно было при случае спросить у каждого из них. Правда, про себя этот каждый, конечно, помалкивал или цедил слова давних рекомендаций, данных ему прежде известными, а ныне покойными мастерами. Зато о других резал правду, нимало не обинуясь.

— Шалихи? Он был жестянщиком... он и писать-то толком не умеет, выучил сына грамоте, чтобы тот записывал... Хавари? — этот вообще тупой. Нет, правда, я тупее него людей не встречал. Я ему как-то говорю: дорогой, как же ты написал "голося подобно разъяренному медведю", когда всем известно, что медведь не голосит, а рычит или, в крайнем случае, ревет? А он мне и отвечает, да так высокомерно, презрительно: разве ты не видишь, что мне нужно было в этой строке слово из трех слогов, а в словах "рыча" и "ревя" их всего по два?! Ну разве не тупой?

Каждый из них за спиной каждого упивался беспощадным разбором и нелицеприятной критикой чужих писаний. Критика была справедливой, и оставалось лишь пожалеть, что в собственных произведениях они таких же (а то и худших) огрехов и нелепиц не замечают. Это было свойственно всем без исключения. Однажды Джафар подумал, что и сам он мог быть бездарем, но и тогда собственные стихи нравились бы ему так же, как нравятся сейчас; и тогда бы он, написав свежее стихотворение, целый день затем повторял бы его, отыскивая все новые и новые изюминки, удачные обороты, красивые рифмы, —

как делает это сейчас, когда его стихи вызывают всеобщее восхищение... Поэт слепнет, когда смотрит на созданные им строки. Да, стихи нашептывают дэвы, которые подслушали, а затем переврали разговоры ангелов; и неважно, складно ли дэвы шепчут, нелепицы ли бормочут, — человеку, обратившему к ним ухо, их бормотания в любом случае кажутся прекрасными.

Но — слава Аллаху! — все в мире устроено разумно, и деятельность поэтов при дворе тоже устраивалась самым чудесным образом: никто из царедворцев не понимал в стихах и на воробьиный хвост, а потому ценилась лишь гиперболичность восхвалений: тот, кто добивался на этом поприще лучших результатов (пусть и нелепых с точки зрения стихотворчества), получал награду.

— Видишь, как странно, — часто толковал Джафар Юсуфу. — Никому из них стихи не нужны. Никто из них не знает того высокого полета духа, который заставляет нас перебирать слова в тщетном усилии выразить самое себя. Эмир Фарнуш думает только о том, как бы ему залезть на бухарский престол. Еще он беспрестанно размышляет, кто из его приближенных может втайне претендовать на его собственный трон — самаркандский. Приближенные и слуги тоже бесконечно двигают в своих изощренных умах шахматные фигуры, олицетворяющие их пособников и соперников. Что, если пожертвовать этой пешкой? Нельзя ли будет затем сожрать коня? И как увернуться вон от того слона, что вчера нашептал эмиру обо мне какие-то гадости?..

— Шахматы? — задумчиво переспросил Муради. — Скорее мешок с кобрами...

— Неважно, не в этом дело. Важно то, что несмотря на их сосредоточенность на предметах самых
практических, низменных, наше возвышенное слово
все-таки находит отклик в их душах.

— С чего ты взял?

— С того, что иначе нас бы поперли взашей. Но
нас не прут, напротив: мы пользуемся невиданной
благосклонностью эмира и его приближенных. Почему? Потому что их души все-таки живы, как ни
трудно это вообразить. Лукавый ум говорит им: вот
лучший поэт — который сравнил эмира Фарнуша с
тысячей верблюдов. (Заметь, что, если бы автор сравнил эмира с одним верблюдом, тот бы, полагаю, раз-
гневался.) Пусть рифма в его стихах плоха, пусть
метр хромает и спотыкается, пусть того, кто вздумает
прочесть их вслух, подстерегает опасность сломать
язык. Пусть так, и все же тот, кто нашел такое сравнение, заслуживает похвалы и награды. Тысяча верблюдов! Сравнение — великолепно!..

— Гм!..

— Так говорит их ум, — отмахнувшись, воодушев-
ленно продолжал Джафар. — Но что говорит их
душа? Их душа в это время молчит. Или стонет. Или
даже рыдает, но в силу своей тупости и глухоты они
не слышат ее отчаянных воплей... Зато когда поэт,
сравнивший эмира с верблюдами, наконец-то замол-
кает и вперед выступает кто-нибудь из нас, душа их
неожиданно оживает. Конечно, они не разбирают
толком ее пения, как только что были глухи к ее стону.

Но все же чувствуют что-то приятное... что-то радостное. Ведь слова льются, как вода в ручье, журча и переливаясь, нежно лепечут — будто листва чинары в весенний день, когда каждое дуновение ветра рождает ее сладкий голос, и ты вспоминаешь все самое хорошее, все самое славное в твоей нелепой жизни, и веришь, что она еще может исправиться. И вот они слушают нас, их ум удивляется: как же так?! ведь эти поэты не сравнивают эмира с верблюдами! чем же тогда они хороши?! А душа нашептывает: забудь, забудь о верблюдах! дело не в верблюдах! знай: вот они, вот лучшие поэты твоего двора. Так дай же невиданную награду им, поющим так сладко, так нежно, так весело — точь-в-точь как чинара под весенним ветром!..

Ануш

Денег в ту пору хватало, дворцовые обязанности отнимали не много времени (кое-какими из них он, в силу благосклонности эмира, даже позволял себе поступиться), и, коли глянуть со стороны, Джафар вел праздную жизнь всем известного в Самарканде гуляки. Главными ее приметами являлись кабаки, по которым он шатался в компании трех-четырех таких же весельчаков (не все они были поэтами); ласковые, говорливые торговцы женщинами, вечно норовившие подсунуть лежалый товар; а также время от времени поставляемые ими юные тюрчанки с грудями маленькими и твердыми, как гранатовые плоды. Все это было таким же, как у всех самаркандских кутил и бездельников, и Джафар был бы в целом неотличим от них, если бы не лист бумаги, всегда заткнутый за пояс, и кусочек мягкого угля, непременно лежавший в кошельке. В самую неожиданную, а то и неподходящую минуту он мог схватиться за то и другое, чтобы набросать несколько строк: давно уж знал, что на память полагаться нельзя, как нельзя упускать минуту удачи: хмель пройдет, изнеможенная раскосая опустит голову на твою грудь и задремлет, и сам уснешь, а когда проснешься, то, что мелькнуло, поразив свежестью и музыкой, уже никогда не вспомнится точно, будет маячить перед глазами неразгаданным призраком, мучить досадой и сожалением, что не записал сразу, как открылось...

Время шло. Он купил хороший дом в дорогом районе города, Муслим с важностью возглавил небольшой отряд слуг, четырежды приезжали гонцы из Панджруда с богатыми, по деревенским понятиям, подарками и робким вопросом от старого дихкана Хакима: не собирается ли внук этой весной заглянуть к ним? Говорят, он стал большим человеком... эмир приблизил его... стихи с лакабом "Рудаки" разлетаются как птицы по всему Мавераннахру... все в Панджруде гордятся им, все знают, что внук старого Хакима стал таким знаменитым поэтом!.. все понимают, как он занят, какие важные дела держит в руках... так не приедет ли Джафар этой весной хотя бы на пару деньков?

Гонцы возвращались в Панджруд, везя обещание вот-вот нагрянуть и подарки, богатые даже на вкус дворцового ценителя.

Пятый гонец принес черную весть: Хаким, да встанут его стопы прочно на землю рая, покинул этот мир.

Джафар напился сам, напоил Муслима, они сидели во дворе под виноградными лозами, слуги, испуганные неожиданным для них актом слияния душ хозяина и управителя, носили блюда и вино, Джафар говорил, что предал старика, что ему стыдно и горько — за все эти годы ни разу не смог выбраться, чтобы обнять, признаться в любви... Плакал, сам не зная, что оплакивает — старого ли Хакима, детство ли свое, юность?..

Муслим тоже утирал слезу, успокаивал хозяина, говорил, что чистая душа покойного дихкана вдыхает ныне ароматы рая — и не лучше ли это, чем мучения старости, немощи и печали?..

С Муради они в ту пору временами страшно бранились. Бывало, неделями не разговаривали, не встречались, но потом кто-нибудь из них все же раскалывал лед отчуждения. Обычно эту роль играл Джафар, потому что Юсуф, неподкупный провозвестник светлого будущего, был кремень, скала, алмаз, ему не нужно нежностей, ему нужна правда! — а Джафар именно что питал к нему дружескую нежность, тосковал в разлуке и не мог длить ее более нескольких дней...

Снова они становились неразлучны, снова к ним прибивалось небольшое сообщество поэтов, считавших их своими учителями и покровителями, но наступал день, и разъяренный Юсуф врывался в дом, когда Джафар едва продирал глаза, — и слава Аллаху, если той ночью он спал в одиночестве.

Ссора протекала всегда примерно одинаково.

— Опять?! — восклицал Юсуф, потрясая кулаками. — Опять?!

— Что — "опять"? По-моему, это ты "опять"!

Но Муради впивался в него, как та ришта: вот скажи ему, признайся, откройся, покайся, и все тут:

зачем занимаешься этой гадостью, зачем покупаешь женщин?

— Я?! — удивлялся Джафар, садясь на постели. — Ты что?

— Слушай, не надо ослиную шкуру на лицо натягивать!

Юсуф расхаживал по комнате, меча в него громы и молнии.

— Ты клялся, что будешь ждать Махди! Ведь клялся?

Джафар пожимал плечами.

— Ну да, клялся... при чем тут женщины?

Зачем рассказывать Юсуфу все обстоятельства кое-каких похождений, если заранее известно, что ему не понравится? А раз знает, значит, опять донес кто-то... кому-то не нравится их дружба.

Он пытался внедрить эту догадку в разгоряченное сознание друга:

— Пойми, Юсуф, нас просто хотят поссорить. Пока мы с тобой вместе, пока поддерживаем друг друга, с нами никому из бездарей не сладить, мы всегда будем лучшими в глазах эмира. А значит и в глазах всех его прислужников.

— Поссорить? — морщился Юсуф. — Да ладно тебе, я совершенно случайно узнал...

— Как же, случайно! — Джафар переходил в наступление. — Ничего случайного не бывает.

— Вот именно! — снова ярился Муради. — Ничего случайного не бывает. Ведь ты не случайно таскаешься в квартал Менял?

В квартале Менял возле одноименного базара располагались заведения, содержатели которых способствовали скорому утолению внезапно возникшей в ком-либо страсти.

— А что? Нельзя розового масла купить?!

— Перестань! Я уж не говорю про... — Юсуф перешел на арабский, — про то, что разрешает вера. Ты забыл? Для женитьбы — для женитьбы! — вам дозволены целомудренные женщины из уверовавших, если уплатите выкуп за них. Если вы сами целомудренны и не распутничаете. Если хотите взять их в жены, а не в наложницы! Вспомнил? А про квартал Менял там ничего не сказано.

— Я не собираюсь жениться, — вставлял Джафар.

— Тогда соблюдай целомудрие!

Позевывая, Джафар большим пальцем чесал всклокоченную со сна голову.

— Да, но...

— Ты клялся ждать прихода Махди. Но что значит — ждать прихода Махди? Погрузиться в разврат и грех, сонно сидеть сложа руки, ничем не ускоряя наступление светлого дня? Я тебе еще раз говорю: поверь, Махди не придет, пока мы все не будем готовы к его появлению. Он не захочет шагать по тому дерьму, которым сейчас является мир.

— Сам говоришь, а сам сквернословишь...

— Нельзя покупать людей! Ты платишь деньги за наложниц — а ведь они такие же, как ты.

— Ну, не во всем такие же...

— Хватит шуток! Или ты обратишься к вере и целомудрию, или между нами все кончено.

— Э! э! погоди! — Джафар вскакивал и брал Юсуфа за рукав. — Что ты разошелся?! Давай хоть позавтракаем напоследок. Муслим!

— Ты мне сахара на уши не клади! — Юсуф вырывал руку. — Не надо строить из себя дурачка.

— Свежий творог, сметана хорошая... Муслим, чтоб ты провалился!

Дверь приоткрывалась.

— Муслим! — торжественно возглашал Джафар. — Вот Юсуф Муради. Он голоден и страшно зол. Если немедленно не дать ему творога со сметаной и свежей лепешкой, он откусит мне голову. Ты лишишься хозяина, а следовательно — всех благ, которыми я тебя обеспечиваю. Так что шевелись.

— Все готово, — обычно ворчливо сообщал Муслим. — Сюда нести или на айван пойдете?..

Как-то раз Юсуф сердито отмахнулся от предложения позавтракать вместе и ушел, сославшись на явно придуманные им срочные дела.

Джафар вышел на айван один. Сидел, щурясь на утреннее солнце. Зевал, раздумывая, не взглянуть ли на те три или четыре бейта, что нацарапал вчера. С глухим раздражением понимал, что не выспался, что его томит похмелье, что на бейты эти, будь они неладны, смотреть он не хочет, а хочет, напротив, вернуться в спальню, завернуться в чистое, пахнущее речной водой покрывало и крепко уснуть, чтобы через пару часов проснуться веселым и бодрым.

К сожалению, не успел он подняться на ноги, чтобы осуществить задуманное, как в ворота постучали.

— Кого это нелегкая несет? — бурчал Муслим, шагая по дорожке мимо розовых кустов. — Принимаете?

— Разносчик, наверное? — предположил Джафар. — Взгляни...

— Разносчику голову оторву, — грозно пообещал Муслим. — Будет угли в аду разносить этот чертов разносчик...

Но нет, оказался не разносчик.

Господин, явившийся в этот ранний час с небольшой свитой, оставленной им за воротами, назвался дихканом Кубаем. Был он благообразен, рост имел небольшой, фигуру складную, бороду стриг, карие глаза смотрели из-под густых бровей. Некоторая полнота говорила о том, что он ведет спокойный и размеренный образ жизни. Были и признаки того, что таковой она являлась не всегда: на правой руке отсутствовали два пальца — мизинец и безымянный, на шее тоже виднелся след ратных подвигов — шрам, уходивший под ворот богато расшитого чапана.

Когда они обменялись формальными любезностями и сели на топчан в тени раскидистой яблони, дихкан Кубай сказал:

— Видите ли, господин Рудаки, вы такой известный, такой славный поэт. У меня почти нет надежды, что вы согласитесь... э-э-э... согласитесь на мою просьбу.

— Не теряйте надежды на милосердие Аллаха, ибо отчаиваются в милости Аллаха только люди неверующие, — возгласил Джафар слова Пророка.

Дихкан Кубай с недоумением посмотрел на него, из чего Джафар заключил, что арабского тот не знает.

— Стучите, и вам откроют, — сказал он. — Так в чем же состоит ваша просьба, уважаемый Кубай?

Кубай основательно прокашлялся.

— У меня есть сын. Он, видите ли, любит стихи... читает, собирает библиотеку. Я заказываю ему у переписчиков все новые деваны, какие могу достать...

— Сколько лет?

Дихкан отчего-то замялся.

— Тринадцать ему. Тринадцать... с небольшим. Он наслышан о ваших стихотворениях, а то, что смог достать через меня или моих людей, знает наизусть. И хочет сам попробовать силы в поэзии...

— Неблагодарное это занятие, — вздохнул Джафар.

— Вот и я о том же толкую, — с похожим вздохом ответил Кубай. — Зачем ему быть поэтом? Поэтами становятся люди бедные, — он замолк, с некоторой неловкостью глядя на Джафара.

— Обычно так, — с оловянной улыбкой кивнул тот. — Впрочем, не всегда. Однако продолжайте.

— Я хочу сказать: у него же все и так есть. Ему не нужно искать славы, чтобы потом получать за нее деньги. Но что делать? Характер такой: уж если что втемяшилось!.. честное слово, упрямей барана.

— Наверное, в вас? — усмехнулся Джафар, получив возможность вернуть любезность.

— В меня? — изумился дихкан Кубай. — С чего бы?! То есть... ну да, конечно. Я и толкую: весь в меня.

— Так он пишет уже или еще только собирается?

— Вот, — Кубай достал из-за пазухи сложенные листки.

Джафар молча просмотрел странички. Кубай, в ожидании приговора следивший за ним с плохо скрытым волнением, заметил, что мастер несколько раз удовлетворенно кивнул и дважды пробормотал для себя прочитанные строки, как будто намереваясь их запомнить.

— Ну что же, — протянул Джафар, снова проглядывая стихи. — А вы знаете, уважаемый Кубай, это очень даже неплохо! Вот это, например... — Он с удовольствием повторил приглянувшуюся строку. — Неплохо, неплохо! Я не встречал такого сравнения. И вот это тоже... Свежие рифмы... да и в целом довольно напевно. Знаете, музыка сама проникает в слова, когда они стоят в нужном порядке, — он вскинул взгляд, уперся им в непонимающие глаза дихкана Кубая, осекся и сказал затем, возвращая рукопись: — Короче говоря, у вашего сына есть искорка, несомненно.

— Вы считаете? — спросил дихкан, разминая пальцы, и Джафару показалось, что в его голосе звучит разочарование. — Я бы мог его обмануть, — сказал он, как будто размышляя вслух. — Сказать, что был у вас... и вы оценили его писульки как совсем негодные... Да мог бы и вовсе вас не беспокоить, а соврать, что ездил. Но вы говорите — хорошие стихи? И ведь обманывать нельзя?

Джафар развел руками.

— Ну, насколько я могу судить... Впрочем, бывает, что в самом начале поэт кажется интересным... но скоро свежесть вянет, он выговаривается, начинает повторяться...

— А вы мне сообщите, если это случится? — с надеждой спросил Кубай.

— Конечно... С бездарем я возиться не буду.

— Ну вот! А я так ему и скажу. Дескать, учитель сказал, что ты бездарь! И дело с концом, — бодро заявил Кубай. — Хватит голову морочить, коли Бог таланта не дал. Верно?

— Как вам будет угодно, — Джафар пожал плечами. — Тут я вам не указчик...

Они договорились о цене. Каждую неделю дихкан привозил Джафару новые вирши. Джафар читал, высказывал мнение (обычно одобрительное), подчас даже кое-что правил, показывая молодому коллеге, как можно было бы выразиться ловчее и экономнее.

Месяца через два Кубай заявился как-то в очень сумрачном состоянии духа.

— Хочет с вами увидеться, — горестно сообщил он. — Говорит, многого на бумаге не передашь... надо, говорит, обязательно лично. Пристал — ну просто нет сил. Уж я и так и этак — не помогает. В слезы — и что хочешь, то и делай!

— В слезы? — удивился Джафар. — Парень-то вроде уже не маленький...

— Ну, не в слезы, нет, — спешно поправился дихкан. — Не в слезы, а просто нудит одно и то же, как мельничный жернов: дай увидеться с Рудаки, и все тут.

— Да пожалуйста, — Джафар развел руками. — Мне тоже будет приятно...

Кубай молчал, покусывая ус.

— Понимаете, господин Рудаки... Как бы вам сказать... Он у меня не совсем обычный, — дихкан утер пот рукавом чапана. — Он, видите ли, болен... — Что-то захрипело у дихкана в горле, едва прокашлялся, побагровев. — У него, видите ли, болезнь... водянка... водянка головы. Так-то ничего, соображает. — Он покрутил пальцем у виска. — А смотреть неприятно. Ну а чего вы хотите: вот такая голова-то!

И Кубай, разведя руки, показал что-то размером с большой арбуз.

Ошарашенный Джафар молчал.

— Да вы не бойтесь. Я его занавеской закрою, — обнадежил Кубай. — За такую, знаете ли, занавеску — и дело с концом. Говорить можно. Правильно? А смотреть вам ни к чему.

И так сморщился, что стало понятно: не завидует он тому, кто осмелится бросить взгляд за ту занавеску...

— Совершенно ни к чему! — поспешно поддержал Джафар. Ему было трудно отогнать возникший в воображении образ сморщенного человечка с огромной водянистой головой. — Зачем мне?

— Вот именно! А говорить — да сколько угодно говорите. Занавеска тонкая, все слышно. Я за вами паланкин пришлю.

— Не надо, мне проще верхом, — сказал Джафар. — Лучше слугу пришлите, чтоб дорогу показал...

Кубай встретил его как нельзя более радушно. Дастархан был уставлен блюдами, слуги суетились. Джафар воздал должное и печеной форели, и курятине с индийской пшеницей, и ягненку под золотистым луком и баклажанами. При этом более или менее заинтересованно поддерживал разговор о ценах на просо, земельные участки и туркменских лошадей.

Затем Кубай проводил его в комнату сына.

Комната и впрямь была перегорожена занавеской. Перед ней у стены на разостланном ковре лежала стопка подушек.

— Присаживайтесь, — предложил Кубай. И сказал, обращаясь к занавеске: — Ануш, господин Рудаки пришел.

Послышалось легкое шуршание, занавеску тронуло движение воздуха, раздался детский голос:

— Господин Рудаки! Я так... рад, что вы согласились приехать!

— Мне тоже очень приятно, — ответил Джафар. — Здоровья вам... Вам нравится, как я редактирую ваши стихи, Ануш?

— О, конечно! Вы мне очень помогаете. Это просто чудо! Вы, такой известный мастер, снисходите до моих беспомощных стараний.

Из-за занавески донеслось смущенное хихиканье.

— Ну почему же... не совсем беспомощные. Я подчеркивал те строки, что кажутся мне удачными.

— Я стараюсь...

— О чем же мы будем говорить? — спросил Джафар.

— О чем?.. Ну, давайте просто поговорим, — предложил Ануш. — О стихах, о поэзии. Хотите?

— Я рад говорить о поэзии, — сказал Джафар, усмехаясь. — Поэзия — это не только мой хлеб...

Он хотел сказать, что поэзия — это и его жизнь, но, бросив взгляд на Кубая, промолчал. Дихкан то и дело утирал пот со лба и вздыхал.

— Ну тогда расскажите мне, — робко попросил мальчик.

— Ну что ж, — сказал Джафар, тщетно пытаясь соотнести этот мелодичный голос с тем образом большеголового карлика, что витал в воображении. — Начнем с самого начала.

— Давайте! — пискнул Ануш.

— Когда говоришь о поэзии, не обойтись без множества арабских слов, — начал Джафар. — Так вышло, что в нашем родном языке не существовало терминов для обозначения тех или иных явлений, связанных с поэзией, поэтому мы заимствовали их из арабского. На мой взгляд, это неправильно. Следует разрабатывать собственный словарь, тем более что персидская поэзия гораздо древнее и богаче арабской...

— А почему так? — спросил Ануш.

— Нас завоевали, — Джафар пожал плечами. — Мы приняли веру завоевателей... а раз приняли веру, приняли и все остальное. Многие стремятся угодить им, чтобы получить через это блага для себя... многие превозносят арабский язык, чтобы подольститься к чиновникам халифата. Арабский язык богат и выразителен, не спорю, но у нас есть и свой, ничем ему не уступающий, а кое в чем и превосходящий.

— Неужели "поэзия" — это тоже арабское слово?

— Да, "ши'ир" — это тоже арабское слово... просто мы уже давно привыкли и используем его совсем как свое, — Джафар помолчал, собираясь с мыслями. — Так вот. Поэзия, как определяли ее наши предшественники, есть речь упорядоченная, осмысленная, мерная, повторяющаяся, одинаковая и подобная в окончаниях. Некоторые, впрочем, говорят, что это речь, созданная воображением, мерная, рифмованная, произнесенная с определенной целью...

При последнем его слове дихкан Кубай громко всхрапнул, но тут же встрепенулся и пробормотал, виновато моргая:

— Извините!

* * *

Первого занятия ему хватило сполна.

Однако через неделю дихкан все же уломал его снова. Сын, дескать, потерял покой и сон. Мечтает лишь о том, чтобы продолжить беседу с господином Рудаки. А сам он готов увеличить сумму гонорара.

Джафар поддался только из-за собственного любопытства.

— Происхождение слово "ши'ир" нам точно неизвестно...

В естественных паузах прислушивался, пытаясь уловить звук дыхания. Ведь там живое существо... и такая тонкая занавеска. Это хорошо, что она есть, занавеска-то... еще не хватает глаза в глаза с каким-то чудовищем.

И все же томит желание увидеть уродца — хоть и боязливое, но довольно острое.

Вообразить только — водянка головы!

— Одни передают, что сразу после бурного Ноева потопа первым заговорил по-арабски некий Йаруб бен Кахтан. При расстановке слов в предложении и подборе словосочетания он был якобы столь жаден до говорения в рифму и декламации в лад, что произнесенные им речи никогда не оставались без этих украшений. Когда он проговаривал рифмованные и мерные словосочетания, ему казалось, что в этом проявляется проницательность его ума. Однажды он продекламировал два бейта в каком-то собрании, и присутствующие удивленно спросили: "Что за манера речи? Что за способ выражения? Мы никогда такого не слышали". Йаруб ответил им: "Раньше я тоже не понимал смысла своих речей, а сегодня постиг". И якобы именно потому, что он сподобился понимания — шу'ур — мерной речи без обучения этому, ее и назвали поэзией — ши'ир, а произносящего ее — поэтом: ша'ир!

Джафар покосился на сидящего рядом Кубая. Голова того неуклонно клонилась на грудь. Слушатель из него был еще тот. Из-за занавески не доносилось никакого шевеления. И было вообще непонятно, перед кем он тут, собственно, распинается.

— Другие летописцы настаивают на иной версии, — сказал он, возвышая голос (Кубай вздрогнул). — Был якобы некий человек, предводитель йеменских племен, звавшийся Аш'ар бен Сааба. Он говорил по-арабски в высшей степени изящно, красноречиво, и большая часть его речей получалась мерной. От его имени — Аш'ар — возникло слово "ши'ир", а если кто-то другой начинал говорить похоже, его звали "ша'ир"! Аллах лучше ведает! — раздраженно закончил Джафар под первые всхрапывания дихкана и резко поднялся со своего места.

Дихкан испуганно раскрыл глаза и облизнулся.

— Уважаемый Кубай! Может быть, мои слова ничего не стоят, но все равно я не могу произносить их под ваш храп. Одно из двух: либо вы храпите в другом месте, либо я немедленно уезжаю и никогда больше не приеду!

— Нет! — пискнуло из-за занавески. — Ни за что!

— Подождите, — растерянно пробормотал Кубай, поднимаясь. — Что случилось?

— Я же говорю: я толкую невесть для кого, вы подремываете себе, а потом еще начинаете храпеть, как удавленник. Кому это понравится?!

— Ну правда, зачем тебе тут находиться? — спросил тонкий голос из-за занавески. — Иди в соседнюю комнату!

— Я не могу оставить вас вдвоем! — крикнул Кубай. — Нет, нет и нет!

— Тогда прощайте!

Из-за занавески уже слышались рыдания, но Джафар закрыл за собой дверь...

Кубай догнал его во дворе.

— Господин Рудаки! Господин Рудаки! — шумно дыша, он шагал рядом. — Прошу вас, не уезжайте! Хорошо, я уйду в соседнюю комнату.

— Да это просто смешно! — упирался Джафар. — Какие-то детские игры! Я же не мальчишка! Я не собираюсь бегать туда-сюда!

— Умоляю!

— Не надо меня умолять!..

В конце концов все-таки вернулись.

Кубай потерянно постоял на пороге, похрустел суставами пальцев. Потом тихо прикрыл за собой дверь.

— Итак, — со вздохом сказал Джафар, усаживаясь. — На чем мы остановились?

— На легенде... Господин Рудаки, а правда, что в Самарканде есть Стена поэтов?

— Правда...

— И каждый может прийти и оставить свои стихи?

— Конечно.

— И послушать, что говорят о них люди?

— Ну да, — Джафар развел руками. — Для этого, наверное, Стена и существует...

— Ах, почему я не могу этого сделать! — воскликнул Ануш.

Джафар растерялся. Может быть, обнадежить его? Произнести какую-нибудь нелепицу вроде того, что, дескать, возможно, болезнь отступит, и тогда...

Но он не успел.

Повернул голову на звук открывавшейся двери.

И в эту секунду Ануш всхлипнул, воскликнув плачущим голосом:

— Ах, зачем! зачем я родилась женщиной!

* * *

На самом деле ее, скорее всего, звали *Ануша́*, то есть *Бессмертная*...

Возможно, впрочем, дихкан Кубай выдумал это имя. Чтобы присвоить его своему столь же выдуманному сыну. В действительности являвшемуся женой.

Как обстояло дело на самом деле, неизвестно.

Разрешение одной коллизии стало началом другой, гораздо более острой.

Скоро разрешилась и другая. При этом время не остановилось в ошеломлении, не замерло в ужасе.

Равнодушное время спокойно текло дальше.

Как будто ничего не случилось.

Тщета пыли, уносимой ветром. Тщета камня, упавшего в воду. Разойдутся круги — быстро истаивая, утекут вместе с водой.

Ничто не меняется в мире — только в душе появляется рана. Сначала горит, саднит и ломит. В конце концов боль стихнет, остается шрам. А потом проведешь ладонью — уже и шрам едва заметен. Даже зарубка памяти может затянуться... силишься вспомнить — но перед глазами только зыбкие, бесплотные тени. Разве это на самом деле было? На самом деле случилось? Не может быть...

Тщета.

Но встреча с сыном дихкана Кубая наложила отпечаток на всю жизнь.

Тогда он был юношей — сейчас старик. И все равно: закроешь глаза... о господи, опять эти налитые мукой глаза!.. зажмуришься, вспомнишь — и как будто вчера.

Странно. Почему так?

Он не видел ее. А когда слышал голос, был уверен, что он принадлежит большеголовому уродцу, сыну несчастного дихкана.

Даже не видел... и всю жизнь жалеет об этом. Разве не странно? Как если бы не смог дотянуться взором до чего-то такого, что сделало бы его... господи, даже и сравнения сразу не подберешь. Счастливцем среди людей?.. ангелом?.. самим Богом? Как если бы оставалось всего ничего — один шаг, одно движение, одна тонкая завеса: стоит отвести ее — и окажешься в неслыханном, баснословном мире жизни и счастья! — но не хватило мига, не хватило удара сердца, не хватило вдоха. Колышемая ее дыханием завеса оказалась непреодолимым препятствием.

Волшебный мир не раскрылся.

Оставалось гадать, каким он был.

* * *

Бессмертная!.. Что это, если не насмешка судьбы?..

Он даже не успел как следует удивиться.

Дихкан Кубай стоял в дверях с таким бурым и перекошенным лицом, как будто его уже хватил удар.

Потом они шли к коновязи. Дихкан держал под локоть железными пальцами.

— Вот видите!.. — бормотал он. — Что делается! Беда-то какая!.. Заговариваться начал... Болезнь-то — она того... она не шутит...

Собственноручно подал стремя и, посмотрев сощуренными, черными от необъясненной муки глазами, сказал, кривясь:

— Не надо больше приезжать, господин Рудаки. Прощайте!

Ах, как легко ему было бы подавить в себе вспыхнувшую злость! И уехать, не сказав ни единого слова. Тогда уж давно забыл бы всю эту нелепую историю: и Кубай, и жена его Ануш растворились бы в густеющей памяти, как растворяется всякая смешная и нелепая мелочь.

Нет, не растворилась. Помнится. И безответные упреки самому себе все так же остры...

На что ему было так уж злиться? Кубай нанимал его. Нанимал на время. Платил щедро. И в срок. То есть исправно исполнял существующие договоренности. Теперь случилось нечто, что, на взгляд нанимателя, препятствует продолжению отношений с работником. Что остается работнику? — поблагодарить за уже полученные деньги и удалиться...

В самом крайнем случае он, как вежливый человек, мог напоследок высказать надежду на возобновление в будущем столь выгодного и приятного для него сотрудничества.

Но самолюбие кипело. Его! Джафара Рудаки!.. Какой-то жалкий дихкан! Чурбан, неспособный выслушать десяток возвышенных фраз без того, чтобы не огласить помещение своим слоновьим храпом!.. Из-за сущей ерунды! Которая только в его, дихкана, воспаленном воображении может выглядеть чем-то существенным!.. Из-за того, что Джафар услышал голос его никому не интересной, в сущности, жены, забывшей на мгновение, что ей следует и далее играть роль интересующегося поэзией мальчика!..

Найти в этой глупости повод выставить его вон?! Пусть вежливо — но все же твердо и решительно изгнать?! Ну не дурак ли он после этого? Не хам?!

И что же: утереться и уйти?!

— Странный вы человек, дорогой Кубай, — сказал он, напряженно посмеиваясь.

Хоть чем-нибудь ответить! Хоть как-то уколоть!..

— Поздно спохватились: мы уже обо всем условились.

Ворота закрылись.

* * *

Ехал к дому, то сдавленно хохоча, то оглядываясь назад — как будто хотел убедиться, что все это случилось на самом деле.

Что за глупость, господи!

Воображение только-только начало свою работу. Так вот чей это был голос! Этот тонкий, этот сладкозвучный голос!.. Этот чарующий смех!..

Вот что скрывала занавеска!.. Дурак, дурак!.. Она была так близко, что долетало ее легкое дыхание!..

Как же он раньше не понял! Нужно быть совершеннейшим болваном, чтобы не сообразить.

Слишком высокий голос. И эти дразнящие колокольцы смеха. Нет, мальчики так никогда не смеются...

Луноликая!.. милая!.. нежная!..

Ну что за дурацкое приключение, подумать только!..

Зачем вот только он ляпнул Кубаю напоследок эту глупость?.. Да ладно, не имеет значения. Пусть чуток поволнуется. Пусть думает: когда успели?! Каким образом? — он отсутствовал не больше минуты... Помучайся, дурачина. Сам виноват. Твои чувства к молодой жене станут от этого только крепче...

Будет что рассказать друзьям!

Бросил Муслиму повод, соскочил с седла, не удержав смеха.

— Что случилось, хозяин?

— Ничего, ничего... Юсуф заходил?

— Нет, хозяин, Юсуф не заходил, — обстоятельно, как всегда, начал докладывать Муслим. — Никто не заходил, слава богу. Должно быть, все делами заняты, никто попусту не тревожит. Да вы и сами знаете, хозяин. Пустой человек — он вечно болтается как собачий хвост. А если человек серьезный, если он занят делом...

— Господи!

— Что вы вздыхаете, хозяин?

— Ты короче можешь?

— Да куда уж короче, хозяин...

— Нет моих сил! Расседлай.

— Погодите, вы же не дослушали.

— Ну?

— От господина Ардашира посыльный был...

— А что же ты несешь, черт бы тебя побрал, вместо того чтобы дело говорить?!

— Вы же рта не даете открыть, хозяин. Вы, хозяин, думаете, что...

— Силы небесные! Что сказал?

— Господин Ардашир к себе просили на ужин...

— Слава богу, разродился. Тогда не расседлывай.

— Сказали, паланкин пришлют...

— Чтоб тебя! Тогда расседлывай. Да скажи там, чтоб помыться мне приготовили.

Приводя себя в порядок, все еще посмеивался. Господи, ну надо же такому случиться! Не придумаешь... а если придумаешь, скажут: ну, дорогой, такого не бывает. Ты, дескать, уж если сочиняешь, так сочиняй по-хорошему. Пожалуйста, можешь толковать нам о пальме с золотыми финиками. Но вот чтоб на сливе груши росли — это уж ты уволь!..

Пускаясь в путь, твердо решил про себя: не будет ничего рассказывать. Ни к чему.

Но, понятное дело, не удержался.

Думал, всех это страшно заинтересует.

— Это что! — воскликнул мулла Багул, сочинитель кулинарных стихов. — Говорят, однажды хан Меркез...

И рассказал свою историю — на взгляд Джафара, во-первых, совершенно нелепую, а во-вторых — никоим образом не имеющую отношения к делу.

Усмехаясь, Ардашир сделал знак слуге, чтобы тот наполнил чаши.

Через несколько минут отозвал Джафара в сторону.

— Не расстраивайтесь, мой дорогой. Чрезвычайно захватывающее приключение. Не сердитесь на моих гостей. Ведь вы попытались вложить душу в свой рассказ. А хмельное застолье — не то место, где люди интересуются душами собутыльников.

Тот отмахнулся — мол, бог с ним со всем, это всего лишь случай. Жизнь каждый день дарит нам десяток таких безделок.

Ардашир покачал головой.

— Не знаю, не знаю... Так или иначе, история замечательная. Хорошо, если она закончится так же благополучно, как началась.

— Что вы имеете в виду? — спросил Джафар. — По-моему, она уже закончилась.

— Если бы вы, по вашим собственным словам, не пошутили напоследок, — заметил Ардашир. — Столь удачно...

— А что такого? — делано удивился Джафар. — В конце концов, даже глупая шутка — всего лишь шутка.

Он гнал от себя эту мысль. Гнал тревожное чувство. Старался забыть. Ну сказал и сказал... явная чушь, даже безумец не обратил бы внимания на его слова. Однако всякий раз холодел, вспоминая. Кто знает, как повернется его пустое слово в голове этого безумного Кубая?.. Что за мука тлеет в глазах дихкана?.. А если в душе у него такая надсада, такие нависают глыбы беспричинной ревности, что самое пустое слово может вызвать обвал?

Вот уж верно: нечистый дернул за язык!..

— Будем надеяться, — вздохнул Ардашир.

Джафар состроил постную физиономию и возвел руки к небу.

* * *

Пир шел своим порядком. Гости ели, пили, болтали, смеялись и снова болтали.

Он рассеянно следил за разговором. Воображение работало, то и дело подсовывая ему новую картину будущего.

Может быть, ее нужно спасать?

Вот он едет к Кубаю... "Что?! Вы с ума сошли?!" — "Поймите правильно. Ваша жена — существо утонченное, тяготеющее к поэзии..." — "Да, да... А я ничего не понимаю в стихах... Да, вы правы. Я согласен с вами. Ах, бедная моя Ануша! Я хочу только одного: чтобы она была счастлива!.."

Из недр жилища появляется закутанная в покрывала фигурка... слуга помогает ей сесть в седло... Нет, лучше в паланкин...

А если Кубай против?!

Новая череда картин. Он уже открылся Ардаширу... нужно сказать больше... нужно сказать правду. Ардашир поймет его чувство. Да, чувство — пусть возникшее стремительно и на пустом месте. Что с того? — молния тоже возникает стремительно и на пустом месте... Ардашир человек опытный... если он поможет, можно организовать все ловко и решительно... Темнота... робкий луч луны... поблескивание пряжек... осторожный стук копыт... негромкие голоса... Ага! Вот ворота... Муслим, ловко встав на седло, уже перевалился через дувал. Нет ли тревоги? Тихо... И вдруг! — вдруг все срывается в цветастую мешанину огней, криков, звона, лошадиного храпа... свивается в стремительную путаницу боя. Конь летит!.. черный ночной ветер гладит разгоряченное лицо. Меч в правой руке... а левой он прижимает к себе то, что похищено, что силой вырвано у судьбы.

Вот оно — исполнение задуманного.

Ануша!..

— Что?

— Джафар, ну ты совсем меня не слушаешь! Я же говорю: Шахид Балхи написал, что выберется к нам ближе к зиме.

— Да ну? Здорово...

* * *

Ночь пролетела быстро. Когда они с Юсуфом подошли к дому, светало. Утренняя свежесть холодила виски.

Юсуф, обернувшись, сделал знак провожатым, чтобы больше не беспокоились. Два дюжих парня, посланные Ардаширом в качестве охраны, поклонились и пошли назад, тут же заведя все более невнятный — по мере удаления — разговор. Дольше всего было слышно, как один шаркает сапогами.

Кто-то из слуг уже гремел запорами.

Они вошли во двор.

— Ну что, спать? — сказал Джафар, зевая.

В эту минуту послышался стук копыт... приблизился... и стих.

Что-то темное показалось на верху дувала... с шорохом потревожило листву... и глухо шмякнулось о землю.

Копыта грянули в галоп. Простучали переулком... стихли за поворотом к мечети.

Все вместе могло бы теперь считаться рассеявшимся в утренней мгле неясным видением.

Конечно, если бы не мешок, оставшийся лежать под виноградными плетями.

— Что это? — оторопело спросил Юсуф. — Святой Хызр подарок тебе прислал?

— Н-н-не знаю, — пробормотал Джафар, приглядываясь.

— Или посылка от халифа? Из Багдада ничего не ждешь?

— От халифа-то? Хорошая мысль... Должен же и халиф когда-нибудь наградить меня. Не думал, правда, что это случится сегодня.

Нижние углы мешка выглядели так, будто намокли в чернилах.

— Подожди, — сказал Джафар, холодея. — Бога ради, не трогай!

* * *

Ардашир еще не лег.

— Ах, вот как! — сказал он. — Чудненькая история... Джафар, а почему вы так уверены, что это именно она? Ведь вы говорите, что лица не видели... да если бы и видели: что толку в лице, если при теле нет головы?

Джафар из последних сил сдерживал желание закричать, повалиться на землю, бить по ней кулаками, кататься в пыли — вообще сделать что-нибудь такое, что избавит его от мучительного остекленения, охватившего все его существо в то мгновение, когда он заглянул в проклятый мешок; спокойный голос Ардашира довершил дело.

— Что! — срывающимся голосом закричал он. — Что вы!.. вы себе!.. я!..

И, должно быть, обеспамятел ненадолго: свет закружился, померк, и заново обнаружил себя лежащим на ковре, с мокрой физиономией, в которую Юсуф готовился брызнуть новую порцию холодной воды.

— Не надо...

Сел.

— Ну вот, — сказал Ардашир, обеспокоенно щурясь. — Как вы? Получше?

Кивнул.

И в самом деле было лучше. Случившееся потускнело, отошло вдаль... жизнь, как и прежде, снова стояла перед глазами.

Об опознании Ардашир больше не заговаривал. Да и вообще все сделал сам. Послал людей, чтобы забрали мешок, и больше Джафар о нем не слышал. Ближе к обеду вооружил четырех слуг. Ощетинившись железом, двинулись в имение дихкана Кубая. Ничего хорошего Джафар не ждал. Вздыхал про себя, что нет рядом Шейзара...

Ворота оказались незаперты. Дом — пуст.

Дихкан внезапно выехал.

Ардашир побеспокоил соседей. Однако все только удивлялись и разводили руками: никто из них не знал причины этого спешного выселения.

"Ануша, — повторял про себя Джафар, безвольно качаясь в седле. — Ануша. Бессмертная..."

Пожалуй, в тот раз он почувствовал это впервые. Потом много раз повторялось: когда узнаешь о нежданной смерти, испытываешь ошеломление, горе... И одновременно — острый укол радости. Как будто мучительно бившаяся в силках птица наконец-то вырвалась — и улетела.

Никогда никому не говорил. Но всю жизнь пытался вызнать, всем ли свойственно переживать эту странную, эту горькую радость. Все такие? Или он один?

Столько лет прошло, а стоит вспомнить — и снова щемит сердце.

Ануша.

Бессмертная.

* * *

Ардашир так и не вернулся из Багдада: стал учеником и помощником ат-Табари, писал большие труды по истории, не мог оторваться ни от учителя, ни от тамошних библиотек.

Редкие его письма искрились шутками. Джафар звал в Бухару: отвечал, что по быстротечности времени, старческой рассеянности и прогрессирующей глупости его фальшивая ученость достойна разве что

Вабкента. Уверял, что, опасаясь поветрий, последние годы вообще не выходит из дома, а если все же решается сделать это, пользуется закрытыми носилками. Из того, что говорилось всерьез, можно было сделать вывод, что Ардашир готовится к смерти — готовится так же деловито и собранно, как живет.

Бумага всегда приносила с собой аромат сирийских благовоний — более угадываемый, нежели существующий на самом деле.

Глава девятая

Ссора из-за денег. Свадьба. Масхарабозы. Застолье

еравкан!

— Что?

— Ты записку не выкинул?

— С чего бы я ее выкинул...

— Дай-ка.

Почему-то эта мысль сразу не пришла в голову. Посмотреть, на какой бумаге... вот опять эта обмолвка — "посмотреть". Ладно, не посмотреть. Пощупать. Понюхать, в конце концов.

Бумага хорошая... плотная, шелковистая, не то что рыхлая китайская. Самаркандской выделки: на сырье идут льняные тряпки, в массу добавляют клей из шкурок абрикосовых плодов... Ну и что? Какой вывод из этого можно сделать? Хоть и дорогое удовольствие, но все же кто только на такой не пишет.

Поднес к ноздрям, втянул воздух, надеясь что-нибудь учуять: допустим, например, сладковатый запах розового масла подскажет, что, возможно, письмо пришло из Багдада... или что каламом водила женская рука. Чушь, конечно. Ардашир давно умер... женские руки заняты чем-то другим... ничего похожего.

Балами предпочитал отдушку из пчелиного воска... бедный Балами!..

Попросить этого загадочного Санавбара прочесть, что написано? Стоит ли?

— Спрячь, — сказал он после краткого раздумья. Между тем Санавбар издал какое-то сдавленное кряхтение.

— Шеравкан!

— Ну?

— Это что у тебя?

— Где? — у Шеравкана голос наивного простака, изумленного, что до него кому-то вдруг нашлось дело.

— В кошельке.

— В кошельке-то? А что бывает в кошельке?

— Деньги?

— В кошельке-то?

— Ты что заладил? — возмутился Санавбар. — Третий раз говорю: в кошельке! Деньги, что ли?

— А что в кошельках бывает, уважаемый?

Шеравкан вынул из пальцев Джафара записку, сунул в кошелек и снова привязал к поясу.

— Много? — зачарованно спросил Санавбар. Тишина.

— Сказать не можешь?

— Что мне говорить?

— Ответить на мой вопрос.

— Какой вопрос?

— Какой слышал. Много денег-то?

— А у вас свой-то кошелек есть, уважаемый? — поинтересовался Шеравкан. — Лучше вам в свой кошелек смотреть...

— Учить меня будешь, щенок!

Судя по всему, сразу после этого высказывания собеседника Шеравкан сделал какой-то воинственный жест: во всяком случае, Санавбар шарахнулся.

— Ты чего размахался?!

— А ты не лезь!!

Кармат одним прыжком очутился между ссорящимися, чтобы принять посильное участие в происходящем: начал оглушительно лаять.

— Хватит! — закричал Рудаки, стуча посохом в камень. — Хватит, я сказал!! И тут склоки из-за денег! Чтоб шайтан забрал себе обратно эти проклятые деньги! За что мне это, господи?! Еще вчера я жил спокойно! Теперь меня снова окружают склочники и бешеные собаки! Сколько можно?!

Все умолкло.

— Дело в том, учитель, что... — продребезжал Санавбар.

Но не продолжил.

— Ладно, пошли, — вздохнул Джафар через минуту.

Двинулись дальше.

— Я ведь всего лишь поинтересовался, учитель... мне стало интересно... вот я и спросил...

Рудаки хмыкнул.

— Всего лишь спросил! — воскликнул приободренный его реакцией Санавбар. — Учитель, мне почему интересно? Потому что у меня тоже, бывало, водились деньги. Я владел полновесным динаром! — единственное мое наследство, если не считать полуразвалившейся кибитки, слепого брата и голодной кошки. И был товарищ. То есть что я говорю — "товарищ". Шакал он, а не товарищ. Скорпион — вот какой товарищ. Мы с ним решили пуститься в торговлю. Сложились по динару. А он обманул меня — пропал вместе с деньгами.

Взгляд Санавбара налился таким отчаянием, что даже Шеравкан, случайно его поймав, был вынужден сочувственно кивнуть.

— И я сказал себе: "Кто лишился денег — потерял друзей, помощников и братьев!" Деньги — это все! Неимущему бедность не дает сдвинуться с места и взяться за какое-нибудь дело. Он словно лужа, оставшаяся в низине после зимних дождей. Ее поглощает земля и губит солнце: ведь вода не может пробить себе путь и излиться в речные просторы. У бедняка нет ни родичей, ни семьи, ни детей, ни доброй славы. Без денег не прослывешь разумным, не добудешь счастья в этом мире и блаженства в будущей жизни.

Джафар выпустил из руки конец поясного платка и остановился, оперевшись на посох и опустив голову.

— Бедняк, зависящий от подаяний и подачек богачей, похож на тутовник при дороге: всякий норовит оборвать его и сломать ветки. Бедность — мать всех бед и кладезь всяческих несчастий, она навлекает на свою жертву отвращение и злобу. Как только теряешь достаток, тот, кто был твоим защитником, начинает тебя обвинять в несовершенных тобой проступках, а кто был полон благожелательности, преисполняется равнодушия; кто-нибудь согрешит — а на тебя, хоть ты и невиновен, непременно падет подозрение... Бедность похищает рассудок и доблесть, губит знания и образованность, гонит совесть и стыд и приводит с собой беззакония и злодейство. Просителя-бедняка сочтут бесстыдным попрошайкой и встретят неласково, а он обидится и обозлится... а ведь тот, кого постоянно обижают, — забывает радость, всегда печален и в конце концов непременно озлобится и потеряет разум.

— Да, да, — слепец кивал, соглашаясь с оратором. Шеравкану ничего не оставалось, как терпеливо ждать окончания речи.

— Образованный бедняк становится невеждой, красноречивый — косноязычным, и слышишь от него лишь докучные жалобы и бессвязные речи. Все, что у богача называют добродетелью, в бедняке сочтут пороком: если он доблестен, скажут, что безрассуден, если щедр — ославят расточительным, если сдержан — слабым, если молчалив — тупицей... Нет, — воскликнул Санавбар, воздевая руки к небу, — лучше смерть, чем нужда! Нужда заставляет обращаться за помощью к низким скрягам, а ведь благородному и гордому легче и приятнее сунуть руку в зев ядовитой гадюки, чем становиться должником бесчестного и скупого...

Джафар расхохотался — да так, что пошатнулся, едва не упал, Шеравкан поспешил поддержать его и удивился тому, как привычно и доверчиво оперся поэт об его руку.

— Да, Санавбар, — сказал Джафар, переводя дух. — Ваша память — это что-то особенное. Страницами читать наизусть из моей "Калилы и Димны" — честное слово, таким меня еще не радовали.

Глянув на Шеравкана, Санавбар сначала смущенно потупился, а потом ухмыльнулся и плутовски подмигнул.

* * *

Склоны окрестных холмов покрывала пышная бело-розовая пена: щедро проливая на всю округу одуряющий аромат, жарко, безоглядно цвели фруктовые сады, золотой воздух гудел, взбудораженный крыльями как мириад бесполезно порхающих, так и неисчислимого количества опьяневших от своей сладкой работы пчел.

Кишлак лежал при слиянии двух ручьев — вдоль одного тянулась Бухарская дорога, другой выбегал из разложистого ущелья, наглухо заросшего кустами алычи и барбариса.

Путники еще не подошли к околице, а с крыши крайнего дома уже шустро, как воробьи, попрыгали на землю мальчишки, помчались по переулку, горланя на разные лады:

— Идет!.. Царь поэтов идет!.. Рудаки!.. Рудаки пришел!..

— Ишь ты, — удивился Санавбар. — Слух-то впереди нас бежит.

— Какой слух? — насторожился Джафар. — В чем дело?

Однако из-за домов уже показалась процессия стариков: поначалу высыпали в явной спешке, о чем свидетельствовало то, что многие держали в руках задранные полы мешавших ходьбе длинных праздничных халатов; а уж оказавшись на виду у гостей, опустили их на положенное место и вообще постарались обрести подобающую случаю торжественность.

За стариками теснилась цветастая гурьба мужчин и детей.

— Господи! — ужаснулся Санавбар. — Эмира так не встречают!

Джафар встал как вкопанный, воинственно задрал голову — снова будто намереваясь посмотреть из-под повязки.

— Шеравкан! Что там?

— Ждали вас, — пояснил Шеравкан. — Караван-сарайщик сказал, свадьба у них тут.

Тем временем вперед выступили чисто одетые мальчики: один, в ярко-синем халате и красном куляхе, держал стопу лепешек, другой, в новеньком бекасабовом чапане, вихрастый, нес глиняную корчагу с молоком, третий, самый маленький и насупленный (халатец его гляделся бедновато, зато на ногах блестели новехонькие сапожки) тащил кувшин с водой; судя по выражению радостно-напряженных лиц, все трое очень волновались.

— Как ваше самочувствие? — поглаживая длинные бороды и беспрестанно кланяясь, завели старики. — Легок ли путь? Не томила жара? Добро пожаловать в Кунар, господин Рудаки, окажите милость нашим порогам, снизойдите до нашего угощения!

— Здравствуйте, здравствуйте, отцы! — бодро горланил в ответ Санавбар. — Ликуйте! Настал светлый день! Господин Рудаки, Царь поэтов, посетил ваш забытый богом кишлак!

— Что за чертовня, — пробормотал Рудаки, цепляясь за Шеравкана, как за последнюю опору. — Спасибо, спасибо... конечно, я рад...

Старики по очереди подходили, чтобы с поклоном взять его ладонь в свои.

— Хлеб будете есть? — спросил Шеравкан.

Помог нащупать край лепешки. Джафар отщипнул краешек, окунул в оказавшееся рядом молоко, пожевал.

— Сладкий хлеб в Кунаре, — сказал, возвышая голос, чтобы услышали и самые дальние. — Дай Бог, чтобы не было у вас ни в чем недостатка!..

Тут уж загомонили хором, побежали толпой, обступили — всем хотелось коснуться если не руки, то хотя бы краешка одежды; маленьких отцы поднимали повыше, чтобы рассмотрели как следует.

Так и повели — под общий галдеж и недальний рев свадебных карнаев.

* * *

Поскольку даже самый большой двор не смог бы вместить гостей, съехавшихся со всей округи, расположились в саду под урюковыми деревьями.

— Прошу вас, господин Рудаки, — почти плачущим от волнения и шепелявым голосом повторял Исфандар-бек — староста кишлака. — Какое счастье, что вы появились именно сегодня! На свадьбе моего деда присутствовал внук араба Кутайбы, завоевателя Мавераннахра, принесшего нам истинную веру, — и до сих пор мы говорим об этом с благоговением. О том же, что свадьбу моего сына почтил своим присутствием Царь поэтов, будут помнить все мои потомки, сколько бы колен ни выпало нашему роду!

Усадив их на почетное место, каковым являлся расстеленный на траве тертый ковер и пяток засаленных подушек, Исфандар-бек упятился, беспрестанно кланяясь и то и дело разводя руки в стороны таким жестом, будто стлал под ноги гостям всю землю.

Между тем чуть поодаль, ближе к плетням дворов, женщины, галдя как майнушки, снова рассадили детишек на зеленой траве, и прерванное суматохой представление возобновилось.

Тот масхарабоз, что стоял, опершись спиной на ствол яблони в позе скучающего (второй сутуло сидел на пеньке в нескольких шагах от него), вдруг свистнул и, припрыгнув, перевернулся через голову. Одет он был в обноски, в сущее тряпье, однако тряпье это было разноцветным: лоскуты весело трепыхались при каждом кувырке.

Гикая и свистя, он кудрявым чертом прокатился перед зрителями в одну сторону, потом в другую, а когда наконец застыл на месте, в руках у него откуда ни возьмись оказалась какая-то игрушка.

Шеравкан присмотрелся.

Засаленный остов из кое-как отесанного поленца. К остову приделан чурбак поменьше. Красная полоса на нем — вроде как полураскрытая пасть. А большие черные пятна (должно быть, углем намазано) — вроде как глаза. Но сверху торчат никакие не "вроде как", а самые настоящие рога — маленькие козьи рожки.

Коза!

Левой рукой масхарабоз держал козу под брюхо, а правой дергал бечевку, продетую в дырки, отчего державшиеся на той бечевке ножки-палочки смешно дрыгались.

И покрикивал, расхаживая:

— А вот козочка! Козочка, чи-ги, чи-ги!

И снова — дерг, дерг!

— Козочка, чи-ги, чи-ги! Пошла козочка на базар!

Присел, повернулся на пятках кругом.

— Козочка, чи-ги, чи-ги! Хотела лишнюю рубаху прикупить, а пришла без последних штанов — не в чем к людям выходить!

Женщины смеялись, хлопая в ладоши, дети хохотали, помогая актеру:

— Козочка, чи-ги, чи-ги! Козочка, чи-ги, чи-ги!..

Масхарабоз швырнул безмолвную козочку в небо, а сам схватился за голову, зашатался в припадке нешуточного горя:

— Ой, беда, беда! Куда козочке идти, где свое счастье найти?

Шеравкан был уверен, что сейчас козочка, падая, крепко стукнет хозяина по башке, но масхарабоз не сплоховал: в последнее мгновение ловко выхватил из воздуха это неловкое существо, деревянная морда которого продолжала хранить изначально присущее ей изумленное выражение, и вот уже снова семенил по кругу, с каждым шагом приподбрасывая и с вывертом ставя затем в траву грязную босую стопу:

— Козочка, чи-ги, чи-ги! Куплю, кумекает себе, три мана рису, пойду к раису*, пусть начальник базара милость окажет, нечестных торговцев накажет! И пошла, чи-ги, чи-ги!.. и пошла, чи-ги, чи-ги!..

Каждый его выверт сопровождался смехом и взвизгиванием благодарных зрителей. Мужчины, стоявшие в стороне и поглядывавшие на представление со снисходительными улыбками, время от времени тоже посмеивались над простодушием неразумной козочки: пошла к раису жаловаться на жуликов — получила палок, двинулась к кушбеги ябедничать на раиса — схлопотала плетей, явилась к эмиру виноватить кушбеги — отведала кнута; так и не отыскав правды, отправилась к волкам, чтобы найти управу на людей, — там-то ее и съели...

— Вот дура! — крикнул чернобородый крепыш, не на шутку увлекшийся злоключениями несчастной козочки. — Нашла к кому обратиться!

Мужчины загомонили:

— Да уж!..

— Ладно вам! Волк — он хотя бы огня боится, а попробуй начальника базара напугать!

— Ага! Быстрей волка сожрет!

— Ты пойми, волк одного себя кормит, а у раиса какая семья!

— Да и выше нужно долю отнести!

— Честно заработанную!

— Ха-ха-ха!.. ой, уморил: честно заработанную!!! Ха-ха-ха!..

---

* Раис — начальник, глава, старшина.

— Козочка, чи-ги, чи-ги!..

Приметив это оживление, второй масхарабоз кое-как поднялся со своего пенька; печально и растерянно поозиравшись, как будто не понимая, куда и зачем собрался идти, он сделал пяток нетвердых шагов, остановился, еще раз недоуменно оглянувшись, — вдруг распрямил плечи, приосанился, встряхнулся, и мгновенно превратился из той развалины, какой только что являлся, в бодрого крепкого старика, задиристо выставившего вперед клокастую седую бороденку.

— А вот на вас погляжу да себя покажу! — зычно возгласил он. Из-под пышных бровей, выглядевших на его дочерна загорелой физиономии двумя клоками хлопковой ваты, сверкали синие глаза. — Такие загадки загадаю, что пупки развяжутся! Пупки развяжутся, а потом назад завяжутся! У кого так, у кого сяк, у кого и наперекосяк!

И так боевито, с таким напором стал наступать, что мужчины невольно попятились, раздались, а когда старик шагнул еще, сошлись вокруг.

— Я вижу, вам, дурням, нравится про козу? Ну что ж, пожалуйста! Тогда и я про козу! Слышали, как мулла с козой жил? Он ее кормил, он ее поил, он ей шерстку чесал! Дружно жили, а потом и детки были: такие же козлы, как тот мулла!.. А про то, как эмир ишака с маслобойни старшей женой назначил, знаете?..

Тут он понизил голос, и дальше слышались только отдельные слова, по которым нельзя было ничего понять. Но, судя по тому, как прыскали, гоготали и обессиленно отмахивались слушатели, рассказывал вещи чрезвычайно увлекательные.

— А вот я прошлым летом тоже к масхарабозам прибился, — сообщил Санавбар. — Они штукарят, а я стихи читаю... Мои любили борьбу показывать. И еще как к больному врач приходит...

— Борьбу? — заинтересовался Шеравкан. — Какую борьбу?

— Ну какую: на руки сапоги наденет и борется сам с собой. А выглядит — будто и впрямь поединок... Или еще с куклой. Большая такая кукла... тряпичная. Руку под ее чапан просовывает, там специальная дырка есть. Обнимет — и возится. Такая боевая схватка у них — страсть! Он эту куклу и так, и этак! и на один бок, и на другой! и падают, и переворачиваются, настоящее сражение... А в конце концов — бац! — она его валит на землю и сверху садится: победила!.. Эй, молодец, не спеши, посиди с нами, расскажи, чем жених знаменит, чью дочку замуж берет... куда же ты?

Однако смущенный мальчик, к которому он обратился с последним вопросом, только насупился еще больше и, поспешно разместив на дастархане пяток лепешек, плошку с сушеными фруктами и три пиалки, убежал с пустым подносом.

Зато, как будто услышав слова Санавбара, что, учитывая расстояние и беспрестанный гогот слушателей, представлялось маловероятным, на них откликнулся старый масхарабоз: выбрался из кольца окружавших его мужчин, сделал несколько шагов и остановился перед ними в таком изумлении, как будто увидел нечто противоестественное:

— Господи боже ты мой! А кто это там на ковре сидит, кто усами шевелит? Ах-ах-ах, какие люди важные, какие люди бумажные! Ну, давайте я вас тоже чем-нибудь угощу...

Масхарабоз на мгновение замер, громко икнул, вытаращил глаза; и вдруг, явственно давясь, с утробным звуком извлек изо рта яйцо, взял двумя пальцами и протянул, показывая.

Шеравкан с удивлением отметил, что оно оказалось совершенно не обслюнявленным.

— Пожалуйста! Ко-ко-ко, ко-ко-ко, вот яичко снес, угощаться вам принес!..

Однако из рук так и не выпустил, а сунул куда-то под полу и больше об угощении речи не заводил.

Почему-то Кармату все это не понравилось: прежде он расслабленно валялся у ног хозяина, а тут вдруг сел и глухо зарычал, как будто пытаясь предотвратить какие-то неприятные продолжения.

— Тихо, тихо! — пробормотал Джафар, трепля его по вздыбившейся на загривке шерсти.

Пес нехотя лег.

Между тем и молодой масхарабоз уже оказался рядом.

— Гости почетные, у каких богатства бессчетные! — завопил он, для начала кувыркнувшись. — Знатные гости: не сеем, не пашем ни нашим, ни вашим! Посмотрите на меня — ни сохи, ни кетменя! Пальцем о палец не ударяем, только в носу иногда ковыряем!

— Неужели и впрямь не пашут, не сеют?! — притворно ужаснулся старый.

— А то! У нас простая повадка: спим долго, едим сладко! А как работать — ой, мамочка-мама, нам нельзя ничего тяжелей калама! Мы не ровня прочим — сидим лясы точим!

Старик с горестным недоумением покачал головой.

— А что же наш эмир, которому подвластен мир? — спросил он. — Как же он такое позволяет, зачем лодырям потакает? Ткач ткет, кожемяка кожи мнет — а что же делает поэт, неужто с ним, болтуном-бездельником, у эмира сладу нет?!

— Э, зачем такое болтать?! — возмутился молодой. — Сначала думай, потом говори, глупыми словами попусту не сори! Наш эмир — герой и храбрец, самый настоящий молодец! Отца-предателя запер в тюрьму — и поделом ему! Да и визиря, подлого Балами, так приласкал, что теперь шкуру — только на ремни! Карматам-изменникам головы порубил, на свои ворота прибил: любуйся, Бухара, с утра и до утра! А сам времени не стал терять, начал страной управлять! Вот спасибо ему, благодетелю, за народ и за веру радетелю! Ведь урожай в Мавераннахре или недород — наш эмир все равно стоит за народ! Если еще шевелятся руки-ноги, должен исправно платить налоги, а кто на свой собственный хлеб падок, тот враг, от него страна придет в упадок! Чтоб расцвел родимый край, последнюю краюху мытарю отдай!..

— У тебя, смотрю, язык без костей, все сказал, только не про гостей, — укорил старик.

— А что про них толковать? Про них толковать — только время терять. Ну, хочешь, все-таки скажу... а еще лучше покажу!.. — с этими словами молодой, неожиданно зло и опасно оскалившись, выхватил из-за пояса длинный нож — и, не говоря худого слова, повалил старика наземь, сел на грудь, замахнулся...

— А-а-а!

Старик крикнул таким отчаянным и страшным голосом, что Шеравкану почудилось, будто молодой и на самом деле лишил его глаза!

— А-а-а! — снова возопил старик.

— Вот теперь давай, иди! — довольным голосом сказал масхарабоз. Он уже вскочил на ноги и теперь вытирал кончик лезвия о полу. — Иди, иди! Да на дорогу хорошенько гляди!.. Да попусту не пыли: вместо того молодого эмира на каждом шагу хвали! Шагай весело, пританцовывай, голову из петли не особенно высовывай! И милостыню не проси, а лишь молитвы возноси!..

Зрители, прежде встречавшие каждую реплику комедиантов веселым смехом, притихли.

Шеравкан боялся посмотреть на Джафара.

Но тот все так же сидел, наклонив голову и прислушиваясь к ходу представления.

Повисла тишина.

Староста, стоявший вместе с мужчинами, скривился и молча воздел руки к небу — должно быть, хотел уже проклясть этих чертовых масхарабозов.

— Да-а-а, — сказал Рудаки. — Веселое у вас представление...

И вдруг на самом деле засмеялся.

Смешок его звучал принужденно, конечно. Но Шеравкан-то ждал, что Джафар — оскорбленный, униженный, разозленный — учинит сейчас что-нибудь такое, что испортит все дело: вскочит, например, и со свойственной ему гневливостью, с бессильным ревом, спотыкаясь и размахивая своей суковатой палкой, кинется на толпу — точь-в-точь ослепленный яростью бык.

А он засмеялся.

— А вот какие гости! — закричал старик, а молодой начал неугомонно прыгать, успевая в прыжке обхватить себя за колени. — Ни спеси, ни глупости! Ни дури, ни грубости! Таких не тронь, я за них в огонь! Даже в воду, не зная броду! Золотой к нам пришел царь-поэт — прежде таких не видывал свет!

Смех смехом, но в голосе масхарабоза явно звучало облегчение: должно быть, тоже понимал, что шутками своими чуть не испортил праздник.

— Го-го-го! — молодой кувыркнулся, встал на голову, пробежался на руках и снова сиганул. — Вот мы сейчас еще проверим, что он за поэт!

Тут же выяснилось, как он хочет это сделать: затеялась мушаира: молодой выкрикнул начало одной газели, старик ответил строкой из другой, начинавшейся на ту же букву.

— Ну?!

— О господи! — с преувеличенной мукой в голосе застонал Рудаки. — Ну не хотят же они, чтобы я...

— Учитель! Позвольте мне!

— О! Верно, верно! — Джафар со смехом покачал головой. — Я с вами соревноваться не буду. Сначала с моим учеником силами померьтесь. Давай, Санавбар!

А тот, вскочив, уже читал ответные строки, да как: звонко, напевно, с выражением:

Если ты — иволга в платье своем простом,
Пусть мое сердце станет тебе гнездом!

417

Масхарабозов хватило ненадолго, выпросили они несчастье на свою голову: Санавбар отвечал не одной, а сразу тремя или даже четырьмя строками из разных стихотворений разных поэтов, а то еще и по-арабски вспоминал, чем окончательно ставил комедиантов в тупик. Скоро они признали свое поражение и подошли — уже как простые люди, а не актеры — попросить благословения у Царя поэтов.

— Вы уж нас простите, — толковал старик. — Дело наше такое смешливое, сами понимаете... мы не в обиду... благословите, учитель!.. почему не хотите?.. зачем отказываете? Нет, учитель, уж вы благословите, очень просим!..

После недолгого препирательства Джафар все же согласился. Масхарабозы встали на колени, склонились. Поэт прочел фатиху, коснулся каждого.

— Ну, все, — сказал он. — Прощайте. Шеравкан, дай им что-нибудь.

— Что дать? — не понял Шеравкан.

— Ну что? Монету дай.

— Динар?

— А у тебя дирхемы есть?

Вообще-то у Шеравкана был дирхем — полновесный дирхем исмаили, который утром вернул ему хозяин постоялого двора. Между прочим, каравансарайщик даже те фельсы, что отсыпал вчера в качестве сдачи, обратно не потребовал. Шеравкан это только сейчас сообразил: вот тебе и переночевали: мало того, что задаром, так еще и полдирхема заработали.

Актеры заинтересованно ожидали конца разбирательства.

Но Шеравкан не успел, его опередил Санавбар:

— Учитель, у меня есть дирхем.

— И что?

— Я могу дать им. А вы мне потом вернете... когда динар разменяете. Хотите?

— Мы вообще-то и на динар согласны, — заметил в сторону старик-масхарабоз.

Слепой сжал губы.

— Динар — это же не репка! Это же очень много, — принялся пояснять Санавбар. — И потом, учитель, они вон как про вас показывали. Разве это уважительно? Они показывают, а все смеются.

И посмотрел на Шеравкана, ища поддержки.

— Неправда, — возразил старик-масхарабоз. — Мы со всем уважением!

— Ничего себе — с уважением! — воскликнул Санавбар. — Вы бы еще показали, как учителя палками бьют! Или как он в баню ходит. Или еще чего похуже. Очень смешно! Ха-ха-ха! Динар! Это что же? Покривлялись пять минут — и сразу вам динар подавай? Да люди, бывает, за динар чего только ни сделают. Иные всю жизнь за динар работают — да так без динара и помирают. А вам — как ветром принесло. Нет, учитель, так дело не пойдет!

И замолк, переводя возмущенный взгляд с Шеравкана на старого масхарабоза, а затем на слепого.

Джафар так вздохнул, будто содержание его речи было ему заранее известно.

— Понятно, понятно... Ну хорошо. Шеравкан, ты слышишь меня? Сделай, пожалуйста, что я сказал.

* * *

Свадьба шла своим порядком. Сначала жениха брили; во время исполнения этого торжественного обряда мать танцевала у крыльца дома с двумя его товарищами, а дети весело горланили:

Что ж такое, папенька?! — бритва не берет!..
Пропади все пропадом, бритва не берет!..
Охромел цирюльник, бритва не берет!
Брось монету, мамочка, — бритва не берет!

Потом долго наряжали и в это время пели:

Конь ретивый расплясался!..
Яллало! яллало!..
Князь охотиться собрался!..
Яллало! яллало!..
Губы у него — кораллы!..
Яллало! яллало!..
Я влюбилась, я пропала!..
Яллало! яллало!..

В конце концов жених — нескладный детина со смущенной улыбкой, блуждавшей по его широкому лицу, еще не тронутому бритвой, разодетый и ухоженный, в новехонькой чалме, подпоясанный алым платком, — вышел во двор, поклонился на разные стороны, прижимая ладони к груди и бормоча приветствия и благодарности, и неловко поднялся на возвышение, сооруженное из пары накрытых тряпьем сундуков.

Тогда из хохочущей, визжащей, хлопающей в ладоши толпы гостей выступил начальник свадебного каравана — двух повозок, стоявших в отдалении; на них жениху с дружками предстояло ехать за невестой.

Это был седобородый, широкоплечий человек в темном халате. Он сурово свел брови, оглядел затаивших дыхание гостей, уперся взглядом в жениха и недобро спросил:

— Где голова?

— Голова? — зачем-то повторил жених. Пожал плечами в еще не обмявшемся чапане и неопределенно махнул рукой: — Вот...

Все засмеялись.

Тут же масхарабозы добавили веселья — молодой прошелся вокруг возвышения колесом, а когда остановился, с него почему-то почти упали штаны, и он, подхватив их руками, убежал, вереща и припрыгивая. Старик же замахал руками, встал на цыпочки и передразнил писклявым голосом:

— Где голова, где?

И сам же немедленно ответил:

— Как где?! Вот же она, вот!

Но похлопал себя вовсе не по голове, а по заду.

Когда хохот стих, начальник каравана недоуменно оглянулся, так при этом разводя руками, будто призывал всех присутствующих в свидетели: в его обязанности входит проверка, все ли у жениха в порядке; и вот он спрашивает, а жених-то, оказывается, болван: на простой вопрос не может ответить. Как же он, такой нелепый, поведет свой свадебный караван? Как, дурачина, с невестой справится?

— Где голова?! — грозным криком повторил начальник.

— Громче, громче отвечай, сынок, — послышался взволнованный голос матери.

— Вот голова! — крикнул жених и в доказательство наличия головы стукнул себя кулаком по макушке: — Вот она!

— Где рука?

— Вот рука!

— Где нога?

— Вот нога!

— Где плечо?

— Вот плечо!

— Где живот?

— Вот живот!

Начальник каравана спрашивал и спрашивал, входя в самые мелкие подробности жениховского владения: и где у него пупок, и где губы, и где уши. И то, и се, и пятое, и десятое, — и все, что он называл, требовалось непременно предъявить.

— Где ногти?

— Вот ногти! — растопырил пальцы жених.

— Ну хорошо! — сказал начальник каравана и сощурился, как будто собираясь все-таки на чем-то его подловить. — А где мочалка?

Но жених уже осмелел, раздухарился, и ничто его не могло смутить:

— Вот мочалка! — гаркнул он, хлопнув себя по причинному месту.

Зрители снова хохотали, визжали, хлопали в ладоши...

Но вот наконец начальник каравана закончил свою проверку, теперь жениху можно было ехать за невестой.

Тогда с него сняли белую чалму, конец которой свисал аж до пояса, и надели другую — из длинного красного платка, перевитого с лоскутом белой кисеи, и навтыкали в нее цветов и ярко-зеленых веточек арчи; и обули в красные сапоги из сыромятной кожи горного козла; и поверх новехонького синего накинули другой тонкий халат — ярко-красный, огневой; а в руки дали цветастый платок, которым он, красавец из красавцев, должен был смущенно прикрывать лицо.

Понятное дело, что во все время этой длительной и многосложной подготовки ее участники то и дело осыпали друг друга подарками: цирюльник, обходя гостей, многословно жаловался на бритву, и в его кулях кидали медяки и сласти, чтобы она, проклятая, стала наконец острее; начальник каравана сплел камчу из белого платка и расхаживал, грозно ею размахивая, требовал от присутствующих немедленно одарить жениха; мать то ходила с решетом, в которое полагалось положить что-нибудь для будущего хозяйства, то, напротив, рассыпала перед гостями деньги и фрукты, в чем с восторгом способствовали ей дети...

В конце концов все было исполнено как положено, и караван начал строиться. Возглавила его старшая сестра жениха, под которой степенно ступала пегая кобыла. Следом начальник каравана вел в поводу белого жеребца, на котором восседал сам жених. За жеребцом приплясывали три бойких голосистых парня из жениховских дружков с бубнами и чангами да еще двое несли горящие факела. Замыкали процессию запряженные волами повозки. Те родственники и гости, кому не хватило на них места, шагали позади веселой гурьбой...

— Сильно гуляют, — заметил Санавбар, когда шумное веселье отдалилось.

Шеравкан его слов не услышал.

Он смотрел вслед удалявшемуся вдоль по улице шествию, и его глаза были затуманены, а свет радужно искрился на каплях непрошеной влаги. Непонятно, чего больше было в его остром, сладком переживании: то ли несчастья и горечи (как несправедливо! как жаль! как щемит сердце! ведь он мог бы сам ехать на белом коне в новой одежде! это ему вслед кидали бы на счастье пшеницу и просо! это его друзья танцевали бы с бубнами в руках, распевая веселые и озорные песни! и это его мать стояла бы сейчас, прижав руки к груди и со слезами на глазах провожая свадебный караван своего сына!), то ли предчувствия чего-то еще неведомого, одновременно манящего и грозного, что начнется, когда он (да, ведь именно он мог быть на месте этого рослого сутуловатого парня!) через считанные часы войдет в комнату, где ждет суженая... Как это будет? Он скажет ей: "Сабзина! Любимая моя! Наконец-то!" Что дальше? Она его поцелует? Нежно прильнет? Или, наоборот, испугается, забьется в угол?..

Он на мгновение задохнулся и переспросил, отводя затуманенный взгляд:

— Что?

— Говорю, гуляют хорошо, — повторил Санавбар.

Шеравкан кивнул.

— Хорошо-то хорошо, — скрипуче сказал Джафар. — Но...

— Что, учитель?

— Вы бы, Санавбар, подошли к старосте... м-м-м... или к кому там?

— Зачем?

— Пусть кувшин вина принесут.

— Ах, вина, — повторил Санавбар. — Вы хотите вина, учитель?

— В чем дело? — насторожился слепой, наклоняя голову. — Ну да, я хочу выпить вина. Нельзя?

Санавбар покивал с такой печалью, как если бы Царь поэтов своей последней фразой неопровержимо подтвердил его самые черные подозрения. Шеравкан подумал, что сейчас он заведет разговор насчет того, что можно пить мусульманину, а чего нельзя, и заранее заскучал.

Но Санавбар, покивав, неожиданно просветлел, как если бы у него появилась совершенно иная идея.

— Да, конечно, учитель, конечно... почему бы нам не выпить? Думаю, староста не настолько крепок в своей вере, чтобы устоять перед звоном серебра.

— Серебра? — озадаченно повторил Джафар. — Ты думаешь, что...

— Или золота, — уточнил Санавбар. — Ну да, учитель. На мой взгляд, староста производит впечатление весьма правоверного мусульманина. Похоже, он не пропускает ни одного намаза. Вряд ли его порадует роль поощрителя запретных удовольствий. В данном случае — потатчика пьяниц. Однако небольшая мзда поможет ему иначе взглянуть на дело.

— Ну хорошо... Шеравкан, дай денег.

— Опять денег! — сказал Шеравкан.

С чего это, вообще, Санавбар взял насчет старосты? Староста как староста. Не хуже других. И что за странная мысль насчет покупки кувшина вина? Готовы от радости под ноги стелиться, а вином не могут даром угостить?

— Ты слышишь? — поторопил Санавбар.

— Надо просто так сходить, без денег, — хмуро посоветовал Шеравкан. — Кувшин вина они и бесплатно дадут.

— Вы слышите? — саркастически вопросил Санавбар. — Приятно узнать мнение опытного человека. Вы его слушайте, учитель, слушайте. Он вас научит.

— Что ты упрямишься, Шеравкан? — досадливо бросил Джафар. — Дай денег.

Шеравкан вздохнул.

— Сколько?

Джафар пожал плечами.

— Ну сколько стоит в этом захолустье кувшин вина? Дирхем дай.

— Лучше динар, — озабоченно поправил Санавбар. — Что десять раз туда-сюда бегать.

— Верно, дай динар, — согласился слепец.

— Динар?! — изумился Шеравкан. — Учитель, вы что! Что ж мы то и дело динарами бросаемся?! Актерам дали, теперь за вино должны давать! Это где такое видано? За динар весь этот несчастный кишлак можно вином запрудить.

— Тебе что учитель сказал! — Санавбар повысил голос. — Твое какое дело? Сказали "дай", значит дай!

— Не ори!

— Учитель, вы слышите?!

— Тихо, тихо! Шеравкан, ты чего? Дай, пожалуйста, деньги Санавбару.

— Эх! — сказал Шеравкан в бессильном негодовании и, не найдя больше слов, нехотя начал отвязывать кошелек. — Навязался на нашу голову!

— Что ты там ворчишь?

— Ничего.

— Нет, ты скажи. Кто навязался?

— Отстаньте, уважаемый, — буркнул Шеравкан.

— Вы прекратите препираться или мне обоих палкой отходить? — рассердился Джафар. — Ждете, пока я от жажды умру?!

— Я-то ничего, учитель, — с готовностью пояснил Санавбар. — Я-то молчу. Это ваш милый поводырь все бухтит чего-то. Честное слово, молодой парень, а хуже деда. Да жадный какой: как до денег доходит, так прямо спасу нет.

И, ловко выхватив из пальцев Шеравкана тяжеленькую золотую чешуйку, он удалился, сокрушенно качая головой и что-то еще на ходу договаривая.

* * *

Вино принесли скоро: не успел Джафар в шестой раз нервно поинтересоваться, куда запропастился этот чертов жулик Санавбар, как сосредоточенный юноша поставил на дастархан два пузатых кумгана.

— Пожалуйста, господин Рудаки, — сказал он. — Староста прислал. Вам налить?

— Что? Где? Что прислал? Вино прислал? — забеспокоился Джафар.

У Шеравкана сжалось сердце: так жалко слепец тянул сейчас шею, так смешно задирал голову, как будто надеясь хоть что-нибудь увидеть из-под повязки.

Он быстро наполнил ему пиалу.

— Пожалуйста, учитель... держите.

Джафар осторожно отпил... почмокал... снова припал.

— М-м-м. Райская влага!

— Сейчас и угощения поспеют, — сообщил парнишка и добавил так, будто приводил исчерпывающий сомнения довод: — Дядя Суруш с утра хлопочет.

Дело, похоже, и впрямь шло к тому: со стороны взгорка, где белый яблоневый цвет менялся розовым сливовым, давно уж тянуло дымом и будоражащими запахами.

Не успел парнишка удалиться, как будто в подтверждение его слов пришли два мальчика: давешний, что поил чаем, доставил стопку горячих лепешек, а его такой же серьезный товарищ — вместительную плошку с жареным мясом. Затем последовала зелень (лежала на чистых лопушиных листьях), кислое молоко, вареный горох с луком и маслом, а также здоровущее блюдо ячменной каши, заправленной шкварками, — все в бедняцкой глиняной посуде, но такое свежее и пахучее, что у Шеравкана стало мутиться в глазах.

Но едва он успел проглотить кусок, как вернулся Санавбар — и не один, а в сопровождении старосты и еще нескольких немолодых и столь же смущенных людей.

— Прошу вас, прошу! — повторял Санавбар, рассаживая визитеров. — Учитель будет рад. Не стесняйтесь! Это ведь мы у вас в гостях, а не вы у нас. Рассаживайтесь, угощайтесь. Чувствуйте себя как дома! Это, учитель, уважаемые люди. Хотят вам еще раз почтение засвидетельствовать.

— Хорошо, хорошо.

— Простите, если что не так, господин Рудаки, — шепеляво повторял староста, беспрестанно кланяясь. — Вы привыкли, наверное, к богатым приемам... а мы люди простые... деревенщина. У нас все по-старинке... уж вы не гневайтесь.

— Господь с вами! — отвечал Джафар. Он протянул ладони, нашаривая, и староста тут же с новым поклоном взял их в свои. — Что вы говорите! Все замечательно. Невесту привезли?

— Слава богу, слава богу!.. все своим чередом, — говорил староста. — Такой праздник у нас сегодня, видите. Большой праздник!

— Кстати, Санавбар. Налей-ка вина.

— Как не поднять чашу за счастье молодых! — шумел Санавбар, разливая по пиалам.

Шеравкан только сейчас обратил внимание, что он обут в новые сапоги; ну, может, не совсем новые, но все равно едва ношенные. А уходил в дырявых. Откуда взялись?

— Прошу вас! Свадьба — большой праздник. Самый главный в жизни. Кто-нибудь, конечно, скажет, что самый главный — это рождение. На том основании, дескать, что пока человек не родился, у него и свадьбы быть не может. Верно?

— Да, да, конечно, конечно, — несмело соглашались пришедшие.

— Но ведь перед рождением все равно должна быть свадьба? — напирал Санавбар. — А иначе откуда дети возьмутся? Разве не так, уважаемые?

— Конечно, конечно...

— Вот и получается, что свадьба главнее.

— Урок греческой философии, — одобрительно заметил Джафар, протягивая Санавбару пустую пиалу. — Что было раньше — яйцо или курица? А скажите, уважаемые, невеста из вашего кишлака?

— Нет, из соседнего. Вон ту горку обойти — там кишлак Сангияр. Оттуда она.

— Но из хорошей семьи? — озабоченно поинтересовался поэт.

— Из хорошей, — кивнул староста.

— Отлично, — встрял Санавбар. — Семья — корень жизни! Если корень крепкий, то и невеста — лучше не бывает. Давайте выпьем за здоровье ее уважаемого отца!

— Корень-то крепкий, — согласился староста, принимая полную пиалу. — Да вот с самим отцом несчастье случилось.

Он горестно покачал головой. Пришедшие с ним покивали, а седобородый старец в синей чалме сказал со вздохом:

— Бедный, бедный Бахрам!..

— А что стряслось?

Староста свел брови, по-видимому подбирая слова. Потом расстроенно сказал:

— Видите ли, учитель, сад у него был хороший.

— Сад?

— Ну да, сад.

— И что же? — поторопил Санавбар. — Что за причина для несчастья — хороший сад! При хорошем саде жить нужно да радоваться.

— Так-то оно так, — согласился староста. — Да вот только понравился этот сад одному богатому мулле.

— Бухарскому?

— Верно, бухарскому. Захотел в наших краях летний дом построить.

— Вот-вот, летний дом, — подтвердил кто-то. — А что ж? — у нас прохладно.

— Предложил продать. Бахрам отказался.

— Бахраму зачем продавать сад? — пояснил седобородый в синей чалме. — Он с этого сада жил. Ему детей поднимать.

— Вот именно.

— Кто последнее продает?

— Мулла этот и говорит: ага! Не хочешь, значит? И купил выше кусок земли. У Варшаба-ложечника. Плохая земля. Варшаб-ложечник всю жизнь на этих камнях бился, лоскутками сеял.

— С хлеба на воду перебивался.

— Понятно: на такой-то земле.

— А мулла-бухарец ему хорошую цену дал. На, говорит.

— А зачем ему выше? — спросил Санавбар. — Какой смысл? Вы же говорите, он сад хотел купить?

Переглянувшись с односельчанами, староста снова горестно покивал. Потом все же пояснил:

— Через землю Варшаба-ложечника ручей шел.

Санавбар пожал плечами.

— Бухарец землю купил — и запруду построил. Понимаете, уважаемый? Вода в сторону пошла.

— Ах подлец! — сказал Джафар. — Мимо сада?

— Ну да, мимо сада. Два года Бахрам с ним ссорился. К эмиру жаловаться ездил. А когда сад засох, сам пришел к мулле: ладно, говорит, уважаемый, добили вы меня. Согласен, покупайте. А тот смеется. Какой, говорит, сад? Где сад? Это? Не смеши меня, такой сушняк только на дрова годится. Иди, говорит, другому кому предложи. Раньше, говорит, думать надо было.

— Вот так.

— Такой мулла оказался.

— Бахрам не стерпел... но дело темное. Потом говорили: с ножом кинулся.

— Может быть, может быть, — вздохнул старец в синей чалме. — Горячий человек был. А может, и сами просто так избили.

— В общем, привезли его оттуда. Дня три полежал и умер.

Все молчали.

— Боже мой, боже мой! — негромко протянул Санавбар.

Он сжал виски пальцами и обвел присутствующих блуждающим взглядом.

— Это что же делается-то, Господи!

Все молчали.

— Поистине, благо увяло, а зло расцвело!.. рассудок сбился с дороги!

— Золотые слова вы говорите, уважаемый, — заметил староста. — Лучше не скажешь. Позвольте, я налью вам вина.

— Истина, потерпев поражение, обратилась в бегство, — продолжил Санавбар, невидяще глядя на розовую струю, наполнявшую чашу. — А ее преследует по пятам торжествующая ложь. Смеется порок, и плачет добродетель. Справедливость обессилела, и насилие берет верх. Благородство погребено во прахе, а низость воскресла. Попрано великодушие, ликует скупость. Слабеют узы любви и дружбы, крепче становятся силки ненависти и злобы, унижают праведников и возвеличивают злодеев. Пробуждается коварство, и заснула честность; обильно плодоносит ложь, и засыхает правда; униженно опустив голову, влачится справедливость, и горделиво шествует тиранство!..

Шеравкан сглотнул слюну и мельком взглянул на Джафара: по его лицу почему-то блуждала улыбка.

— Мудрецы будто нарочно совершают деяния, далекие от мудрости! — воскликнул Санавбар, жестом отчаяния сцепляя пальцы на груди. — Обиженный кается в грехах, проявляя покорность и смирение, а обидчик буйствует, не зная преграды своим порокам. Отовсюду грозит широко раскрытый зев алчности, что поглощает и близкое, и далекое. Люди забыли время, когда довольствовались своей долей. Удачливый злодей превознесен выше неба, а добрые люди из страха перед ним желали бы укрыться в земные недра. Благородство швыряют с вершины горы на обочину дороги, и низость попирает его, опьяненная собственной силой!..

— Да, да, уважаемый, — прошепелявил староста, едва сдерживая слезы. — Вот я вам потом расскажу, какой случай в нашем собственном кишлаке был.

— Удалилась власть от мужей достойных, и ее подхватили разбойники и лиходеи. И мирская жизнь ликует, словно наглая блудница, говоря: "Ушли прочь добродетели, и встали на их место пороки!"

Санавбар замолк и обвел присутствующих таким взглядом, как будто только что проснулся и не может понять, не является ли то, что он видит, продолжением его прежних видений.

— Точно, точно! А дальше: и я погрузился в раздумья о дивных делах этого мира, — негромко сказал Джафар.

— Что? — переспросил Шеравкан, наклоняясь. — Что вы говорите?

— И не мог я понять, почему человек — самое благородное и совершенное из земных созданий — всю жизнь свою влачит в печали и в заботах, — пробормотал слепец. — Понимал я, что всякий разумный муж желал бы любыми средствами достигнуть спасения, но видел, что люди бездействуют, и не было конца моему удивлению...

После чего распрямился, усмехаясь, и воскликнул, протягивая в пространство пиалу:

— Молодец, Санавбар. Хорошие слова! Отличная память! За это надо выпить.

УТРО. АЙАРЫ

Санавбар угрожающе тянул к нему руку, рогами растопырив пальцы, и повторял:

— Козочка, чи-ги, чи-ги!

"Уважаемый, вы зачем Джафара обманули?!" — хотел спросить Шеравкан.

Но белый свет переливался и трепетал, как трепещет пленка на стынущем молоке, и все плыло и смазывалось.

В мгновенном испуге распахнул глаза: перед ними обнаружилось бескрайнее золотое пространство.

Моргнул, и оказалось, что это всего лишь пятно солнечного света на глиняной стене; а он лицом к ней и лежит.

Вздохнул, заворочался, неслышно потянулся.

Солнце било сквозь щелястую, связанную из ивовых жердей дверь.

Утро. В комнатенку доносился привычный шум жизни: петух прокричал... еще... где-то вдалеке монотонно лает собака: уф, уф!.. и опять: уф, уф!

Едва слышно пошуршав сеном, повернулся на другой бок.

Джафар спит: левая рука под головой, ладонь правой прикрывает лицо, как будто защищаясь.

Другой тюфяк пуст, но хранит очертания тела. Куда-то Санавбар улепетнул спозаранку... ох уж этот Санавбар.

Мысли спросонья медленные, ленивые.

Давеча Бехруз, который их ночевать устроил... хорошая комната, чистая... брат каравансарайщика Салара... да, так вот Бехруз сказал, что вино, конечно, бесплатным было. Прямо на смех Шеравкана поднял, когда тот, помогая набивать тюфяки свежим сеном, спросил невзначай. Кто же, говорит, с гостей деньги будет брать... мол, смешно и думать даже, у нас в кишлаке такого не водится. Это, говорит, староста всю компанию угощал.

А сапоги Санавбар у него самого купил, у Бехруза. Бехруз хотел бесплатно отдать — ношеные сапоги-то, а человек — друг Царя поэтов, а на ногах у него — труха. Почему же ему сапоги не подарить? Но Санавбар настоял — дескать, не надо ему бесплатно ношеных сапог, он человек небедный, деньги водятся, может и купить. Разгорячился весь: нет — и все тут. Ну, он гость, гостю нужно уступать... согласился Бехруз взять за сапоги десять фельсов — сумму по нынешним временам скорее символическую, чем вещественную. Но Санавбар и впрямь человек небедный — мельче динара ничего нет. Поди еще разменяй. Короче говоря, сошлись на том, что несчастные эти фельсы Санавбар занесет на обратном пути: когда отведет Царя поэтов в Панджруд и будет возвращаться.

Возвращаться он будет!.. Его и туда-то никто не звал. Вот и опять видно, что жулик.

Ну ничего, динар-то отдаст, никуда не денется. Вчера-то все пьяные были, не с руки, а сегодня Шеравкан до него доберется. Так и так, Санавбар, я все узнал, вино бесплатное. Давай динар обратно, а то сейчас учителю пожалуюсь. Ничего, отдаст как миленький.

Вчера... да, вчера.

По мере того как юноша, ведавший кумганами, уносил пустые, чтобы вернуть их полными (сделал это трижды, если не четырежды), застолье прошло все положенные фазы развития: и радостно-приветливое оживление, и приступы нежности, во время которых только правила приличия мешали новообретенным друзьям заключить друг друга в объятия, и припадки буйного веселья, а затем и беспричинного раздражения (в частности, Санавбар, задетый каким-то совершенно невинным замечанием, вспылил и хотел немедленно покинуть не только компанию, но и кишлак; однако в конце концов поддался на дружные уговоры и передумал, ударившись вместо того в слезливые и путаные воспоминания обо всех когда-либо понесенных им незаслуженных обидах).

Часа через полтора разговор, будто полноводная река, пропадающая в пустыне, окончательно разбрелся на отдельные высказывания, совершенно не связанные друг с другом. Один из уважаемых людей прикорнул, положив голову на колени другого, третий сидел, бессильно обмякнув после очередной неуспешной попытки увлечь друзей в огневой танец.

Санавбар, качаясь как китайский болван, бормотал обрывки стихов, сам себя поправлял, проговаривал заново и опять сбивался.

Только староста по-прежнему пытался поведать о целом ряде ужасных случаев, что происходили некогда в кишлаке Кунар, но его и раньше-то не вполне внятная в силу шепелявости речь по мере пополнения кумганов окончательно испортилась, и чем дальше, тем труднее было понять, о чем же он все-таки толкует; впрочем, слушать его давно уже никто не пытался.

В конце концов их привели сюда. Санавбар два раза падал. А Джафар ничего, твердо шел. Шеравкан его маленько только поддерживал.

Санавбар сразу повалился — как мертвый.

А Джафар сел на тюфяк и стал пьяно куражиться.

— Шеравкан!

— Что, учитель?

— Это мы куда пришли?

— Как куда, учитель? Ночевать пришли... вы ложитесь.

— Ночевать, говоришь?

— Ну да.

Джафар надменно оттопырил нижнюю губу:

— Это что же за ночевка такая? Опять клоповник?

— Почему клоповник? Чистенько. Я же говорю: Бехруз, брат каравансарайщика Салара...

— Брат каравансарайщика... и сам каравансарайщик... и дети его будут каравансарайщиками. Чисто, говоришь?

— Чисто, учитель. Мы с Бехрузом свежего сена в тюфяки напихали. Пощупайте.

Недовольно потыкал кулаком. Подозрительно наклонил голову.

— А храпит кто?

— Санавбар.

— Любитель поэзии... казалось бы, утонченное существо... а храпит, как сапожник. Ну хорошо... хорошо. Чисто, говоришь. А вот я сейчас сам посмотрю, как тут чисто. Знаю я этих каравансарайщиков... и братьев каравансарайщиков... грязь всюду непролазная. А то что ж это я как крот...

И с этими словами вдруг на самом деле взял — и стянул повязку с лица.

Шеравкан содрогнулся.

— А то водят меня куда-то... ночевать, туда-сюда... а я ни черта не вижу... крот кротом.

Но секунда прошла — и ничего.

Шепча что-то горестное, Джафар осторожно ощупал два глубоких шрама. В келье было сумрачно, и Шеравкан не разглядел толком.

Слепец вздохнул.

— Ах господи. Вот так, значит... ну понятно, — с пьяным разочарованием махнул рукой. Посидел, свесив голову. Снова надел повязку. Поправил. — Шеравкан!

— Что?

— Так чисто здесь?

— Чисто, учитель.

— Ну, если ты говоришь — чисто, значит, так тому и быть... ты человек надежный. Шеравкан!

— Да, учитель.

Голос прежний, будто и не пьяный вовсе.

— Будь добр, принеси пиалу воды... поставь сюда. Принесешь?

— Принесу.

— Я спать буду, Шеравкан. Ладно?

— Спите, учитель.

— Погоди, а собака где? Кармат куда делся?

— На поляне был. Потом не знаю... не следил.

— Пошел любви искать, — вздохнул слепой. — Ну ничего. Хлебнет — и вернется.

Шеравкан отправился за водой, а когда вернулся, Джафар уже мирно посапывал.

Да, вот так было вчера... праздник кончился. Что ж... надо вставать.

Он еще раз на славу потянулся. Сел, чувствуя приятную утреннюю легкость. И, еще не поняв, что, собственно говоря, случилось, похолодел от пяток до кончиков волос на макушке.

Легкость!

Вот тебе и легкость: кошелька-то нет! Был привязан к поясу тяжелый кошелек с деньгами Джафара! Где он?!

Вскочил, переворошил тюфяк.

Нет кошелька!

Злые слезы брызнули из глаз.

Мало ему было динара! Подлый человек! Он все украл, все у них украл!

— Учитель! — трубно воззвал Шеравкан. — Учитель, беда!

Выскочил из кибитки наружу, дико огляделся.

Кармат лежал в траве у крыльца. Поднялся, приветливо мельтеша обрубком хвоста, припал на передние лапы, скуля и потягиваясь.

Тишина, покой. Дымы над домами... легкий туман лежит в складке холмов... стадо коров рассыпалось на зеленом склоне, будто горстка разноцветных камушков.

Украл! Все деньги украл!

— Учитель!

Ворвался в каморку.

Джафар заворочался, сел.

— Что ты орешь? Пожар? Наводнение?

— Учитель, беда!

— Да что случилось, черт тебя возьми!

— Санавбар сбежал! И деньги украл!

— Какие деньги?

— Ну деньги же! Вам привезли! Вы что, не помните?! Я из них вчера ему динар давал! На вино!

Слепец зевнул.

— Ах, деньги...

Почесал голову.

— Ну понятно. Кармат пришел?

— Какой Кармат?! Учитель, у вас деньги украли!

— Да понял я... ты ему дай что-нибудь.

— Кому?

— Собаке. Хлеба дай хотя бы.

— Да что вы все про собаку, учитель, — Шеравкан чуть не разрыдался от обиды и горечи. — Я же говорю вам: Санавбар деньги украл. А вином староста угощал. Тоже не нужно было никаких денег!

— Староста угощал? — удивился слепой.

— Староста!

— Ну что тут скажешь... Не перевелись еще добрые люди на свете.

— Что он за человек?! — бушевал Шеравкан. — Он какие слова вчера говорил, скорпион!!

Джафар зевнул и снова почесался.

— Какие слова?

— Вчера! Говорил!

— Если ты про весь этот бред, то лучше забудь, — вздохнул Джафар. — И у трезвого-то нечасто найдется разумное слово, а уж у пьяных!..

И безнадежно махнул рукой.

— Еще не пьяные были! Когда он про алчность! Когда про отца невесты староста рассказывал! Справедливость обессилела! Низость воскресла! Ведь говорил?!

— Ну и что? — Джафар пожал плечами. — Думаешь, он сам это придумал?

Вопрос сбил Шеравкана с толку.

— А кто?

— Это из предисловия, — пояснил Джафар. — "Калила и Димна" имеет предисловие. Санавбар оттуда наизусть читал.

— Наизусть... ну и что? какая разница! Ведь говорил?! Сам говорил, а сам вон чего: дождался, пока усну, и деньги спер! Он же вор, вор! В Бухаре ему руку бы отрубили!

Слепой хмыкнул.

— А сколько, говоришь, было?

— Пятьдесят!

— Пятьдесят? Гм... за пятьдесят могли бы и голову. Но мы ведь что-то уже потратили?

— Что мы потратили?! Динар масхарабозам... да динар ему самому вы велели дать. Ему руки надо рубить, а вы деньги даете. Чужими словами! — кипел Шеравкан. — Вот и видно, что сволочь! Еще и чужими словами! Чтобы всех заморочить! Пусть знают, какой он честный! Какой добрый! Справедливость обессилела! Низость воскресла! А сам кошелек попятил!

Джафар вдохнул и снова почесался — на этот раз запустив обе пятерни в бороду.

— Бесчестный человек! Бессовестный! Говорит чужие слова о чести — а сам ворует!

— Что ты привязался к этим чужим словам? — недовольно перебил слепой. Пошарил возле себя, нашел кулях. Посадил на голову. — Будь к нему снисходительней. У него хотя бы есть слова, которые он может сказать. Он знает, где их найти. Большинство не имеет об этом ни малейшего представления.

— Ага, знает он, где слова найти! Чтоб честным людям глаза отвести! А мы теперь без денег!

— Не горячись так, мой дорогой, — посоветовал Джафар. — Ты уже стихами говоришь. Если будешь так кипятиться — вообще невесть до чего дело дойдет.

— Какими стихами?

— Пока еще простенькими: "Слова найти, чтоб глаза отвести". Но лиха беда начало, — Джафар усмехнулся. — Хватит. Как-нибудь образуется. Может, еще вернутся твои деньги.

— Ну конечно: вернутся! Вот вы смешной, честное слово!..

Они помолчали.

— Слушай, — задумчиво сказал Джафар. — А записка тоже в кошельке лежала?

— Ну да, — покаянно кивнул Шеравкан. — Тоже в кошельке.

— Так и не прочли. Вот и выходит: слепой — все равно что неграмотный. А неграмотный — все равно что слепой. Я-то уж вряд ли когда-нибудь прозрею. Так надо хотя бы тебя грамоте обучить.

— Меня?

Шеравкан потрясенно молчал.

Предложение Рудаки прозвучало так просто, как будто речь шла о чем-то совсем немудреном — ну, скажем, научиться месить тесто или стирать белье. Но обучиться грамоте! Стать чтецом! И даже, может быть, уметь писать!..

— Времени у нас хоть отбавляй. Правда, я не смогу проверять твою писанину... но что-нибудь придумаем. Можно палочкой на земле... я буду водить твоей рукой, а ты — смотреть, что получается.

— Палочкой, — завороженно повторил Шеравкан.

— Кто твой отец? — неожиданно спросил Джафар.

— Отец?

— Ну да, отец. Кто он? Ткач, кожемяка? Портной?

— Он стражник, — сказал Шеравкан. — Его Бадриддином зовут. Это он вас в Панджруд отправлял... сказал, что я с вами пойду. Помните?

— Нет, не помню... я никого не видел, — он вскинул голову и добавил, хмыкнув: — По вполне понятным причинам. Кстати, скажи-ка...

— Что?

Покрутил головой, как будто нервно озираясь.

— Там ведь были какие-то всадники?

— Да, были. Трое.

— И Гурган среди них?

Эх, зачем сюда разговор повернулся! Надо было молчать, что отец стражник. Нечистый за язык потянул.

— Ну да, был, — нехотя сказал Шеравкан. — С двумя какими-то. Как вас привели, они сразу уехали.

Так и есть: не ослышался он. Узнал по голосу. Это был голос Гургана: "Вот он каков теперь, полюбуйтесь!.."

Джафар вздохнул.

— Ну ладно. Взгляни-ка, там не осталось глотка?

Шеравкан потянулся, качнул кумган: вчера Бехруз принес, когда разводил гостей.

— Осталось.

— Налей, пожалуйста.

Шеравкан наполнил пиалу.

— Значит, стражник, — пробормотал поэт, отпив.

— Стражник, — подтвердил Шеравкан. — Вообще-то мы из ремесленников. Отец в молодости айаром был.

— Айаром? — удивился Джафар. — Если он был айаром, то как стал стражником? Айары стражников ненавидят.

— Да, он был правой рукой головы айаров, удальца из удальцов, — сказал Шеравкан, немного волнуясь.

— Серьезно?

— Да!

От волнения и гордости перехватило горло, и Шеравкан, поскольку не мог ничего сказать, только подтверждающе кивнул.

— Вот как, значит. Ты тоже хочешь стать айаром? Что за вопрос! Кто же не хочет стать айаром?!

Всякий хочет стать айаром, да не у каждого получается.

Во-первых, ты должен быть крепким веселым парнем, уметь за себя постоять, да чтоб острое слово всегда наготове. Если станешь таким, овладеешь приемами боя, применяемыми в состязаниях, докажешь дружбу, проявишься в деле, выкажешь храбрость и удальство, закалишься в схватках с соседними кварталами — тогда, если тебя приметит кто-нибудь из старших по братству, лет в семнадцать станешь на первую ступень: наденешь рубаху с закрытым воротом, обуешь на босу ногу кожаные калоши на высоких каблуках, плотно-плотно навьешь чалму с "мышиным хвостом" коротко отпущенного конца и повесишь на поясной платок пару небольших ножей в лаковых ножнах.

Весной, когда земля и природа ждет определения, каким быть будущему урожаю, когда она мается, как роженица, ожидая подмоги от людей и животных — пусть бы своей яростью и мощью помогли проснуться ее дремлющим силам! — за городскими воротами собираются партии удальцов.

Поначалу соперники все вместе становятся в большой круг. Первыми выпускают бойцовых кекликов — горных куропаток.

Ах, как наскакивают они друг на друга, как сшибаются, как бьют крыльями, вздымая вихри! Сколько чувства в криках болельщиков, сколько радости одних и разочарования других при конце яростной битвы!

Когда свежий ветер уносит пестрые перья, выходят петухи; за петухами бараны — круторогие красавцы, бьющие друг друга так, что лопаются лобные кости.

Сколько азарта, сколько ожесточения! Хватит ли птиц и животных, чтобы позволить страстям выплеснуться из этих разгоряченных, из этих то ликующих, то готовых плакать людей?

Куда там!

Выступают первые молодцы — один на один. Договариваются, как бить: кулаком ли, ладонью, коленом или головой. Долго манерничают, предлагая сопернику право первого удара. Вот наконец один берется руками за ворот собственного халата, расставляет ноги пошире.

— Очень прошу вас, уважаемый, сделайте свое дело! Бац!

Шатнулся молодец, но устоял.

— Это все, на что вы способны, уважаемый? Трах!

Снова удержался.

— Уважаемый, мне стыдно за вас. Вы не могли бы хоть немного постараться?

Хлесь!

Переступил... пошел... должно быть, земля перед ним багровая... алая!.. голубая и зеленая!..

Выправился!

— Вы закончили, уважаемый? Тогда позвольте мне.

Там другая пара... там третья... жару больше... пышет пылом!..

Вот уже и вместе пошли — стенка на стенку, дружина на дружину. Гром битвы катится на весь свет.

Пыль сражения застилает солнце. Скачут слуги эмира разнимать ратников.

Не дай бог зашибут кого-нибудь насмерть — ну что ж, партия платит за кровь, скидываются все по-братски.

В жарких перепалках, неустанных трудах и заботах о требующей неусыпного внимания чести, в самоотверженном единении и беззаветной дружбе пройдет года два — и поднимешься на вторую ступень: таёр.

А если так, то теперь тебе позволены сапоги на высоких подборах, легкий халат нараспашку — зимой и летом без рубахи, чалма-корзинка, конец которой раза в полтора длиннее, чем у новичков, и полуаршинный нож на непомерно длинном кушаке из цельного куска маты.

Ну а на самой высокой ступени айарского молодчества стоит муж из мужей, молодец из молодцов.

Сколько бы партий ни было в городе — да хоть бы даже и четыре: шахристанцы, регистанцы, калабадцы и джуйбарцы, — муж мужей все равно один: один удалец удальцов на свое время. Сменит его новый раис айаров — значит, и время сменилось, пошел новый круг, начинай сначала... А как сменит? — только вызвав на честный бой и победив так легко, так очевидно и играючи, что все только ахнут: о да, верно, тут не поспоришь, уж удалец так удалец, молодец из молодцов, муж из мужей. А если случится малейшая заминка, если победа не свалится в руки так же легко, как переспелое яблоко с подсохшей ветки, прежний раис останется на своем месте, а того, кто зря покусился на его славу, с позором и навсегда выгонят из айарского братства.

Шеравкан вздохнул.

— Не знаю.

— Не хочешь? — удивился Джафар.

— Хочу. Но сыну стражника трудно стать айаром.

Слепец допил вино, поставил пиалу.

— А как же отец стал стражником?

Шеравкан пожал плечами.

— Он хотел жениться.

Замолчал.

— Ну? — поторопил слепец.

— Ну вот. На маме на моей хотел жениться. Ну то есть... на будущей моей маме. А дедушка Рашид... мамин отец... помните, вы еще сказали, что он огне-поклонником был?

— Что?! — изумился Джафар. — Когда я говорил, что дедушка Рашид был огнепоклонником?

— Помните, про свинью поспорили? Вы и сказали. Да ладно, ничего, я же не обиделся.

— Нет, подожди. Я про дедушку Рашида ничего не говорил. У меня и мысли такой не могло быть. Я говорил всего лишь, что твои предки поклонялись Ормазду. Как и мои, впрочем. Понимаешь? Бог с тобой, это совершенно не про твоего дедушку Рашида.

— Ну ладно, ладно, — отмахнулся Шеравкан, которому не терпелось продолжить рассказ об айярах. — В общем, дедушка Рашид-то и говорит ему, папе-то моему: пока, говорит, ты с айарами путаешься, я за тебя дочь не отдам. Мне, говорит, зачем такое нужно: тебе башку проломят, а она с детьми останется. Такой уж дедушка человек. Я его люблю, конечно, но... — Шеравкан расстроенно махнул рукой. — Так и заставил отца из айаров уйти.

— И он стал стражником, — вопросительно уточнил слепец.

— Ну да, стал стражником, — кивнул Шеравкан.

— То есть и тебе, скорее всего, придется стать стражником, — полуутвердительно сказал Джафар.

Шеравкан пожал плечами:

— Не знаю. Наверное.

Произнеся последние слова, он с удивлением почувствовал, что его согласие с будущим немного горчит.

Да, он станет стражником... но зачем тогда уметь читать?

Слепец нашарил пиалу, придвинул.

— Налей...

Шеравкан взялся за кумган.

И вдруг, неожиданно для самого себя, спросил, запинаясь:

— Джафар... уважаемый Джафар... а как это с вами случилось?

Глава десятая

НЕОКОНЧЕННЫЙ РАЗГОВОР

рохватило вас, хозяин, ох прохватило. Ишь что делается, виданное ли дело...

И впрямь: налетело, должно быть, последнее, самое пронзительное ненастье той зимы — с мокрым снегом, с дождем, с промозглой сыростью ветра.

— Дайте накрою как следует.

— Отстань бога ради.

Ворча, Муслим ушел. Вернувшись, поставил в угол жаровню с углями. Снова ссутулился у постели.

— Хозяин, хотите горячего молока?

— Не надо.

— Что ж вы такой упрямый, хозяин?! Хуже барана, честное слово. Другие люди заболеют — так лечатся. А вы...

— Уйди ради всех святых угодников.

Потоптался у порога.

— Позовите, если что.

— Ладно, ладно. Иди.

Закутался в одеяло, свернулся калачиком. Ветер наваливался на глиняные стены, метался над крышей, свистел в щели ставней. Оранжевый лепесток масляного светильника испуганно помаргивал.

Угораздило заболеть.

Весь день неможилось... длинный получился день. А все равно прошел. Время — это единственное, о чем не надо заботиться: оно, слава богу, течет само по себе.

Болен ты или здоров, а день прошел... третья годовщина, как не стало Юсуфа.

Три года назад Юсуф Муради в муках покинул этот свет. Ангел вычеркнул его из книги Бытия.

И мир не содрогнулся, не завопил. Не встал с ног на голову.

Вот ведь как.

Время течет, а эта рана не заживает. Если даже Джафар чувствовал себя осиротевшим, то уж в том, что осиротел мир, не было никаких сомнений: ведь всю свою жизнь Юсуф думал вовсе не о себе, не о друзьях, не о своем названом брате Джафаре — а о целом мире: о его делах, о его крови, его несчастьях и горестях. Всю жизнь размышлял — как сделать, чтобы мир стал хоть немного добрее, хоть чуточку великодушнее? Что предпринять, чтобы человек, приходя сюда, не оказывался ни в состоянии вечно голодного и понукаемого скота, в котором остается так мало человеческого, — ни в положении владыки, в котором человеческого нет вовсе?

Но миру было все равно: он и знать не хотел о своей невосполнимой утрате.

Встретившись в юности, они начали разговор. Разговор прервался. Но не был закончен.

Так под вечер сходятся друзья за кувшином вина. Один вернулся из дальних краев, и они хотят послушать рассказ о его путешествии. Ночь проходит, рассказ остается незавершенным. Разве ночь виновата? — нет, просто повествование оказалось слишком длинным.

Бывало, они расходились ненадолго. Снова сближались. Но даже если один был в отъезде, другой не переставал втолковывать ему свои мысли. Беседовать с отсутствующим легко, если его ответы известны заранее.

Известны заранее... да, именно так. Но ведь и под луной нет ничего нового. Просто луч света упал под другим углом — и мир вокруг выглядит немного иначе. Только дураки ждут от беседы все новых и новых новостей. Что нового может сказать человек, если даже Бог повторяет одно и то же?

Должен ли человек стремиться к справедливости?

"Должен, — соглашался Джафар. — Но может ли он знать, что такое справедливость?"

"Может, — твердо отвечал Юсуф. — Всякий знает, что такое справедливость".

Усмехаясь, Джафар с сомнением качал головой.

Пророк Муса, мир ему, во время разговора со своим Господом на горе попросил его: "Господи, покажи мне Твою справедливость и Твое правосудие". И сказал ему Всевышний: "О Муса, даже ты, серьезный и отважный, — даже ты не сможешь стерпеть Моей справедливости". Муса возразил: "С Твоей помощью я смогу". — "Тогда пойди к такому-то роднику, спрячься и смотри".

Пророк Муса, мир ему, пошел к роднику и спрятался в кустах.

Скоро появился всадник. Он сошел с коня, достал из-за пояса мешавший ему кошелек с тысячью динаров, положил рядом. Совершил омовение, помолился и уехал, забыв про деньги.

После него пришел мальчик. Захотел напиться, увидел кошелек, подобрал и ушел.

Следом приковылял слепой старик. Этот успел лишь утолить жажду и совершить омовение. Как только начал молитву, к роднику прискакал всадник, обнаруживший потерю.

"Я оставил кошелек с тысячей золотых динаров, и никого, кроме тебя, здесь не было!" Старик ответил: "Я слеп, как я мог видеть твой кошелек?" Всадник в ярости обнажил меч и зарубил старика.

Обшарив все вокруг, не нашел потери и в конце концов уехал восвояси.

И воскликнул Муса, мир ему: "Господи, нет больше сил терпеть! Объясни мне, Справедливейший, ради Тебя самого, что здесь происходит? Почему эти дикие злодеяния ты называешь справедливостью?!"

Тогда спустился с небес ангел Джибрил, мир ему, и поведал Мусе: "Создатель, да возвеличится мощь Его, ведает сокровенное. Он знает то, что для тебя — тайна! Я открою тебе, что ребенок, взявший кошелек, взял не чужое, а свое: его отец работал у этого всадника. Тот должен был заплатить ему тысячу золотых динаров, но не отдал причитающегося. Отец умер в нищете, а сейчас его сын получил положенные ему деньги".

"Но при чем тут слепой старик? — воскликнул Муса. — Старик пострадал невинно!"

Усмехнулся ангел Джибрил и ответил:

"Не сомневайся в точности Справедливости и верности Правосудия. Видишь ли, слепой старик не всегда был слеп и не всегда был стар. Так складывалась его жизнь, что еще до того, как состариться и ослепнуть, он, польстившись на чужое, убил одного человека. Это был отец всадника, потерявшего ныне кошелек".

Разве можем мы знать законы Справедливости?

Но, разумеется, Юсуфа нельзя сбить с толку даже самыми увлекательными россказнями, на россказни он и сам большой мастер.

"Вкрадчивые байки лукавых баснописцев. Конечно, Джибрил как в воду глядел — да только вода эта подозрительно рябит. Разве не должен был каждый из них понести наказание за то, что совершил, в свое время и прилюдно: старик — за убийство, всадник — за обман? Тогда бы и мальчика можно было упрекнуть в нечестии — почему не дождался того, кто вернется за кошельком, почему скрылся с чужими деньгами?"

"Но если их преступления не вскрылись в свое время? Нам не дано знать законы справедливости. Нет весов, на которых можно взвесить поступок и воздаяние".

"Ну конечно... Я недавно разговаривал с одним медицинским светилом. Светило поведало мне, что сердце губят четыре вещи: сильный холод, жара самума, удушливый дым и боязнь несчастливых чисел".

Сейчас, в полусне, Джафар снова рассмеялся — во всяком случае, в мгновенном, но ярком сполохе сновидения увидел себя смеющимся.

"Боязнь несчастливых чисел? Отлично! Кто же этот умник?"

"Неважно... Важно то, что твои представления о справедливости так же продуманы, как его суждения о причинах сердечных болезней".

"Сегодня ты ко мне особенно расположен".

"Как он полагает боязнь несчастливых чисел явлением столь же независимым от человеческой воли, как мороз и жара, так и ты убежден, что злодеяния случаются помимо воли злодеев. Что за абсурд! Если бы это было так, если бы Господь предписывал людям их преступления, как бы Ему удавалось оставаться Благим?"

Вот опять ветер навалился: как будто решил вовсе смести город с лица земли. Утром проснешься — где Бухара? Нет никакой Бухары: гладкая степь. Ни ее дымных кварталов... ни путаницы переулков... ни чада и вони... ни воплей торговцев и рева ослов... ни садов эмира с их чудными дворцами и водоемами. Даже Арк — эту неприступную цитадель — и ту сдуло. Никого. Только степь и небо — чистые, как в первый день творения.

"Каждый, каждый должен отвечать за свои деяния!"

"Звучит красиво".

"Даже эмир. Что каждый подданный здесь — раб эмира, — это всего лишь фигура речи. А вот эмир — действительно раб Аллаха".

"Не волнуйся. Господь видит даже то, как ползет черный муравей в темную ночь. Что уж говорить о проступках раба Его — нашего эмира".

"Этого мало. Он должен отвечать не только перед Господом".

"От кого получил, перед тем и отвечает".

"Нет. Обычай искажен. В древности правитель отчитывался перед народом за свои поступки".

"Ты лучше меня знаешь, что нет никакого народа — есть только сонмище темных людишек".

"Не буду спорить. Но почему управлять им должен тот, кто ничуть не просвещенней самого темного из них?"

"Эмир Назр являет собой отрадное исключение".

"А что будет, когда престол займет его сын Нух?"

"Да уж. Нух — человек иных качеств".

"Главная беда — он неумен".

"Ну как сказать... так-то он парень вроде бы смышленый".

"Этому смышленому парню баранов пасти".

"К сожалению, ты прав. Говоря словами древних мудрецов, он не нуждается в указании. Его следует остерегаться".

"Что ты имеешь в виду?"

"Ну как же. Люди бывают четырех типов. Тот, кто знает, и знает, что он знает, — ученый. К нему можно и нужно прислушаться. Тот, кто знает, но не знает, что он знает, — забывший, ему следует напомнить. Тот, кто не знает, и знает, что он не знает, — нуждающийся в указании, его надобно направить. А тот, кто не знает, но не знает, что он не знает, — невежда. Его следует остерегаться".

"Смеешься. А мне не до смеха".

"Да какой уж тут смех. В целом я согласен с тобой. Эмир своей властью может сделать человека несчастным. Но счастье человека, которым властвует эмир, состоит не в том, чтобы властвовать эмиром. Счастье лежит в иной области".

"В какой же?"

"Не знаю. На дороге к Богу".

"Если ты говоришь о том Боге, которому молится большинство, то этот Бог — всего лишь обычай. Полагаю, ты удивишься, если услышишь, что родители-христиане сделали ребенка мусульманином. Вера людей — только стремление соблюсти обряды, которых придерживались предки. В этом мусульманин ничем не отличается от христианина. Равно как от идолопоклонника или буддиста".

"От идолопоклонника и буддиста отличается".

"Разве? Впрочем, ты прав. Буддисты и идолопоклонники, в отличие от иудеев, христиан и приверженцев ислама, по крайней мере воздерживаются от того, чтобы объявлять свою веру единственно истинной. Благодаря чему выглядят значительно симпатичней".

"Но все же согласись: за разными ликами религий скрывается один Бог".

"Далеко не каждый примет эту мысль. И даже понять ее способен не всякий. Сообщи ее людям на площади, и тебя тут же побьют камнями. Будешь стоять до скончания века, как тот чудак, что оживил слона*".

---

* В одном из кварталов Бухары есть каменная горка. Предание говорит, что, когда у эмира умер слон, один богомольный старец взялся оживить его именем Аллаха. Когда ничего не вышло, он воззвал к нему от своего собственного имени. Тогда слон воскрес, однако толпа была так возмущена святотатством, что закидала чудотворца камнями, и по сей день он стоит внутри их груды, ставшей его могилой.

"Ты, стало быть, хочешь, чтобы не только эмир был лучше, но и народ умнее".

"Хотелось бы, конечно. Но поскольку добиться этого совершенно невозможно..."

"Почему невозможно?"

"Снова здорово. Потому что люди косны и невеликодушны. И никогда не станут другими. На сотню находится один, способный взглянуть на вещи с такой высоты, что уже нельзя отличить одну веру от другой. Остальные, если догадываются о подобной способности, единодушно его ненавидят... разве не так?"

"Все-таки на сотню три-четыре. Мне, во всяком случае, так кажется".

"Три-четыре. Ну хорошо. Согласись, это дела не меняет".

"Пожалуй".

"Слава Аллаху. Так вот. Если нельзя сделать народ лучше и умнее, давай остановимся на том, что хотя бы управлять им должны не тупые жадные властители, а мудрецы".

"Совет мудрецов".

"Ну да".

"Сколько же мудрецов будет в этом совете?"

"Сколько? Не знаю. Неважно. Но пусть нечетное число. Допустим, одиннадцать".

"Они равноправны в принятии решений?"

"Совершенно равноправны. Какое мнение получает большинство голосов, то и справедливо".

"Интересная справедливость. Как часто они будут сходиться?"

"Да хоть каждый день".

"Тогда не пройдет и недели, как десять из них скоропостижно покинут юдоль скорбей, а одиннадцатый объявит себя эмиром".

"Гм. Не пройдет и недели. Ты так считаешь, что..."

"Именно".

"Твой взгляд безрадостен, мой дорогой Джафар".

"Что делать".

"Но не исключено, что и справедлив. Еще немного, и мне придется принять твою точку зрения".

"Какую именно?"

"Насчет того, что люди неспособны справиться с самими собой".

"Я это утверждал?"

"Не помнишь? Мне понравилось твое рассуждение. Ты говорил, что человек невероятно силен. Он может все. Река на пути — построит мост. Мешает гора — сроет гору. Овладеет всеми свойствами вещей, изобретет необходимые инструменты. Будет резать медь как масло, железо как овечий сыр. Научится летать как птица, плавать как рыба, познает звезды и все сущее. Но как медь неспособна придумать, что можно сделать с медью, а железо — с железом, так и человек не сумеет понять, как быть с человеком. Он не найдет верного применения самому себе. Его удел — вечно хотеть лучшего, а делать только хуже. Пить свою собственную кровь и питаться своей собственной плотью".

"Я такое говорил? Совершенно не помню".

Сон рябил, слоился, истончался до яви, и тогда он на мгновение раскрывал глаза, чтобы увидеть желтое облако помаргивающего света; казалось, что выступающие из тьмы стены комнаты угрожающе клонятся друг к другу.

Скоро утро, должно быть. Спать. Нужно спать.

Ворочался, пил воду. Снова забывался. Зыбкий сон уводил взгляд в иные пространства.

Повернулся на другой бок.

Ну да. Разговаривали всю жизнь.

А теперь — ровно три года.

Боже, ниспошли сон.

"Извини, не договорил. Знаешь, жадность простого человека можно объяснить хотя бы тем, что, понимая, как слаб и немощен в мире, он дорожит грошом, надеясь, что деньги дадут ему опору.

Но как постичь жадность эмира? У эмира есть то, что ценнее всякого золота и мощнее всякой мощи, — власть. Благодаря власти он вошел в тот круг, где уже не нужны деньги. Что бы ни произошло, он останется богат и знатен. Даже если однажды судьба отнимет все его состояние, нищета не продлится долго: он заявится ко двору другого эмира, и тот осыплет его дарами. Как бы ни ожесточался рок, пока жив, он останется вхож в дома правителей — и только благодаря этому неплохо прокормит себя и свою семью.

Кого же мы видим на тронах? Должно быть, великодушных бессребреников?

Нет: жалких скряг, с ожесточением базарных старух бьющихся за каждый медяк.

Редкий правитель способен рассудить, что, сколь бы ни был он богат, новой жизни не купит — а все прочее у него есть и так.

Он мог бы отдать лишнее золото народу подвластного ему государства: люди станут деловитее, сноровистей, щедрее, в их руках расцветет страна, и каждый скажет: она расцвела щедростью эмира такого-то! Но нет: вместо того чтобы усилиться силой живой страны, жадный владыка будет до смерти трястись над своими мертвыми сокровищами.

Что за куцая душа трепещет в его груди, если он готов удушить любое дело — лишь бы ни один грош не миновал его ненасытных рук!

Господи, как несчастна держава жадного эмира! И как злополучен народ, управляемый хапугой!"

"Это ты про Назра?"

"Господь с тобой. Назр не таков. Это я про Нуха".

"Но мы еще не знаем, каков Нух на троне. Это предвидение?"

"Можно и так сказать".

Огонь ночника — будто глаз подслеповатого чудища: моргает, слезится... куда смотрит этот бессонный дэв? Что пытается разглядеть?

Все кончилось.

Нет, было еще что-то важное.

Что может быть важным, если есть смерть?

"Нет, это я какую-то глупость сказал. Сила смерти велика, это правда. Смерть страшит в настоящем. Она способна коснуться будущего. Но все-таки смерть невсесильна: она не властна над прошлым! Да, согласен: 'родился' значит 'умер'. Но если было 'жил', то смерть лишь попусту щелкнет своими клыками".

"Не продолжай. Я знаю. Скажи лучше вот что".

"Что?"

"Ты не боишься этого Нахшаби?"

"Что ты имеешь в виду?"

"Его неумное рвение. Он разъясняет преимущества шиизма. Превозносит Фатимидов. Толкует, что Бухаре следует перенять обычаи карматов... А ведь все помнят, что карматы творили в Мекке — еще и десяти лет не прошло. Ворвались в город под видом паломников. Залили кровью. Разгромили аль-Ка'абу. Выломали "черный камень". Увезли, и он до сих пор в Бахрейне".

"Если говорить о Фатимидах, то Нахшаби здесь вовсе не первый: кто только ни толкует, что их держава — самая справедливая в мире. Похвала им стала общим местом. К счастью, времена изменились. О чем в юности приходилось шептаться, сегодня можно сказать вслух... А карматы — согласен, когда-то они запятнали себя злодеяниями. Кстати, кажется, я догадываюсь, почему они так лютовали".

"Почему же?"

"Большинство исмаилитов признали, что Мухаммад сын Исмаила не будет воплощаться телесно для второго пришествия, сакральная роль передана его восприемникам — халифам-имамам Фатимидов. А секта карматов стоит на своем: Мухаммад сын Исмаила явится как седьмой и последний имам, Махди. При этом одновременно он будет и последним пророком-глашатаем — седьмым по счету после Адама, Ноя, Авраама, Моисея, Иисуса и Мухаммада. Конец света близок, Махди-глашатай придет, чтобы отменить закон

---

* Фатимиды — династия арабских халифов (909–1171), возводившая свое происхождение к Фатиме, дочери пророка Мухаммада.

предыдущей, шестой эпохи — ислама — и начать заключительную эру — эру конца света. Даже провозглашать новую религию, подобно своим шести предшественникам, он не станет — вместо того откроет для верующих сокровенные истины всех предыдущих посланий. В общем, он во всех смысла — последний".

"Ну да. И что?"

"То, что в этом случае страстный дух разрушения, что проявился во всех ужасных подвигах карматов, становится объяснимым. Их вождь Абу Тахир предрек пришествие Махди — Мухаммада сына Исмаила, называя совершенно определенный и недалекий срок: в момент схождения Юпитера и Сатурна, то есть в 316 году. Вот они и начали заранее расчищать место под новое: дикая жестокость к мусульманам любых школ и толков, совершение самых отвратительных и святотатственных преступлений, вершина несказанной гнусности — похищение Черного камня!.. Однако сроки минули, а Махди не явился — пророчество оказалось ложным. Тогда они смирились — какой смысл пахать поле, коли неизвестно, когда придет сеятель?"

"Да уж..."

"Что же касается Нахшаби, то в Бухаре настал век веротерпимости. Теперь ему ничто не грозит: можно и о карматах толковать".

"Век веротерпимости? Не смеши... Так или иначе, о каком бы светлом будущем они ни мечтали, их безумные действия в настоящем не могут остаться безнаказанными. То, что они творили, не скоро забудется, трудно избавиться от разного рода подозрений на их

---

* 316 год хиджры — 928 от Рождества Христова.

счет. Сейчас тишина — а ну как снова сорвутся? Не лучше ли выступить первыми?.. И не забывай при этом, что их вера так близка нашей, что временами почти неотличима. Поэтому я вот чего боюсь: если начнутся преследования карматов, никто не станет разбираться в тонкостях догматики, чтобы понять, чем разнятся от них исмаилиты. Будут травить и тех, и других — ведь они так близки друг другу!.."

"Скорее всего..."

"И еще: пока эмир лишь согласно кивает, слушая Нахшаби. Ему нравятся его идеи — дескать, если, по примеру бахрейнских карматов, делами государства займется совет из шести старейшин и шести их заместителей, будут приниматься самые разумные решения. Страна расцветет, порядок упрочится. Это, мол, самый передовой способ правления... Но ведь на самом деле Нахшаби подталкивает эмира не в сторону новых приемов правления, а в направлении иной веры, исподволь внушая ему, как она хороша, к каким разумным последствиям приводит... Однако возникает практический вопрос: куда денутся нынешние суннитские муллы, если официальная Бухара станет исмаилитской? И что делать тюркской гвардии? Вояки твердолобы — раз предавшись вере в том или ином изводе, они ее уже не переменят. Допустят ли они подобные новшества?"

"Вояки твердолобы, не спорю... но они вояки: подчиняются приказам. Прикажут быть шиитами — будут шиитами".

"Сомневаюсь... И потом, как бы ни нравилось кому общинное правление карматов, но если при этом они, приняв свои самые разумные решения, в соответствии с ними идут убивать и грабить, то мне в другую сторону. Дело не в форме принятия решений. Если решения принимают звери, то в общем-то все равно, сколько их участвует в голосовании — десять или сто".

"Звери? Ну да. Если послушать все слова, что сказал человек со дня своего творения, подумаешь: это Бог. А посмотришь на дела, скажешь: это зверь".

"Поэтому дело не в совете".

"Но ты сам всегда..."

"Перестань! Что с того, что я сам всегда! Истина дороже самомнения. Нужно смягчить сердца. А это не делается в одночасье. Почему Нахшаби так спешит?"

"Он не думает о смягчении сердец — просто боится остаться в стороне".

"Ну да. Вдруг кто-нибудь другой станет провозвестником новой веры нашего владыки. Тогда золотой дождь прольется мимо".

"Как надоело..."

"Что надоело?"

"Все надоело. Уехать хочу. Бросить постылую Бухару. К Аллаху ее. Она мне давно опротивела!.. Хочу домой, в Панджруд".

"Не смеши. Что делать там великому поэту? И разве эмир тебя отпустит?"

"В том-то и дело. Он, видишь ли, гордится мной. Гордится, как лучшим украшением своего венца. То есть я для него вроде драгоценного лала. Или индийского смарагда неслыханной величины. Он втыкает меня в чалму. Или вешает на шею. А когда становится скучно, перекатывает в ладонях... Ах, лучше бы он забыл обо мне. Ведь такое случается. Бывает, он долго не вспоминает о ком-нибудь из приближенных. Потом все-таки спросит: а где же такой-то? Ему говорят: как же, он полгода назад направился в Ирак, и с тех пор ни слуху ни духу. Эмир только плечами пожмет: направился так направился. Может, и доехал. А может, наоборот, его тигр сожрал. Ну и Аллах с ним, не больно-то он здесь и нужен... Вот бы и со мной так! Я бы тут же уехал. Мне не пришлось бы управлять поэтами. Я не хочу ими управлять. Если поэтом приходится управлять, то какой из него поэт? Ты знаешь, как я устал. Бездари отнимают бездну времени. Я не могу отдаться собственным мыслям. И все они почему-то мне завидуют. Чему завидуют? Тому, что я сижу на золотой цепи, как ученый попугай? Дурачье. Если бы знали, с какой радостью я готов поменяться судьбой с последним из них! Я хочу вернуться в Панджруд. Забиться в угол, спрятаться ото всех, закрыть двери, чтобы только воркование горлицы доносилось в прохладную комнату!.."

И уже скользили перед глазами листы бумаги — хорошей самаркандской бумаги. Калам споро бежал по ней, оставляя за собой курчавую вязь отливающих золотом строк. Торопливо читая, он во сне плакал от счастья: с изумлением понимал, что никогда, никогда прежде не создавал таких красивых и звучных. Да нет же, он бы и не смог написать их! Несомненно, это длань Аллаха или одного из Его ангелов водила рукой, ибо не в человеческих силах было создать такие сочетания слов, где каждое становилось волшебным: оно несло на себе отсветы других, столь же сияющих, и отражало их сияние, и отсвечивало — но и сверкало собственным светом, и переливалось, и рождало такие же отражения и блики в тех, что были рядом. А звучало глубоко и гулко, отдаваясь эхом соседних, — но и само вызывало эхо; и потому каждая строка пела слаженным, звучным, никогда прежде не слышанным хором нежных, сулящих вечную радость голосов!..

ЦАРЬ

ал поэтических собраний строил один индус. В нем, примыкавшем к покоям эмира, было шестнадцать колонн, четыре двери, восемь отдельных павильонов за решетчатыми перегородками. Стены украшены резным алебастром и позолотой: из прихотливого переплетения листвы и плодов выглядывает то свирепая морда черного вепря, то клюв цапли, взбросивший в небо трепыхающуюся лягушку, то влажный взгляд испуганного оленя.

Посреди зала, в квадрате четырех колонн, закрытое коврами возвышение высотой в один локоть: место царского трона.

Если бы до какого-нибудь въедливого имама дошло, что помещение создано в полном соответствии с заветами Авесты (к сожалению, в отличие от нее Коран умалчивал о конструктивных и архитектурных особенностях залов поэтических собраний), он бы, пожалуй, мог и возмутиться — по крайней мере, в пределах тех рамок, что отводились имамам во дворце эмира Назра.

Но имамам тут делать было нечего, по делам веры эмир принимал в другом зале.

Говорят, первые заседания проходили под руководством индуса-строителя, и в ту пору присутствующих рассаживали в непростом и трудно запоминаемом порядке.

К северу от трона должны были располагаться поэты, пишущие на санскрите (поскольку таковых не имелось, там теснились пишущие на фарси), а рядом с ними — философы, медики, астрологи и провидцы.

Восточную часть занимали писавшие на арабском, а также танцовщики, актеры, музыканты, певцы, сказители и им подобные.

К западу устраивались живописцы, скульпторы, оружейники, гранильщики, ювелиры и иные ремесленники, достигшие в своем деле неслыханных высот.

Южная часть зала отводилась друзьям эмира, чей состав был переменчив.

Ныне, в этот ранний час утра, только несколько человек, не желавшие, судя по всему, иметь друг с другом ничего общего, сидели по разным углам, дожидаясь своей очереди.

Это он хорошо знал: большинство его подопечных всей своей жизнью упрямо доказывало истинность мнения насчет того, что у поэта нет худшего врага, чем другой поэт.

Впрочем, в подлунном мире вообще нечасто встречаются люди, способные разделить чужую радость... может быть, где-нибудь там, за мостом Сират... или

за рекой из расплавленного металла... а здесь — по
пальцам перечесть.

Джафар вздохнул.

— Ну что ж, дорогой Калами... неплохо, неплохо.

Должно быть, Калами ожидал услышать в его голосе больше радости. Возможно, даже надеялся, что
Царь поэтов будет так восхищен его касыдой, что
не сможет сдержать ликования. Кинется обнимать...
торжествующе поднимет рукопись, крикнет зычно,
как, бывает, поднимает голос на расшалившуюся мо-
лодежь: "Друзья! Посмотрите сюда, — среди нас гений!"

Джафар покивал.

— Неплохо, — повторил он. — Да что я: хорошо!

— Благодарю вас, учитель, — скрипуче ответил
Калами, склоняясь в поклоне. — Вы слишком добры
ко мне.

— Перестаньте, перестаньте... очень хорошо. Но...
Все же нужно немного подработать вторую часть...
не находите?

Калами распрямился. Лицо его выражало муку.

— Что вы имеете в виду?

— Ну, например, это.

— Где?

— Вот.

Ты — как весы купца, ты как ночное солнце,
Ты как луна для нас, ты как огонь оконца.

— А, это!.. Позвольте, — Калами взял из рук Царя
поэтов лист, чтобы, бессознательно кивая, заново
вчитаться в собственные строки. Почти беззвучно

пошевелив губами, он усмехнулся — одновременно снисходительно и нервно.

— Учитель, вы просто не поняли. Послушайте:

Ты — как весы-ы-ы купца-а-а, ты как ночно-о-ое
со-о-олнце,
Ты как луна-а-а для на-а-ас, ты как ого-о-онь
око-о-онца!

Вопросительно посмотрел:

— Слышите? — а-а-а, а-а-а, а-а-а! О-о-о, о-о-о, о-о-о! Что вас смущает, это же просто звукопись!

— Я понимаю, — кивнул Джафар. — Несомненно, в части звукописи к вам пришла большая удача. Однако, во-первых, хороши ли эти повторяющиеся "ты как"? Тыкак-тыкак-тыкак... не много ли тыкаков? И потом: вы сравниваете эмира с весами купца. Сравнение неожиданное, но в чем его смысл?

— Указание на справедливость эмира. Весы точны и справедливы. Эмир точен и справедлив, как весы. Разве это плохо?

— У вас сказано коротко: "Ты как весы купца". Между тем весы могут быть испорчены. Да и купцы разные попадаются. Есть и такие, что норовят обвесить. Не лучше ли написать прямо: "Ты — справедливый царь"?

Калами досадливо сморщился.

— Простовато, конечно, — вздохнул он. — Но если вы настаиваете...

И пожал плечами, признавая необходимость терпимости по отношению к тем, кто не понимает сложных, богатых поэтических сравнений.

— А что значит "ночное солнце"? — спросил Джафар. — Ночью солнца вообще не бывает. Именно этим ночь отличается от дня.

Калами вскинул взгляд, полный обезоруживающего недоумения.

— Но, учитель, не думал, что вы!.. Что тут непонятного? Ночью солнца нет, это верно. Но у нас есть эмир! Он заменяет нам солнце!

— Эмир заменяет нам солнце ночью. Лучше было бы так и сказать... ну хорошо, допустим. С луной тоже понятно... хотя, конечно, нагружать один бейт всеми небесными телами... ладно, это ваше дело. Но почему "огонь оконца"?

Калами фыркнул: по мере того как он защищал от нелепых придирок строку за строкой, градус его спеси повышался.

— Мы что же теперь, всю касыду по строчке будем разбирать? Ну хорошо. Хоть я и не понимаю, что можно не понимать в этом сравнении, — снова фыркнул, а теперь еще потряс головой и мученически закатил глаза. Джафар терпеливо ждал ответа. — Вы, учитель, лучше меня знаете, что такое сравнение... сравнение бывает по качеству, по взаимозаменяемости, воображаемое сравнение, сопряженное сравнение... что тут непонятного? — И в подтверждение своей правоты снова пропел недовольным и наставительным тоном: — Ты как ого-о-онь око-о-онца!

— Что это значит? — спросил Джафар. — Вы хотите сказать, что случился пожар? Иначе как объяснить, что оконце загорелось?

— При чем тут пожар?! Ну при чем тут пожар, учитель! Странник возвращается домой после многолетних скитаний! Он поднимается на холм — и видит лежащее внизу родное селение. Солнце давно скрылось за грядой... темнеет... рисинки первых звезд проклюнулись на шелке темно-синего неба. Бедный путник! он устал! у него нет сил! Но там, вдали, забрезжил огонек — это пламя очага в его родном доме. Он видит его — и один только взгляд, один только взор, одна только мысль о нем прибавляет ему мужества. И вот уже он бодро шагает дальше, радуясь близкой встрече с женой и детьми. С волнением представляет себе, как обнимет мать, как прижмется щекой к щеке отца. Что непонятного? Этот огонек в окне — наш эмир!

— Ах, дорогой Калами, как вы говорите! — вздохнул Джафар. — Заслушаешься.

— Пишу я не хуже, — буркнул поэт.

— Ну да, — вздохнул Царь поэтов. — То есть, как я понял, вы хотите сказать, что наш эмир для нас — это свет в оконце. Тогда так и напишите. Просто и ясно: свет в оконце. По крайней мере все поймут, что вы имеете в виду.

Калами снова фыркнул.

— Вы, учитель, как будто сами не понимаете. Есть же понятие размера! "Как свет в оконце" никуда не лезет.

— Напишите "будто". "Будто свет в оконце". В этом есть и другая выгода: одним "тыкаком" меньше станет.

— Ты как луна для нас, ты будто свет в оконце, — пробормотал Калами и вдруг оживился: — А что? Неплохо! Довольно удачно вы сказали!

Джафару отчего-то вдруг представилось, что поэт протянет руку и в припадке благодушия одобрительно потреплет по щеке своего небесталанного собеседника.

— Ну хорошо, — резко сказал он, отгоняя дикое видение. — Дорогой Калами... видите, если поразмыслить над каждым словосочетанием, можно кое-что улучшить. Поэтому я все-таки попрошу вас еще разочек ее...

— Вы же знаете, учитель, как мне тяжело живется, — тускло перебил его Калами.

Он ссутулился и снова стал понур и несчастен.

— Не везет мне с этим, учитель... а вы же сами знаете, как должен жить поэт, чтобы у него получались хорошие стихи. Помните, вы зачитывали на собрании из какого-то трактата? Дом поэта должен быть хорошо убран и приспособлен для всех времен года. Нужно иметь при нем тенистый сад, а в саду — холм для прогулок... пруд, полный кувшинок... и фонтан. И прислуга у него должна быть, и переписчики... я же помню, учитель, вы читали. А у меня что? Кибитка тесная... летом жара несусветная, зимой зуб на зуб не попадает. Мне так нужны деньги! Позвольте, учитель, я все же прочту касыду на завтрашнем собрании. Может быть, эмир пожалует мне хотя бы пятьсот дирхемов. Вы же сами знаете, он ничего не понимает в нашем деле!

— Когда речь идет о его баснословных милостях, — громко заговорил Джафар, заглушая последние слова Калами, — эмир не знает числа меньше тысячи!

Сидевшие по углам одновременно подняли головы: голос Царя поэтов гулко разнесся по залу.

— Это во-первых, — тихо сказал Джафар. — Во-вторых, не стоит рассуждать о том, насколько верно способен эмир оценить поэтические таланты своих рабов... не правда ли? Честное слово, не стоит этого делать. В-третьих, дорогой Калами... я готов помочь вам. Пришлите кого-нибудь ко мне домой ближе к вечеру, я передам денег. Но рисковать мнением господина Балами я не могу. Если господин Балами разочаруется в моей способности организовать достойное течение поэтической жизни при дворе достославного эмира Назра, он предложит эмиру назначить Царем поэтов кого-нибудь другого. Например, Шахиди. Вам этого хочется?

Автор злополучной касыды пожевал губами. Шахиди был его злейшим врагом.

— Поэтому давайте с вами так договоримся, — еще мягче сказал Джафар. — Во-первых, повторяю, пришлите кого-нибудь за деньгами. Во-вторых, поправьте то, что мы сегодня обсудили, и через пару дней приносите новый вариант. Поймите, дорогой Калами, я не могу переписывать все ваши стихи. Я переписал две ваши большие касыды, но теперь, мне кажется, вы сами можете эту...

— Господин Гурган одобрил эту касыду, — сухим голосом перебил его Калами. — Господин Гурган считает, что в ней верно отражены вопросы веры!

Джафар осекся.

Опять он, глупец, забыл, что для поэта слава дороже денег.

Однако мнение господина Гургана, приводимое в качестве аргумента при разговоре о поэзии, — это нечто совсем новое. Прежде именем господина Гургана можно было добиваться назначения на какую-нибудь должность. Или, наоборот, пытаться свалить того, кто эту должность занимает... то есть почему наоборот?.. вовсе не наоборот, а именно для того, чтобы занять ее самому.

— Ах, вот как, — задумчиво сказал он. — Спасибо, что вы сообщили мне об этом. Мнение господина Гургана чрезвычайно важно для меня. Но все же я, должно быть, не получил неких важных известий... что, разве господин Гурган уже назначен Царем поэтов? На самом деле? Отныне именно его волей определяется порядок чтения стихов эмиру?

Калами вскинул затравленный взгляд.

— Нет? Еще не назначен? Тогда отношение господина Гургана к вашим произведениям — это дело личного вкуса господина Гургана, будь он здоров и благополучен. И ничего больше. До свидания. Дафтари, прошу вас!

Дафтари уже стоял наготове у колонны, мелко кланяясь и то плотно скручивая, то вновь развивая свой свиток.

Калами тяжело поднялся, шагнул было, остановился.

— Позвольте, я расскажу вам одну историю.

Голос его подрагивал.

— Короткая история, высокоуважаемый Джафар... можно?

— Разумеется. Слушаю вас.

— Там, где я жил в детстве, водились львы... понимаете? Львы.

— Я понимаю, — кивнул Джафар. Он уже жалел о своей резкости. — Львы.

— Да, так вот. Однажды мы с братом пошли в соседнее село... отец послал отнести мелкий долг тамошнему дихкану. Мы поднялись на холм. Под холмом текла река. Даже не река... ручей. По камням можно перейти. К концу лета он почти пересыхал. И увидели льва. Он лежал у реки... большой такой лев.

Калами покачал головой, как будто снова удивляясь делам давно прошедшего.

— Мы не знали, что делать... боялись. Сидели на холме. И домой нельзя вернуться — отец ведь послал нас... и вперед тоже не пойдешь. Лев все-таки... не собака ведь, а лев. Понимаете?

— Понимаю, — сказал Джафар.

— А потом со стороны Сангибазара появился человек. Мы закричали ему, замахали, чтобы предупредить. Но он нас не слушал. Он увидел льва, достал из-за спины лук, наложил стрелу, натянул — и пошел на него. Когда приблизился, лев прыгнул, а он выстрелил. И поразил. Должно быть, попал прямо в сердце. А потом выхватил нож и прикончил.

Калами сжал кулаки и дернулся так, будто сам только что это сделал.

— Вытащил стрелу, сунул в колчан. Колчан снял. И лук положил на камни. Разулся — он в сапогах был, — разделся и тут же бросился в воду. Поплескавшись, вышел на берег, выжал волосы и оделся. Потом надел один сапог, прилег на бок и долго пробыл в таком положении. Мы не знали, что и думать. "Клянемся Аллахом, — сказали мы друг другу. — Он молодец, но перед кем же он хвастается?"

Калами загадочно усмехнулся, глядя на Царя поэтов сощуренными злыми глазами.

— В конце концов мы спустились к нему. Он лежал, как и прежде... он был мертв. Мы не понимали, что случилось. Потом брат осмелился снять тот сапог, что он успел надеть. В сапоге мы нашли маленького скорпиона.

Калами протянул сложенные щепотью пальцы.

— Ма-а-аленький! По сравнению с человеком — просто крошка. И по сравнению со львом — сущая мелочь.

Глаза поэта светились восторгом.

— Но он ужалил этого человека в большой палец — и человек тотчас умер! — торжествующе закончил он.

— Что вы хотите этим сказать? — спросил Джафар.

Калами победно усмехнулся.

— Победителям львов следует бояться скорпионов, — ответил он. — Спасибо вам, учитель, за науку. Я пойду. А денег мне от вас не надо.

Повернулся и пошел к дверям, неслышно ступая по цветастым паласам.

* * *

Сидел, низко опустив голову и растирая виски пальцами.

Легкое веяние воздуха и близкий шорох.

Со вздохом поднял взгляд.

— Здравствуйте, учитель, — сказал Умед Дафтари, низко кланяясь. — Как вы себя чувствуете? все ли в порядке?

— Садись, садись... все хорошо, спасибо... как сам?

— Вы так заботливы, учитель. Все хорошо, учитель, спасибо.

Узкое смуглое лицо Умеда Дафтари дышало приветливостью и уважением, черные глаза сияли волнением и радостью.

— Хотел посоветоваться насчет завершения касыды.

— Давай посоветуемся.

Умед Дафтари — милый парень. Сколько ему? — наверное, нет тридцати. Поэзия невеликая... повторы бывшего, перепевы... самоповторы... Но все же иметь с ним дело — это совсем не то, что с дураком Калами. Совсем другое дело. Простой и милый парень. Симпатичный. Славный. Ему подходит его имя — Умед*. Действительно, на такого можно возложить надежды. Мягок в обращении, ласков, любезен — но, пожалуй, может и характер показать. Приятно, что он, судя по всему, несет звание ученика с радостью и гордостью. В отличие от того же, скажем, Калами. Тому его формальное ученичество — нож острый. Уверен, что это горькая несправедливость... а если бы по справедливости, так он и сам мог бы всю эту серость кой-чему поучить... страдает из-за этого, терзается недооцененностью.

Как надоело, господи.

* Умед (дари) — надежда.

Прежде можно было поговорить с Юсуфом. Излить душу. Юсуф всегда в ответ толковал одно и то же. Не злись. Хватит тебе. Налей чашу вина, выпей. Будь добрее. Не забывай, что мы ничем не отличаемся от других. Надеюсь, ты не настолько безумен, чтобы думать, будто Калами может проникнуться к тебе восхищением. Да, я согласен, Калами — бездарь. Да еще и дурак вдобавок. Ты и в этом прав. Но и к нему ты должен относиться с пониманием. То, что Калами — бездарь, знаем только мы с тобой. Ну и еще сотня поэтов. Да и непоэтов тоже. Все, короче говоря. Только Калами этого не знает. Нельзя винить его за это. Он не может знать о своей бездарности. Потому что Калами — поэт. Почему он поэт? — только потому, что уверен в этом. Смешно, конечно. И все же согласись, что этого достаточно. Ведь это единственное в жизни, в чем он уверился по-настоящему! А увериться в собственной бездарности он не может. И никто из нас не может. Уверяю тебя, в этом мы равны. Признание собственной бездарности равносильно самоубийству. Ведь ты не хочешь довести его до самоубийства? Слава богу. Поэтому относись с пониманием. Каждый из нас гордится тем, что пишет. Человек всегда гордится чем-нибудь из того, что имеет. Умом. Красотой. Стихами. Уверяю тебя: спроси самого последнего из людей — и ты узнаешь, что он чем-нибудь гордится. Хотя, казалось бы, чем может гордится человек? Все, что у него есть, все его качества, все приобретения — дал ему Бог. Светлая голова? — он родился с такой. Привлекательная внешность? — глупо объяснять, что она существует помимо его желания. Даже работоспособность, даже характер... да что говорить: даже воля, обладая которой иным удается изменить самого себя, — согласись, все это от Бога. Способность учиться, способность воспитываться дана Господом — и разве ты не видел детей, которых нельзя воспитать, нельзя ничему научить, потому что у них нет к этому Божьего дара. Да, да: Божии дары — человек получает их ни за что, принадлежат они не ему — и все же он находит повод ими гордиться. Между прочим, и все то, что можно поставить человеку в вину, все, что позорит его или делает заслуживающим худшего наказания, — тоже от Господа. Мало самого дара — требуется еще дар с достоинством распорядиться им... и что делать, если щедрость Творца оказалась небезгранична и человек своей ленью или равнодушием только позорит свои таланты? Впрочем, не в этом дело. Я тебе другое скажу: каждый из твоих поэтических питомцев в душе числит себя выше Царя поэтов. И искренне и глубоко уверен, что мир стал бы куда гармоничней, если бы это звание принадлежало ему, а не тебе. И все свои беды списывает на твои происки. Потому что, видишь ли, ты прорвался к трону. Благодаря, как они думают, свойственной тебе хитрости, пронырливости, изворотливости. Неразборчивости в средствах. Жадности, злобности... чему еще? Самым, коротко говоря, низким свойствам твоей души. И, конечно же, звериной безжалостности в борьбе с соперниками. А они остались внизу... попранными и обесславленными. И как же, ты думаешь, после всего этого они должны к тебе относиться?..

Юсуф был прав, всегда прав.

Все так.

Но только не в случае с Умедом Дафтари.

Умед Дафтари другой.

Конечно, и в этот раз далеко не все хорошо в том, что он принес на суд учителя... многое придется переписать... никуда не денешься... такое нельзя читать на собрании.

Что делать. Может быть, со временем он обретет легкость... точность. Маловероятно, конечно. Ну а вдруг?

— Дорогой Умед! — торжественно сказал Джафар. — Я должен вас поздравить. Я поражен! Очень, очень звонко получилось. Вы превзошли самого себя. Скоро все мы будем вынуждены у вас учиться, честное слово! Какая музыка! Как звучно! Как внушительно. Прекрасно, прекрасно. Совершенно не к чему придраться. Даже если бы хотелось это сделать. Разве что... если позволите... где-то тут есть... сущие мелочи... сейчас, сейчас. Господи, да я и сам частенько пропускаю такие огрехи... и исправляю лишь когда ткнут носом. Нужен сторонний глаз, чтобы увидеть. Вот, например, смотрите. Вот здесь вы пишете...

Визирь

—**М**ой отец тоже долгие годы был визирем.

Джафар кивнул.

С трех сторон курчавилось ажурное плетение листвы, четвертая открывалась в пространство запруды. От воды в беседку струилась прохлада. Сады Мулиан полнились покоем, тишиной, птичьими голосами, предвечерним стрекотанием кузнечиков.

— Давно повелось, что эмиры Мавераннахра назначали своими визирями детищ только двух родов — Балами и Джайхани. Эмир Убиенный долго колебался в своем выборе. За интересы каждого претендента бился целый клан. В конце концов Убиенный выбрал моего отца, сочтя, что ал-Хаджад Джайхани слишком увлечен науками, чтобы с толком заниматься государственными делами. А поскольку придерживался разумного правила держать обиженных от себя подальше, отправил этого неудачника управлять делами Хорасана.

Визирь осторожно облизнул нижнюю губу — как будто оценивая вкус давней справедливости.

— Сами понимаете, как это отразилось на отношениях между бывшими кандидатами. Ссылку в Хорасан Джайхани расценивал как великое несчастье. А его причиной считал своего везучего соперника — Балами. Не знаю, что он предпринимал, чтобы отплатить, и предпринимал ли что-нибудь вообще. Так или иначе, между ними поселилась неприязнь. Одному представлялось, что властитель чрезмерно и незаслуженно любит другого... другому — что обиженный соперник хочет этой любви навредить: наушничает, подсылает жалобщиков. Да что об этом говорить, — Балами махнул рукой. — Вы и сами знаете.

— Да уж, — со вздохом согласился Джафар.

— Время шло, и однажды к моему отцу пришел человек с письмом от Джайхани. Тот якобы просил выдать подателю немалую сумму — ссылаясь на давнюю дружбу и обязуясь в скором будущем вернуть долг.

Балами отщипнул виноградинку и стал крутить ее в тонких смуглых пальцах.

— Сказать, что отец был изумлен, это ничего не сказать. Между прочим, податель письма оказался воспитанным, умным и проницательным человеком. Но он явился из Ирака и еще не знал очертаний тех орбит, по которым наши царедворцы вращаются вокруг своего Солнца. Однако при этом вовсе не мошенник. Впал в бедность. Имущество растрачено, дела расстроились. Вот он и решил их поправить. Пресечь полосу проклятых неудач...

— Не подозревая, что, напротив, открывает путь самым черным из них.

— Вот именно, дорогой Джафар. Вы, наверное, тоже замечали: есть такой несчастный сорт неудачников, — Балами покачал головой. — Когда они, испугавшись осы, отпрыгивают в сторону, то непременно оказываются в пасти у крокодила. Так вот. Отец прочел письмо, поразмыслил, велел ввести к себе гостя и сказал: "Ты явился ко мне с поддельными бумагами. И попал в трудное положение. Но не переживай и не расстраивайся. Мы оправдаем твои старания, насколько это будет возможно".

— А гость, вероятно, ответил, — сказал Джафар, щурясь: — "Да продлит Господь жизнь владыки! Если мой приход тяжел для тебя, то не смущайся отказом, ибо земля Аллаха обширна и Дарующий — Сущий и Непоколебимый".

— Скорее всего, — серьезно подтвердил Балами. — Но при этом все же настаивал, безумец, что письмо подлинное. Не знаю, на что надеялся. Отец пообещал, что напишет поверенному в Хорасане. Если придет подтверждение подлинности, он отсчитает что сказано, да еще от себя прибавит столько же. А если подделка — прикажет сбрить бороду и дать двести палок... Ну а что еще он мог бы предпринять? — рассеянно спросил Балами, пожимая плечами. Отщипнул виноградину, сжал крепкими зубами и продолжил: — Джайхани получил записку. Тоже поразмыслил. И обратился к приближенным: мол, некий безумец взял на себя смелость передать врагу послание от моего имени. Скажите, уважаемые, что мне с этим подлецом следует сделать.

— Могу вообразить...

— Ну да. Но Джайхани отверг их рекомендации. Он сказал: "То, что вы советуете, — от низости ваших намерений. На самом же деле Бог послал этого человека, чтобы с его помощью извести ядовитую змею ненависти, поселившуюся в наших сердцах, — которой, между прочим, недавно исполнилось двадцать лет". И продиктовал письмо примерно следующего содержания...

— Позвольте продолжить вместо вас? — спросил Рудаки.

Балами улыбнулся:

— Попробуйте.

— "Во имя Аллаха, Милостивого, Милосердного! Твое письмо дошло — да продлит Господь твою жизнь. Я рад твоему благополучию и осчастливлен твоей честностью. Ты думал, что человек, явившийся к тебе, лжет: что он сам сочинил послание от моего имени. Но поспешу тебя уверить, что я — именно тот, кто написал его и отправил тебе через этого человека: оно не подделано. Я полагаюсь на твою щедрость и великодушие: надеюсь, ты окажешь должное благородному подателю сего письма, выразишь почтение его стремлению снискать твою приязнь, наделишь щедрой милостью и не лишишь своего благоволения. А я заранее признателен и благодарен тебе за все, что ты для меня тем самым сделаешь".

Джафар замолчал, вопросительно глядя на визиря.

— Полагаю, оригинал звучал чуть шершавей, — одобрительно заметил тот. — Но по содержанию — просто слово в слово.

— Спасибо.

— И знаете, с той поры их отношения наладились. Когда отец умер, Джайхани по праву друга шел за его гробом. Потом он стал регентом малолетнего эмира Назра... а когда мы его хоронили, в могилу легло сорок три списка Книги. Он был знатный каллиграф...

Балами покачал головой, как будто удивляясь скорости течения времени.

— Но что же стало с этим несчастным? — спросил Джафар.

— С подателем письма? — визирь усмехнулся. — Ничего плохого. Как и было предписано, отец даровал двести тысяч дирхемов. Одел, обул, снабдил всем необходимым, включая десять хороших лошадей и десять конных невольников в подобающем облачении. И отправил в Хорасан. А в компанию ему невзначай назначил верного человека. И тот потом рассказывал, что иракец явился к Джайхани с решительным требованием забрать у него все полученное обманом имущество. По словам соглядатая, очень настаивал. Прямо из себя выходил. Дескать, Джайхани оказался в долгу перед Балами, так пусть возьмет то, что он привез, и вернет владельцу, искупив долг. А ему, иракцу, жизнь, сохраненная благодаря милости этих двух благородных людей, все равно дороже любого имения. Но Джайхани отказался. И, наоборот, богато одарил. Ведь состязание в великодушии ничем не отличается от других состязаний...

— Так и есть, — кивнул Джафар. — Жаль только, редко удается понаблюдать.

— Ну, это же вам не скачки, — урезонил поэта визирь.

Он задумчиво огладил себя по узкой, аккуратно стриженной бороде.

— Оба они были очень умными людьми, дорогой Джафар. Ведь великодушие — это свойство ума, не так ли? Глупый может быть добр... но великодушен? Вряд ли, вряд ли. Даже врага лучше иметь умного. Он может обыграть вас — но обыграв и добившись победы, не позволит себе низости.

Джафар покивал. В глубине души он чувствовал легкую досаду. Балами пригласил его, конечно же, не для того, чтобы развлекать поучительными историями и рассуждениями о свойствах ума. Однако к делу не переходил. Возможно, назначив аудиенцию, успел переменить какие-то замыслы?.. Так или иначе, это была его игра, ему самому оставалось лишь соответствовать правилам.

— Конечно, — кивнул Джафар. — Наверное, вы слышали притчу о том, как Господь создавал разум?

— Напомните.

— Всевышний очень старался. Ему хотелось, чтобы последнее творение оказалось как можно более совершенным. И вот, закончив работу, он внимательно посмотрел, а потом приказал: "А ну-ка приблизься!" Разум приблизился. Господь снова вгляделся. "Теперь отступи!" — и разум отступил. "Повернись!" — и разум повернулся. И тогда Бог сказал сам себе в восхищении: "Клянусь, Я еще не создавал ничего величественнее этого!.."

Балами рассмеялся.

— Да, да, вы правы. Разум — самое большое богатство, что может достаться человеку. И самое большое счастье. А что делать тому, кто его лишен? Согласитесь, прочие увечья не идут ни в какое сравнение с этим. Если нет ноги, можно взять костыль. Но где найти такой костыль, что заменил бы отсутствие ума?

Вынырнув откуда-то из солнечного расплава, большая оса совершила спиральный маневр, нацеливаясь на сочившуюся сладостью грушу. Темнолицый слуга, безмолвно стоявший у входа, подался вперед. Как будто уяснив его намерение, оса тут же скользнула влево и под мелодичное пение крыльев мгновенно растворилась в ослепительном сиянии.

— Не успеешь помянуть, как упомянутое является перед вами, — заметил Балами. — Оса прилетела, дело за крокодилом.

И сказал затем, как будто возвращаясь к начатому:

— Вы, Джафар, очень умный человек.

— Полно вам! — возразил Джафар, благодарно прижимая ладони к груди. — Моего ума хватает лишь на то, чтобы ценить ваше бесценное расположение.

Балами отмахнулся.

— Кроме того, вы наблюдательны. К вам тянутся ваши поклонники, вы можете слышать разные мнения. Вы близки к простым людям, к народу, — Джафар поднял брови, Балами поправился: — Во всяком случае ближе, чем, скажем, я. Или даже наш уважаемый миршаб. Мы оба ему в подметки не годимся: миршаб отвечает за порядок в городе, а потому знает каждую собаку. Его боятся, не спорю, но что он ведает о людях? Какой безумец станет с ним откровенничать?

Он хмыкнул, как будто изумляясь нелепой идее насчет откровенности с миршабом.

— Вы мне льстите, — машинально пробормотал Джафар.

— И поэтому, отдавая должное вашей осведомленности, хочу также обратиться к свойственным вам и уму, и проницательности. Как вам представляется, что происходит в Бухаре? Как ее народ относится к тому, что в милости у эмира оказываются совсем новые люди?

— Вы имеете в виду...

— Я имею в виду Нахшаби.

* * *

Понятно. Собираясь с мыслями, Джафар облизал губы. Стало быть, визирь вызвал его, чтобы навести кое-какие справки. Чувство было такое, будто раскусил пустой орех. Он надеялся на другое, на совсем другое... но ничего не попишешь.

— Ну да, Нахшаби, — повторил он, всеми силами стараясь не выказать даже малой толики своего разочарования.

Это правда — Мухаммед Нахшаби очень скоро оказался в милости у эмира. Да и вообще завоевал столь стремительную и широкую известность, что даже касательно способа его прибытия в благородную Бухару существовало несколько противоречивых мнений.

Многие клялись, что около года назад он прилетел на большом пестром ковре хамаданской выделки. По словам очевидцев, ковер несли пять аджина: четыре мохнатые летучие мыши, кривя шеи и оглушительно хлопая кожистыми крыльями, с натугой тащили углы, зажатые в зловонных пастях, пятый же — в образе жирного темнокожего, — распластавшись под ним, нес на себе основную тяжесть, отчего глаза его были налиты кровью, зубы оскалены, а черно-зеленая борода торчала вперед, трепеща и завиваясь. Сам же Нахшаби сидел сверху, скрестив ноги, с Книгой в руках и, судя по сосредоточенной позе, предавался углубленной молитве. Когда нечистые слуги Чистейшего осторожно опустили ковер у Сенных ворот, молелец раскрыл глаза и оглянулся с таким недовольным видом, будто его разбудили не вовремя. Затем нехотя спустил ноги на землю и пробормотал: "Ну вот, кажется, я на месте". После чего, сунув Коран под мышку, проследовал в ворота, без каких-либо указаний и безошибочно определив, в какой именно стороне находится дворец.

Другие утверждали, что странник явился вовсе не к Сенным воротам, а к Молельным, и ни на каком не на ковре (уж если хочется придумать что-нибудь как можно более нелепое, так хотя бы не обезьянничали, подражая глупым басням этих арабских россказней: уже все уши ими прожужжали!), а на самом обыкновенном верблюде. Правда, животное было, по их словам, такой белизны, что слепило глаза пуще глыб слежавшегося крупитчатого снега, доставляемого в июльские жары с ледника Муйсафед: верблюд так блистал на солнце, что никто даже не пытался понять, сколько у него горбов, поскольку при попытке всмотреться неминуемо был вынужден зажмуриться и заслонить слезящиеся глаза.

Третьи, самые малочисленные, но упрямые, опровергали как первых, так и вторых. По их мнению, осмеиваемому как вторыми, так и первыми, Нахшаби прибыл с караваном — то есть самым обычным способом, к какому прибегают люди, не могущие похвастать ни приятельскими отношениями с темнокожими аджина, ни таким специфическим имуществом, как белые до ослепительности верблюды. Караван вошел в Самаркандские ворота и достиг постоялого двора. Там Нахшаби снял комнатенку, поместив в нее свои небогатые пожитки, главным предметом которых являлся, действительно, большой Коран, упакованный в парчовый чехол, снабженный завязками и ручками. Он смыл дорожную пыль и переночевал, причем большую часть ночи уделил молитве. Наутро привел свою внешность в соответствие с последней модой, распространившейся в благородной Бухаре среди мулл и другого ученого люда: цирюльник выскоблил его красивый ровный череп, выбрил щеки, а бороду аккуратно постриг и умастил благовониями. В качестве верхнего облачения Нахшаби выбрал белую чалму, длинный, зауженный в плечах светло-зеленый халат и холщовые штаны, заправленные в короткие узконосые сапоги черной кожи.

Ближе к обеду он ушел по делам, имея при себе рекомендательные письма кое к кому из влиятельных горожан, а вернулся вечером, да и то на минуту, и не пешком, а на хорошей лошади. Сопровождавший его слуга собрал пожитки, Нахшаби расплатился и покинул караван-сарай, как делают это тысячи и тысячи вечно текущих друг за другом путешественников. И, возможно, хозяин караван-сарая так и не узнал, что его скромным постояльцем был тот самый человек, о котором уже через пару дней заговорил весь город.

Понятно, что столь скорое возвышение невозможно объяснить наличием даже самых лестных рекомендательных писем: открыв глаза, чтобы прочесть письмо, человек затем открывает уши, чтобы послушать его подателя.

А Мухаммед Нахшаби обладал качествами, что стоят значительно дороже любых рекомендательных писем: он был образован, речист, талантлив и умен.

Глядя на него, Джафар не мог отделаться от ощущения, что смотрит на молодого Юсуфа Муради: такой же открытый, искрящийся взгляд, так же упрямо встряхивает головой, отстаивая истину, так же находчив в споре, так же легок, смешлив и остроумен. Ах, если бы можно было свести их за одним столом — вот уж славно бы они потолковали о скором пришествии Махди!..

Как все люди его круга, Нахшаби занимался всем, что имело отношение к знанию: поэзия, философия и наука сплетались в его речах, проповедях и книгах, как сплетаются в непроходимой чаще побеги ежевики и винограда.

Что касается стихов, то, на слух Джафара, они звучали глуховато: как будто свои бейты он складывал из кирпичей, а они то ли остались сырыми, то ли потрескались при обжиге. Но у кого еще такой слух? — большинство бранило стихотворения Нахшаби не потому, что отдавало себе отчет в их непропеченности, а, как обычно, из зависти к счастливой судьбе автора; что же касается тех, кто вообще ни черта не смыслит в поэзии, они отзывались о виршах весьма благосклонно: звучны, дескать.

В части ученых изысканий Нахшаби стоял на самых передовых позициях. Бог-абсолют лишен каких бы то ни было атрибутов. Он — совершенная истина. Предвечным волеизъявлением Он породил творческую субстанцию — мировой Разум. Мировой Разум, уже обладающий всеми атрибутами божества, вызвал к жизни мировую Душу, которая, в свою очередь, произвела семь движущихся сфер. Путем преобразования сфер простые элементы-натуры (влага, сухость, тепло, холод) образовали сложные — землю, воду, воздух и эфир. В результате последующих преобразований возникли сначала растения — обладающие душой, но безмолвной, малочувствительной и косной. Из растений — животные: их душа уже способна чувствовать и волноваться, однако не может быть наделена разумом. А уже из животных — человек.

Смело, красиво, увлекательно!

Есть, правда, одно малозначительное обстоятельство... такое мелкое, что о нем и вспомнить-то поостережешься. Подобные мысли (то есть что значит "подобные"? — очень подобные; настолько подобные, что прямо-таки неотличимые) уже были высказаны одним философом — стариком ан-Насафи. Но кто таков этот ан-Насафи? — всеми забытый книжный червь, проведший свою тусклую жизнь при масляном светильнике и ослепший с пером в руке. Его ученая слава давно вылиняла, потускнела... кому интересен ветхий хлам его рассуждений, затерявшихся в пыли библиотечных сундуков?

А Нахшаби, невнятной скороговоркой намекающий на то, что является его любимым учеником (вот интересно, старик хоть слышал когда-нибудь о нем?), — блестящ, искрометен, даровит и решителен в суждениях!

Есть разница? — еще бы.

И обходителен, и политичен... и торгует мишурой похвал, заколачивая неплохой капиталец на разнице курсов. Не имеющие представления о насущной жизни духа хором хвалят его проповеди. Неспособные осилить комментарии к Аристотелю в один голос восторгаются последними философскими изысканиями. Масса поклонников. И восторженных учеников. С какой стороны ни глянь — звезда!

Даром что исмаилит.

Однако на столь ничтожные различия, что, например, один человек может быть суннитом, а другой шиитом какого угодно толка, при дворе просвещенного эмира Назра никто внимания не обращал. Ну да, исмаилит. Ну и что? Ведь он ученый? — ученый. Если мы хотим, чтобы при нашем дворе были ученые, мы должны иметь снисхождение к их мелким недостаткам, касающимся вопросов веры. В конце концов, вера — это то, что свойственно народам. А знание — свойство личности.

И потом: у кого нет недостатков? Только у Господа. А мы люди. Сам Балами любит повторять: в мире веры неверные неизбежны. Не "возможны", а "неизбежны". Против неизбежности глупо восставать. С неизбежностью приходится мириться.

В общем, дело не в том, что Нахшаби придерживается исмаилитской веры.

Дело в том, что он склоняет эмира перейти на сторону Фатимидов.

В сущности, он просто их лазутчик. Уже не первый год при дворе Назра именно такого рода персонажи получают, как правило, благосклонный прием.

Эмир Назр — солнце. Это знает каждый из его подданных. В какую сторону небосклона ни обрати взор, увидишь его лучи. Его золотые стрелы. Они разлетаются, сверкая и слепя. Для одних — живительны. Для других — смертоносны.

В отличие от своих подданных, которые способны ощутить только его сияние, эмир Назр видит еще два светила.

Первое струит свой свет из Багдада. Багдад — столица Халифата, державы династии Аббасидов. Средоточие суннизма.

Второе сияет из Египта, где окрепла держава Фатимидов. Они исповедуют исмаилитскую веру.

Ах, как блистают оба эти солнца! Как горят они! Какой ласковый, согревающий свет шлют они эмиру Назру! Как будто наперебой, заглушая друг друга, напевно и ласково толкуют ему все одно и то же.

Нет, не совсем одно.

Первое солнце пламенеет уверенностью: "Оставайся со мной, Назр! Я дам тебе еще больше власти! Еще больше богатств!"

А другое пылает от нетерпения: "Приди ко мне, эмир! Отрекись от прошлого! Ты получишь столько, что прежнее покажется прахом!"

Назру при Аббасидах хорошо. Мавераннахр — опора Халифата. Халифат ценит верность.

Но Фатимиды оспаривают трон Халифата у династии Аббасидов. И если добьются престола, то сделают исмаилизм верой всего Халифата, как сейчас ею является суннизм.

Достоверно неизвестно, кем следует быть: суннитом или шиитом исмаилитского толка. Не исключено, что в глазах Господа они ничем не отличаются друг от друга. Но в последние годы именно Фатимиды делают несомненные успехи. (Не потому ли, что их вера истинней?) Доходят известия о новых победах. Завоевали Марокко. Вот и Египет упал им в руки. Если они добьются своего, тех, кто не захочет принять новую веру, объявят вероотступниками. А кто захочет — будет осыпан милостями. И какими!

Ведь они несметно богаты. Чего стоит один лишь торжественный выезд халифа. Кто видел, не мог поверить, что, оказывается, существует в мире столько золота! столько драгоценных камней, тканей, оружия, сбруи, колесниц, одежд!..

Джафар неслышно вздохнул, потом осторожно сказал:

— Что касается Нахшаби, то он, конечно, прославился даже в простом народе... на любом базаре можно услышать, какой он великий ученый: почти маг. Но вообще-то людей мало волнует то, что происходит при дворе эмира. За возвышениями и опалой приближенных они следят как за перемещением небесных светил. Я хочу сказать — примерно с такой же заинтересованностью.

— Только не в части веры, — возразил Балами. — Здесь все определенно. Халиф — заместитель Аллаха на земле. Эмир — заместитель халифа. Пошатнется эмир — пошатнется мироздание. Вы согласны?

Джафар озадаченно покивал.

— Я согласен, — сказал он. — Это истинная правда.

Вот тебе раз: Балами обеспокоен чистотой веры. Ну, если смотреть на дело с этой стороны...

Понятно, что ткань крепче всего, когда она соткана из одинаковых ниток. Рубища первых мусульман ткались из чистой шерсти. А если ткач пустит на основу все, что под руку попало: шерсть, хлопок, лен, копру, — полотно начнет расползаться прямо у него под руками.

Или по-другому можно сказать: как термиты проедают деревянные двери, оставляя лишь формы, неспособные ответить на пинок ноги твердостью своего содержания, так и веротерпимость неминуемо приводит к трухлявости веры: такая вера так же непригодна для истинного служения Господу, как не может служить защитой дверь, проеденная муравьями.

Но все-таки странно. Вообще-то, хотелось бы верить, что Балами придерживается прежних взглядов: преимущества знания могут искупить недостатки веры... как бы ни шаталась вера, какие бы ущербы не принесли эти шатания, знание способно исправить все.

Или что-то изменилось?

— Знаете, — сказал Балами, задумчиво покачивая в ладони пиалу. — Когда Александр Великий завершил строительство города, названного его именем, к нему явился ангел, чтобы поднять ввысь. "Ну, Зу-л-Карнайн, отвечай: что ты видишь внизу?" Зу-л-Карнайн ответил: "Я вижу мой город и другие города".

Ангел вознес его выше: "Смотри теперь!" — "Господи, мой город пропал среди других, я не узнаю его!" Ангел еще прибавил высоты: "Смотри!" — "Я вижу только мой город и не вижу других". Ангел сказал: "Вот как велик твой город, нет ему равного среди городов!"

Речь визиря лилась плавно, в такт ей он иногда легонько помавал ладонью, а то еще делал такой жест, будто подчеркивал свои слова.

— Так вот, мне рассказывал один человек. Он приехал в Александрию, удивляясь, как арабы смогли завоевать этот великий город. Стал интересоваться. Оказалось, из тех, кто был при завоевании, в живых остался один старик румиец. Нашел его. Старик ничего толком не помнил — ни как велась осада, ни с каких сторон пытались штурмовать. Рассказал о том времени только одну историю. В юности он был рабом. Как-то раз его господин, сын одного из румийских патрициев, позвал его: "Разве ты не хочешь поехать посмотреть на этих диких арабов?" Господин надел дорогое парчовое платье, золотую повязку, богато украшенный меч, сел на своего породистого, жирного, толстомясого скакуна. Раб оседлал тощую лошаденку. Они оставили позади все укрепления, поднялись на холм и увидели шатры. Возле каждого был привязан конь и воткнуто копье. По словам старика, они удивились слабости этих людей: "Как же они могут достичь желаемого?"

Пока они глазели и удивлялись, из одной палатки вышел человек. Завидев пришельцев, немедля — но и без спешки — отвязал лошадь, взнуздал, погладил и вскочил на неоседланную. Затем взял в руку копье и направился к ним. Они повернули коней в сторону укреплений, а тот стал их преследовать. Разумеется, скоро он нагнал тяжелую, раскормленную, толстомясую лошадь сына патриция. Ударил господина копьем, свалил на землю и, снова подняв оружие, проткнул насквозь, причинив смерть. Пустился преследовать раба — но тот уже въезжал в крепость. А въехав, поднялся на крепостную стену, чтобы посмотреть на проклятого араба.

Потеряв надежду догнать вторую жертву, араб направился назад к своему шатру. Он ехал, распевая, и ни секунды не помедлил, чтобы остановиться и ограбить убитого, — а ведь с него можно было снять парчовую одежду, золотую повязку, забрать дорогое оружие. Даже жирного коня не стал ловить: вообще не взглянул на все это добро. Он уезжал, что-то крича, возвышая голос. Раб смотрел на него со стены и в какой-то момент догадался, что воин читает стихи Корана. А тот доехал до своего шатра, слез с лошади, привязал ее, воткнул в землю копье и, как ни в чем не бывало, вошел в шатер, даже словом не перекинувшись со своими товарищами. И тогда византийский раб понял, почему им удается осилить других.

Балами допил остатки чая и поставил пиалу.

— Да, вера заменила им стремление к благам сего мира, — сказал Джафар. — И на пути к цели, нарисованной ею, они не замечали препятствий. Но...

Он хотел сказать, что всякий росток похож на стрелу — и легко пронизывает толстую корку засохшей глины, которую не возьмешь железной лопатой.

Однако с течением времени всякий росток начинает ветвиться; всякий росток превращается в растение, которое может дать россыпь плодов, но уже не способно к прежней настойчивости.

Так и вера: с течением времени она разветвилась, разошлась на сотни, если не тысячи толкований. Приверженцы каждого из этих учений теснятся у подножия трона Господня в тщетных попытках доказать, что именно они исповедуют правильное, что именно их вера истинна и конечна. Кричат, оскорбляют друг друга, ищут управы на соперников у жестоких владык. Беспощадно дерутся, жгут огнем, рубят железом, в отчаянии размазывают по искаженным злобой физиономиям слезы, кровь и сопли.

На какие завоевания способна ныне эта разношерстная, самой себе враждебная, саму себя не понимающая толком толпа?

Не лучше ли опереться на знание?

Этого нельзя сказать вслух... с подобными высказываниями нужно быть очень осторожным даже в кружке единомышленников: ведь в каждом сердце (и в его собственном тоже) гнездится вера, ибо она есть первая основа человеческой жизни. Нельзя оскорбить ее, нельзя умалить ее значение... но все-таки: у человека две ноги, пусть и основ его существования будет тоже две: вера и знание.

Как далеко ему будет позволено зайти в такого рода рассуждениях?

Откашлялся.

— Да, господин Балами. Конечно. Люди хотят твердой веры. Твердой — и простой. Им хочется ясности. Вселенная покоится на быке, сотворенном Всевышним. Копыта его стоят на рыбе, рыба плывет в воде, вода зыблется над адом, ад лежит на блюде, блюдо держит ангел, ноги которого попирают седьмой ярус преисподней. Что может быть определенней? У них нет ни времени, ни сил разбираться, правду ли говорит ан-Насафи, когда утверждает, что астрономические измерения противоречат нарисованной картине. И что, дескать, астрономические измерения несомненны, а раз так, нужно придумать иное устройство Вселенной. Разбираться в противоречиях они не желают. И не могут взять в толк, зачем ан-Насафи, несмотря на порицание муллы, все-таки тщится понять, каково устройство мира. И придумывает свою космогонию. А Нахшаби — усовершенствует ее.

— Ну, совсем незначительно усовершенствует, — иронично уточнил Балами. — Впрочем, вы правы: людям космогония ни к чему.

— Вот именно, — подхватил Джафар. — В нашем родном языке даже нет слов для обозначения сущностей, о которых идет речь. Арабского люди не знают... и что могут понять? Ал-хакк посредством ал-амр породил акл ал-кулл, а затем и нафас ал-кулл. Ал-муфрадат образовали ал-мураккабат... как есть белиберда. Зато они хорошо понимают, что, если кто-нибудь посмеет возразить мулле, объясняющему в меру своих способностей устройство вселенной, это будет означать конец порядка. Не правда ли?

Балами смотрел на него с легкой усмешкой.

— Как вы умны, дорогой Джафар, — сказал он, благосклонно кивая. — Как образованы!

Джафар осекся.

Да что он, смеется над ним? Что происходит, в конце-то концов?! В чем смысл этой нелепой беседы?!

— Ваши милости безграничны, — пробормотал он, опуская голову.

— Дело не в милостях, — деловито сказал визирь. — Эмир решил отправить посольство в Египет. Ко двору фатимидского халифа ал-Каима. И хотел бы, чтобы именно вы его возглавили.

Джафар задохнулся, вскидывая взгляд.

Вот чего он ждал! Вот на что надеялся!

— Как вы понимаете, дело совершенно тайное. В настоящее время эмир Назр не готов окончательно объявить себя шиитом. Вы сами справедливо замечаете, что дела веры главенствуют в нашей тусклой жизни. Поэтому даже... — Балами сжал губы, сложил пальцы щепотью и показал, потрясывая: — ...даже вот такой кончик слуха не должен просочиться в Багдад! До самого дня отбытия о намеченном посольстве будут знать только трое: эмир, я и вы!

Рудаки склонился в низком поклоне.

— Прикажите отрезать мне язык, господин Балами, — сказал он. — Я буду носить его за поясом, чтобы он, проклятый, даже во сне не смог сболтнуть лишнего. А то просто скормлю собакам — это еще надежней.

— Вы, полагаю, шутите. Но если, боже сохрани, все-таки дойдет до Багдада, боюсь, что мой язык пострадает наравне с вашим, — хмуро заметил Балами. — Ибо эмир решил поставить на карту все. И будет чрезвычайно разочарован, если эта карта окажется битой.

Тем более раньше времени. Гнев его грянет страшнее грома. Он будет беспределен.

Джафар слушал, кивая, а в мозгу звенело ликование. Он уезжает! Он покинет постылую Бухару! Ему не нужно больше управлять поэтами! Он не обязан читать и переписывать нелепые вирши, радуясь их мелким поэтическим завоеваниям. Он больше не отвечает за то, сколь успешно они, косноязыкие, восхваляют своего милостивого эмира. Пусть уж сами по себе. А он будет жить в Александрии: заведет новый дом с прохладными комнатами, глядящими в сад. И чтобы ручей в саду. И всегда стопа бумаги на софе. И калам. И верный Муслим. И все, все, все — никаких поэтов больше. Ни хороших, ни плохих!..

— Я оправдаю ваше доверие, господин Балами, — серьезно сказал он, старательно пряча свое искрящееся счастье. — Вы меня знаете. Я — камень. Я — скала. Я — мертвая, безгласная пустыня. Я способен молвить слово не больше дохлого варана на бархане!

— Скалы, вараны... — повторил Балами, качая головой. — Всегда-то вы, поэты, все преувеличиваете... Думаю, вам нужно взять человек двадцать. Хватит? И, наверное, конную сотню для охраны. Прикиньте сами. Завтра утром жду. Перейдем к частностям. Следует наметить людей разумных, — он вздохнул. — Сами знаете, как с этим непросто.

Чем глубже погружался сияющий диск солнца в палевую дымку заката, тем пуще он багровел, наливаясь тяжестью пламенеющего металла.

Коснулся кромки зелени — и пламя растеклось на ширину раскинутых рук.

Как только светило кануло в ненаступившее завтра, умерли и тени: где еще мгновение назад лежали багроволицые великаны, безмолвно слоились их бесплотные призраки.

Погасло и зеркало воды — лишь бордовый отблеск заката горел на ее глади.

Под деревьями густилась мгла, терпкий запах сумерек струился по обмякшей траве.

Ай-Тегин

й-Тегин не жалел, что когда-то — ни много ни мало больше четверти века назад — он решился на то, на что решился.

Что ж, он был молод тогда... силен... Всякий начальник эмирской гвардии должен быть именно таким: рослый — на полголовы выше самого долговязого из своих солдат, широкоплечий, крепкий, мощный, с лицом, как будто отлитым из бронзы, с пронзительным взглядом иссиня-черных глаз из узких щелей под припухшими веками... Ему было не занимать ни смелости, ни решительности. Эмир Убиенный ставил его выше иных своих полководцев.

Эмир Убиенный умер не своей смертью. Умереть своей смертью — это вообще редко случается с эмирами. Ай-Тегин не имел отношения к убийству — в том смысле, что не его рука держала досягнувший эмирского горла нож. Но деньги от одного хорасанского купца получал собственноручно. Он хотел занять пост визиря, а при живом эмире Убиенном никоим образом не смог бы достичь желаемого. Говорили, что смерть оплатили Джайхани. Аллах лучше знает. Один из них, действительно, возвысился, став регентом малолетнего наследника. Но регентство — явление временное, а на престол, как помнилось Ай-Тегину, в той заварушке род Джайхани не претендовал.

После смерти регента мальчишка Назр сделался полноправным эмиром.

Именно в те дни Ай-Тегин ожидал чаемого поворота своей судьбы. Однако мальчишки ничего не понимают в жизни. Черное от белого отличить не могут, выгоду от ущерба. Глупость одна в голове. Чем кончилось дело? Понятное дело, недомыслил: взял себе визирем такого же юнца — Балами. Хоть и намекали ему, что Ай-Тегин был бы премного рад получить эту должность. Ай-Тегин уже все расчислил, ему-то хватало и опыта, и разума: он становится визирем, на освободившуюся должность начальника гвардии рекомендует одного племянника, а на должность начальника кавалерии — другого (начальник кавалерии, правда, имелся, но ничто в мире не находит столько печальных и неоспоримых подтверждений, как то, что люди смертны). Совместными усилиями они свалят хаджиба, и тогда произойдет небольшая перестановка: хаджибом станет Ай-Тегин, визирем — тот племянник, что командует кавалерией... а на его место надо будет подобрать подходящего парня из своих... еще не решил, ну да это дело десятое: было бы место, а парней степнячки не устают рожать. А когда все это произойдет, командиры тюркской гвардии — и вообще тюрки — мало-помалу займут при дворе бухарских эмиров подобающее им положение: возвысятся, заняв все те доходные, важные и многочисленные должности, которые, собственно говоря, и образуют костяк государства. Армия, казна, налоги — все окажется в их руках. Это справедливо, ибо тюрки значительно отличаются от коренных жителей Мавераннахра (некогда называвшихся согдийцами), и отличаются в лучшую сторону. Во-первых, тюрки добрее. Во-вторых, честнее. В-третьих, умней и дальновидней. В-четвертых, целеустремленней и решительней. В-пятых, удачливей: все, чего они решают добиться, само падает им в руки...

К сожалению, многое из того, что предполагал совершить Ай-Тегин в дальнейшем, оказалось нарушено в результате нелепого решения безмозглого юнца: взял визирем Балами — такого же безусого мальчишку себе под пару.

Смешно!

Ай-Тегин не знал, а ведь мальчишка справедливо предрекал когда-то, что, отвергнув притязания начальника гвардии, Назр наживет себе врага на всю жизнь — сильного, достойного, до поры прячущего свою ненависть под личиной покорности. Так или иначе, чтобы расправиться с этим малолетним умником Ай-Тегину хватило бы указательного и большого пальцев любой руки: взял бы вот так цыплячью шею, сжал — и еще до заката солнца могила сглотнула бы остывшее тельце.

А оказалось, что приказы этого цыпленка имеют даже больший вес, чем приказы самого эмира, и приходится их выполнять немедля и с усердием, а то, что происходит с теми, кто медлит или не весьма усердствует, безусый визирь быстро показал на примере двух командиров кавалерийских полков, поплатившихся за нерадивость: один разжалованием и ссылкой, другой и вовсе головой, когда в результате его разгильдяйства полк понес серьезные потери в, казалось бы, незначительной стычке с хивинцами.

Но скоро звезды, бессмысленно разбежавшиеся по небосклону, снова начали сходиться в благоприятные для начальника гвардии созвездия.

Эмир Назр пошел войной в Нишапур, оставив столицу тем, кто лучше соображает и умеет пользоваться моментом. Назру нельзя было отказать в определенном здравомыслии — все-таки братьев своих на это время не оставил разгуливать по дворцу, привлекая мечтательные взоры тех, кто мог бы обрести желаемое посредством возвышения одного из них, а посадил в Кухандиз, в старую крепость, с незапамятных времен служившую тюрьмой для особо охраняемых и важных преступников, коих нельзя бросить ни в простую яму, ни в ту особую, что под царской конюшней, где узники стоят по колено в лошадиной моче. (А если нет охоты стоять, то и валяются.)

Настал час Ай-Тегина. Конечно, ему — воину, рубаке, привыкшему к поступкам прямым и ясным, как удар меча или краткий полет стрелы, — трудно было решиться на то, что люди недалекие могли бы назвать явной изменой и предательством. О будущем благополучии рода должен заботиться всякий его отпрыск, чающий остаться в памяти потомков не только в числе тех семи колен предков, память о которых обязательна для каждого степняка, но и оказаться далеко за этим пределом: войти в число героев, чьи имена мерцают в прошлом — в неумолимо сгущающейся мгле забытья — подобно ярким светильникам. Его возвышение, его удача — это и удача рода.

Конечно, к этим мыслям примешивались иные, не столь приятные. Ведь Ай-Тегин имел представления о верности, о преданности долгу... о том, что, дескать, он, человек, не только обремененный высоким званием начальника эмирской гвардии, но и доказавший в битвах справедливость своего возвышения, — он должен быть чист и тверд. Ведь чтобы мясо не испортилось, его посыпают солью. Что будет с миром, если испортится сама соль?

Но обида жгла, царапала душу. Ладно бы взрослый человек... серьезный, с пониманием... можно смириться. Но пацан!.. сопляк!

И в конце концов Ай-Тегин решился.

Ему вспомнилась проклятая стена.

Когда удача изменила, думал — нет, не дамся живым, зарежусь. Зажмурился и сунул острый нож между ребер, вот и вся недолга. Раз! — и готово, берите теперь Ай-Тегина, делайте что хотите: самого ценного в нем уже нет, душа ускользнула, посмеивается теперь над вами из вечных владений небесного Тенгри.

Но почему-то не вышло.

Его бросили в тот же Кухандиз, в нижнюю камеру. И забыли. Он знал, что забыли не навсегда: когда-нибудь эмир Назр вспомнит, что еще не наказал изменника, и выдумает кару почище той, что применили к бедному Абу Бакру: зажалили дикими пчелами — мало показалось, сожгли в печи — тоже не хватило, напоследок еще и посекли, раскидав кусками на потеху воронью.

Стража боялась его как огня, являлись втроем, а то и вчетвером. Те, что оставались у внешних дверей, неустанно перекрикивались с подошедшими ближе: мол, как вы там? не передушил вас еще зверюга Ай-Тегин? — нет, ничего, не передушил покамест. Раз в два дня просовывали лепешку в щель между глубоко вмурованными в закаменелую глину железными прутьями, цедили из бурдюка горсть воды в миску.

Так бы и сдох он там от голода, вони и тоски, если бы не хухнарь, подковный гвоздь, который сызмальства Ай-Тегин, по совету отца, носил в кушаке на счастье: не раз имел случай убедиться в его благоприятном влиянии на судьбу. И тогда спас: времени много было, вот он и скреб им проклятую глину. Когда сводило руки, лежал ничком, размышляя о толщине тутошних стен: восемь локтей — самое меньшее, десять — большее из того, что он мог вообразить. Оказалось — четырнадцать. Когда дело подошло к концу, дождавшись темноты, расширил подготовленное устье, выбрался на волю, свернул шею ошеломленному стражнику, как на грех вышедшему по нужде к внешней стене крепости, а уже через пару часов кони стлались над темной степью, унося его прочь от проклятой Бухары.

— Что?

Оторвал взгляд от угольев, слабо мерцавших в жаровне.

— Господин, Ханджар-бек приехал!

Ай-Тегин хмыкнул.

— Зови.

Слуга выпятился из юрты.

Ханджар-бек, Ханджар-бек... Тоже, в сущности, мальчишка. Едва за тридцать перевалило. Ай-Тегин и к его возвышению руку приложил.

Ведь степь не прощает одиночества: одинокий человек быстро становится добычей злых духов. Поэтому у всякого кипчака родственников с избытком. Бывает, приедет на праздник человек — кто такой? Понятно, что родная душа, а спросить неловко. Кое-как, где обиняками, а где и хитростью кто-нибудь из близких выясняет: это, оказывается, Худайберды, внучатый племянник троюродного брата зятя младшего сына; ну слава Аллаху, слава небесному Тенгри, разобрались, садись поближе, сынок, не стесняйся. Эй, кто там! Принесите парню баранью голову, он из хорошего племени, из доброго рода — урука!..

А Ханджар-бек — и вовсе не лишняя пенка на молоке, куда как близкий родич: двоюродный племянник. Почитает дядю как родного, ничего не скажешь... с уважением относится.

— Заходи, заходи!

Гость был одет не просто хорошо, а щёгольски: верхний чёрный архалук оторочен куньим мехом, куница же и на верхах сапог, и на опушке шапки; кушак алый бархатный, с кистями; меч на одному боку, прямой кинжал на другом — ножны обоих клинков в золотом узорочье...

Коли не знаешь кто такой, так со стороны посмотреть — совершенно пустой человечишко, только и думает, как бы тряпку поцветастее нацепить... а на самом деле — сипах-салар, начальник эмирской гвардии.

Как бежит время! — привычно вздохнул Ай-Тегин. В памяти все — будто вчера было... а ведь уже третий по счету начальник после него самого...

Ну что ж, пускай, все-таки хороший парень: крепкий, коренастый, с быстрым, пронзительным взглядом узких глаз. Да и уважительный.

— Здравствуйте, дядя! Как ваше драгоценное здоровье?

— Мое-то?.. Да как сказать...

Образы в мозгу Ай-Тегина сменяли друг друга не настолько быстро, чтобы обеспечить плавное течение речи. Он хотел бы выразиться в том духе, что, дескать, слава Аллаху, что Он еще кое-как терпит мое присутствие на грешной земле. Но еще не подобрал слов, только пожевал губами, хмыкнул и огладил большим и указательным пальцем вислые усы, а племянник, как будто угадав его замысел, уже трещал:

— Зачем вы так? Вы — наша скала. Наша опора в текучем времени. Вам еще жить да жить. Вы...

— Ладно, ладно, — поморщился Ай-Тегин. — Что примчался? Не боишься, что выследят?

Ханджар-бек отмахнулся.

— Кто посмеет? За моей охотой не просто увязаться... а кто увяжется, того быстро стрела найдет.

— Баран тоже бекал, пока не зарезали, — приласкал его Ай-Тегин. — Не храбрись. Осторожней надо...

Не ответив, гость сбросил с плеч промокший архалук, сел на кошму, принял из рук слуги чашу с горячим питьем — в меру подсоленный густой травяной отвар с жирным верблюжьим молоком и кусочком расходящегося золотым озерцом курдючного сала.

Он и впрямь относился к Ай-Тегину со всем положенным тому почтением.

Правда, старик и в молодости, похоже, не весьма ловко обращался с тем прямолинейным узким разумом (в целом более похожим на боевой клинок, нежели на инструмент рассуждений), коим наделил его Всещедрейший. Распоряжаться гулямами, а в случае неподчинения иметь возможность доказать свою правоту силой — это у него отменно получалось. А вот соваться в интриги, лезть в покушения на передел власти не стоило: на этом поле и не таких умников перемалывало в труху.

Теперь, проведя столько лет в изгнании (впрочем, оно только из Бухары глядится изгнанием; стоит отъехать — и видишь обычную жизнь самовластного степного бия: неисчислимые стада текут от века завещанными путями, совершая, как и замысливал мудрый Тенгри, полный круг вместе с годовым кругом солнца), дядя утратил последние представления насчет устройства дворцовой жизни, и советоваться с ним насчет ее коллизий было все равно что черпать воду пикой — сколько ни тычь, ни черта не напьешься.

Не знает даже, наверное, что при дворе его племянник Ханджар-бек более известен под прозвищем "Кормилец".

Но при всем том глава рода — не столб, на коне не объедешь. Глава рода стоит ближе всех к тем хоть и туманным, неясным, но таким важным сущностям, от которых столь зависимы люди. Именно через главу рода души предков шлют человеку свое одобрение или порицание, именно через его уста, через его похвалу или недовольство ниспосылается потомкам удача или несчастье.

Ханджар-бек эти тонкие материи не только чувствовал (в присутствии Ай-Тегина его душа начинала едва заметно, но отчетливо вибрировать), но и понимал умом.

И не забывал обратиться за советом: внимательно выслушать, восхититься дальновидностью, посетовать, что сам, дескать, еще слишком молод, чтобы с такой точностью провидеть последствия самых, казалось бы, малозначительных решений. Ах, дядя, как вы правильно говорите: стронув песчинку, мелкая птаха может вызвать такой обвал, что убьет верблюда. Именно так! Что бы я без вас делал, спасибо вам за науку.

Оказать уважение, подкрепленное соответствующими подарками, — это непременно. А уж следовать наставлениям или перекроить их на свой салтык — дело десятое, проверять никто не будет.

За последние полгода-год он не раз и не два рассказывал Ай-Тегину о наметившемся повороте в отношении эмира Назра к делам веры.

Про Назра и прежде говаривали, что он не большой богомолец. Ну да гуляму до этого дела нет. Гуляму важно, чтобы деньги вовремя платили, чтобы в суде, если дело дойдет, его слово имело вес, чтобы в делах справедливости он мог рассчитывать на поддержку эмира. (А что до дел несправедливости, возникающих, как правило, с перепою, то их может своей властью и гвардейский командир решить: когда словом, когда штрафом, когда плетьми — а когда и мечом, бывало и такое).

Однако ныне эмир приблизил к себе карматов, и это настораживало.

Степь ровна, как стол, а потому любит, чтобы дальние вершины оставались незыблемы.

А что карматы? Карматы покушаются на вершины жизни: толкуют, что не должно быть такого, чтобы один человек возвышался над другим.

Ныне, дескать, коли эмир, так на коне в толпу, а коли бедняк, так если копытами башку не раскроили, верховые плетьми добавят недостающее. И это, говорят они, несправедливо.

Господь создал всех равными, — толкуют карматы. Вот и нужно, дескать, исправить замысел Создателя.

Слава Аллаху, до рабов они в крамоле своей не доходили, рабы как были рабами, так и должны были рабами оставаться, несмотря на все мыслимые переустройства, и на том спасибо.

— Да кто такой вообще этот Нахшаби? — брюзгливо спросил Ай-Тегин. — Почему его эмир слушает?!

— Он, дядя, исмаилит, — вздохнул Ханджар-бек. — Не то даже хуже: кармат. Втерся в доверие к эмиру, и дело с концом. Вы же знаете, как это бывает: с тем поговорил, с этим потолковал... язык у него подвешен дай бог каждому. Вере учил, проповедовал... кто был на пути сунны, того незаметно отклонял. Торгового старшину обратил, сахиб-хараджа обратил, многих дихканов обратил... даже люди базара к нему потянулись. Когда стало у него много последователей, покусился на государя. Ну, вы же знаете: если эмиру беспрестанно дудеть в уши, он во что угодно поверит. А Нахшаби у придворных с языка не слезал. Хоть пьян эмир, хоть трезв, а они все одно: ах Нахшаби, ах Нахшаби, ах он такой, ах он этакий, ах он золотой, ах серебряный!.. В конце концов Назру пришла охота его увидеть. А Нахшаби, не будь дурак, показал себя с лучшей стороны: и ученый он, и поэт, и философ, и всякое такое. Что Нахшаби эмиру ни скажет, то прежде испорченные одобряют в один голос. Ну и понятное дело: с каждым днем Назр его все более приближал. И принимал проповедь. Сейчас так усилился, что государь его почти во всем слушает.

— А визирь?! — возмущенно фыркнул Ай-Тегин.

— Визирь — особая статья, — успокоил его Ханджар-бек. — Балами, конечно, высоко стоит... и ближе к эмиру. Но он ведь и сам...

Ханджар-бек скривился и пощелкал пальцами.

— Да знаю я его, — хмуро пробормотал Ай-Тегин. — Никчемный человечишко.

— Сейчас Нахшаби так преуспел, что открыто проповедует. Но какой ни успех, а все же большинство Бухары стоит на пути сунны. Вот позавчера имамы и собрали сипах-саларов: так и так, мол, истинная вера погибает, пришел конец мусульманству.

— Имамы? — недовольно поднял бровь Ай-Тегин.

— Ну, вы же знаете, дядя, — поспешил успокоить его племянник. — У простого мусульманина спроси, чем суннит от шиита отличается, долго будет затылок чесать да так и не разродится. По ходу дела может и того не понять, что и сам из суннита давно шиитом сделался. А имамы — дело другое. У имама на вере вся жизнь построена. Они за свое на смерть пойдут. Вот и толкуют: дескать, так и так, уважаемые, эмир Назр собрался от Халифата отложиться, повелителю правоверных изменить. И присягнуть Фатимидам.

Ай-Тегин молчал, покусывая ус. Потом вздохнул.

— У Фатимидов много чернильниц, — сказал он с затаенной мечтательностью в голосе.

Ханджар-бек едва не поперхнулся кумысом, чашку с которым как раз поднес ко рту.

Он догадывался, почему дядя заговорил именно о чернильницах. Старик так давно и безвылазно сидел в степи, что у него, должно быть, сместились представления о том, что такое настоящее богатство и настоящая роскошь. А в недавнем прошлом один дальний родственник побывал в Египте. Понятно, что тамошний двор ослепил его. Но самое сильное впечатление произвело хранилище чернильниц, куда он попал благодаря какой-то случайности.

Главной в казне являлась палата драгоценностей, второй по значению — оружия, а еще — утвари, а еще — седел, а еще — одежд, а еще — книг, а еще — ароматов, снадобий и редкостей (где, говорили ему, хранятся бессчетные фарфоровые кумганы, наполненные фансурийской камфарой, груды индийского алоэ и драгоценные кувшины из золота и черненого серебра). В этом ряду хранилище чернильниц представляло собой забытое Богом место.

Но даже оно потрясло степняка до глубины души. Его вели из покоя в покой, и всюду он видел одно и то же: ряды огромных сундуков, доверху набитых чернильницами. Четырехугольные и круглые, малые и большие, плоские и пирамидальные, такие, что вмещали чуть ли не полмеха чернил, и такие, что уместились бы в детской ноздре. Золотые, серебряные, сандаловые, из слоновой кости и эбенового дерева страны Зинджей. Украшенные драгоценными камнями, замечательного вида, тонкой работы, со всеми принадлежностями, — каждая ценой не меньше тысячи динаров.

Чернильница в тысячу динаров! — поверить в это было трудно. Однако родич утверждал, что всякий, кому посчастливилось хотя бы издали наблюдать выезд фатимидского халифа, кто видел слепящее сверкание неисчислимых золотых копий в руках гвардейцев, сотни лошадей под золотыми седлами, десятки слонов в золотых же доспехах, — всякий, кто хоть краем глаза посмотрит на это, немедленно признает, что тысяча динаров за чернильницу — это не так уж и много.

— Это правда, дядя, — согласился Ханджар-бек. — Но у них не только чернильниц много. Фатимиды вообще несметно богаты. Даже, возможно, богаче Аббасидов. А может быть — и щедрее. Но...

Ай-Тегин покивал.

Оба они хорошо понимали, что значит это "но".

Все властители предпочитают, чтобы порядок в их столицах и их личный покой охраняли иноземцы. У чужака нет в округе ни друзей, ни родственников, ему некому пожаловаться и некого пожалеть, рука его жестче и неподкупней, чем у местного уроженца. С другой стороны, и пришельцу все равно, кому служить, под чьи знамена становиться. Его работа — война, и нет никакой разницы, кто за эту работу платит. Аббасиды — хорошо. Фатимиды — тоже неплохо.

"Но" состояло в том, что Фатимиды не брали на службу тюркских гулямов: они традиционно формировали свои гвардейские части выходцами из африканских племен — преимущественно сомалийцами.

Тюрка ждала другая дорога — в Багдад, к халифу, к Аббасидам. Именно там тюрок имел возможность исправно тянуть солдатскую лямку. Подчас кое-кто из них становился видным военачальником — и тогда мать-степь пожинала наконец плоды своего долготерпения.

Следовательно, если эмир Назр переметнется к Фатимидам...

— Нам с ними не по пути, — отрезал старик.

— Да, дядя, — согласился Ханджар-бек. — Вы совершенно верно сказали: нам с Фатимидами не по пути...

— Что ты повторяешь, как попугай?! — рассердился вдруг Ай-Тегин. — Дело говори!

— Простите, дядя, — Ханджар-бек низко склонил голову. — Я ведь и толкую... Когда имамы созвали военачальников, меня не было в городе. Сами они спорили-спорили да так ни на чем и не сошлись.

— Начальник кавалерии был? — спросил Ай-Тегин.

— Был. Но на него надежды мало. Как бы, наоборот, все дело не испортил. Боюсь, через него до государя дойдет...

— Конечно. Он же не тюрк.

— Ну да. Он не тюрк. И возвысил его эмир сильно.

— Это было давно, — заметил старик. — Небось уж забыл, что возвысили. Думает небось, что так и надо: за его таланты ему положено.

— И в делах веры он нетверд.

— Начальник кавалерии нетверд в делах веры? — удивился Ай-Тегин.

— Он же с этим, как его... близок очень, — Ханджар-бек поморщился и постучал одним указательным пальцем о другой. — С Царем поэтов-то. Который нынче при дворе поэтами командует. Как говорится, с гнилого дерева какую ветку ни сруби...

Глава рода некоторое время пытался вдуматься в сказанное, потом пожал плечами.

— При чем тут Царь поэтов?

— Говорю же, братья они, — пояснил командир гвардейцев. — А этот Царь поэтов... Рудаки его зовут, вспомнил. Этот Царь поэтов с Балами дружен.

— С визирем, — холодно уточнил Ай-Тегин и сощурился.

— Ну да.

— Уж этот-то нашу веру никогда и в грош не ставил.

— Не ставил, — согласился Ханджар-бек. — И сейчас не ставит.

— Вообще не понимаю, как его эмир терпит, — вздохнул Ай-Тегин.

— Это точно, — кивнул Ханджар-бек.

И недовольно покачал головой. В данном случае его недовольство относилось к последним словам. Поддакнул дяде — а на самом деле хорошо понимал, что в многотерпении эмира нет ничего удивительного. Да, собственно, и многотерпения никакого нет. Что ему терпеть? — визирь Балами неустанно доказывает, что им движет одно-единственное стремление: добиться, чтобы власть эмира Назра была надежней, чем жерди погребальных носилок. И что же — отказаться от такого визиря? Уж чего-чего, а безрассудным эмира никто не назовет.

— Другой бы давно уж все по своим местам расставил, — с досадой сказал Ай-Тегин. — Но что ты хочешь от этого человека? Старая мочалка он, а не эмир. Я когда еще понял, что он в делах не разбирается. Так и будут у него на шее неверные сидеть. Так на чем сошлись?

— На следующий день пришли ко мне. Так и так, мол. Надо что-то делать, а то вера совсем порушится. Я предложил идти к Большому сипах-салару. К главнокомандующему. И сказать открыто. Так и так, мол. Бухара волнуется. Не желает Бухара государя неверного. Возьми ты, Большой сипах-салар, власть государя, а мы станем твоими верными подданными...

— Это к Фариду-мукомолу, что ли? — брюзгливо спросил старик.

— Ну да, — сказал Ханджар-бек.

Старик крякнул и покачал головой. Сами пришли: на, владей!.. Какой ни будь дурак этот Фарид-мукомол, а и он сообразит, что надо соглашаться. Соглашаюсь, дескать, чтобы дела веры поправить. А при чем тут вера, если золотое яблоко Бухары падает в руки?

— Он не тюрк, — хмуро заметил Ай-Тегин. — И дурак.

Его подмывало спросить, не пробовал ли Ханджар-бек одновременно предложить будущему эмиру подходящего по его положению визиря — Ай-Тегина? Ай-Тегин старше всех, опытней... умнее, в конце концов.

Но сухое жжение в груди, какое происходит от разрушения надежд, однозначно говорило: не надо спрашивать, и так все ясно. Не пробовал он. Эх, племянничек. Даже и мысль такая в голову не пришла. Эх, люди, люди!..

— Не тюрк, — кивнул Ханджар-бек. — Но понимает, что без тюрков к трону дороги нет.

— Ну да, — желчно сказал Ай-Тегин. — Сейчас понимает. А как доберется до трона — забудет.

— Забудет — напомним, — сухо ответил Ханджар-бек. — Слава богу, есть кому напомнить. Полно свидетелей.

— Ну да, свидетельствовала мышь на суде у кошки, — проскрипел Ай-Тегин.

Жжение в груди не утихало.

— Карим! — сипло крикнул он. — Принеси кумысу!

Они помолчали.

— Ладно, — вздохнул старик, потирая ладони. — Ну хорошо... предложили вы ему. Согласился?

— Согласился.

— Еще бы ему не согласиться, когда целое царство на блюде протягивают. — Старик снова досадливо покачал головой. — Ну и что?

— Ну и все. Сказал, что надо думать, как это дело устроить. Как ловчее подготовить, чтобы до эмира прежде времени не дошло.

— Думать... Что тут думать! Дело надо делать! Во дворец идти!

Ханджар-бек пожал плечами.

— Ну что вы говорите, дядя. Нельзя просто так идти во дворец. Охрана порубит — и до свидания.

— Охрана наша.

— Не вся, далеко не вся.

— Вот и будете рассусоливать.

Ханджар-бек вздохнул. Если бы дядя не был главой рода, давно бы следовало отправить его пасти баранов. По его великому уму — в самый раз занятие.

— В общем, разгорелся спор. Одни одно предлагают, другие другое. И все как-то неловко получается. Пока наконец один старик и говорит...

— Какой еще старик?! — возмутился Ай-Тегин. — Кто в таких делах каких-то безмозглых стариков слушает?!

— Нет, дядя, он не безмозглый, — терпеливо возразил Ханджар-бек. — Да вы знаете, наверное: говорят, он еще у великого эмира Исмаила Самани кавалерией командовал. Тулун его зовут... знаете?

— Тулун? — Ай-Тегин удивленно вскинул брови и поцокал языком. — Он жив еще? Надо же!.. Знаю я этого старого черта. Когда помоложе был, он сколько раз свою глупость показывал. Ну и что он сказал?

— Пусть, говорит, сипах-салар скажет государю: дескать, так и так, вельможи просят, чтобы я устроил угощение.

— Какое угощение?

— Угощение, — раздраженно повторил Ханджар-бек. — Вроде как пир он хочет устроить.

— Это Тулун сказал? — Ай-Тегин с подозрением смотрел на племянника. — Вот и видно, что дурак. Зачем пир? Сначала надо дело сделать, потом пировать будем.

Ханджар-бек сдержал вздох.

— Дядя, в том-то хитрость и заключается. Если сипах-салар хочет пир устроить, он должен эмира поставить в известность, верно? И эмир никогда не ответит ему: "Знать ничего не знаю, не устраивай никакого пира!"

— Ну да, — нехотя согласился Ай-Тегин.

— Он скажет иначе: хочется тебе — так и устраивай, мое какое дело. А тогда главнокомандующий пусть пожалуется на бедность.

— Сипах-салар? На бедность? Курам на смех.

Но Ханджар-бек не позволял себя сбить.

— И скажет: дескать, у сего раба есть еда и питье, а вот что касается приличных убранств, украшений, драгоценной посуды и ковров, так с этим заминка выходит. Что эмир ответит?

— Не знаю...

— Согласится! — напирал Ханджар-бек. — Как пить дать согласится. Надо тебе? Хорошо. Ты Большой сипах-салар, твой прием должен быть лишь немногим хуже царского. Бери все, что тебе нужно, из казнохранилища, винного погреба и моих кладовых.

Ай-Тегин взял принесенную слугой чашу кумыса, выпил половину, поставил возле себя.

— И пусть, дескать, еще скажет эмиру, что он не просто так военачальников и вельмож собирает, а по делу. Дескать, условие угощения такое, чтобы, угостившись, в ближайшие дни войска препоясались к священной войне против неверных. Что он, ничтожный раб эмира, намеревается вести их в страну Баласагун: дескать, сколько уж на собраниях у государя разговор идет, что неверные тюрки захватили край. Доколе, дескать. Вопли притесняемых достигают небес, а мы второй год не шевелимся... верно?

— Не знаю, о какой чепухе там разговариваете, — буркнул Ай-Тегин. — При чем тут Баласагун, когда надо эмира сваливать?

— После этого, говорит, пусть сипах-салар займется приготовлениями. Во-первых, объявит войску, что, мол, в такой-то день надо быть готовыми к походу — пускай препоясываются. Во-вторых, все, что найдет ценного в казнохранилище государя, винном погребе и кладовых, пусть переносит в свой дворец. Золотую посуду, серебряные блюда... все, на что в его доме места хватит.

— Эмир же позволил, — полуутвердительно сказал Ай-Тегин. Похоже, последний штрих ему понравился.

— А когда настанет назначенный день, самых важных гостей пригласить во внутренние покои. Вроде как для питья вина, чтобы имамам лишний раз глаза не мозолить. А уж там, как выпьют по несколько чаш, пусть заговорит с ними открыто. Дескать, те, кто составляют суть веры и порядка, с нами, а кто всего лишь ненужный придаток, те отдельно. И спросит: вы со мной?

— Согласятся, — кивнул Ай-Тегин. — Поддержат.

— Потом выйдут из покоев к остальным гостям... к ним уже все вместе обратятся. Малым чинам куда деваться? Некуда: куда голова, туда и хвост. Услышат единое слово, присоединятся, будут единодушны. Дружно присягнут на договор, дадут клятву новому государению. Потом как положено, все вместе поедят, выпьют... а в подкрепление обещаний о своих будущих милостях сипах-салар разделит между ними золото и серебро, ковры, снаряжение — все, короче говоря, что забрал из дворца. И пускай, говорит, не жадничает, не приберегает — эти подарки ему сторицей вернутся.

— Ну да... конечно... что уж.

— Потом все выйдут, схватят эмира, пройдутся по городу и округе, перебьют карматов, где бы они ни находились.

— А сипах-салара посадят на трон, — сказал Ай-Тегин.

— Да, — вздохнул Ханджар-бек. — Так он и сказал: а сипах-салара посадите на трон.

Ай-Тегин покачал головой, неспешно допил кумыс, поставил пустую чашу, отер ладонью усы.

— Как вам, дядя, такой план?

— Ну что тебе сказать, сынок, — хмуро проговорил Ай-Тегин. — Этот старый дурак Тулун не так глуп, как кажется.

Глава
одиннадцатая

———

Пять дирхемов.
Буквы. Суфий

е успели выйти за околицу, обогнала пустая арба. Посторонились, а этот насупленный парень даже рукой не махнул, погремел себе дальше. Должно быть, расстраивался, что его в праздничный день куда-то нелегкая понесла... Потом навстречу старик на осле, груженном двумя здоровущими мешками с капустой. Издали начал прикладывать ладонь ко лбу... подъехав, поприветствовал. И долго еще озирался.

Теперь дорога была пуста.

Джафар шел медленно, понурившись, как будто за спиной оставалось пожарище или что похуже.

На самом деле, наверное, если где и дымились ныне угли пепелища, то только в сердце бедного старосты.

Начиналось все хорошо. Пришел Бехруз, раскинул дастархан на траве под платаном, принес котел с горячим молоком, лепешки, кислое молоко, молодую зелень и сушеный тутовник.

К тому времени, когда он заканчивал устройство стола, подоспел и староста — как и вчера, в сопровождении нескольких сельчан.

Долго здоровались и приветствовали друг друга; староста, а за ним все уважаемые люди (их было четверо), по очереди беря ладони Джафара в свои, интересовались, как он себя чувствует, хорошо ли спалось, не досаждали ли комары или иные зловредные насекомые, а получив от слепца уверение в его совершенном благополучии (с каждым разом все более сухое), спешили высказать благопожелание и выразить уверенность, что и сегодня, и впредь его дела будут обстоять так же блестяще. Джафар не успевал, как правило, в свою очередь поинтересоваться самочувствием собеседника, поскольку тот уступал место следующему, передавая тому нагретые ладони поэта примерно так, как в пиру передают заздравную чашу, полную сладкого вина.

Наконец расселись.

Разговор сразу двинулся на то же самое поле, по которому и вчера уже поездили вдоволь: о порядке ведения свадебного пира, о приличном количестве подарков со стороны жениха, о том, стоит ли родителям невесты стараться ответить дарами того же количества или той же стоимости, а также о многих иных вещах, без которых порядочных свадеб не бывает. Разговор тек, как река — то расходясь зеркалом на просторах всеобщего согласия, то начиная бурлить и пениться на камнях противоречий. Джафар по большей части отделывался угуканьем и кивками, а его собеседники, доведя ту или иную линию разговора до ее логического завершения, до тупика и следующего за ним по необходимости окончания спора, то и дело поворачивали коней в обратную сторону: только что, например, несомненно отстояв право жениха хотя бы мельком увидеть лицо невесты до свадьбы, говорящий высказывал кое-какие сомнения в справедливости этой позиции и, мало-помалу разгораясь, принимался защищать противоположную; остальные всякий раз послушно подстраивались под изменение курса и с таким же, если не с большим, жаром начинали разубеждать его в том, что сами только что столь бескомпромиссно отстаивали.

Обеспокоившись неразговорчивостью гостя, староста поманил к себе Бехруза и что-то пошептал.

Вскоре после этого появились два кумгана вина, однако Джафар, к удивлению Шеравкана, пить наотрез отказался, смутив присутствующих, кое-кто из которых, как ему показалось, был бы не прочь воспользоваться случаем и поднять чашу. В итоге никто не посягнул, и кумганы, печально накренясь, так и стояли в сторонке до самого конца.

Тогда староста, немного смущаясь и как будто чувствуя себя в чем-то виноватым, заговорил о ближайшем будущем. По его словам выходило, что нынешнее их скромное, подходящее к концу застолье является всего лишь самым предварительным наброском того, что должно произойти в дальнейшем. Памятуя о том, сколь знатный гость посетил ныне их бедный кишлак, он нынче с утра велел зарезать козленка. В скором времени все они, собравшиеся здесь, переместятся под вон те деревья ("Видите? — решил уточнить староста. — Вон куда Бехруз понес котел!"; поскольку не было никаких сомнений, что староста обращается именно к нему, Джафар был вынужден в ответ хмуро кивнуть). К ним подойдут еще некоторые из уважаемых жителей села — очень знающие и достойные люди. Вот, например, мельник. Он шестерых сыновей женил. Он точно знает, что в какой последовательности положено делать. И, разумеется, всегда готов поделиться своим знанием. Что может быть лучше, чем сесть на приятном весеннем ветерке под цветущими сливами и по-настоящему хорошо провести время — за вкусной едой, хорошим питьем и приятной беседой!..

Джафар беспокойно закрутил шеей. Шеравкан взял его под локоть: я тут, мол.

— Спасибо, большое спасибо! — сказал слепец, вскидывая голову так, будто намеревался взглянуть на присутствующих из-под повязки. — Очень большое спасибо! Мы чудесно переночевали. Спасибо за угощение... И я, и мой друг Шеравкан с удовольствием бы остались навсегда в вашем таком гостеприимном, таком радушном кишлаке, населенном такими сердечными и добрыми людьми. Но, к величайшему нашему сожалению, мы не можем долее принимать участие в вашем замечательном празднике. К сожалению, мы должны идти дальше. И хотим сделать это немедленно.

Его заявление вызвало всеобщее замешательство. Староста был просто убит.

— Как же так! — восклицал он. — Это невозможно! Сегодня только второй день свадьбы! Я велел зарезать козленка! Вы не можете этого сделать!

Шепелявя, он то хватался за голову, то простирал руки к одному из уважаемых людей, как будто требуя заступничества; заступников хватало, однако сам виновник переполоха, высказавшись и еще раз поблагодарив за оказанный прием, уже более ни на что не обращал внимания.

— Мы с таким радушием!.. для нас такая честь!.. Завтра будет козлодрание!..

Никакое горе не бывает настолько беспросветным, чтобы навеки заслонить человеку солнце. Вот и староста с течением времени начал искать хоть какие-нибудь преимущества в том, что Царь поэтов отбудет сегодня.

— Ну и ладно, — толковал он, переводя беспомощный взгляд с Шеравкана (Шеравкану оставалось лишь пожимать плечами) на одного из уважаемых людей (те, как один, согласно кивали и поддакивали). — Мы понимаем... Дела есть дела... Что ж тут непонятного. Надо так надо... Зато я вам хороших лошадей дам. Ветер, а не кони! Только что кованные. Не успеете оглянуться — к вечеру приедете.

Царь поэтов снова вскинул голову, после чего выяснилось, что он намерен идти пешком. Шеравкан сжался: думал, Джафар снова начнет рассказывать, что господин Гурган отказал ему в праве пользоваться лошадьми, равно как и собирать милостыню. Но нет, не стал. Просто сообщил — и все.

Староста то ли не понял, то ли не хотел понять. Давно уже дело было ясно как божий день, а он все шепелявил насчет коней, подков, копыт и ветра: никак не мог взять в толк, почему, если уж так приспичило, нельзя воспользоваться повозкой.

Шеравкан от греха подальше отошел в сторонку и видел только, как под конец разговора Джафар ожесточенно махнул рукой и отвернулся.

Застолье окончательно расстроилось.

Через минуту, утирая лоб, взопревший, должно быть, от пустых стараний и обиды, староста подошел к нему.

— Мальчик, я ничего не понимаю. Мы от всей души...

— Вы не обижайтесь, — сказал Шеравкан, морщась. — Просто он...

— Почему он не хочет поехать на лошади?! — трагически спросил староста.

— Ну просто он такой человек, — со вздохом затаенной гордости сказал Шеравкан.

— Да? Не понимаю... не понимаю, каким человеком надо быть, чтобы не хотеть пользоваться повозкой... ну ладно, ладно... послушай меня, мальчик.

Староста цепко взял его ладонь (думал, должно быть, что поводырь начнет вырываться), положил на нее пять дирхемов и, умоляюще глядя в глаза, накрыл второй рукой, заставив сложить пальцы.

— Это вам на дорогу. Не отказывайтесь, очень вас прошу. Мы от всей души!

— Хорошо, хорошо...

Собственно говоря, он и не думал отказываться.

Пропажа пятидесяти динаров до сих пор стояла перед глазами будто пожар. Дымное, снизу багрово подсвеченное облако.

Если бы не строгий запрет рассказывать сельчанам об их делах, он бы, конечно, поведал, какой сволочью оказался этот приблудившийся к ним любитель поэзии — Санавбар. А что? Пусть бы все знали. Такой мерзавец — слепого обокрал.

В общем, эти пять монет (не динаров, между прочим, а всего лишь дирхемов) представлялись ему сейчас не благодеянием, а чем-то вроде покаянного взноса судьбы.

— Вы очень добры, уважаемый, — с достоинством сказал он, пряча деньги. — Спасибо. Я расскажу Джафару о вашей доброте.

* * *

Они не отошли и на четверть фарсаха, но кишлак уже скрылся за увалом холма. Джафар шагал молча и был, казалось, чем-то удручен. Шераван тоже молчал, опасаясь нарушить хоть и непонятную ему, но вызывающую опаску невеселую сосредоточенность спутника.

Морщится — как будто что-то болит... вздыхает... и вздыхает-то как надрывно... может быть, на самом деле что-то болит? Но что? Если, скажем, голова заболит или нога — человек непременно схватится, сожмет ладонями, как будто стараясь выжать боль, выдавить прочь, избавиться от нее.

Нет, не хватается...

Боль — это, конечно, плохо. Иногда болит несильно — ну, локоть если немного ссадил... или коленку.

Но ведь бывает, что и сильно.

Вот, например, взять — и со всей силы по пальцу камнем!

Не нарочно, конечно, — увлекшись детской игрой, в упорном старании выколотить из обломка известняка тускло поблескивающий кристалл кальцита... Руки дрожат от спешки: вон Самад сколько уже набрал! — его драгоценности аж в кулак не помещаются. А у Шеравкана всего два — да и то мелкие, неровные. Ну ничего, вот сейчас, сейчас, вот он какой красивый... спрятался в норку... только бы не раскололся.

И, с последним, самым верным замахом, который позволит наконец достичь желаемого, — по пальцу!..

По указательному... который так похож на человечка.

Ноготь — как лицо, борода до первого сгиба... бороду накрасить кусочком угля, нарисовать глазки-точечки, брови-черточки, кругляшок рта, зачернить волосы уже на мякоти подушечки... а второй сгиб — это будто подпоясан человечек крепким кушаком.

Ах! Боль вспыхивает — и тут же обрушивается: вода с горы, ливень с небес — только красный ливень, багровый, в цвет проступающей из-под ногтя крови. Бросается во все тело!.. плещет в голову!.. заливает глаза.

Ах, как больно!.. ах, как жалко палец!.. Что толку выть, зажав его между колен... прикладывать кусок холодной глины из арыка... утешать — мол, не плачь, сынок, скоро заживет.

Болит!.. болит!!

А если вспыхнувший болью палец и на самом деле превратился в человека? Или, наоборот, весь человек превратился в этот вопящий, с проступью крови, палец?..

И если уже не заживет?..

— Погоди, — одышливо сказал слепой.

Остановились.

— Передохнем... Присесть есть где?

Шеравкан взял за руку, подвел к подходящему валуну.

— Пить хотите?

— Не надо пока... виден еще кишлак?

— Нет, — сказал Шеравкан. — Уже не виден.

Джафар удовлетворенно кивнул.

— Ну хорошо...

Помолчали. Шеравкан раздумывал, стоит ли говорить о несчастных этих пяти дирхемах. Его не поймешь. Еще рассердится, не дай бог... Как начнет орать: зачем взял! Как будто он клянчил... дают люди — почему не взять? Ведь не милостыню просили — сами дали, из уважения... И потом: как без денег? Было пятьдесят динаров — где они? Птица в стороне порхнула — скорей ее порханье в карман положишь, чем те пятьдесят динаров...

Но вспомнил лицо едва не плачущего от огорчения старосты и решился: обещал все-таки.

— Староста вам пять дирхемов... — замялся, подбирая нужное слово.

— Что — пять дирхемов?

— Пожертвовал, — нашелся он.

Ну, сейчас начнется!

— Да? — удивился Джафар. — Пять дирхемов? — покачал головой. — Спасибо ему... Что же ты не сказал раньше? Я бы поблагодарил.

— Не знаю... я думал, вы, наоборот...

— Это очень много, — сказал Джафар, не слушая.

— Что — много? Пять дирхемов?

— Ну да, пять дирхемов.

Шеравкан помолчал. Но все-таки не выдержал:

— Разве пять дирхемов — это много?

Слепец пожал плечами.

— Смотря кто дает.

Шеравкан снова сдержал хмыканье. Какая разница, кто дает? Пять дирхемов — они и есть пять дирхемов...

— Не веришь? Ну хорошо. Помнишь, я рассказывал, как взбунтовались жители кишлака Бистуяк? А знаешь, почему он так назывался? Сведущие люди говорят, будто в мире существует двадцать одно несчастье*. И приходят они к людям по очереди... Так вот в этом несчастном кишлаке несчастья и беды спокон веку паслись всем стадом. С одного краю чума — с другого холера. На северной околице скот пал, на южной — саранча. Не саранча — пожар, не пожар — наводнение. Ни единого дня без напасти. Потому и название такое. Соответственно названию и люди там жили — не просто бедно, а так, что беднее уже некуда... Ну вот. А у Исмаила Самани был один хитрый министр... налогами управлял. Эмир его любил. Хотя тот, судя по всему, подворовывал. Но не попадался. Однажды Исмаил пригрозил ему: смотри, говорит, поймаю на горячем, пеняй на себя, буду судить. А министр отвечает: я, мол, раб у твоего трона, но если грозишь судом, то позволь мне самому выбрать судей. Исмаил позволил, и тогда министр попросил, чтобы его, в случае чего, судили старейшины кишлака Бистуяк...

* Бисту як (дари) — двадцать один.

— Этого самого кишлака? — уточнил Шеравкан.

— Этого самого. Самого несчастного в мире кишлака. Эмир удивился. Подожди, говорит. Подумай, зачем тебе это? Старейшины кишлака Бистуяк — самые бедные, самые злосчастные в мире люди. Они тебе — богатому, знатному человеку — от своей злости на всю вселенную за самый малый пустяк такое присудят, что по миру пойдешь.

Шеравкан кивнул, прошептав:

— Ну верно... присудят.

— А министр стоит на своем. Нет, говорит, хочу их в судьи — и дело с концом. На том и сошлись. И вот однажды министр все-таки попался. Ну что же, уговор дороже денег. Послали в Бистуяк за старейшинами. Привезли трех старцев. Эмир рассказал им дело: так и так, вор, посягнул на казну. Смертью казнить не хочу — уж больно человек знающий и ловкий. Присудите, уважаемые, какой штраф он заплатить должен. Имейте в виду, человек он небедный, все у него есть, дом — полная чаша, чуть ли не каждый день на столе манты с перепелиными языками. Мог бы даже и в мою казну не лазить, и без того бы отлично прожил. Что скажете?

Джафар поднял посох, на который опирался, и положил его себе на колени.

— Стали старейшины совещаться. Один говорит: вор. Другой: бессовестный вор! Третий: наглый ворюга. Выяснили, что мнение у них насчет министра примерно одно и то же. Осталось штраф определить. Мнутся... Наконец один набирается смелости и говорит: тысяча динаров. Второй в ужасе: ты что, Аллах с тобой! Да будь он хоть сто раз министр, все равно: откуда у человека тысяча динаров?! Давай присудим сто. А третий махнул рукой и сказал: эх, мол, безжалостные вы люди. Мы с вами втроем по целой жизни прожили и ни разу ни единого динара и в глаза не видели, только слухи до нас доходили, что где-то ходят по свету подобные монеты. С чего вы взяли, что этот несчастный сможет такими бешеными деньгами расплатиться? Динар ему присудить в наказание — и то до самой смерти будет мучиться.

Ветерок потянул низом, принеся откуда-то запах мяты, и звон, с которым кузнечики начинали ковать прогревшийся воздух, стал слышнее.

— Да-а-а, — протянул Шеравкан. — И что же: так динар и присудили?

— Так и присудили, — кивнул Джафар. — Министр умный был: знал, что люди все мерят по себе.

— И деньги тоже?

— Деньги в первую очередь. Заметил, как в последнее время дирхем подешевел? — насмешливо спросил слепой. — Раньше-то как было: полдирхема за ночевку — слишком дорого. А после кошелька? После кошелька пять дирхемов — мелочь.

Они помолчали.

— Вот такие они, денежки, — вздохнул слепой. — Чумы Господу мало показалось — он нас вдобавок деньгами наградил.

Шеравкан помолчал, размышляя.

— Вы хотите сказать, что деньги — болезнь?

— Зараза, — подтвердил слепец. — Да еще какая липкая...

— Но, учитель, — нерешительно возразил поводырь. — Не ко всем же прилипают. Вот, например, мой отец. Он сколько ни бьется — а и в помине нет такого, чтобы к нему деньги прилипли...

Слепец рассмеялся.

— Тут ты прав. Но я о другой липкости. Понимаешь, если человека чума подцепила — у него все-таки остается шанс выздороветь. А если деньги...

Он безнадежно махнул рукой.

— Но от денег не умирают, — не сдавался Шеравкан.

— Однако и живут недолго.

— Почему это?

— Да мало ли несчастных из-за своих богатств гибнет! То разбойники, то война. То слуги неверные, то сосед завистливый. То молодая жена. То, глядишь, собственные дети... Хватает напастей. Да и вообще, между прочим, бедняки до глубокой старости чаще доживают. Ему сто лет — а он все кетменем свою тощую глину крошит, все надеется на урожай, все рассчитывает, как вот он сейчас взрыхлит, а потом пройдет хороший дождь, пшеница его поднимется, заколосится... птиц он от нее будет гонять, зайцев... сохранит всю до зернышка, уберет, отвезет на базар, продаст, а на вырученные деньги внукам новые рубашки купит. А тут град налетел — и нет никакой пшеницы. Начинай сначала: бери кетмень, мечтай заново.

Джафар пристукнул посохом и сказал:

— Сам сколько раз думал: целительны они, что ли?

— Кто? — не понял Шеравкан.

— Да говорю же: мечты.

———

— Не знаю...

— Вот и я не знаю... Но главное-то вот в чем: если человек деньгами заболел, у него взгляд сужается. Деньги — ведь это очень важно, правда? Если нет денег, ты не можешь купить еды и одежды, не можешь содержать дом... очень, очень важно иметь деньги.

Джафар положил ладони на самую верхушку посоха и склонил голову, размышляя.

— Но ведь иметь деньги — это не более важно, чем иметь возможность забыть о них?

Шеравкан пожал плечами.

— И вот если человек не может забыть, значит, все — заболел. Смотрит — а ничего, кроме денег, уже не видит. В глазах все перекошено. Солнце не продашь — и не купишь. Солнце ничего не стоит. Воздух ничего не стоит. Счастье ничего не стоит... А раз все это ничего не стоит — он этого и не видит. Он слепнет.

Шеравкан вздрогнул. Его пронзила нелепая мысль: может быть, и Джафар ослеп от денег?

Судя по тому, что слепец замолчал, вскинув голову, он, произнеся сорвавшееся слово, тоже переосмысливал сказанное.

Невесело хмыкнул:

— Самое время мне, конечно, о чужой слепоте толковать.

— Ну и что! — с жаром сказал Шеравкан. — Ну и что! Вы же не виноваты, что так!

— Да, да.

Но, судя по всему, у него пропала охота рассуждать о деньгах.

— Ладно, — вздохнул он через минуту. — Все равно сидим. Палку ты мне хорошую вырезал, молодец, — должно быть, в качестве доказательства Джафар снова пристукнул посохом о камни. — С такой палкой в руках я, можно сказать, вовсе не чувствую себя слепым. Теперь давай какой-нибудь прутик, может быть, и тебя удастся сделать зрячим.

Шеравкан ждал этой минуты, надеялся на нее. Подходящий, на его взгляд, прут он подобрал сразу за околицей.

— Пожалуйста, учитель.

Вложил в ищущую ладонь.

— Ага, — сказал Джафар, сжимая пальцы. — Ну хорошо. Можем заняться делом.

Задрав голову, как будто отражение происходящего должно было появиться на небесах, он широко прочертил землю перед собой. Если это была проверка качества прута, то слепец, похоже, остался им доволен.

— Будет что-нибудь непонятное, обязательно останови меня и спроси. Понял?

— Понял.

— Молодец. Первое, что тебе нужно запомнить. Есть семь букв гордых — они всегда ходят в одиночку. Мы их выучим со временем: алиф, дол, зол, ре, зе, же, вов, — с каждым словом конец прута бойко чертил в воздухе не то очертания сказочных животных, не то контуры невиданных цветов. — И еще двадцать пять — дружных: эти вечно с кем-нибудь в обнимку, вечно к кому-нибудь пристают. Бо, по, то, со... и далее, о них я тебе тоже расскажу. Итак, алиф.

— Учитель! — робко сказал Шеравкан.

— Ну что еще? — буркнул Джафар.

Должно быть, у него уже сложился план речи. Кому понравится, когда перебивают!..

— Вы же велели, чтобы я спрашивал...

— Хорошо. Спрашивай.

— А что такое — буквы?

* * *

Ну да. Правда. Он ведь даже не знает, что такое буквы. Слово знает — "буквы". А что это такое, ему неизвестно.

Слышал краем уха. Есть, мол, такая таинственная вещь — буквы. Мулла держит перед собой книгу. "Что в книге? — Буквы, сынок".

То есть он — как нетронутый снег. Рано утром выглянешь — вот он. Белый-белый. Еще никто не ступал. Ровная гладь.

Буквы...

Может быть, напрасно он это затеял.

Нужно ли парню знать, что такое буквы?

Может быть, лучше, если белая гладь останется белой гладью?

Господи, да он и сам сколько раз думал: было бы лучше родиться медником. Или крестьянином. Никогда бы он не знал, что такое бумага. Ну, может быть, и слагал какие-нибудь незатейливые песенки... как в детстве, дразня Шейзара. Но не записывал. Бумаги не было, и все эти песенки забылись.

Слова — одно.

Буквы — совсем другое.

Слово прозвучало — и исчезло. Конечно, оно осталось в памяти... но память ненадежна. Рот закрылся — слова нет. Уже звучат новые слова, теснятся, сменяют друг друга, чтобы так же исчезнуть.

А если слово написано, его можно прочесть. Раз прочесть, два... десять... сколько нужно. Написанное слово долговечно.

В написанное слово можно вдуматься. Вот зачем нужны буквы: чтобы можно было вдуматься.

Написанное слово порождает раздумья. Совершенно никчемные, если ты крестьянин.

О чем думать? Труженику раздумья не нужны. Все и так ясно. Весна сменится летом, лето — осенью. Хлеб посеян — пора косить. Косьба прошла — надо жать. Надоба за надобой.

Конечно, какие-то мысли все равно остаются. Руки делают свое дело, а мысли проплывают. Как апрельские облака — свободно, ненатужно. Вот одно сблизилось с другим... вот отстало. Вот мелькнула некая догадка... растворилась.

Мысли есть, а раздумий нет.

Но ведь жизнь — это не косьба, не пахота. Жизнь — это именно раздумья.

Пчела тоже трудится: лепит соты, собирает нектар. Заготавливает мед. Заботится о потомстве.

Однако Господь не сулил ей Воскресения: она трудилась, но не размышляла.

Она не жила — следовательно, не должна воскреснуть.

Так зачем мальчику это несчастье — жизнь?

* * *

Джафар не успел ответить.

Сначала послышались какие-то плачущие звуки... потом стало казаться, что это пение... через минуту показался шагавший.

Завидев путников, он умерил силу своих завываний, отчего они сделались отчетливей. Стало возможным разобрать, что горланит он все одни и те же фразы:

Нету Бога, кроме Господа!
Нету Бога, кроме Господа!..

Но пел он их по-разному, и по мере его приближения Шеравкан уяснил, что каждые четыре из этих бесспорных утверждений складываются как бы в один куплет бесконечной песни: второе звучит на слух чуть ниже первого, третье еще ниже, а четвертое, сломавшись примерно пополам, началом остается в низине, а концом взлетает выше самого высокого первого, после чего все начинается заново:

Нету Бога, кроме Господа!
Нету Бога, кроме Господа!
Нету Бога, кроме Господа!
Нету Бога, кроме Господа!..

Джафар наклонил голову, прислушиваясь; потом полуутвердительно сказал:

— Суфий?

Кармат, в силу неспешности общего движения находивший время тщательно обследовать окрестности, заслышав голос, с шумом продрался откуда-то сквозь кусты, выпрыгнул на дорогу, встряхнулся и сел, вывалив язык и озадаченно рассматривая пришельца.

На человеке были широкие штаны из некрашеной холстины и такая же простая холщовая рубаха, подпоясанная кушаком. На кушаке болтался нож, деревянная миска и деревянный ковш, голова накрыта войлочным куляхом — примерно таким, как у Джафара, только поновее. В руке посох. Через плечо по диагонали его опоясывал толстый жгут — должно быть, шерстяной плащ, скатанный вместе с молитвенным ковриком.

— Суфий, — подтвердил Шеравкан.

Шел суфий бодро, весело, чуть ли не вприпрыжку: блестел молодыми глазами (ему, наверное, не было и тридцати), издалека начиная улыбаться, что не мешало пению, и приветливо кивать.

Когда осталось не больше десяти шагов, его просветленное радостью лицо приняло озабоченное выражение, он поднял руку и стал помахивать Шеравкану, как будто показывая, чтобы тот не перебивал его; Шеравкан, собственно, и не собирался, но тот, явно опасаясь, что его все-таки перебьют в самом неподходящем месте, все больше ускорял пение, отчего оно становилось чем-то вроде несуразно длинной скороговорки.

В конце концов, совершенно уже запаленно и неразборчиво выпалив ее завершение, суфий пристукнул на последнем слоге посохом и завопил так пронзительно, будто все еще был у поворота, а докричаться нужно было непременно:

— Ну вот, успел, люди добрые! Ровно три тысячи и триста тридцать три! В хорошем месте, стало быть, встретились! Собачка не кусается?

Вероятно, он имел в виду произошедшее сейчас завершение своего утреннего зикра, благополучно оконченного на таком нечетном и красивом числе повторений. Вопрос же про собачку, судя по всему, носил совершенно формальный характер, поскольку молелец, не предоставив никому возможность хотя бы самого краткого ответа, без промедления загорланил дальше:

— Приветствую вас, да будет славен великий Господь! Куда слепенького ведешь, мальчик?

Шеравкан, бросив быстрый взгляд на Царя поэтов, затруднился сказать что-нибудь вразумительное.

Впрочем, суфия и этот ответ не интересовал: его так распирало новостями, что успеть бы самому выпалить.

— Слышали, люди добрые, нового чильтана ищут? Из ваших близких никто не пропадал?

Взгляд у него был светлый, пронзительный и тревожный.

Шеравкан недоуменно пожал плечами.

— Не знаю...

Про чильтанов он кое-что слышал. Это были святые люди, заботники, помощники Хызра. Они потому так и назывались, что их всегда было сорок человек*. Если один умирал, остальные тут же выбирали нового из числа простых смертных, и попасть в их

---

* Чиль тан (*дари*) — сорок человек.

ряды мог только самый честный мирянин, всей жизнью доказавший свою душевную чистоту. Дедушка говорил, что, став чильтаном, новичок и дальше мог проживать среди обыкновенных людей, тщательно скрывая свою принадлежность к святым и стараясь ничем не отличаться от непосвященных. Но обычно-то, конечно, пропадал, скрывался для новой жизни в кругу сорока таких же, как он.

Чильтаны всегда пребывали в странствиях, обходили землю из конца в конец, наблюдая за порядком и избавляя людей от грозящих им несчастий. Четверо из них были старшими и отвечали перед Господом каждый за свою сторону света. На одном из столбов дедушкиного дома висела квадратная дощечка, по четырем сторонам которой было что-то написано, дедушка говорил — их имена.

— В ближайшее время выберут, — озабоченно сообщил суфий. — Со дня на день. Еще неизвестно, может быть, это был один из семи.

— Из каких семи? — спросил Шеравкан.

— Вот тебе раз! — воскликнул суфий.

Было видно, что ему нравится делиться знанием. Улыбаясь и тревожно поблескивая глазами, он рассказал (совершенно не задавался, и тон у него был не учительский, а такой, как между старыми друзьями), что кроме сорока есть еще семь старших — они вроде как раисы над сорока нижними, а над теми семью еще трое.

— А над тремя кто? — спросив, Шеравкан пожалел об этом: что говорить, когда и так ясно.

— Ну кто, — справедливо усмехнулся суфий. — Господь, кто ж еще.

И рассказал между делом, какой недавно в Герате произошел случай. В одном из тамошних медресе был учитель-мударрис, к которому частенько заглядывал какой-то базарный нищий — в лохмотьях, самого отвратительного вида. И с порога кричал: дескать, эй, Сарымсак! — так звали муллу-то. И ученики страшно удивлялись, что этот Сарымсак всякий раз вскакивает и бежит к нему, как собачонка, и встречает этого ничтожного человека с таким почтением, как будто к нему явился посланец эмира. Негодовали глупые ученики.

— А дело-то простое! — воскликнул суфий, потирая тонкие ладони и радостно посмеиваясь.

Однажды этот нищий сказал мударрису: "Если хочешь кое-что узнать, готовься, пойдем вечером в одно местечко". Хорошо. Пришли в сумерках к какому-то мазару, окруженному деревьями. Нищий велел мударрису сесть и ждать, а сам направился под деревья. Сарымсак его ждал-ждал, ждал-ждал, разозлился и решил потихоньку посмотреть, что там происходит. Подкрался — видит, возле могилы святого сидят сорок человек. Среди них и его нищий. Стал подслушивать. Оказывается, умер один чильтан, и все они собрались выбрать нового. Тут-то нищий и говорит: предлагаю, дескать, Сарымсака, он хороший человек, благочестивый и знающий. А кто-то отвечает: "Этого заносчивого мударриса, который вечно задирает нос перед простыми людьми? Нет уж, мы на это не согласны!" И каждый своих кандидатов предлагает. В общем, долго они собачились, да Сарымсаку стало недосуг их слушать — кой толк, когда его уже прокатили, он и ушел домой. Уснуть не успел, к нему нищий приходит и говорит: что ж ты, мол, не дослушал, кого выбрали. Если хочешь узнать, приходи на рассвете к воротам, я тебе покажу.

Сарымсак пришел, когда еще звезды не погасли. Стоит. Тишина. Мало-помалу женщины стали появляться, дети — кислое молоко на продажу несут. Понемногу оживился базарчик. Скоро показался какой-то очень хорошо одетый, красивый юноша. Сразу видно, что из приличной семьи, из богатого дома. Подошел, купил толику катыка, достал замечательно красивую фарфоровую чашку, молоко в нее перелил и крикнул носильщика. Подошел к нему какой-то жалкий старик в лохмотьях. Дрожит весь от утренней прохлады. "Сможешь ли донести и не разбить, ведь чашка очень дорогая", — говорит юноша. А старик ему: дескать, не извольте сомневаться, все будет в лучшем порядке!..

Суфий замолчал, восторженно глядя на Шеравкана и, должно быть, тем самым призывая его в пристальному вниманию: начиналось самое главное.

— Проходит он этак вот шага три... ну четыре от силы. Да ка-а-ак споткнется! Как уронит эту чашку! — Суфий зажмурился от ужаса. — Чашка вдребезги! Старик кланяется, прощения просит, а юноша как даст ему, как даст! Да прямо по голове, по лицу! Старик опять в грязь. "Ах ты, — кричит юноша. — Что наделал! Разбил мою бесценную, мою самую любимую чашку!" И ногой ему, и другой! Навалял этакто да и ушел, бранясь на чем свет стоит. Старик поднялся кое-как, стоит грязный весь, кровь вытирает.

Тут к Сарымсаку его нищий подходит. Довольный такой. Ну что, мол, видел? Вот, говорит, этот старикто — он и есть, которого в прошлый раз выбрали. Это все, говорит, не просто так. Этому юноше страшная беда грозила. Ужасное несчастье. Нужно было его отвратить. И вот чильтан-то, под видом носильщика, это и сделал. Нарочно уронил драгоценную чашку. Уронил — и отвлек несчастье: оно чашку поразило, а юноша теперь в полном порядке.

Джафар закашлялся, закрываясь рукавом халата. Что кашляет?.. ну вот, откашлялся вроде.

— Понимаешь? — поинтересовался суфий.

— Ну да, — кивнул Шеравкан.

— А теперь в Самарканде то же самое!

Выяснилось, что суфий идет именно из Самарканда, где днями случилось именно такое важное для судеб всей земли событие — умер чильтан. Какой-то праведник должен был заступить на место ушедшего, загадочно исчезнув при этом для своих родных и близких.

— Это ведь как бывает? — толковал суфий, ерзая тощим задом по неровному камню. — Вышел человек из дома, допустим, на базар. Жене сказал... или детям... так и так, жена, так и так, дети, иду на базар купить кое-какие нужные вещи: капусту с морковкой... или тыквенных семечек... или, положим, мочалку. Дескать, вы тут без меня не скучайте, я скоро вернусь. Час его нет, два нет... три. Вечер наступил — нету. Понятное дело, жена и дети волнуются — куда пропал? Начинают розыски. К раису бегут... к миршабу. Вот дело какое: кормилец пропал. Не знаете ли чего-нибудь о его судьбе? А никто не знает. Никто его не видел — ни соседи, ни на базаре люди... никто! Это что значит?

Суфий ожидающе смотрел на Шеравкана.

— Что? — сказал Шеравкан.

— Да вот то и значит: чильтаны его к себе взяли. Значит, был он человек не просто хороший, а как чистое золото. Не просто добрый — а добрый в ущерб себе. Не просто честный, а такой, что даже если смерть будет грозить, он и на волосок не соврет. Вот такой он был человек. Поэтому теперь у чильтанов. Понятное дело, родные убиваются — они же не понимают, что к ним большая радость пришла. Они думают, погиб, пропал — а на самом-то деле ему уж небось и край света выделили, за которым следить должен... и объяснили толком, как службу нести... и будет он теперь из конца в конец земли ходить под видом какого-нибудь незнатного человека — базарного мусорщика или прислужника в чайхане... следить, чтобы зло не смогло восторжествовать... данной ему святой силой проклятому злу препятствовать.

Суфий мечтательно улыбался — должно быть, ему хотелось когда-нибудь и самому сделаться чильтаном.

Шеравкан посматривал на Джафара. Тот не кашлял больше. Молча слушал, опершись на посох и склонив голову.

Неужели и в чильтанов не верит? — подумал Шеравкан с затаенной горечью.

— А как узнали, что умер? — спросил он, вздохнув.

— Узнали-то? — оживился суфий. — А он в бане работал. Банщиком, оказывается, работал. Шайку подать... одежду принести. Незаметный такой старичок — а на самом деле чильтан. Вот как получается! —

Суфий восторженно посмотрел на Шеравкана. Взгляд его при этом остался все таким же тревожным. — А один человек возьми и поспорь с женой. Что мне, говорит, все эти святоши, все эти хаджи, которые в Мекке бывали. Подумаешь, говорит. Плевал я, говорит. Ничего особенного. Я, говорит, вообще могу за одну ночь в Мекку сходить и обратно вернуться. Как нечего делать, мол.

Суфий мелко рассмеялся, качаясь и складывая руки молитвенным жестом.

— Туда, говорит, и обратно. За одну ночь! Господи святый Боже, вот ведь какие люди у Тебя бывают! Вот ведь какие!..

— Ну и что? — поторопил Шеравкан.

— Ну как — что? И поспорил с ней... с женой-то. Вроде как поклялся. Не веришь, говорит, а я вот сейчас за порог выйду — а утром уже из Мекки вернусь. И что хочешь ты тогда со мной делай.

— Ну?

— Ну и ушел. А как ему в Мекку попасть?

Лукаво и насмешливо улыбаясь, суфий смотрел на Шеравкана, ожидая ответа.

Шеравкан в очередной раз пожал плечами.

— Ну и как?

— То-то и оно, что непонятно как! — воскликнул суфий, осуждающе качая головой и явно поражаясь непредусмотрительности того, о ком шла речь. — Это же смешно сказать! Люди два года путешествуют, а он вон чего — за одну ночь.

— Ну да, — согласился Шеравкан. — Так что же он сделал?

— Что сделал! То-то и оно, что сделал! Пошел к банщику и открылся ему.

— Ночью пошел? — удивился Шеравкан. — Ночью бани закрыты.

— Ну, может не в саму баню, — урезонил его суфий. — Банщики же не в банях живут. У них при банях каморки какие-нибудь... сторожки там какие-то.

— Ну да... и что?

— Рассказал ему. Так и так, мол, поспорил с женой. Не знаю, что делать. Как, говорит, я за одну ночь в Мекку попаду? Мне теперь, говорит, пропадать.

— Почему пропадать? — спросил Шеравкан.

— Ну как почему? — удивился суфий. — Я тебе толкую: он с женой поспорил. Поклялся! Дело-то нешуточное.

Шеравкан силился вообразить, что это значит — поспорить с женой и в чем серьезность этого дела. Отец с матерью никогда не спорили... о чем им спорить? Дай бог успеть о детях да о доме позаботиться... Вообще-то кто его знает, — рассудил он. — Может у людей как-то иначе заведено.

— А банщик-то... чильтан-то этот... и говорит: ну хорошо, говорит. Я, говорит, тебе помогу. Использую свою святую силу.

Суфий сделал короткую паузу, явно предназначенную для усиления эффекта того, что должно было прозвучать, и воскликнул:

— И помог! Перенес его святой силой в Мекку и обратно! Сотворил такое чудо! Это ведь нешуточное дело — туда и обратно за одну ночь!

Восторженно задохнувшись, замолчал, блуждая взглядом; казалось, и сам пытается заново осмыслить величину случившегося.

— Ну и?.. — опять поторопил его Шеравкан.

— Ну и надорвался, — вздохнул суфий. — Сделать-то сделал, а силы не рассчитал. Так и выходит, что...

Но не договорил, а только с горечью махнул рукой.

— Умер, что ли? — недоверчиво уточнил Шеравкан.

— Умер, — кивнул суфий. — На днях буквально. Весь Самарканд говорит. Так что ждите теперь. Если кто из близких пропадет — не удивляйтесь.

Они помолчали.

Джафар совсем низко склонил голову, прямо-таки повис на своем посохе. Что молчит? Прямо как будто онемел... да и оглох заодно.

Вот же притвора!

Надо, пожалуй, на его палке сучки сострутать как следует, — сердито подумал Шеравкан. — Взять нож поострее. У молельца-то посох вон какой — гладенький.

* * *

Нечистый его возьми.

Точно, без нечистого не обошлось.

Только он умеет так ловко потянуть за язык.

Молчал себе и молчал.

Надо было и дальше молчать.

Что разобрало под конец? Как будто впервые услышал. Нашел перед кем хиркой[*] трясти. Господи, этого молодца еще на свете не было, а он...

Шейхи, для каждого из которых количество учеников являлось мерой его духовного авторитета, ревностно следили за их верностью. Любой другой юноша, ощутивший в себе тягу к суфизму, должен был выбрать одно из многочисленных братств. Протягивая руку шейху, он тем самым признал его авторитет и вручал себя, чтобы отныне тот вел его по пути духовного совершенства. Дав клятву верности, ученик взамен получал хирку, благодать и колпак на голову, называвшийся не куляхом, как у простых людей, а таджем, то есть венцом.

Однако Джафар — прославленный, вопреки своей молодости, поэт, чьи стихи широко гуляли по Самарканду, а благодаря усилиям поклонников добирались уже и до Балха, и до Пешавара, и до самой Бухары, — мог позволить себе некоторые отступления от правил. Ему прощали.

Он нигде не прирастал и не становился ничьим учеником; точнее, его числили в своих учениках сразу несколько шейхов. С теми, что помоложе, он просто приятельствовал; к зрелым мужам и старцам (кажется, ни один из них в ту пору не был старше, чем он сейчас) заходил оказать почтение, провести время в чинной беседе или совместной молитве. Слушая и сравнивая, пытался докопаться, почему они, проповедующие в целом похожие вещи, расходятся до такой степени, что не могут и слышать друг о друге.

---

[*]   Хирка́ — шерстяной плащ, традиционное облачение суфия.

Каждый из них согласился бы, что нужно стать правдивым перед Господом, отринуть мирские блага и прелести, быть добрым и стараться ладить с людьми независимо от их веры или привычек. Именно это позволяет человеку преодолеть косную тяжесть собственного "я", заслоняющего дольний мир от горнего сияния любви, милосердия, сострадания и проницательности.

Каждый из них признал бы себя воином большого джихада — священной войны мусульманина с собственными пороками, в которую он обязан вступить в надежде завоевать нравственное самоочищение...

Все они считали, что их жизнь и есть жизнь на путях Господа: во имя славы Его, ради обретения Его довольства и собственного спасения в вечной жизни.

Расходились в мелочах.

Например, шейх Абу Саид являлся последователем школы ширазского мавлоно ибн Хафифы и трактовал пути достижения указанных целей в терминах *отсутствия* и *присутствия*. Под *присутствием* шейх имел в виду сердечное подтверждение веры: то есть наличие такой твердости, при которой то, что скрыто от сердца, имеет такую же силу, как и то, что видимо ему. *Отсутствие* же означало отвлечение сердца от всего, кроме Бога. Высшей степенью *отсутствия* являлось отвлечение сердца от самого себя, то есть уход вообще от всего, независимо от того, где оно находится — снаружи или внутри. *Отсутствие* по отношению к себе, учил шейх, является *присутствием* с Богом, и наоборот.

Мелкая путаница понятий, в которой вечно пребывали его ученики, не шла в счет, ибо существовали иные школы, иные шейхи, степень противоречий с которыми оказывалась значительно серьезней.

Так, учение шейха Шукура Хамадани, приверженца нишапурской школы, тоже содержало положения об исчезновении "я" человека, однако достигать его следовало посредством растворения в Божестве. Согласно его учению, сопутствующими растворению состояниями являются восторг и опьянение любовью к Господу, растворенная в Боге личность приобретает Его атрибуты, а логическим выводом из этого является возможная неотличимость человека от Бога; разъясняя ученикам этот принцип, он так и возглашал прилюдно: "Ты — это я, а я — это Ты!"

Каждый до тонкостей знал свой предмет и мог, опираясь на авторитет славных предшественников и в меру собственного разумения добавляя кое-что от себя, достойно рассуждать о любом из того обширного множества понятий, что составляло тело учения: и о совлечении завес — первой, второй и третьей, и об очищении от скверны, и о покаянии, и о молитве, и о любви во всех ее формах, включая страстную, и о подаянии, и о щедрости и великодушии, и о посте и голоде, и о паломничестве, и о созерцании, и о правилах общения, и о правилах сна в пути и дома, и о правилах речи, и о правилах обращения с просьбой, и о правилах брака и безбрачия, и о присутствии сердца и присутствии духа, и о сжатии и расширении, и о доброте и гневе, и о тех, кто заглядывается на молодых, — и еще о тысяче и тысяче вещей такого же рода.

Если смотреть более или менее издалека, могло показаться, что все шейхи говорят об одном и том же.

Однако уже при первом приближении оказывалось, что они катастрофически расходятся в деталях: эти проклятые детали, несущественные только на взгляд непосвященного, неисправимо портили дело.

Кроме того, все это были очень разные люди — и внешне, и по характеру. Горбоносый, суровый, всегда молча хмурящийся Шукур Хамадани, неожиданно вспыхивающий, как охапка хвороста, яростной и пронзительной проповедью, ни речью своей, ни повадками, ни внешностью, ни, главное, убеждениями не походил на иссохшего горбуна Абу Саида, носимого учениками на белом полотнище. Степенный, наивно рассудительный Салим ат-Тустари совершенно не был похож на джунайдита ал-Хавари, чья истерическая развязность являла полную противоположность того, к чему он призывал в своих путаных проповедях... Кто-то из них, вопреки собственным призывам, имел чрезмерное пристрастие к вину, иные — к женщинам. Один был просто скареден — плохо кормил, другой еще и жаден — ученики жаловались, что отбирал большую часть собранных ими подаяний. Третий сварлив — мог святого до греха довести...

В общем, кто во что горазд: каждый из них на свой собственный манер давал другим богатую пищу для насмешек, презрения, неприязни, обвинений то в нечестии, то в скудоумии, то в измене правильной вере...

Возможно, если бы каждый из них мог заглянуть в душу другого, причины споров и распрей отпали бы навсегда, поскольку он увидел бы то же самое, что и в своей собственной: неясный блик, каким становится свет Истины после тысяч и тысяч преломлений, пережитых им на своем долгом пути к душе; волнующий, манящий и многообещающий отблеск — но, увы, слишком неясный, чтобы составить по нему хоть какое-нибудь представление о самой Истине.

К сожалению, они не умели читать в душах. Они могли лишь плести бесконечные кружева слов вокруг того смысла, что хотели бы выразить, надеясь, что в конце концов он запутается в сети и тогда его можно будет вытащить, как вытаскивают рыбу из темных глубин вод. И наконец-то завладеть им, столь жадно мечтаемым. Однако наивные попытки загнать собственные прозрения в ловушку рассуждений не завершались успехом. Более того, окончив речь или дописав последнюю фразу трактата, они обнаруживали, что оказались дальше от цели, чем даже при начале работы, когда еще ни один лист бумаги не был испорчен: тогда им был ведом хотя бы невнятный намек, дальний отголосок, туманный отблеск живой правды, теперь же и он заглох под пластами мертвых умозаключений...

В любом случае совершенно нелепо — обижать дервишей.

Глупость, конечно.

Но если бы этот молодец хотя бы помолчал насчет зикра!.. Да еще в таком наставительном тоне... правда, не к нему обращаясь, а к Шеравкану. Насчет него он решил, наверное, что слепец вдобавок и глух... а еще, чего доброго, и нем. Что с него взять? Молчит и молчит. А поводырю взялся объяснить, что такое зикр. Дескать, его наставник настаивает на поминании вслух — это, по его мнению, единственный способ, позволяющий достичь цели. Так и говорит: мол, чем громче, тем лучше. Потому что тогда имя Господа входит в сердце человека не только изнутри, с его собственного языка, но и извне, через уши. У самого голос звонкий, восторженный, говорит радостно, с придыханием, захлебываясь... и смотреть не надо, чтобы вообразить: бороденка светлая, глаза ясные, тревожные. Его, дескать, шейх — он такой, он только голос признает, а если про себя — это он порицает, это, он говорит, вообще от лукавого — как можно узнать, кого поминает человек, если при этом он молчит? Кто его знает, этого молчащего, — может он нечистого поминает, а вовсе не Господа? Нет, в нашей школе только вслух... наш шейх — он такой... он с нас во́ как требует. У него не забалуешь... у нас все по-настоящему... не то что у других.

И дальше, дальше... дескать, главное — вселить Господа в свое сердце. А уж вселил — так оно само идет. Ты хоть что делай: хочешь — иди, хочешь — сиди, а оно все клокочет и клокочет. Даже иногда больно делается вот тут в груди: руку приложишь, а оно там бурлит. И вот, допустим, идешь ты по дороге... шагаешь себе, шагаешь, поешь голосом и сердцем — и уже не надо даже думать ни о чем: ноги тебя сами несут... даже и спрашивать не нужно, куда: понятно, что к Господу. Идешь себе, идешь, а оно, поминание-то, уже, оказывается, и бьется вместо твоего сердца: "Нет Бога, кроме Господа!.. Нет Бога, кроме Господа!.." Мерно так, ровно, почти беззвучно... такое вроде как жужжание в тебе стоит; и кровь течет по жилам и поет: "Нет Бога, кроме Господа!.." Тут уж кричи не кричи — все равно. Но наш шейх все же требует и голосом поддавать. Голосом — да погромче. Потому что ведь непонятно все-таки, что там в человеке жужжит. Может, он только другим говорит, что жужжит, а на самом деле ничего не жужжит, только время даром тратит. А жужжание все громче, все ближе к сердцу, а потом уже и в самом сердце, и во всем тебе — в костях, в плоти. Весь ты из него сплошь, уже и не понять, где сердце, где язык, где руки, где ноги: весь ты — имя Господа, весь в него вливаешься... становишься им!.. Понятно? Вот тут-то, наш шейх говорит, и надо ждать. Тут-то оно и является — самое главное. Каждый его по-своему видит. Господь — он же не должен всем одинаково показываться, верно? Кому как. Кто огоньки углядит... синенькие такие, меленькие, как звездочки... снизу плывут, а наверху сгущаются... и колеблются, колеблются, как занавес... это наш шейх так. Другие — вспышки: как будто кто-то свет то заслонит, то снова откроет, и так часто-часто. А еще многие голос слышат: дальний, но ясный такой, громкий. Даже слова понять можно было бы, но уж слишком раскатисто... не разберешь в точности. Благодать!.. Но это, понятное дело, не всякому дается, ох не всякому... долго к этому надо идти. Со всем тщанием. С упорством. С верой. Дело-то ведь именно в вере, это надо понимать. Истинная вера — она такая. Истинная вера прямо к Господу приводит. Ну или, во всяком случае, близко: увидеть можно.

Тут-то Джафар и осведомился — довольно желчно — насчет того, какую именно веру их новый друг называет "истинной" — не ту ли, что позволяет молящемуся увидеть свет и услышать голоса?

Его слова произвели на богомольца чрезвычайно сильное впечатление. Заболтавшись, он, должно быть, уже свыкся с мыслью, что слепец, сидящий в шаге от него опершись на посох и свесив голову, в отношении способности поддержать беседу не превосходит камень, на котором сидит; когда же Джафар открыл рот, суфий (это стало ясно по произведенным им звукам смятения) вскинулся от неожиданности, как если бы с ним заговорила лошадь.

Джафар повторил вопрос, и тогда тот, свыкнувшись с новым положением вещей, ответил с запинками, причиной которых было вовсе не отсутствие убежденности в собственных словах, а, вероятнее всего, понятное желание высказаться как можно более точно и правдиво, чтобы сразу подкупить собеседника открытостью и наладить с ним добрые отношения.

Да, сказал он, именно такую веру он и называет "истинной" — именно ее, веру мусульманскую, заповеданную Пророком; именно такую правую и твердую веру, что позволяет истинно верующим последователям ислама узрить сияние славы Господней, услышать дальние раскаты Его голоса.

Вот как, сказал Джафар (теперь вовсе не желчным, а, напротив, совершенно сахарным тоном). Однако существуют совершенно достоверные сведения, что христианские аскеты с помощью поста и молитвы достигают того же самого: видят светы и слышат голоса. Так не хочет ли сказать их новый друг, что христианская вера тоже является истинной?

Парень онемел... пытался что-то вымолвить, да, похоже, горло свело — только что-то вроде кряканья... а потом вдруг молча вскочил и дал деру по дороге.

Вот и поговорили.

Он совершенно не хотел его обижать. На что обижаться? Могли бы спокойно порассуждать... и сделать какие-то выводы. Сердце у него жужжит... Известно, что жужжит. Сам практиковал и сам слышал. Но нельзя одним жужжанием заменять все на свете! Пчела вон тоже жужжит... недавно мелькала какая-то мысль насчет пчелы... ах да! Вот именно: пчела жужжит, но ей не обещано Воскресение. Человек не пчела. Он должен пользоваться разумом.

Джафар запнулся в двунадесятый раз и в двунадесятый раз шепотом помянул нечистого.

Какая корявая дорога, бог ты мой! И этот тоже хорош... Идет — как конь на пахоте. Не понравилось ему, видите ли. Обиделся, наверное. Фу, глупость какая. Черт за язык дернул... нечистый, будь он неладен.

— Шеравкан! — взмолился слепой. — Давай отдохнем немного!

Поводырь остановился. Протянул руку.

— Садитесь.

Голос хмурый.

— Да не хотел же я его обижать, честное слово, — сказал Джафар, переводя дух. — Ты сам все слышал. Я только спросил.

— Ладно уж. Что теперь говорить. Человек к нам со всей душой...

Джафар вместо ответа только ладонями развел — мол, кто же знал.

Помолчали.

Шеравкан вздохнул.

— На ночевку придем, вы мне посох дайте.

— Зачем?

— Постругаю чуток. Поглаже будет. А то что он такой...

— Какой?

— Ну какой. Корявый.

— Да пожалуйста, — слепец пожал плечами. — На ощупь вроде ничего. Это ведь кизил?

— Кизил.

— Кизил крепкий.

— Ну да.

— Кто-то, может, мечтает о кизиловом посохе, — вздохнул Джафар. — А мне даром достался. Вот оно — счастье.

И стал рассуждать насчет способов его достижения. Говорил посмеиваясь, но Шеравкан уже уяснил, что серьезного тона он почти никогда не держится, разве что речь идет совсем уж о пустяках вроде еды, ночлега или кошелька с полусотней динаров. Но в этих случаях из-под его серьезности сквозит раздражение: что пристали с ерундой! Сейчас же Царь поэтов толковал в охотку, и было опять непонятно, шутит он или настроен серьезно, а если и то и другое вместе, то в какой пропорции.

Глава двенадцатая

ШЕЙЗАР

лянетесь стоять за твердую веру? — спросил Большой сипах-салар, медленно поворачивая львиную голову и переводя горящий взгляд с одного на другого.

Он стоял на небольшом возвышении в середине зала, и его монументальная фигура, блиставшая золотым шитьем одеяний, грозно подалась вперед, как будто уже готовая обрушиться на того, кто смеет не подчиниться или хотя бы возразить. Моргающие огни светильников не могли по-настоящему высветить его каменное, цвета старой бронзы, тяжелое лицо.

Когда страшный, полный огня взгляд уперся в зрачки, Шейзар тоже покорно опустил голову.

— Клянемся! — ревели войсковые начальники. — Клянемся!..

— Готовы присягнуть?

— Готовы!.. Тебе эмиром быть!..

— Присягаете на подданство?

— Присягаем!.. Ты наш эмир!..

— Великий эмир Фарид!..

— Постоим за веру!..

— Никто не против? — спросил Большой сипах-салар, снова поворачивая тяжелую голову и снова прожигая каждого.

Слышался только шорох, с каким спертый воздух проникал в людские легкие.

— Смотрите же! — угрожающе протянул Большой сипах-салар. — Вы сами сказали свои слова! Помните об этом!..

Трепет облегчения пробежал по губам тех тридцати или сорока человек, что окружали его.

— Теперь пойдемте! Сядем, поговорим о делах! Выпьем без спешки по чаше вина!.. — крикнул Большой сипах-салар, разводя руки, чтобы сделать знак, охватывающий каждого и вовлекающий всех в общее дело. — Выпьем по другой! Разберем яства и насытимся! Поднимем по третьей! А потом я скажу, что делать дальше!

Военачальники стеснились у выхода.

Шейзару удалось задержаться возле дверей зала. Попятившись в сумрак, он оказался возле неприметной двери.

Дверь поддалась.

Однако надежда, что этот путь приведет к какому-нибудь выходу, не оправдалась — он оказался в какой-то темной комнатушке.

Оглянулся.

Потом посмотрел вверх.

Пару лет назад Назр остановился в одном хорасанском местечке, чтобы помолиться возле мечети. Мечеть стояла у крутого обрыва. Одной ее стеной являлась отвесная скала. Вход был не шире двух пядей. Следом подъехал начальник гвардии, спешился, явно намереваясь проникнуть внутрь.

"Эй! — окликнул его Назр. — Ты куда, Кормилец?"

Ханджар-бека звали так после одного смешного случая: решил на ходу утолить голод куском хлеба, а при подъезде к городским воротам, где толпились нищие, спешно запихал остатки лепешки в собственный рот; и едва не подавился — вместо того, чтобы, как положено правоверному, наделить нуждающихся милостыней в залог будущего своего спасения...

"Как это куда? В мечеть, конечно! — отозвался Ханджар-бек, яростно протискиваясь. — Господь велик, будь оно все неладно! Разве я сын греха, чтобы не пролезть в эту дырку?!"

Оказалось, как тут же пояснил один из приближенных, мечеть знаменита именно этим: в нее не мог войти человек, зачатый в результате прелюбодеяния.

Проход и в самом деле был узкий, но не настолько, чтобы кто-нибудь застрял. Назр усмехнулся. Господи, каких только нелепиц не выдумают!..

Однако, оглянувшись, неожиданно для себя обнаружил, что и свита, и сопровождавшая выезд кавалерийская сотня, и даже люди из неспешно подтягивавшегося обоза — все тянут шеи, стараясь не упустить момент, когда он сойдет с коня, чтобы попытаться пройти внутрь.

Наверное, ему следовало поступить с ними иначе... Как они смели ждать этого! Следить за ним! Мерзавцы! Подумать только: они хотели убедиться, что их эмир чист! Что он не является сыном греха!.. А раз хотели убедиться, значит мысленно допускали обратное! Свора поганых собак! Пожалуй, следовало немедленно истребить всю эту мелкую сволочь!..

Однако здравомыслие взяло верх.

Громко расхохотавшись, он тронул коня, подъехал ближе, спешился и, ощутив, несмотря на всю свою уверенность, предательский холодок в груди, шагнул к проему...

Вошел.

Вышел.

Ну, тут уж начали ломиться толпой... и все проходили. Все — и вельможи, и простые воины... и командиры, и рядовые... потом и обозники поперли.

Назр стоял в сторонке, хмуро наблюдая. Когда окончательно стало понятно, что, как он и думал с самого начала, все это всего лишь нелепая выдумка, приказал поставить шатер.

Однако чуть позже к нему пришли с известием, что одному из его подданных войти в мечеть так и не удалось.

Причем этот конюх был совсем худым, даже, можно сказать, тощим человеком. Судя по описанию, он сумел бы протиснуться в лисью нору. Вдобавок очень набожен: то и дело молится.

Назр велел привести его.

Конюх плакал от обиды, размазывая по щекам грязные слезы. "Перестань, — сказал Назр. — Лучше скажи, что ты чувствуешь? Я имею в виду — когда пытаешься войти?" Тот горестно пожал плечами. "Не знаю... как будто выталкивает что-то". — "Выталкивает? — задумчиво переспросил эмир. — А кто была твоя мать?" Но про мать этот костлявый ничего не знал, его воспитали чужие люди.

"Ладно, иди, — сказал Назр. — Да не горюй, я награжу тебя".

Не смог войти.

Как это понять? Нельзя понять. Невозможно. "Как будто что-то выталкивает", — сказал этот несчастный. Выталкивает какая-то сила. Колеса судьбы тоже крутятся не без помощи каких-то сил. Каких именно? Может быть, это одни и те же силы — силы судьбы и те силы, что не пускают тощего конюха в проем узкой двери?..

Да, это непонятно ровно в той же степени, в какой непонятна судьба. Как понять судьбу? Одного проткнут копьем, а он выживет, поправится и опять воюет... а другой уколется иглой, зашивая рубаху, — и умирает.

Впрочем, что толку размышлять о вещах, которые не могут уместиться в человеческой голове? Предопределенность несомненна. Будет то, что должно быть. Солнце взошло сегодня, взойдет и завтра. Голод утолен, однако возникнет снова. Ты осыпал раба милостями — теперь смотри, чтобы он не воткнул тебе нож в спину... Знать это — означает ли знать будущее? Означает ли знать судьбу?.. Пожалуй что нет. Будущее известно только Богу. Бог знает о нем все. Ангелы — меньше. Духи — еще меньше. Люди — почти ничего. Но не стоит бояться. Неведение не имеет значения. Потому что когда известен закон неизвестности, сама неизвестность отступает на второй план: если все предопределено, что страшного в том, что ты не знаешь кое-каких мелочей этой предопределенности?

Однако трудно остаться философом, коли тебе приносят такие вести!

Назр ходил из угла в конец комнаты. Шейзар стоял у дверей.

— А как ты выбрался? — спросил эмир, яростно останавливаясь.

Шейзар пожал плечами.

— Да выбрался вот... Крышу разобрал.

— Крышу разобрал?! — восхитился Назр, скалясь. — И что, никто не видел?

— Не знаю. Я старался украдкой... через задний двор ушел. Там только оруженосцы толклись.

— Оруженосцы?

— Ну да, — кивнул Шейзар. — Все военачальники с оруженосцами пришли. Им в саду накрыли...

Опустив голову, Назр снова прошагал из угла в угол.

— Значит, сейчас они поедят, — негромко проговорил он, как будто снова вдумываясь в то, что еще казалось ему невероятным. — Выпьют по три пиалы вина... Затем поднимутся... Нападут на дворец. Убьют меня... Убьют тебя, — Назр ободряюще покивал визирю. — Убьют моего сына Нуха... Убьют всякого, кого найдут!

Он остановился и закончил, разводя руками:

— Цель этого сборища — наша погибель. Вот мерзавец!.. Но зачем он у меня золотую утварь просил? — Назр возмущенно посмотрел на Балами.

Балами пожал плечами.

— Думаю, хочет раздать гостям, — вздохнул он. — В качестве залога будущих милостей.

Назр похрустел пальцами.

— И что же делать?

— Надо вызвать его сюда, — сказал Балами.

— Кого?

— Фарида-мукомола.

"Мукомолом" Большого сипах-салара прозвали в молодости: он врывался во вражеские порядки, как пущенный с горы мельничный жернов.

Назр фыркнул.

— Вызвать сюда! Что ты говоришь! Зачем Фарид-мукомол пойдет ко мне, если он собрал военачальников для присяги? Если бы он был такой дурак, в жизни ему не видать своего чина! Он человек непростой. Даже пошутить умеет.

Эмир усмехнулся.

Он имел в виду тот давний случай, когда направил к Фариду-мукомолу одного упрямого пленного, чтоб тот напугал его как следует: может быть, после этого расскажет о тайных планах своего предводителя. Выслушав разъяснения посыльного, Фарид-мукомол велел привести несчастного, выхватил меч и, не говоря худого слова, единым махом снял с него голову. "Фарид! — воскликнул ошеломленный посыльный. — Что ты сделал? Эмир велел напугать, а не убивать!" Фарид-мукомол вытер клинок о рукав, сунул в ножны и сказал хмуро: "Не знаю, о чем там себе эмир думает. Я не умею пугать иначе".

— Я и не говорю, что он дурак, — возразил Балами. — Я всего лишь хочу сказать, что он жаден. Ведь это правда?

— Это да, — согласился эмир. — Это правда... Алчность его не знает границ. Жаден — как зыбучий песок: все к себе утянет.

— Вот и пошли к нему человека сказать, что ты не все ему дал. По ошибке. Что у тебя есть еще десять больших пиршественных блюд. Украшенных драгоценными камнями. Дескать, они случайно оказались у тебя в покоях, а не в казнохранилище. Ты забыл. А теперь вспомнил. Дескать, что ж он сидит за своим столом как нищий.

— Да, да...

— И потом!.. — Балами поднял палец. Шейзар знал этот жест: визирю пришла новая мысль. — Ведь его гости, скорее всего, в курсе, что он просил тебя помочь утварью. Ты просто забыл — а они могут подумать, что эмир Назр пожадничал. Поэтому пусть непременно приходит и берет. Чтобы у гостей не создалось о тебе превратного впечатления.

— Да: вроде я за свою репутацию волнуюсь.

— Вот именно. Чтобы у него не было повода отказаться. Ведь речь не о его удобстве, а о твоей щедрости.

— Десять блюд...

— Даже лучше — двадцать.

— Двадцать так двадцать. Я и тридцать могу посулить, мне не жалко... Как думаешь, солдат?

Шейзар вытянулся.

— Не знаю... приказывайте. Пойти сказать про двадцать блюд?

— Нет, нет. Ты мне будешь нужен. Понимаешь? Приготовься.

— Но ты не сможешь прийти к ним просто так, — сказал Балами, кусая губы.

— Что еще?

— Они уже решились на бунт. Они уже преступили. Если ты придешь сломать их планы, и при этом в итоге каждому будет грозить наказание, они просто убьют тебя. Разрешив тем самым все противоречия.

— Не посмеют!

— Им будет некуда деваться. Чтобы выправить в нужную сторону, надо предоставить им хоть какую-нибудь лазейку... понимаешь?

— Хорошо. Я скажу, что всем все прощаю. Что сипах-салар наказан по заслугам, а никого больше не виню. А?

— Не знаю... в твоем прощении им придется еще убедиться... ведь ты останешься эмиром. А ну как передумаешь? Ведь они знают: все, что жжет, можно смягчить или потушить, лишь пламя ненависти не утишить ничем, и пылает оно вечно.

— Ну, начинается, — Назр досадливо отмахнулся и вдруг просиял. — Погоди-ка! Я ведь могу просто-напросто отречься. Я больше не буду эмиром. Посажу вместо себя Нуха! На время, разумеется.

— На время? — повторил Балами, напряженно кусая губы.

— Это их успокоит. Я — отошел от дел. Я — никому не угрожаю. Теперь вместо меня мой сын Нух.

У него новая, совершенно свежая, ничем еще не запятнанная память. Все грехи прощены. Все забыто. Начинайте служить заново! Старайтесь! — и он осыплет вас милостями... Разве плохо? Ты моего мальца знаешь. Из него хоть какие лепешки лепи. Послушает отца, все сделает как скажу... как тебе?

— Да, но...

— Что?

— При Нухе есть Гурган.

— Гурган? Этот червяк?! Господи боже мой! Полно тебе!

Балами молчал. Он был бледен. Глаза сияли черными пропастями.

— Ну о чем ты опять думаешь? — раздраженно воскликнул Назр. — Мы не можем медлить. Надо решаться. Ты молчишь — значит, у тебя нет возражений! Эй, кто там!

Не прошло и минуты, как от ворот дворца поскакали посыльные: один помчался к Большому сипах-салару, другие — разыскивать молодого эмира Нуха.

* * *

Одеты гонцы были в красное, и над каждым летел ячий хвост, трепеща на конце вызолоченной пики.

Один, на скаку ловко перевернув, ударил тупым концом в ворота и, подняв коня на дыбы, заорал со всей мочи:

— Открывай гонцу эмира! Великому эмиру Назру есть дело до Фарида-мукомола!

Громадный, разлапистый дом Большого сипах-салара, глубоко укрытый за кущами плодовых деревьев,
отозвался не сразу; в саду горланили нетрезвые голоса,
трещали костры; со всех сторон тянуло дымом, чадом
мясного жарева и горящего жира.

Однако это решительное требование было все же
услышано. Ворота заскрипели, раскрываясь.

— Большого сипах-салара к эмиру! — снова крикнул гонец, горяча коня и труся ячьим хвостом в хо-
лодное хмурое небо. — К великому эмиру Назру!

Через минуту появился сам Фарид-мукомол.

— В чем дело? — хмуро спросил он.

Гонец был в седле, Великий сипах-салар пеш, но
глядели они друг на друга почти вровень.

— Великий эмир Назр прислал сказать, что невольно ввел тебя в заблуждение! — кривясь от натуги,
проорал гонец.

— Да не вопи ты так, ради всего святого! Какое
еще, к аллаху, заблуждение?!

— Невольное заблуждение! Нерасторопные слуги
виноваты! Эмир нашел в покоях тридцать золотых
блюд!

— Тридцать золотых блюд? — недоверчиво переспросил Большой сипах-салар.

— С драгоценными камнями!

— Камнями?..

— Просит прийти за ними! Чтобы ты мог укра-
сить свой пир!

— Сейчас?

— Сейчас! — настаивал гонец, непреклонно тряся
пикой. — Немедленно! Чтобы потом разговору не
было!

— Какого разговору? — тянул время Фарид-мукомол, напряженно размышляя.

— Такого! Что, дескать, великий эмир для тебя что-то пожалел! Говорит, сейчас иди! Чтобы все видели его щедрость!..

— Так, значит, — пробормотал Фарид-мукомол, озираясь.

У него был выбор, и этот выбор казался ему простым.

Если бы он мог иначе взглянуть на происходящее, то осознал бы всю опасность сложной ситуации. Не исключено, что на ум ему пришла бы возможность иных предпочтений. Например: или оставить сейчас свой крепкий дом, битком набитый вооруженными людьми — и не просто людьми, а самым цветом бухарского рыцарства, самыми отважными и умелыми его витязями, каждый из который стоит в бою по меньшей мере десяти простых ратников; и не просто верными, а решившими числить Большого сипах-салара своим эмиром — то есть предаться ему душой и телом на веки вечные. То есть, значит, или покинуть свой крепкий дом — поражавший воображение всякого, кто хоть краем глаза видел, хоть на полмизинца был посвящен в то, сколько и каких богатств в нем собрано (а в самое последнее время пополнившийся еще более чем пятьюдесятью штуками драгоценной утвари, полученной из казны эмира). Бросить всю роскошь, удобство, надежность — и, оставшись одиноким и беззащитным, направиться во дворец в расчете получить тридцать золотых блюд.

Или не делать этого.

Однако, на взгляд Фарида-мукомола, он стоял перед иным, чрезвычайно простым выбором: или получить еще тридцать драгоценных блюд, или удовольствоваться тем, что уже есть.

Выраженная в столь ясной форме задача несла в себе такой же ясный ответ: конечно же, получить, какие могут быть сомнения!..

— Э, Курбан! — хрипло крикнул Фарид-мукомол, рассудив, что даже такой здоровый и крепкий человек, как он, не сможет единым разом унести тридцать золотых блюд. — Давай-ка иди повозку возьми! Во дворец поедем! Да пошевеливайся!

* * *

Обнаженные по пояс танцовщицы так стройны и гибки!.. Такими легкими движениями закидывают они согнутую левую ногу поверх прямой правой, так грациозно подбочениваются, так зазывно улыбаются, звеня ожерельями и бубенцами!.. так волнующе волнуются сложные покровы вокруг их полных бедер!..

Танцовщица, плясунья! Сердце твое созвучно сестрам-струнам, руки покорны начальнику-барабану! Струны зовут, барабан приказывает! И летишь ты, кружась будто жаркий снег! И кружишься ты вправо, и кружишься ты влево — десять тысяч кругов! Нет вращенью конца! С кем сравнить вас, плясуньи? Стремительный ветер от вас отстает! Даже спицы в колесах царей-колесниц неподвижны в сравнении с вами!..

Ханджар-бек шел вокруг, приглядываясь; в голове стучали обрывки слышанного когда-то напева. Как там?.. не вспомнить... но что-то такое, да... дескать, так неслись в бурном танце, что вихрь отставал...

Деревянных танцовщиц было четыре; умело раскрашенные, они стояли на невысоких постаментах вокруг центральной колонны.

— Крепко живет Большой сипах-салар! — пробормотал Ханджар-бек, озираясь.

Алебастровые стены играли тонкой резьбой. Простые геометрические узоры — елочки, ряды треугольников, квадратов, кругов, всякий раз с новой причудой соединенные друг с другом, — мешались со звездчатыми колючками чертополоха и стеблями растений; усыпанные крупными гроздьями виноградные лозы оплетали стволы деревьев, цеплялись за их сучки и корявые наросты. Пышные ветви устало склонялись к ясной глади прудов. Из синей воды удивленно смотрели глазастые рыбы, на берегах стояли, встревоженно озираясь, круторогие архары, угрюмые кабаны опасно топырили желтые клыки, и веселые всадники на рослых конях вздымали над ними свои смертоносные стрелы и пики. Потолок был захвачен крылатыми быками и драконами; с ними бесстрашно соседствовали голуби и куропатки, а в центре, обнимая крылами капитель, парила в огнистом оперении скуластая женщина-птица.

— Ничего, господин, скоро и у вас будет дом не хуже, — услужливо напомнил сопровождавший его помощник. — Смотрите-ка, у сипах-салара в окнах слюда, а вы стекло поставите. Да и роспись сделаете не хуже.

Ханджар-бек крякнул. Слова, конечно, верные сказаны, не поспоришь. Все в целом так и есть. Но если начать разбираться с каждым в отдельности, голова кругом идет. Большой сипах-салар не потому в оконные проемы слюду поставил, что про стекло не знает. А потому что деньги умеет считать. Слюдяные окна обходятся дирхемов в пятнадцать каждое. Это вместе с ячеистыми алебастровыми рамами, куда вмазываются пластины слюды. А стекло — полтора динара. Это без рам и работы. Правда, выдувное. Оно хорошее — тонкое, ровное. В последнее время стали делать плоское. Разливают горячую массу на ровное, потом края обрезают. Оно и дешевле, и размером каждый кусок больше. Да вот, к сожалению, кривое. И толстое... То же и роспись. Если местных мастеров брать — дешевле. Но у них руки не из того места растут. Такого намазюкают — смотреть страшно. Дешевая рыбка — поганая юшка. Надо самаркандских. Еще лучше — уструшанских, пенджикентских... Да пенджикентцы нарасхват. А кто нарасхват — тот, понятное дело, цену ломит немыслимую, прямо живьем ест... Можно ли надеяться, что Большой сипах-салар, сделавшись эмиром, прибавит жалованье своим верным слугам? Надеяться можно. А вот рассчитывать — вряд ли. У нового эмира своих забот будет полон рот. Вот, например, первым делом ему стекло вместо слюды поставить надо...

— А уж место — и сравнить нельзя! — добавил помощник.

Место!.. Конечно, место Ханджар-бек выбрал хорошее, да ведь участок обошелся в двадцать пять тысяч динаров. И это на окраине! Мыслимое ли дело? Совсем люди с ума посходили. Ай-Тегину сказать, что его племянник участок под дом за двадцать пять тысяч взял, он рассудка лишится. С другой стороны, конечно, купил — не продал. Цены-то год от года поднимаются. Ну а как. Земли мало, народу много... никто в голой степи строить ничего не хочет, жмутся людишки к городским стенам. Но все-таки двадцать пять тысяч — это деньги большие. Не всякий заплатит. Люди-то по-всякому устраиваются. Вон, говорят, надим царевича Нуха... как его?..

— Как зовут этого, как его... — сказал Ханджарбек, шевеля пальцами.

— Кого?

— Да этого, как его... с молодым эмиром дружит.

— Гурган?

— Да, да, Гурган.

— А что?

— Да ничего. Вспомнил, как он это... ты же мне и рассказывал. Помнишь?

— Что?

— Опять "что"! Землю-то себе добывал как — помнишь?

— Как не помнить, — обиделся помощник. — Конечно, помню. Я же и толковал...

— Ладно, ладно.

Да, вот так. Ловкач... Если это правда, конечно. Люди-то разное говорят, всех не наслушаешься.

— А как думаешь, правда это?

— Что?

— Да про землю-то его.

— Вот тебе раз, — снова обиделся помощник. — Как же не правда, когда мне сам кази говорил.

— Какой кази?

— Который купчую заверял.

— Ах, купчую заверял!.. ну ладно, ладно.

Ханджар-бек покивал.

Ну да. Если мулла, тогда какие сомнения. Ловкач этот Гурган, ничего не скажешь. Хотел сад сторговать. Хозяин не уступал. Тогда он участок выше купил. И воду отвел... Вот жох так жох. Такие ушлые долго не живут...

— Что?

— Я говорю, ловкий больно. Может боком выйти.

— Ну да, — согласился помощник. Но затем пожал плечами и сказал: — А бывает, что и ничего.

Ханджар-бек тяжело на него посмотрел.

— Что? — удивился помощник.

— Умный больно... Иди-ка узнай что-нибудь. Где, вообще, Большой сипах-салар? Что мы тут толчемся, как на привязи?

Собравшиеся и впрямь толклись без дела. В пиршественные покои не приглашали, начало обещанного угощения отчего-то затягивалось. Вельможи прохаживались, сходились по трое, по четверо, толковали обо всякой всячине, похохатывали. Кое-кто уже вольно рассеялся по углам на кипах ковров и курпачей.

— Говорят, во дворец поехал, — сообщил помощник, вернувшись через пару минут.

— Во дворец? — удивился Ханджар-бек. — Он с ума сошел?!

Помощник не успел ответить.

Возле дверей возникла сдавленная суматоха. Однако по мере распространения она смеялась тишиной и даже оцепенением — как если бы круги, расходящиеся от булькнувшего камня, превращали воду в лед.

— Чтоб тебя! — беззвучно ахнул Ханджар-бек, так же остолбеневая.

Вошедших было четверо.

За правым плечом великого эмира Назра шагал его сын Нух, за левым — Абулфазл Балами. Замыкал группу сипах-салар кавалерии Шейзар. В левой руке у него была какая-то торба, в правой — обнаженный меч.

В совершенной тишине эмир поднялся на возвышение и сел в кресло, принадлежавшее Большому сипах-салару.

Взгляд его жег, будто раскаленное железо.

— Доброго вам здравия, друзья! — вкрадчиво сказал он. — Весело ли вам сегодня? Одарил ли вас хозяин дома чем-нибудь? Бросил новые одежды? Вывел коней? Рассыпал яхонты и лалы?

Никто не проронил ни слова.

Перебегая с одного потупленного лица на другое, горящий взгляд Назра совершил новый круг.

— Молчите? Ну что ж. Тогда послушайте, что скажу... Я знаю, что вы задумывали. Все знаю. Про всех. Признаюсь: лучше мне было бы не знать. Лучше было бы умереть в неведении, как вы и хотели. Сердце мое не сгорело бы от гнева. Мозг не пылал бы, как от змеиного яда...

Он развел руками и горестно вопросил:

— Что нам делать теперь, друзья мои?!

Воздух звенел от беззвучия.

Покачав головой, эмир продолжил, будто толкуя с самим собой:

— Мы проверяли дружбу в сражениях... испытывали ее остриями вражеских мечей... Я верил вам как себе. И что же теперь?..

Усмехнулся и снова развел руками.

— Прошлого не поправишь. Что случилось — случилось. Время ушло. Конечно, это большое несчастье. Но ничего не поделаешь. Придется смириться. Знайте же: теперь я вам не верю. А вы не верите мне. Поэтому вы не можете быть моими подданными. Я отказываюсь от вас!

Из чьей-то груди вырвался протестующий хрип.

Назр властно поднял руку, снова погасив звуки.

— В том, что случилось, повинен я сам. Я сбился с пути, взял худую веру, от меня произошло зло, по причине которого ваши сердца ожесточились... я верно говорю?

Внятного ответа не последовало, но слабый ропот доказал, что слова эмира нашли отклик в сердцах.

— Вижу, вы согласны. Тогда скажите: а царевич Нух виноват ли в чем-нибудь перед вами?

Ропот стал громче.

— Пусть каждый, кто так не считает, поднимет правую руку!.. Да, царевич Нух ни в чем не виноват. Это правда. Поэтому вашим государем отныне будет он — мой сын Нух! Я назначаю его своим преемником.

Балами легонько подтолкнул царевича. Нух сделал шаг вперед, остановился, озираясь.

— Что касается меня самого... — сказал Назр. — Правильно я поступал или неправильно, верно действовал или ошибочно, мы об этом рассуждать не будем. Скажу одно: я удаляюсь. Отныне мои дела —

молитвы и покаяние. Буду радеть перед Богом, Великим и Преславным. Стану вымаливать прощение. И больше нет между нами счетов: я ухожу, а кто подстрекнул вас к нечестию, наказан.

Он сделал знак.

Шейзар встряхнул торбу — и голова Большого сипах-салара, тараща мертвые глаза и крутя бородой, беззвучно прокатилась к колонне.

Замерла, уперевшись мертвым взглядом в смеющиеся очи женщины-птицы.

Понурившись, Назр сошел с возвышения и опустился на молитвенный коврик.

Балами прошептал что-то Нуху.

Встрепенувшись, Нух нерешительно подошел. Зачем-то потрогал сиденье ладонью.

Осторожно сел на место отца.

Поерзал, как будто проверяя пухлым задом надежность трона.

И вдруг расплылся в счастливой улыбке.

* * *

Джафар недоверчиво сощурился.

— Эмир Назр позволил наложить на себя оковы?

Шейзар пожал плечами.

— Говорю же: они при мне об этом договаривались. Назр сам настаивал. Дескать, для полной верности. Пусть, мол, когда военачальники принесут свои клятвы, молодой эмир прикажет заковать его. Отца своего провинившегося. И отправить в Кухандиз... как бы в наказание за проступки.

— Ну?

— Ну так и вышло... Поклялись. Как побитые собаки... Все грехи на Большого сипах-салара повесили. Чем плохо? Про него что ни скажи, уже не возразит. Он один виноват. Бунтовщик этакий. А мы все верные... Фарид хотел нас с пути истинного сбить, да не получилось. Фарид был плохой, а мы твои верные рабы, беспрекословно повинуемся твоему приказу. На том и поладили... Балами Нуху все что-то нашептывал. А тот говорил. Мол, недоразумения разрешились. Что произошло — то произошло, забудем дурное. Вы, конечно, оступились... но вы преследовали хорошую цель. Так получилось, что в итоге я осуществил ваше желание. Это воля Аллаха, поэтому живите в свое удовольствие, но повинуйтесь моим приказам. И все будет хорошо... А чтобы доказать вам чистоту намерений, провинившегося отца я посажу под замок. На время. Пусть подумает о своих черных делах. А потом, дескать, в хадж его отправлю — грехи замаливать... Увели его.

— С ума сойти, — сказал Джафар, качая головой.

— А когда в пиршественные покои двинулись, уже подоспел этот хорек. Расцеловались...

— Гурган? — уточнил Джафар.

— Ну да... Рядом сел. Нух на него как на мать родную смотрит... ну, ты знаешь.

— Знаю.

— Хвать-похвать — Балами сразу не у дел оказался. Нух его и слушать не желает. Теперь Гурган на ухо бормочет, а эмир Нух за ним повторяет. Мол, ешьте-пейте спокойно. Это все, мол, Фарид-мукомол приготовил для вас, но приготовил на мои деньги. На мои средства. Он, мол, и посуду из царской сокровищницы брал. Так что не обинуйтесь. Раньше, говорит, вы намеревались выпить по три чаши мусаласа и расхватать все, что было приготовлено для собрания. Я не Фарид-мукомол какой-нибудь, а ваш законный эмир. Я не приказываю хватать мое имущество, но дарю его вам. Возьмите и разделите между собой поровну...

Шейзар помолчал, как будто припоминая подробности.

— Взяли, сложили все в мешки, поставили печать, вручили доверенному. Гурган говорит... ну то есть Нух говорит... Дескать, Большой сипах-салар Фарид-мукомол задумал злое. И нашел себе возмездие. Мой отец сбился с правого пути — и тоже нашел себе возмездие. Я, дескать, знаю, что вы условились после пиршества отправиться на священную войну против неверных тюрков. В сторону Баласагуна. Но я вам так скажу. Совсем не нужно ехать в сторону Баласагуна, чтобы встретить неверных. Их можно увидеть и гораздо ближе — стоит вам лишь выйти за порог. Священная война стоит у самых дверей вашего дома. Так не будем тратить времени, займемся этой праведной войной!

— О Господи...

— Где бы ни прятались еретики, перебейте всех! Всех карматов-батинитов, батинитов-маздакитов! Хоть в Мавераннахре найдете, хоть в Хорасане. Начнем же с Бухары! А имущество забирайте себе. Все их достояние — ваше.

— Не может быть, — пробормотал Джафар. — Вера верой, но ведь из-за имущества на любого покажут, разве непонятно? Да и кто старые обиды помнит — разве тот сможет удержаться, чтобы обидчика в придуманных грехах не изобличить?.. Нет, не мог эмир такого сказать! Это безумие! Это всех нас погубит!

— Брат, я тебе говорю то, что своими ушами слышал... Назр бы не сказал такого, согласен... а Нух говорит. Гурган бормочет на ухо, а он повторяет во весь голос... И щедрость проявил к верным подданным. Дескать, видите, как я милостив к вам. Все, что было здесь золотого и серебряного, я уже отдал. Завтра, говорит, раздам еще половину казнохранилища. Хочу этой щедростью очистить свое имущество. Ибо отец мой замарал его верой еретиков... Все, что я буду давать вам, — это чистое, осененное истинной верой. А что достояние еретиков — то достойно лишь разграбления. Так не будем терять времени. Допивайте, доедайте, сядем на горячих коней, обнажим верные мечи и поедем вершить Божий суд!

— Господи!.. Муради бы зарезали первым. Хорошо, что его уже нет на этом свете.

— Должно быть, именно по этой причине первым зарезали Мухаммеда Нахшаби, — мрачно сообщил Шейзар.

— Да ты что?!

— Имел неосторожность спозаранку явиться во дворец. Может, и не знал еще ничего, бедолага... Потом притащили ан-Насафи. Этого повесили.

Шейзар пожал плечами.

— Старика ан-Насафи повесили?! Господи!

Джафар вскочил и заметался по комнате.

— Муслим! Одеться дай!

— Куда собираешься? — поинтересовался Шейзар.

— К эмиру!

— Совсем с ума сошел! — с веселым удивлением сказал начальник кавалерии. — Я толкую, что тебе нужно бежать, а ты в ответ хочешь идти к эмиру. Что, решил Нахшаби составить компанию? Жить без него не сможешь? Не на этом свете, так на том?

— Не посмеет! Я — не Нахшаби. Я двадцать лет при дворе. Я — Царь поэтов великого эмира Назра! Я должен его уговорить!

— Кого?

— Нуха.

— Это вряд ли. Только голову на плаху положишь. Нух ничего не решает. А Гурган тебе много чего предъявит. Давно вероотступником не называли?

И вдруг похолодело в груди: что если Гурган оповещен о готовившемся посольстве к Фатимидам? Что если известно: именно он, Джафар Рудаки, Царь поэтов при дворе эмира Назра, должен был его возглавить!

Но в секунду внутреннего замешательства нашлась формула: стоит ли пугать самого себя? Гурган — та еще крыса, но как бы он пронюхал? Балами настаивал, чтобы это ни в коем случае не вышло из круга их троих — эмира, самого Балами и Джафара. А Балами не такой человек, чтобы пускать слова на ветер.

— Не знаешь, визирь жив?

— Балами? Не знаю...

— Господи, что же делается! — он потер лицо и зажмуренные глаза, как будто пытаясь окончательно проснуться. — А что касается веры, то я против никогда не стоял.

— Может, и не стоял. Но сказать, что стоял — да еще как стоял! так стоял, что от натуги весь красный был, — это ведь немного времени займет, — рассудил Шейзар. — Нет, брат, во дворце тебе делать нечего. Я думаю, тебе лучше в Панджруд.

— Куда?! Это не я с ума сошел, это ты с ума сошел! Что мне делать в Панджруде?

— Да ничего не делать. Поживешь себе. Родные места...

— Ну да. Чудный план. Царь поэтов великого эмира Назра бросил столицу и поселился в глухой деревне. Хочет, вероятно, пасти баранов... Вот радость. Нечего мне там делать. Я и здесь не пропаду. Не посмеет он меня тронуть.

Шейзар хмыкнул.

— Брат, я тебе что скажу... я тебя очень уважаю, ты знаешь...

— Да, да. Знаю. Если можно, ближе к делу.

— Нет, ты послушай. Помнишь, как пели соловьи, когда мы были маленькими? Помнишь?

— Ну помню, помню, — раздраженно сказал Джафар. — Дальше что?

— Мы слушали вместе — а слышал ты один, — мягко продолжил Шейзар; его скуластое, жесткое, тяжелое и безжалостное лицо, шрамы на котором были, казалось, следами неудачной попытки придать ему более человеческие черты, светилось сейчас запредельной нежностью. — Ведь я слушал вместе с тобой — но ничего не слышал... Ты говоришь — ты Царь поэтов... это да. Важный титул. Но что титул? Большой сипахсалар — тоже важный титул. А вчера я не задумавшись снял голову Большому сипах-салару. Титул мне не помешал. Титул остался, а человека нет. Наверное, Нух уже кого-то другого наградил этим титулом... Понимаешь, я уважаю тебя не за титул. А потому что я знаю: ты умеешь слышать соловьев. Понимаешь? Я знаю это, потому что рос бок о бок с тобой. Но пойми: я один знаю это... и больше никто. Никому другому до этого и дела нет. Наверное, я путано говорю, но если ты думаешь, что твой титул помешает им...

Послышались встревоженные голоса, звуки какой-то сумятицы, потом дверь распахнулась.

— Господин! Беда!

Ввалившийся в комнату был красен, потен; левая кисть отчего-то замотана платком. За его плечом маячила взволнованная физиономия Муслима.

— Хозяин, дом осадили!

Шейзар вскочил.

— Что?!

— Толпа! Саблями машут! Поджечь грозят! Вас требуют! Едва пробился, хозяин!

— Я их, шакалье отродье!..

С порога оглянулся:

— Брат, прошу тебя! Не ходи никуда. Через час вернусь, вместе уедем. Жди!

И так загремел сапожищами, что лестничные ступени отозвались плачем и вскриками.

ЛУНА

омья мокрой ваты сочились водой — это ползли и ползли на город тяжелые тучи. Холодный порывистый ветер тащил их откуда-то с северо-востока, со стороны Хивы, зыбким войлоком волок по крышам глиняного города, тусклыми полотнищами развешивал на голых ветвях мокрых деревьев... К ночи того пуще: открылась в небе горловина черного мешка — и повалил снег. Как посчитать? — мириады, и мириады, и мириады. Покрывало за покрывалом... пелена за пеленой. Тихая, помертвелая лежала белая Бухара в его холодных объятиях. Чернота ночи, белизна снега, и больше ничего во всем мире — ни звука, ни шевеления...

А утро выдалось ясное, солнечное.

Солнце заиграло на казавшихся такими ровными, плотными, а на самом деле уже ноздреватыми покровами, — и тут же все скривилось и потекло. Где синий сумрак — еще зябко, а на припеке смелые воробьи стрекочут и барахтаются, поднимая из луж такие же мелкие, как сами, такие же мимолетные радуги. Было плоским и мертвым — а стало выпуклым, шершавым, обрело глубину, ослепительно ярко легло на чернильные подложки тени...

Все вокруг — ясное, чистое, золотое и яркое.

И с разных концов города ползут под сине-золотой купол неба многопалые драконы черного дыма.

И вой, вой. Отовсюду вой. Что случилось?

Где-то голосят женщины. То совсем не слышно... то опять доносится... вот снова. Справа?.. слева?.. отовсюду?

— Ой беда, хозяин! — повторял Муслим, озираясь со своей лошаденки. — Это что же делается!

Муслим давным-давно не выезжал с хозяином, на то есть молодые прислужники, заведено как у всех: двое едут впереди, один сзади.

Но нынче уперся: не пущу одного — и все тут!

Дым, дым... Похоже, это из квартала Медников... Дом Шейзара там... не он ли горит? Или где-то рядом?.. Что за безумие, господи!

Центральная часть Регистана пуста, только бесстрашные зеленщицы расхваливают свой укроп. Им деваться некуда — пока будешь бояться, трава завянет...

Справа, где лавки кожевенников, парсов-шиитов, вспыхивает суматоха... кого-то волокут по земле... кричат!.. Бьют ногами... тащат другого...

— Бей неверных!..

— За веру!..

— За истинную веру!..

Громят лавки. И тоже дым...

Стражи у ворот — целый отряд.

Муслим обогнал, подъезжает первым.

— Царь поэтов к эмиру!

Заминка.

Расступаются.

— Что?

— Уважаемый, на лошади нельзя.

— Что случилось?

— Приказ такой, уважаемый.

Досадливо оглянувшись, начал вынимать ногу из стремени...

Еще оставался в седле (и, значит, была возможность передумать: мог бы выругаться, повернуть коня, хлестнуть и умчаться от этих ворот), когда пронзила черная игла предчувствия. Ах, не надо! Прав Шейзар! Бежать! Бежать немедленно!..

Господи, чушь какая! Он Царь поэтов, а не заяц!

Поймал растерянный взгляд Муслима — старик тоже спешивался.

— Куда ты?

— Хозяин!

Муслим шагнул, обнял, прижался костлявым телом.

Господи. На сколько он старше? Года на четыре? На пять?

Слуга моргал мокрыми глазами, по-собачьи глядя, страдальчески морщась и кивая, должно быть, своим собственным надеждам:

— Хозяин! Не ходите! Поедемте домой, хозяин! Очень вас прошу, хозяин! Не надо вам туда!..

Показалось, что в эту секунду неприметно изменились свойства самого времени: поток уплотнился, стал жестче, как будто подготавливая естество к схватке, которую предстояло выиграть.

Господи, ну нету сил смотреть на этого глупого старика!..

— Что ты несешь?! Езжайте, не ждите. Я сам вернусь.

Бросил повод.

Стража расступилась.

Шагнув за порог, невольно оглянулся: Муслим стоял сгорбившись, закрыв ладонями лицо...

Все.

Переходы, галереи... Внутренний двор, где с утра до вечера сидят престарелые вельможи, пуст.

— Куда?

— К эмиру. Царь поэтов!

— Проводи...

Шаги двух стражников за спиной. Никогда такого не было... входил как к себе домой... что же будет-то, господи.

— Ждите.

И тут же из-за занавесей:

— Царь поэтов? Вот как! Ну-ка сюда его, сюда!

— Пройдите, уважаемый.

Что за "уважаемый" еще! Отродясь такого не было!..

В низком поклоне семенящей походкой... у него привилегия: не ползти на карачках, а на своих двоих. Пусть и на полусогнутых.

— Стой, раб!

Это Гурган.

В зале довольно сумрачно.

— Ты что делаешь, раб?!

— В чем дело, господин Гурган?

— Почему не кланяешься эмиру?!

Джафар опустился на колени, прижался лбом к полу. Не поднимаясь:

— О повелитель! (Да, он будет игнорировать Гургана, обращаться прямо к эмиру.) Ваш прославленный отец, солнце Бухары эмир Назр позволил мне ходить в его присутствии... вы хотите отнять у меня это право?

Нух буркнул что-то, вяло махнул рукой.

Гурган перевел:

— Ну что ж. Великий эмир Нух оставляет тебе это право... ты ведь был Царем поэтом... это весомый титул.

— Повелитель, позвольте задать вопрос.

Повелитель молчит. Вместо него снова приближенный:

— Ну?

— О повелитель, почему господин Гурган говорит "был"?

Нух немотствует.

— В смысле?

Стало быть, до эмира не достучаться. Эмира как бы и нет. Есть только господин Гурган. Ну хорошо...

— Вы сказали: "Был Царем поэтом". Я разжалован?

— А ты как думаешь?

— Вряд ли мне стоит в данном случае предаваться каким-либо раздумьям, господин Гурган...

— Не умничай. Тебя придется не только разжаловать... собственно говоря, если голова падает с плеч, разжалование происходит само собой. Поэтому о разжаловании я не думал. Есть вещи более серьезные...

— Еще более серьезные?

— Напрасно усмехаетесь, дорогой Джафар!

Опять, после хамского своего тыканья, взял вежливый тон. Но одновременно и язвительный.

— Бог с вами, господин Гурган, мне совершенно не до смеха. Разве есть более серьезные вещи, чем охота за чинами и наградами?

— Напрасно предполагаете, что я разделю вашу иронию. Если человек, пробившийся к высотам положения, посмеивается над ними, он становится просто жалок.

— Пробившийся? Вы хотите сказать, что я...

— Отталкивали других.

— Отталкивал?

— Интриговал, карабкался изо всех сил... Именно это.

— Гм... кажется, я не был замечен в подобном.

— Да? Это ты так думаешь?

Снова тыкает, скотина. Попробовал бы он прежде тыкнуть... Нарочно выводит из себя. Зачем? Хочет добиться вспышки возмущения. Продемонстрировать эмиру бунтующего раба...

— Да, господин Гурган, это я так думаю.

— И понятно почему: свое-то не пахнет. Не правда ли?

Звон в ушах — это что? Кровь, что ли, хочет вырваться наружу?..

— Вам виднее, господин Гурган.

— Ну что вы, дорогой Джафар. При чем тут я. Я в этих делах не судья. А есть знатоки...

— Кто же это?

— Как кто? Ваши подопечные... вот, например, господин Калами. Кстати, как вы относитесь к творчеству этого уважаемого поэта?

— Видите ли, господин Гурган...

— Не усложняйте, не до того. Можете коротко сказать: да, нет?

— Трудно столь однозначно, поскольку...

— Но вы же рекомендовали его стихи к прочтению перед самим эмиром?

— Да, несколько раз рекомендовал...

— Что значит "несколько"?

— Господин Гурган, вы ставите меня в тупик. Что значит "несколько"? — что обычно.

— Не существует никакого "что обычно". Существуют расхождения. О которых вы, вероятно, и сами знаете.

— Вот именно! — неожиданно произнес эмир высоким, почти детским голосом.

Гурган сделал жест обеими ладонями; в иной ситуации его можно было бы принять за приглашающий, однако сейчас он значил примерно следующее: видите, эмир тоже так считает.

— Например, посланник Аллаха — да благословит его Аллах и приветствует! — сказал: "Несколько лет — это между пятью и семью". Некоторые говорят: "Несколько — это между тремя и семью", а другие — что несколько составляет от одного до четырех. Есть и еще мнение: "Несколько — от одного до семи, девяти или десяти". Иные утверждают, что несколько — это от десяти до двадцати. И также — по десяткам до сотни. А если число превосходит сотню, то это уже не "несколько", а "с лишним"... Согласитесь, все это вносит определенную путаницу.

Гурган помолчал, как будто позволяя слушателям переварить сказанное, затем спросил:

— Так что же насчет Калами?

— М-м-м... В известной степени.

— Что "в известной степени"?

— Ценю в известной степени.

— Ага. Цените. Хоть и с оговоркой. Это хорошо. Свидетельствует в вашу пользу: как о человеке, не вполне еще лишенном чувства справедливости.

Пощелкал пальцами.

— Калами здесь? Позови-ка...

Завесы снова заколыхались.

Калами сразу пал на колени, двинулся вперед, то и дело припадая лицом.

— Ну, ну! Встаньте, дорогой. Эмир разрешает вам стоять в его присутствии... не правда ли?.. Вот видите. Итак. Господин Калами, как вы относитесь к творчеству господина Рудаки? Прежде бывшего Царем поэтов.

— Оно... как бы выразиться... ну, знаете... раздуто все. Слишком уж. Нельзя так. Смешно даже.

— Вы хотите сказать, его значение преувеличено?

— Вот именно, господин Гурган. Вот именно. Как нельзя более верно. Сильно преувеличено. Очень сильно.

— А касаемо веры?

— Касаемо веры — сорняк. Вредный сорняк. Смущающий умы. На него ведь все смотрят, верно? А он вон чего.

— Вы хотите сказать, что так называемый Царь поэтов использовал свое положение, чтобы отвращать людей от истины?

— Вот. В самую точку. Именно так, господин Гурган.

Повисла тишина, в которой высочайшее хиханье прозвучало вполне отчетливо.

— Вот тебе и Царь поэтов! — произнес эмир Нух. — Ничего себе!..

В эту минуту время снова изменило свои свойства: рассыпалось лепестками, закружилось обрывками, безусловно подтверждая обреченность.

Что было дальше?

Кажется, Калами еще много говорил. Суть ускользала, поскольку слова имели небольшое значение. "Не является ли ваше мнение пристрастным? — волновался Гурган. — Теперь, когда мы пытаемся выровнять то, что было искривлено злосчастным эмиром Назром, нам приходится особенно заботиться о справедливости. Не допустим ли мы несправедливость, полностью опершись на ваше мнение?" Калами возможную свою пристрастность горячо отрицал. Но все же признавал разумным призвать в свидетели кого-либо еще. "Например, кого-нибудь из его любимчиков. Верно?" Калами соглашался: "Вот именно, господин Гурган. Хоть бы даже из любимчиков. Согласен, кто-то может заподозрить, что я пристрастен. Конечно, что же. Он меня сколько топтал. Сколько вздохнуть не давал. Хоть я и не помню зла, но все же. Давайте именно любимчиков. Посмотрим, что любимчики скажут".

Эмир помалкивал, однако следил с определенным интересом.

"Джафар, кого бы вы сами хотели услышать? — вежливо осклабившись, спросил Гурган. — Дафтари? Ну что ж. Хорошо. Пригласите!"

Умед Дафтари вошел сразу. Должно быть, уже давно ждал за дверью. Случайность?.. Или этот его выбор оказался так предсказуем?..

"Дорогой Умед, — ласково обратился к нему молодой хаджи. — Как вы относитесь к творчеству Джафара, взявшего себе лакаб *Рудаки* и носившего титул *Царь поэтов* при вероотступном эмире Назре?"

"Джафар Рудаки — мой учитель, — с готовностью сообщил Умед. — В чисто профессиональном отношении у меня не было к нему почти никаких претензий. Хотя, конечно, всякий из нас небезгрешен. Джафар тоже частенько допускал ошибки... м-м-м... поэтического свойства. Стихотворческого. Точность использования слов... подчас и рифма хромала. Я, господин Гурган, всегда с сомнением относился к тому, что его вирши превозносят. Как якобы высокий образец чистоты языка. И поэтичности. Льстецов много, а в поэзии не все разбираются. Да и совести не всем хватает".

"Что вы имеете в виду? Поясните для эмира".

"О повелитель, видите ли... Например, многие хвалят его за то, что ему удается не использовать устаревшие парфянские слова... как будто это так уж важно. Хочешь — используешь, не хочешь — не используешь, все в твоих руках. И с другой стороны, какая разница, говорю я "дерево" или говорю я "драв"? Если не знаешь, всегда можно спросить у кого-нибудь, что это такое... верно? Старые слова придают стихам аромат древности, я так считаю. Слушая старые слова, человек тянется мыслью к древним вершинам мудрости... Или вот еще говорят, что, дескать, он не допускает излишества арабизмов. И не прибегает к местным диалектам. И вроде как все вместе образует некий новый стиль... иные называют его "хорасанским". Ну, на мой взгляд, это все несущественно. Ведь слова есть слова: если человек их без истинной веры произносит, в них все равно толку нет, в каком порядке ни расставь... Или вот некоторых радует, что в его стихах встречается якобы множество всем известных выражений... таких, знаете ли, просторечных... ну, которыми совсем простой народ пользуется. Поговорки всякие... Ну да, допустим, использует. И что? Какая в том заслуга? Лично мне просторечность совершенно не кажется примером высокого поэтического творчества. Наоборот. По-моему, если в чьих-то стихах сплошь такие слова, что присущи козопасам, то, конечно, любой козопас будет распевать их с большой охотой. Но какая в том радость? Что козопас может понимать в поэзии?.. Принято считать, что поэт слышит речи ангелов. Разве ангелы говорят языком козопасов?.. Как ни крути, поэзия — высокое искусство. Для избранных. Потому что если поэзия — для всех, то чем она отличается от ослиного рева?"

"Согласен, согласен... А в отношении веры?"

"В отношении веры Джафар Рудаки тем более не мог быть образцом. Он часто допускал вольности в рассуждениях о вере... и даже о Пророке".

609

"И даже о Пророке! — с удовлетворением повторил молодой хаджи. — Занятно!"

"Кроме того, он сеял смуту в сердца верующих. Распространял мысли о незначительности разницы между разными толками веры... короче говоря, он не старался отстоять истину, как это положено мусульманину".

"Так, так".

"Доходило до крайностей. Как-то раз он прочел набросок стихотворения. Что-то вроде панегирика. Такая, знаете ли, расхожая похвала эмиру Назру..."

"Какое именно?"

"Кажется, оно вовсе не было обнародовано. Не знаю, может, он даже и не дописал. Тем не менее я запомнил следующие строки. Могу прочесть".

"Ну?"

Умед продекламировал два бейта.

Эмир снова хихикнул, и довольно неожиданно.

"*Следуй ясным путем Фатимидов!* — именно так сказано?" — переспросил Гурган.

"Именно так. Кроме того... всего наизусть не помню, но смысл тот, что, дескать, воистину следует возблагодарить Господа за то, что он не дал пророку много детей. Иначе, дескать, не избежать страшной междоусобицы. Дескать, каждый князек, поддерживая того или иного из бесчисленных отпрысков, претендовал бы на власть в халифате".

"Вот как".

"Да... И, конечно, непрестанно толковал насчет того, что в мире веры неверные неизбежны".

"Как бы пытаясь себя тем самым оправдать?"

"Ну да, наверное... Вы очень верно предположили, господин Гурган... я восхищен, ваш светлый ум способен рассеять самый густой мрак загадочности. Вот именно, он всегда хотел оправдаться. Но какое может быть такому человеку оправдание?"

"Что ж. Благодарю. Что скажете, Джафар?"

Отвечал ли он на эти обвинения? Да, конечно, он отвечал... бился как лев... Детали рассыпались лепестками... развеялись. Помнилось лишь то, что происходило в самом конце: он все-таки не стерпел своего унижения, не вынес всей подлости того, что происходило: взорвался, закричал какую-то невнятицу.

"О повелитель! Что с вами делают! Что делает с вами этот хитрый мулла! Зачем вы позволяете этому червю морочить себя! Ваш славный отец сидит в тюрьме! Вас тоже ведут к пропасти! Это гибельный путь, о повелитель!.."

Эмир Нух удивленно хмыкнул.

— Что?.. Что он несет?.. Бога ради, ответь этому назойливому человеку!

— Дорогой Джафар, — устало сказал Гурган. — Ваш последний выпад сам по себе заслуживает смерти. Поэтому, полагаю, в отношении вас никакое наказание не окажется чрезмерным. Что же касается эмира Назра, то великий эмир Нух более чем справедлив к своему отцу. Справедливость выше родственных привязанностей. Ибо родня есть только на земле, а за несправедливость эмир ответит на небесах. Вступится ли там за него его отец-вероотступник? Боюсь, что нет. Ибо эмир Назр — чудовище. Тысячи и тысячи его последующих преступлений меркнут перед тем, что он совершил в самом начале жизни: сначала зарезал родного отца, затем в сговоре с дружком, метившим на пост визиря, отравил индийским ядом своего прилежного и верного наставника — регента Джайхани. Мыслимое ли дело? Этот шайтан в человеческом обличьи не заслужил лучшей участи, чем сдохнуть в темнице от голода и жажды.

— Вот-вот... верно сказал, да, — заблекотал молодой эмир. — Чудище, ага.

— Что же касается вас... Поистине, Аллах не меняет того, что с людьми, пока они сами не переменят того, что с ними. Вы уподобились эмиру Назру — и Господь привел вас к тому же итогу. Полагаю, вы признаёте, что перечень преступлений достаточен, чтобы подвергнуть вас казни. А поскольку, к сожалению, я не смогу наказать вас трижды или хотя бы дважды... — Гурган хоть и невольно, но радостно осклабился: как будто готовился выложить туза, бьющего любую карту. — Постольку рассуждать насчет того, что вдобавок ко всему вы согласились возглавить вероотступное посольство к фатимидскому халифу ал-Каиму, — это пустая трата времени. Возьмите его!

И сделал такой жест, будто отмахнулся от осы, кружившей где-то у подбородка.

* * *

Но настала не смерть, а пустота.

Когда он снова обнаружил себя, в дыру под крышей светила луна.

Это было необъяснимо.

То, что он валяется на полу пустой загаженной камеры, — еще можно понять.

Но почему ночь?

Куда стекло время дня?

Он лежал без чувств? По этой же причине отсрочено усекновение?..

Прошлое волновало больше будущего. Будущее представлялось как никогда ясно, в прошлом же остались загадки.

Скоро придут... он уже в сознании... можно казнить.

Все, что произойдет, представлялось в мельчайших подробностях. Шаги... сопение... тычки... Двор, залитый серебром... Еще толчок, от которого подкашиваются ноги... Последнее — сухой шорох, с каким лезвие меча рассекает стебли лунного света.

Луна пристально смотрела на него. Ее немигающий взгляд был как взгляд доступной женщины.

При последних шагах она так же будет смотреть... и он — жадно всматриваться в ее белый, манящий, с вечными оспинами, лик.

Последний шорох — да, конечно... но луна яркая!.. и улыбается призывно... и что же страшного в этом? Шорох — и тут же тепло разливается по всему телу... жаром бросается в лицо. Да-да: мгновенный жар — а потом легкость, неизъяснимая легкость. Ну конечно: душа отделяется от опостылевшего, исковерканного временем тела, вырывается на свободу... взмывает!.. Как приятно, Господи!.. Как легко!.. Как быстро она летит к луне!.. Ощущение мятного холода во рту... и необыкновенная, необыкновенная легкость: будто весь век тащил какую-то нелепую, тяжелую ношу... с натугой нес... страшился уронить... берег от ударов, от опасных толчков... трясся над ней, изнемогая под тяжестью... Вдруг оступился — и не успел ахнуть, как она, рухнув на землю, разлетелась в куски. И теперь такая легкость, такая упоительная легкость!.. И улыбающаяся луна!.. Вот в чем дело! Не смерть страшна, а только приготовление к ней. Страшит неведомое. Ужасает неизвестность будущего, а не само будущее: когда будущее становится настоящим, оно мирно превращается в прошлое! Ликование, охватившее все его существо при этих ясных, отчетливых мыслях, подтверждало их совершенную истинность... Скорей бы. Скорей.

Так все и случилось.

Протекло в мареве полусознания.

Шаги, грохот, пинки. Дрожь. Радость. Приближение. Вот, сейчас.

И вдруг...

— Не надо! Не надо! Убейте меня! Убейте!

Но его обманули.

Эпилог

Сангимо

К огда она родилась, повитуха не только перерезала пуповину, перед тем в трех местах тщательно перевязанную тряпицей, но и отхватила той же бритвой кончик младенческого уха.

Так делали с детьми рабов. Она к числу таковых не принадлежала, но мать, потеряв первенца, хотела, чтобы следующее дитя было привязано к ней покрепче.

Отныне, бросив взгляд на ее ухо, даже самый тупой и грубый аджина должен был сообразить, что у этой девочки есть хозяин, поэтому стоит как следует подумать перед тем, как причинять ребенку вред.

Для пущей верности ее и назвали так, чтобы имя не могло привлечь недоброго внимания. Или, тем более, вызвать зависть. Сангимо́ — это же просто камушек, серый камушек на дороге, таких камушков не счесть, кому они нужны!..

Крохотный кусочек плоти, отрезанный от мочки, мать проглотила с лепешкой. Что же касается шрама, то он Сангимо не портил, да и заметить его можно было только нарочно присмотревшись.

Теперь она сама должна была родить.

Сначала все было хорошо.

При первых схватках к ней позвали двух повитух — Махрух-момо и Афшон-момо. Это были хоть и преклонных лет женщины, похожие друг на друга будто родные сестры (только одна толстенькая и бегающая по-утиному, вперевалку, а другая сухая, горбатая и на вид твердая, как арчовый корень), но их оживленности позавидовал бы и молодой: то перебивая друг друга, а то подхватывая речь так же естественно, как ветер перебегает по деревьям с одной верхушки на другую, а в результате без умолку треща на два визгливых голоса, они шумно изгнали из дома всех мужчин и детей. Роженицу же посадили поближе к водостоку — чтобы ребенок вошел в мир так же легко и просто, как сбегает с небес на землю дождевая вода.

— Ну, милая, старайся, старайся! — ласково говорила Махрух-момо, похлопывая ее ладонью по смуглой пояснице и приговаривая: — Это не моя рука, это руки Биби Фатимы и Биби Зухро*. Обе они хотят помочь тебе освободиться легко и быстро, ведь не зря велик Аллах!..

А Афшон-момо, сидя перед ней и упираясь своими коленями в ее собственные, толковала, что она, дескать, лучше кого бы то ни было знает, каково это — рожать детей; а потому, хоть Сангимо и не просила ее

---

* Зухро́ — Блистательная. Первоначально эпитет дочери пророка Мухаммада Фатимы. Позднее стал восприниматься как имя самостоятельной святой.

об этом, а все же она давно готовилась к грядущему событию, подбирала что нужно: вот тебе под голову платочек с хорошего мазара, вот тебе на шею ладанку с сильной, очень сильной запиской одного знающего, очень знающего муллы; уж кому, как не ей, разбираться, что к чему, поэтому хоть весь дом ее перерой, хоть саму донага раздень, а ничего не найдешь — и близко нет ни одной вещи, связанной с несчастьем, болезнью, неудачными родами; все у нее чистое, намоленное, белое, счастливое, а потому и Сангимо разрешится от бремени так же легко, как роняет яблоня спелое яблоко, и ребенок ее появится на свет радостно и весело — точь-в-точь как взмывает в небо свободная птица.

Потом бегали к мулле, чтобы он, почитав Коран, подул на воду, и она пила эту воду; потом просила прощения у свекра, свекрови и мужа во всем, чем могла их когда-либо обидеть вольно или невольно. Потом ее переворачивали на живот, и Махрух-момо, крепко схватив за предплечья, трижды встряхивала, как будто пытаясь вытрясти то, что могло в ней застрять. Потом, заставив лечь на одеяло и взявшись за четыре угла (для этого позвали еще двух повитух, добавивших трескотни и бестолковщины), перекатывали из стороны в сторону; и еще клали на край суфы, наказав свесить голову, и опять трясли, но теперь уже держа за ноги...

Толку не было: шли вторые сутки, схватки то усиливались, причиняя новые страдания, то затихали; измученная, обессиленная Сангимо давно отчаялась, давно перестала отдавать себе отчет в происходящем — плыла в знобком тумане, равнодушно дожидаясь, когда уже он наконец рассеется, когда уже дело так или иначе закончится, — но дело все тянулось и не получало разрешения.

Судя по всему, ей предстояло умереть, не став матерью. Это казалось тем более несправедливо, что целых три года после замужества она тщетно стремилась к материнству. И была безмерно счастлива, когда наконец забеременела.

Шодмон не попрекал ее бесплодием. Но ведь ничего вечного нет под луной: если бы она оставалась порожней, отец в конце концов подыскал бы ему вторую жену. Родив, новая избранница сделалась бы центром семьи, а Сангимо... ах, даже думать об этом не хотелось!

Свекровь тоже любила ее, сдерживалась в упреках, но часто сетовала насчет неосторожности родителей, когда-то, по всей видимости, не уберегших девочку от испуга; по ее мнению, именно этот пережитый в детстве страх имел столь печальные последствия: ребенок не мог появиться на свет, прилипал к утробе. Впрочем, она допускала, что бесплодие имеет не естественные причины, а является следствием наговора недобросовестного муллы или влияния злых духов.

Насчет наговора Сангимо сомневалась: кто бы стал этим заниматься, ради чего? Жениха своего она ни у кого не отбивала, в замужестве была послушной: если не знала, в какую сторону молиться — где кибла́, направление на Мекку, — искренне следовала правилу молиться на ту сторону, где сейчас находился муж. К свекрови и свекру относилась с уважением. Кто бы стал тратиться на подарки, чтобы навредить ей?

Сама она, напротив, сколько раз обращалась к мулле со своей бедой. Старик Назригул давал ей кусочки бумаги с написанными на них стихами из Корана или других религиозных книг. Зашитый в тряпицу *тумор* она носила на шее, *дуди* (Назригул скручивал сразу штук пять или шесть, чтобы каждый день за ними не бегать) кидала в черепок с углями и дышала целебным дымом, *таштоб* клала в пиалу с холодной водой, чтобы смылись чернила, и тогда пила лекарство. Дуди и тумор тоже помогали в борьбе с внутренними болезнями, вызванными действием проклятых аджина, но таштоб, несомненно, был куда сильнее.

Много раз она посещала святые места, про которые точно известно, как действует их чудодейственная сила. Обычно это была скала с отпечатком стопы святого, дерево, под которым он спасался от зноя в незапамятные времена, или источник с понравившейся ему водой. Она отдавала подношение мутавали — хранителю мазара, и тот, взяв ее за руку, несколько раз обводил вокруг камня или родника, бормоча под нос благопожелания и просьбы наделить ее ребенком, а то еще, прочтя стих из Корана, легонько ударял ее тяжелой книгой по голове. Уходя, она обязательно отрывала тряпицу от подола и повязывала на ветку ближайшего дерева — лоскуток должен был неустанно напоминать святому о ее слезной просьбе...

Прибегала она и к другим средствам, доказавшим свою действенность: и клала куриный помет на угли от абрикосового дерева, а потом сидела над дымом; и толкла корень дикого клевера — его, сваренный и укипяченный до густоты, полагалось пить натощак наравне с горьким отваром травы шоган; и разбивала яйцо на куске черной кошмы. О многом было неприятно даже вспомнить. В частности, добиваясь отлипания ребенка, повитуха вытягивала ей живот: наливала в кувшин немного молока, бросала кусок горящей ваты, затем опрокидывала, а когда кувшин прилипал, всасывая в себя утробу, трижды поворачивала и тянула кверху. Невозможно было сдержать слезы, но она терпела в надежде на избавление от своего недуга.

Однако ничто не помогало до тех самых пор, пока муж не отвез ее на Серный мазар. Вода в тамошнем водоеме и впрямь пахла серой. Должность мутаввали здесь исполняла насупленная старуха. Они отдали ей подарки. Шамкая и показывая беззубые десны, старуха прочла какие-то стихи Корана. Взяла за руку, трижды обвела вокруг хауза, затем велела раздеться и исполниться веры. Сангимо вошла в воду, сделала три глотка и, нагнувшись, взяла одну за другой три горсти донного песка. Это было самое главное: если бы в песке не нашлось ничего живого, ей пришлось бы распрощаться с последними надеждами... Дрожа и замирая, она обреченно рассмотрела первую горсть жидкой грязи... и еще одну... а в третьей обнаружила серебряного червячка с драгоценными камнями искрящихся глаз! Сангимо так радовалась счастливому червячку, так визжала и прыгала в воде! — даже хмурая старуха-мутаввали усмехнулась, выводя ее на берег, а потом погладила по голове и сказала: "Надейся, девочка!.."

Она почувствовала чью-то ладонь на лбу и застонала, приоткрыв глаза. В кибитке было сумрачно. Афшон-момо присела у постели, протягивая ей чашку с каким-то питьем — должно быть, именно этот резкий кислый запах почувствовала она сквозь забытье минуту назад...

— Что это?

Недавно повитухи сдавленно ссорились у очага: одна твердила, что шакалья трава убьет бедную девочку; другая стояла на своем, твердя, что на все воля Аллаха: роженица и так уже одной ногой в могиле, но без шакальей травы она как пить дать отдаст богу душу, а шакалья трава, глядишь, и приведет к благополучному исходу; Сангимо в своем забытьи ничего этого не слышала.

— Выпей, радость моя, выпей... вот так... вот так... отдохнула немножко?

— Сейчас...

Сангимо снова закрыла глаза. Сейчас... она еще чуточку передохнет... и тогда уж... потом... все будет хорошо... У нее родится мальчик... здоровый веселый мальчик... он никогда не будет болеть.

Да, да!

Когда наконец это случится, начнется совсем иная суматоха — приятная, праздничная. И повитухи получат свои подарки — за хорошо сделанную работу, и сельчане, первыми пришедшие к отцу, с поздравлениями, и мулла... тоже приковыляет, чтобы пробухтеть в младенческое ухо азан и тем самым приобщить ребенка к исламу... В доме будет куриться рута и сухие стебли болотного лука, запах которого так хорошо веселит духов предков, заодно отгоняя нечистых аджина... На третий день свекровь поможет ей сшить и надеть на ребенка первую рубашку: сначала в нее полагается нарядить веник, да проследить как следует, чтобы, не приведи господи, ни рукава, ни подол не были подшиты... сама она будет лежать счастливая, по праву принимая положенную ей сейчас пищу — мучной кисель на молоке, халву из тутовой муки... К ней будут тянуться соседки, соседские дети... да любой может зайти, чтобы поздравить с таким событием: "Да будет благословен новый гость!.. пусть его догонят еще тричетыре брата!.. пусть долго живут с ним отец и мать!.. пусть продлится и его жизнь!.. пусть и у него будет много детей!.. ведь не зря так велик Аллах!.."

Женщины, что пообеспеченней, дадут ей за смотрины по куску материи... или по мешочку тутовых ягод, орехов... Конечно, и папа с мамой поспешат ее навестить: отец привезет баранью тушу... стопу лепешек... мешок сушеного урюка... Всех их придется угостить как положено: супом с тыквой, свежим хлебом, куртом, молочной похлебкой... А в конце концов к дому съедутся, заранее сговорившись, мужчины, станут требовать, чтобы Шодмон устроил козлодрание... ну и даст им счастливый Шодмон козла, никуда не денется... Через неделю ее отец доставит колыбель вместе со всем полагающимся прикладом: одеяльцами, набитыми просом подушками — маленькими, в размер кулака. И снова праздник, снова подарки, поздравления!.. А потом еще наречение имени!.. сорокадневие!.. а потом он сядет!.. сделает первые шаги!.. Господи, сколько радости!..

Вдруг ее пронзил испуг — а если заболеет?

Сангимо застонала, невольно сжавшись.

Как страшно!..

Конечно, она будет делать все, чтобы этого не случилось.

В первую очередь, конечно, придется остерегаться покойников.

Нельзя ходить в дом, где кто-нибудь умер.

Она не пойдет... силой не заставят! Но этого мало, пожалуй. Нужно еще до сорокадневия испечь *хлеб семи дверей*: обойдет семь домов, где живут замужние женщины... важно, чтобы ни одна из них не была замужем по второму разу!.. выпросит у каждой по горсти муки, испечет большую круглую лепешку. Женщины придут, вырежут в лепешке большой круг, встанут в ряд. Первая возьмет ребенка на руки и просунет его в отверстие, приговаривая: "Во имя бога милостивого и милосердного!.. пусть отстранит от тебя огорчения и болезни!" Наклонившись, пронесет дитя между расставленными ногами... и передаст следующей, стоящей за ней... и так все семь друг за другом. И повторят все заново, и еще раз... а говорят, чтобы хорошо подействовало, надо не трижды, а семижды это сделать... вот ведь как.

Сразу после этого две девочки должны отнести дитя на кладбище и оставить в старой могиле... в сухой обвалившейся яме... А вдруг там прячется змея или скорпион?.. Но даже если нет никого — а вдруг испугается?.. вдруг ему станет страшно?.. решит еще, что навсегда бросили!.. У нее сжалось сердце, и тут же она радостно всхлипнула, увидев, как третья девочка уже спешит по другой дороге, чтобы забрать ребенка и принести домой... только не оглядываться!..

нельзя оглядываться!.. А тем временем женщины съедят с молоком середину лепешки — ту самую, что вырезали, когда делали дырку... а остаток одна из девочек тут же понесет, кинет в ту же могилу и быстро уйдет... быстро-быстро уйдет с кладбища!.. прямо со всех ног убежит она от той могилы!.. и не оглядываться, ни в коем случае не оглядываться!..

Это все очень помогает... сильно помогает... А еще хорошо, когда кто-нибудь умер, измерить младенца сложенной всемеро ниткой, потом взять камышинку с него ростом, нитку намотать на камышинку и тайком положить в саван перед самым выносом... Тоже сильно помогает, очень сильно... бабушка когда еще говорила... если так делать — он не заболеет... никогда не заболеет... будет здоровый, веселый...

Сангимо улыбнулась в своем бессознании, увидев, как счастливое ее дитя, смеясь, тянет к ней ручки...

Нет, нет... не заболеет!..

Но если все-таки?!

Если все-таки это случится?!

И снова ее пронизала судорога несчастья — прошла по ней от самых пяток до кончиков волос на мокрой от пота голове...

Как же так?

Что делать?!

Сколько опасностей его подстерегает!

Может быть, и на самом деле лучше, чтобы он не родился?..

Конечно, мудрые люди знают много способов избавить ребенка от покушений злых сил... особенно старики много знают... да, да... отдать его на время в другую семью... только чтобы все дети там были здоровы... а вместо него около матери положить пест... или замотанный в тряпки веник. Явится дэв, чтобы дать грудь ребенку, и натолкнется на холодный камень или колючий веник. И убежит, подумав, что ребенок умер... и больше не придет... Для этого же дитя и в решето кладут... дэвы глупые — боятся решета, убегают... А еще покупают своего ребенка: отдадут тайком соседям, а потом приходят за ним с шумом, с гамом, чтобы все видели, все слышали: вот они какие богатые, пришли ребенка покупать!.. Продай да продай: звенят серебром, торгуются... дэва это сбивает с толку, никак не может он сообразить, чье это дитя... путается-путается, да в конце концов плюнет с досады и улетит по своим делам.

Еще хорошо под волчьей шкурой протаскивать. И под взмыленной лошадью. Лошадь — потомок дэва: три раза проносят младенца между ее ног — а дэв думает, что опоздал дать свою грудь, новорожденный уже из лошадиного вымени насосался... Сидит на камне, сутулясь, огорченно мотает косматой башкой, болтаются семьдесят его тощих грудей: кой толк теперь соваться? — надо другую жертву искать.

— Сангимо! Очнись!

— Что?

— Очнись, золотая моя! Надо тебе еще постараться! На-ка вот, выпей... вот так, радость ты моя бедная!.. Не бойся, птенчик ты мой, все будет хорошо!

Разве она боится?.. чего ей бояться?.. Вот питье противное — это да... А бояться ей нечего. Она уже решила: не нужно маленького, нет. Ни к чему. Очень много страхов. Слишком много опасностей. Как уберечь? Вот он заболел — и что делать? Как быть?.. Можно, конечно, положить его в колыбель здорового ребенка... но кто позволит? Чужой ребенок исцелится, а свой заболеет — вот и радуйся... кому это нужно? Говорят, некоторые даже крадут... возьмут тайком подушечку или одеяльце у здорового — и положат к своим... А есть еще хуже — придут к ребенку... к матери его... вроде как навестить... с ее здоровеньким дитятей посюсюкать... Мать отвернется — они синюю тряпочку и подсунут в колыбель. А вместе с этой тряпочкой и болезнь своего собственного ребенка оставят. Только тряпочка должна быть обязательно синяя... синяя-синяя!..

Сангимо застонала, подумав, что, быть может, она не уследила и какая-нибудь злая женщина уже подложила в колыбель ее сына синюю тряпочку. Как страшно!..

— Что ты? Просыпайся! Просыпайся, золотце! Трудись! Трудись!

— Не надо, — с мукой сказала она, раскрывая глаза. — Бабушка, родная, прошу тебя, не надо!..

ПАНДЖРУД

еравкан поднес ладонь ко лбу, присматриваясь.

— Что-то они там затеяли такое, в этом вашем Панджруде...

Кармат сидел возле слепого и, помаргивая, тоже глядел в сторону села.

— Что затеяли?

— Да вон... Мужик на крышу залез... не пойму... сумасшедший какой-то. Костер, что ли, разводит?

— Да ты что? — удивился Джафар. — В хороший день пришли! Это у нас исстари заведено. Значит, в доме ребенок родился. Если светлый огонь, легко родился, быстро к людям пришел. Если дымный...

— Вот сейчас дымный стал...

— Значит, роды трудные были. Но все, слава Господу, хорошо кончилось... Должен еще шестом махать с тряпицей... машет?

— Машет... орет что-то... слышите?

— Ну да, голосит... Оповещает сельчан. Мол, так и так, готовьте подарки. Приходите поздравлять нового человека...

Он замолчал, склонив голову. Потом неожиданно спросил:

— Шеравкан, ты видишь гору справа? Горбатая... на вершине, наверное, еще лежит снег.

— Ну да, — Шеравкан сощурился, разглядывая белые шапки, плывущие в пронзительно синем небе.

— Мы звали ее Собачьей горой... не знаю, почему... может быть, и сейчас ее так зовут. Я любил на нее смотреть. Правда, красивая?

Шеравкан пожал плечами.

— Красивая...

Джафар покивал.

Его охватила странная горечь.

Вот он вернулся... а здесь все как прежде. Молодые горы сияют белизной снегов.

Он — старик, а они по-прежнему молоды...

Когда уходил, он тоже был молод.

Он был молод и ослепительно чист: прозрачен и крепок, будто кристалл горного хрусталя.

Но жизнь оказалась крепче. Жизнь крепче всего на свете: крепче кварца, рубина... Даже крепче алмаза.

Жизнь оставила множество щербинок, сколов, сломов, раковин... и если теперь этот кристалл бросить в дорожную пыль, его уже не отличишь от булыжников...

Горечь, да.

В сущности, непростительная в его возрасте...

Он вздохнул.

— Ладно, что ж.... Ничего не поделаешь.

— Вы о чем? — спросил Шеравкан.

— Я? Я говорю: слава Аллаху — мы дома!.. Слышишь, Кармат?

И потрепал пса по загривку, как будто пытаясь внушить ему эту простую мысль.

* * *

И точно — когда они вошли в кишлак, то первое, о чем узнали, это что все, слава Аллаху, кончилось благополучно: как ни мучилась бедняжка Сангимо, как ни боялись за нее, а все же разрешилась, и счастливый отец Шодмон, от радости не помещающийся в собственную кожу, с самого утра счастливо горланит, созывая всех на угощение...

А теперь третий день шел дождь, и третий день они жили-поживали в одной из бесчисленных пристроек неохватного жилища старого дихкана Хакима — да отведет ему Господь самое светлое место в одном из своих чудных садов!.. Густое, слитное, медленное течение бездельного времени сладило на языке. Долго спали; проснувшись, никуда не спешили. Афсона и Зарина, шустрые невестки нынешнего владетеля Панджруда дихкана Афшина, раз по восемь на дню раскидывали дастархан, уставляя его самыми свежими яствами — и парным молоком, и кислым, и нынешним хлебом, и вчерашним, и сухим куртом, и размоченным, и тутовой похлебкой, и мучной, и вареной редькой, и печеной, и кинзой, и укропом, и черной травой, и фиолетовым базиликом, и просяной кашей, и пшеничной, и ячменной затирухой, и чечевичной, и тыквенным пирогом, и луковым, и вареным мясом, и жареным — так что Джафар уже к вечеру первого дня заявил, что, если это издевательство не прекратится, он зашьет себе рот сапожной дратвой. Дихкан Афшин то и дело к ним заглядывал. Первое время всякий раз не мог удержаться от слез, глядя на брата (долго считали, путались, остановились в конце концов на том, что двоюродные). Потом вроде попривык.

Третий день шел дождь, было сладко прислушиваться к тому, как вкрадчиво шуршит вода, стекая по соломенной крыше, как, погромыхивая, ворочается туча в сизом ущелье, как помыкивает скот в хлевах. Пахло хлебом, мокрой шерстью, огнем, трещавшим в очаге. И все, что происходило все эти три недели... да нет, уж почти четыре: вся их долгая дорога, все разговоры, все люди — да! чуть не забыл: буквы! — все это уже казалось медленно истаивающим в глазах мимолетным видением: вроде как посмотрел на пламя, зажмурился — и вот уже медленно гаснут под веками красные пятна... и только самые яркие из них еще долго отзываются в душе.

Вчера случилось то, чего Шеравкан не то чтобы ждал, не то чтобы был уверен, что случится, а просто, когда случилось, вовсе не удивился: как будто случившееся отвечало каким-то его тайным ожиданиям: явился знаток поэзии Санавбар.

Привела его Зарина: учитель, дескать, вас тут какой-то человек спрашивает...

Кармат взлаял. Шеравкан вышел глянуть. Положив лапы на плечи, пес жарко и радостно облизывал пришельца. Санавбар кряхтел и несмело отбивался.

— Здравствуйте, учитель, — горестно сказал он, войдя.

— Кто это? — спросил Джафар, вскидывая голову.

— Это Санавбар, — пояснил Шеравкан. — Он вернулся.

— О! — удивленно и весело сказал слепец. — Вот это да! Знаток поэзии! Декламатор "Калилы и Димны"! Слушайте, а мне вас не хватало.

— Не смейтесь, учитель, — тускло произнес Санавбар.

Выглядел он дурно: худ, бледен, мокрый насквозь.

— Вот, возьмите...

— Что такое?

— Санавбар кошелек отдает, — пояснил Шеравкан.

— Я ничего не потратил, — сказал Санавбар. — Тот динар, что вы мне сами дали, разменять не смог. Обратно положил... А все остальное как было. Я считал — сорок девять. Там еще записка... Прочесть?

— Записку-то? — переспросил Джафар. — А зачем? Пускай Шеравкан прочтет.

Санавбар изумленно заморгал, а Шеравкан задохнулся.

Несомненно, настала минута торжества, и было страшно испортить ее.

Кто писал?.. а вдруг не разобрать ничего?.. Он-то по хорошим прописям учился. Джафар в одном кишлачке попросил тамошнего муллу-каллиграфа написать на листе две суры... а тут что? Он в жизни своей ничего, кроме этих двух сур, за время их странствий намертво впечатавшихся в сознание, не читал!

Пальцы дрожали. Вынул, развернул. Вязь прыгала в глаза, строки путались одна с другой.

— Не волнуйся, — мягко сказал слепец. — Читай спокойно.

— Здравствуй, брат! — хрипло сказал Шеравкан. И то, что он понял первые буквы, написанные чужим, неведомым ему человеком, то, что буквы несли простой и ясный смысл, который сразу, без сопротивления и упрямства, без никчемных упирательств и тягомотных догадок, открылся ему, наполнило его восторгом и уверенностью.

— Здравствуй, брат! — повторил он. — Я горюю о твоем несчастье. Все это время я прятался в Бухаре. Теперь грозит опасность. Меня ищут. Я вынужден уйти в Хиву. Как только смогу, приеду в Панджруд. Очень многих нет теперь с нами. Слышал, что и твой Муслим погиб. В Бухаре страшное время. Я обязательно найду тебя. Прощай, брат. Молюсь за твое благополучие...

— Вот как, — пробормотал слепой. — Так это от Шейзара!.. Бедный Муслим.

— Дай-ка проверю, — протянул руку Санавбар.

— Нечего тут проверять, — буркнул Шеравкан, пряча листок.

— Как же нечего! — возмутился тот. — Мы с тобой когда впервые встретились, ты "алеф" от "вава" не мог отличить! А теперь вон что — якобы читаешь! Да разве люди так быстро учатся?!

— Вот если бы вы меня учили, тогда б я точно, чего доброго, задом наперед читал, — уел его Шеравкан. — А у меня хороший учитель. Не чета другим!

Санавбар начал краснеть и надуваться.

— Хватит вам! — вмешался Джафар. — Что такое, в самом деле! Расскажите лучше, дорогой, куда вы пропали, — ласково попросил он. — Шеравкан, шумни там, чтобы поесть что-нибудь принесли нашему несчастному страннику. Да и переодеться надо, наверное...

Стоило заикнуться, как хлопотуньи невестки натащили вороха сухой одежды, плошки с горячим молоком, свежие лепешки, посулили скорое угощение пооснIf... пооснновательней.

— От чего тут не погибнешь, так это от голода, — усмехнулся Джафар. — "Сейчас немножко покушаем, потом кушать будем!" Рассказывайте.

Санавбар уже давился хлебом и обжигался молоком.

— Да что рассказывать... За вами шел. Вы уйдете — я прихожу... мне взахлеб толкуют, какая у них радость... Сам Царь поэтов, сам Абу Абдаллах Джафар Рудаки у них на ночлег останавливался... Ну, тоже переночую. Потреплюсь, как обычно. Покормят меня... Утром без спешки в путь собираюсь. Вы полдня идете, а мне всего ничего... Скучно мне было без вас, учитель.

Джафар хмыкнул.

— А что же раньше не вернулись?

Санавбар пожал плечами.

— Да стыдно как-то... думал, вы браниться станете. Ведь нехорошо, что я убежал... да еще деньги эти, будь они прокляты.

— Спору нет, нехорошо, — согласился Царь поэтов. — Но что толку вечно сокрушаться? Надо было прийти к нам... покаяться. Да и дело с концом.

— Я хотел, — вздохнул Санавбар. — Не получалось.

— Ну, что делать. Не знаю, как бы я сам на вашем месте... Деньги воровать я бы, конечно, не стал... думаю, что не стал бы... а там-то кто его знает. Но уж если бы украл, то... Впрочем, тоже не знаю. Но, скорее всего, не стал бы долго терзаться. Какой смысл? Единственное, что мы можем, это покаяться и забыть свои грехи как можно скорее. Все равно ведь они остаются зарубками: так я уже грешил, больше не надо... так тоже грешил, теперь не стоит. Верно?

— Это вам только так кажется, — возразил Санавбар. — В ад-то всякому страшно попасть.

— Кажется!.. — усмехнулся Джафар. — Вы правы, конечно: если б мне не казалось, так я, согласитесь, и не говорил бы об этом. А что касается ада, то в какого бога ни верь, дорога одна. Если способен думать, чувствовать, быть великодушным и не гневаться — ты и так в раю, и будущее не должно тебя пугать. А если нет, то и ад тебе не страшен, потому что ты и без того в нем.

— Это истина? — спросил Санавбар.

— Кто его знает, — вздохнул Рудаки. — Каждый человек хочет найти истину. Но, похоже, к ней нет доступа из-за обилия ищущих...

* * *

Он сидел у распахнутых ворот на трухлявой ольховой колоде. Ласковое утреннее солнце румянило кожу на лбу, и борода тоже отливала розовым. Вытянув ноги, откинувшись спиной на стену, покойно сложив руки и закинув голову, слепец, казалось, даже не прислушивается к тому, что происходит вокруг.

Между тем дихкан Афшин и слушать не захотел, чтобы Шеравкан совершал обратный путь пешком. У столба уже стояли две оседланные лошади. На одной сидел парень из челяди, которому было поручено, отвезя гостя в Бухару, вернуть домой обеих. Хлопотуньи Афсона и Зарина совали какие-то добавочные кульки в набитые провизией и подарками хурджины.

Шеравкан подошел, молча остановился.

Джафар наклонил голову, прислушиваясь. Улыбнулся, встал, оперевшись о посох.

Протянул руку, нащупывая. Шеравкан помог. Пальцы слепого коснулись его щеки.

— Все-таки жаль, что я не могу увидеть твоего лица, — задумчиво сказал он. — Мне кажется, оно должно быть открытым и приветливым...

— Я вернусь, — сказал Шеравкан. — Я вернусь, Джафар.

Джафар улыбался.

Ну да, все так.

Прошлое когда-то было будущим. И будущее когда-то станет прошлым.

Все это уже много раз было. Сначала — будущим, потом — прошлым. Потом — снова будущим.

Я вернусь!.. Эти самые слова он сказал когда-то, глядя в выцветшие, но зрячие очи своего деда — старого Хакима.

Тот жемчужный, тот манящий туман, которым представлялась ему тогда собственная жизнь, — он уже почти рассеялся. Ему удалось миновать его, пройти сквозь... и что осталось? Только бисеринки влаги на плечах.

Шеравкан не может заглянуть в его слепые глаза. Должно быть, вместо этого он смотрит на его наглазную повязку. И, наверное, кусает губы — так же, как когда-то он сам...

— Конечно, я буду ждать тебя, — кивнул Джафар. — Я буду ждать, правда. Но ты не торопись, мальчик мой. Жизнь так широка и...

Голос дрогнул, ему пришлось сделать вид, будто поперхнулся. Неспешно откашлялся, вытер губы ладонью.

— Жизнь так широка... и так заманчива, что любое обещание может оказаться неисполненным. Честное слово, я не обижусь.

Санавбар, растроганно кивая, стоял за его плечом слева. Правую руку слепой положил на загривок мощного пса.

Они простились.

И не увиделись больше.

Шеравкан исполнил свое обещание — он вернулся в Панджруд.

Но это случилось нескоро.

И когда он пришел сюда снова, над могилой Царя поэтов цвела яблоня.

ЗАМЕЧАНИЕ АВТОРА

Поскольку автор ставил перед собой задачи преимущественно художественного характера, роман "Возвращение в Панджруд" ни в коей мере не может претендовать на роль научного исследования, результатом которого является новая информация, достоверная с фактологической точки зрения.

Добиваясь убедительности реконструкций давно минувшего в глазах современного читателя, автор руководствовался в первую очередь принципом актуализма — в самом широком его толковании, то есть полагая, что главные чувства, желания и чаяния людей на протяжении многих веков остаются неизменными. В вину ему может быть поставлено то, что подчас он наделял кое-какие собственные выдумки статусом непреложных исторических событий — однако лишь в тех рамках, в которых подобные вольности ни в коей мере не могут нарушить совокупность достоверных исторических фактов.

Литературно-художественное издание

Андрей Волос
Возвращение в Панджруд

Ответственный редактор Максим Амелин
Верстка: Константин Москалев

ОБЪЕДИНЕННОЕ ГУМАНИТАРНОЕ ИЗДАТЕЛЬСТВО
109028, Москва, Покровский бульвар, д. 14/6.
Факс/тел.: +7 (495) 626-24-70; e-mail: izdatelstvo.ogi@yandex.ru

Книги издательств ОГИ и Б.С.Г.-Пресс можно приобрести:

В РОЗНИЦУ В МОСКВЕ
— Книжный магазин "Москва", м. "Пушкинская", "Тверская",
  ул. Тверская, д. 8. Тел.: (495) 629-64-83, 797-87-17.
— ТД "Библио-Глобус", м. "Лубянка", ул. Мясницкая, д. 6/3, стр. 1.
  Тел.: (495) 781-27-37.
— Московский дом книги, м. "Арбатская", ул. Новый Арбат, д. 8.
  Тел.: (495) 789-35-91.
— Дом книги "Молодая Гвардия", м. "Полянка", ул. Большая Полянка,
  д. 28. Тел.: (495) 238-50-01.
— Книжный магазин "Фаланстер", м. "Пушкинская", "Тверская",
  Малый Гнездниковский пер., д. 12/27. Тел.: (495) 629-88-21.
— Сеть магазинов «Республика». Тел.: (495) 251-65-27.

В РОЗНИЦУ В САНКТ-ПЕТЕРБУРГЕ
— Санкт-Петербургский Дом книги, м. "Невский проспект",
  "Гостиный двор", Невский проспект, д. 28. Тел.: (812) 448-23-55.
— Сеть магазинов "Буквоед". Тел.: (812) 601-0-601.
— Книжный магазин "Все свободны", наб. Мойки, 28.
  Тел.: +7 (911) 977-40-47.

ОПТОМ
— КД "Б.С.Г.-Пресс", Москва, Покровский бульвар, д. 14/6.
  Тел. (495) 626-24-72; +7 (915) 110-36-50.
— "А. Симпозиум", Санкт-Петербург, 20-я линия В. О., д. 5/7.
  Тел. (812) 325-66-61.

Подписано в печать 14.1.2014. Формат 84×108¹/₃₂. Объем 20 печ. л.
Бумага офсетная. Печать офсетная. Тираж 2000 экз. Заказ № ВЗК-00963-14.

Отпечатано в ОАО «Первая Образцовая типография»,
филиал «Дом печати — ВЯТКА» в полном соответствии
с качеством предоставленных материалов
610033, г. Киров, ул. Московская, 122
Факс: (8332) 53-53-80, 62-10-36
http://www.gipp.kirov.ru; e-mail: order@gipp.kirov.ru